GRIEBEN-REIS

Originelle und liebenswerte Museen in Deutschland

GRIEBEN-VERLAG GMBH
STUTTGART · WIEN · BERN

Informationen

über einen Ort oder eine Region von den zuständigen Auskunftsstellen, Verkehrsbüros, Kurverwaltungen und Gemeindeämter.

Sport

Bademöglichkeiten, Tennis, Reiten, Golf, Wassersportangebot und Angaben zum Wintersport.

Sehenswertes

Museen, Kirchen, Schlösser, Burgen, Parkanlagen, besondere Architektur.

Veranstaltungen

Theater, Konzerte, Heimatabende, Hobbykurse, organisierte Stadtrundfahrten, Wanderungen oder Ausflüge.

In der Umgebung

Spaziergänge, Wanderungen, kurze Ausflüge oder Rundfahrten von einem Standort aus.

Bearbeitung des Bandes: Dr. Udo Moll
Pläne und Zeichnungen: B. + F. Lerche

Redaktionsanschrift:
Grieben Verlag
Verlagsgruppe Fink-Kümmerly + Frey
Zeppelinstraße 29-31
D-7302 Ostfildern 4

Printed in Germany
ISBN 3-7744-0407-0

Vorwort

Deutschland liegt in der Mitte Europas. Diese günstige geographische Situation hat sich seit Urzeiten auf die geschichtliche Entwicklung unseres Landes ausgewirkt. Spätestens seit der Römerzeit entwickelte sich der Raum des heutigen Deutschlands zu einer Art Verkehrsdrehscheibe im Herzen der »Alten Welt«, die von den unterschiedlichsten Völkern und Volksstämmen »benutzt« wurde. Und alle hinterließen sie mehr oder weniger deutliche Spuren in den deutschen Geschichtsbüchern. Und nicht zuletzt deshalb drangen von überall her Neuerungen und fortschrittliche Ideen rasch nach Mitteleuropa vor, so daß sich Deutschland zu einem Vorreiter der Industrialisierung auf dem europäischen Festland entwickeln konnte. So ist es auch nicht weiter verwunderlich, daß heute eine unübersehbare Anzahl hochinteressanter Museen auf Besucher wartet, die in die Vergangenheit zurückblicken möchten, die Gegenwart besser begreifen lernen oder aber voraus in die Zukunft schauen wollen.
Selbstverständlich konnten deshalb nicht alle Museen unseres Landes in diesem Buch ihren Platz finden. Der Umfang hätte ganz einfach nicht ausgereicht. Die Redaktion hat sich deshalb bemüht, ihren Lesern eine umfangreiche – aber sicherlich auch subjektive – Auswahl an Museen zusammenzustellen, über die Sie wichtige Einzelheiten erfahren, die bei der Planung eines Museumsbesuches hilfreich sind. Wo auch immer Sie gerade unterwegs sind – zwischen Nordsee und Alpen: stets finden Sie mehrere lohnende Ziele ganz in Ihrer Nähe. Die unserer Meinung nach volkstümlichsten und sehenswertesten Museen haben wir im Text durch Umrahmungen hervorgehoben, um so unseren Lesern die schnelle Benutzung des Buches zu erleichtern. Das Stichwortregister am Schluß des Bandes enthält die wichtigsten der hier vorgestellten Museen in alphabetischer Reihenfolge und soll dem Leser als kleiner Wegweiser durch die schöne Welt der Museen dienen. Verlag und Redaktion wünschen Ihnen viele schöne Museumsbesuche und viel Freude bei der Benutzung dieses Buches.

Inhaltsverzeichnis

Keitum a. Sylt
Wenningstedt
Niebüll
Glücksburg
Flensburg
Wyk
Nebel
Hooge
Husum
Schleswig
Burg a. Fehmarn
Friedrichstadt
Laboe
Schönberg
Rendsburg
St. Peter-Ording
Kiel
Wesselburen
Preetz
Heide
Eutin
Meldorf
Neumünster
Burg in Dithmarschen
Neustadt
Lübeck
Glückstadt
Ahrensburg
Ratzeburg
Neuharlingersiel
Jever
Bremerhaven
Stade
Hamburg
Marienhafe
Mölln
Aurich
Wilhelmshaven
Reinbek
Emden
Lauenburg
Brake
Jesteburg
Winsen/Luhe
Bad Zwischenahn
Worpswede
Weener
Oldenburg
Fischerhude
Wilsede
Lüneburg
Dahlenburg
Rhauderfehn
Bremen
Rotenburg/Wümme
Verden
Hermannsburg
Sögel
Cloppenburg
Fallingbostel
Hösseringen
Bruchhausen-Vilsen
Walsrode
Bergen
Wietze
Celle
Lembruch
Burgdorf
Gifhorn
Hannover
Bad Bentheim
Mettingen
Osnabrück
Minden
Bückeburg
Braunschweig
Königslutter
Bünde
Bad Oeynhausen
Hildesheim
Wolfenbüttel
Hameln
Bad Rothenfelde
Vreden
Bielefeld
Lemgo
Schöppenstedt
Münster
Telgte
Bad Pyrmont
Hämelschenburg
Warendorf
Bodenwerder
Bockenem
Oerlinghausen
Detmold
Schieder-Schwalenberg
Seesen
Goslar
Raesfeld
Haltern
Horn
Werl
Holzminden
Clausthal-Zellerfeld
Lembeck
Corvey
Boffzen
Recklinghausen
Paderborn
Osterode
St. Andreasberg
Dortmund
Soest
Essen
Göttingen
Bochum
Menden
Warstein
Duderstadt
Krefeld
Velbert
Iserlohn
Arnsberg
Arolsen
Calden
Mettmann
Hagen
Balve
Willingen
Wuppertal
Altena
Rams-beck
Kassel
Düsseldorf
Lüdenscheid
Korbach
Solingen
Remscheid
Waldeck
Eschwege
Burg a. d. Wupper
Attendorn
Fritzlar
Bad Wildungen
Leverkusen
Bad Berleburg
Wiehl
Köln
Nümbrecht
Ziegenhain
Bad Honnef
Siegen
Bad Hersfeld
Amöneburg
Marburg
Zülpich
Bonn
Alsfeld

(mit Berlin)

Museen in Deutschland

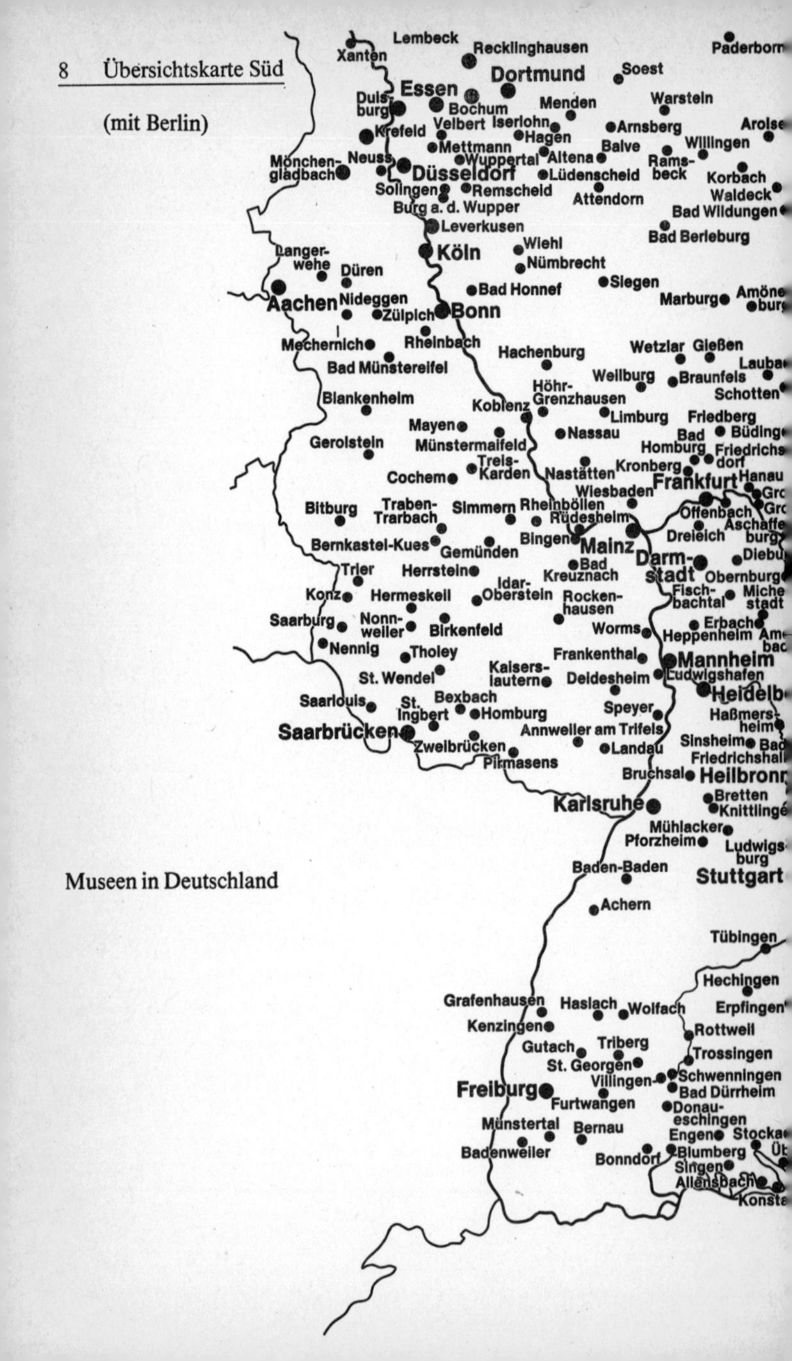

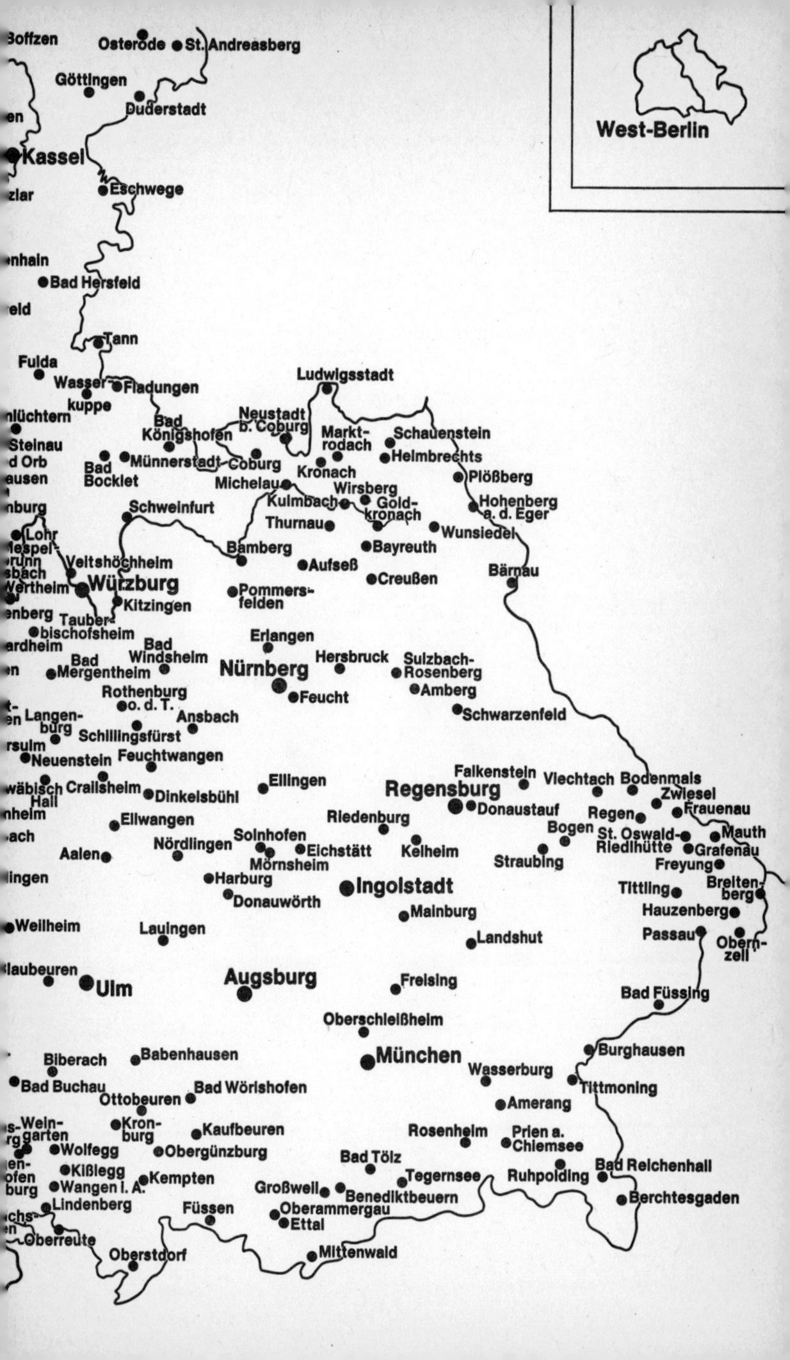
West-Berlin
Osterode
St. Andreasberg
Göttingen
Duderstadt
Kassel
Eschwege
Bad Hersfeld
Tann
Fulda
Wasser-
kuppe
Fladungen
Ludwigsstadt
Bad
Königshofen
Neustadt
b. Coburg
Markt-
rodach
Schauenstein
Helmbrechts
Steinau
Bad
Bockiet
Münnerstadt
Coburg
Kronach
Michelau
Plößberg
Wirsberg
Kulmbach
Gold-
kronach
Hohenberg
a. d. Eger
Schweinfurt
Thurnau
Wunsiedel
Lohr
Bamberg
Bayreuth
Veitshöchheim
Aufseß
Bärnau
Wertheim
Würzburg
Creußen
Pommers-
felden
Kitzingen
Tauber-
bischofsheim
Erlangen
Bad
Windsheim
Bad
Mergentheim
Nürnberg
Hersbruck
Sulzbach-
Rosenberg
Amberg
Feucht
Rothenburg
o. d. T.
Schwarzenfeld
Langen-
burg
Ansbach
Schillingsfürst
Neuenstein
Feuchtwangen
Falkenstein
Viechtach
Bodenmais
Crailsheim
Ellingen
Regensburg
Zwiesel
Dinkelsbühl
Donaustauf
Regen
Frauenau
Ellwangen
Riedenburg
Bogen
St. Oswald-
Riedlhütte
Mauth
Solnhofen
Nördlingen
Eichstätt
Kelheim
Straubing
Grafenau
Aalen
Mörnsheim
Freyung
Harburg
Ingolstadt
Tittling
Breiten-
berg
Donauwörth
Hauzenberg
Mainburg
Weilheim
Lauingen
Landshut
Passau
Obern-
zell
Ulm
Augsburg
Freising
Bad Füssing
Oberschleißheim
Biberach
Babenhausen
München
Burghausen
Wasserburg
Bad Buchau
Bad Wörishofen
Tittmoning
Ottobeuren
Amerang
Kron-
burg
Kaufbeuren
Rosenheim
Prien a.
Chiemsee
Wolfegg
Obergünzburg
Bad Tölz
Bad Reichenhall
Kißlegg
Kempten
Tegernsee
Ruhpolding
Wangen i. A.
Großweil
Benediktbeuern
Berchtesgaden
Lindenberg
Füssen
Oberammergau
Ettal
Oberreute
Oberstdorf
Mittenwald

Vom Wikingerschiff zum U-Boot-Veteran

*F*ragt man einen Bewohner Schleswig-Holsteins in Düsseldorf oder München, welcher Herkunft er sei, so wird er antworten: »Schleswig-Holsteiner«. Stellte man ihm die gleiche Frage zu Hause, so würde er sich sicherlich als Dithmarscher, Friese, Fehmaraner oder was er sonst ist, bezeichnen. So oft in seiner wechselvollen Geschichte die Einheit Schleswig-Holsteins beschworen wurde, so individuell und vielgestaltig sind die Völker, aus denen sich die Bevölkerung des Landes zusammensetzt.

*H*eute hat Schleswig-Holstein 2,6 Mio Einwohner. Man unterscheidet die Bevölkerungsgruppen der Angeliter, der Friesen, der Dithmarscher, der Leute von den Elbmarschen, der Holsteiner und der Fehmaraner. Trotz großer Unterschiede (so werden die Friesen als besonders indivudualistisch, die Angeliter als zögernd und händlerisch begabt, die Dithmarscher meist als aufgeschlossen und die Holsteiner als skeptisch aber mit viel hintergründigem Humor bezeichnet) hat sich der prägende Einfluß erwiesen, den das Leben an der Küste – die vor allem in früheren Jahrhunderten ständige Auseinandersetzung mit den Naturgewalten – auf die Menschen ausübt. So charakterisiert man die Schleswig-Holsteiner allgemein als zurückhaltend, ja bedächtig, eigensinnig und tief traditionsbewußt und mit viel Familiensinn und Heimatverbundenheit, trotz ausgeprägter Individualität.

*D*ies alles spiegelt auch der schleswig-holsteinische Fundus an interessanten Museen wider. Schwerpunkte bilden dabei vor allem die zahlreichen Schiffahrts- und Freilichtmuseen, allen voran dasjenige von Kiel-Molfsee, sowie das Landesmuseum für Vor- und Frühgeschichte in Schleswig, dessen Funde aus der Wikingerzeit Weltruhm besitzen.

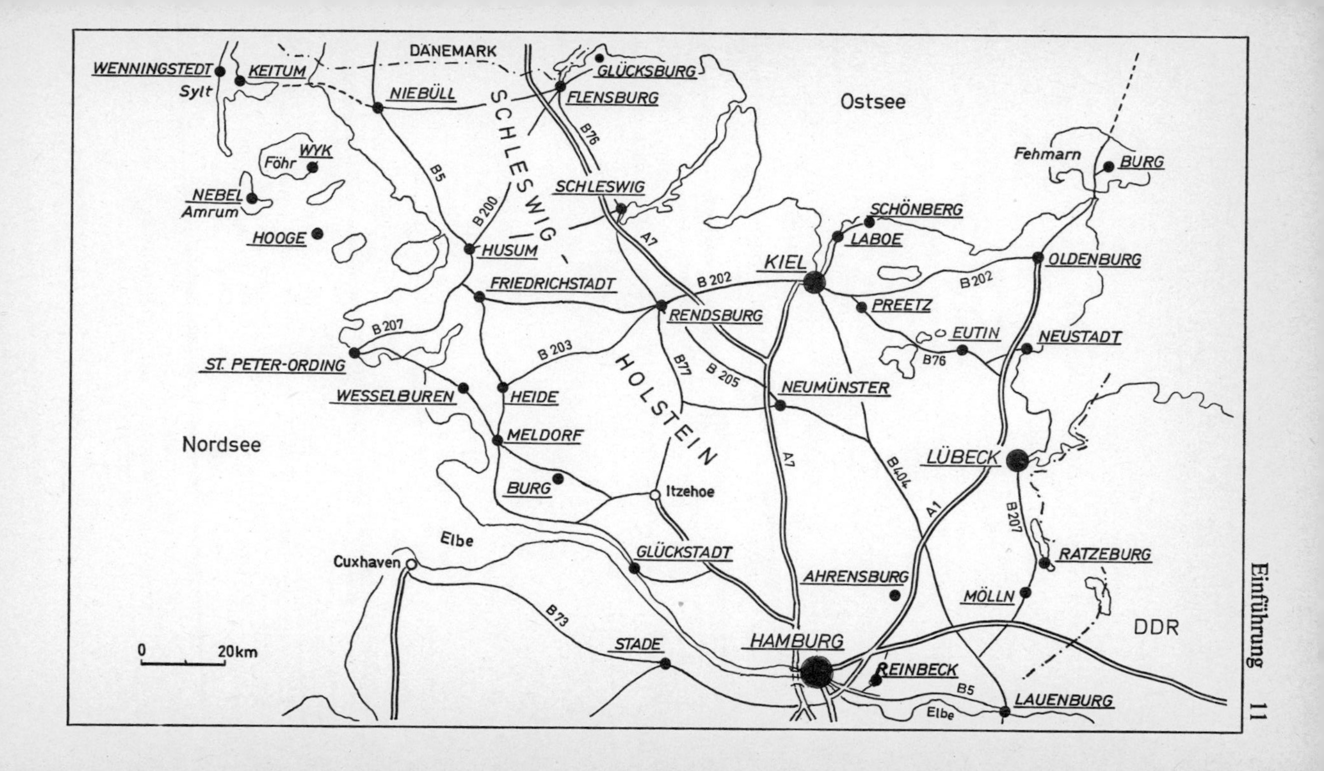
DÄNEMARK
WENNINGSTEDT
KEITUM
Sylt
GLÜCKSBURG
FLENSBURG
NIEBÜLL
Ostsee
SCHLESWIG
B76
Föhr
WYK
Fehmarn
BURG
B5
NEBEL
Amrum
SCHLESWIG
B200
SCHÖNBERG
HOOGE
LABOE
HUSUM
A7
KIEL
OLDENBURG
B202
B202
FRIEDRICHSTADT
PREETZ
RENDSBURG
B207
EUTIN
NEUSTADT
B203
B76
ST. PETER-ORDING
HOLSTEIN
B77
B205
WESSELBUREN
HEIDE
NEUMÜNSTER
MELDORF
Nordsee
LÜBECK
A7
B404
BURG
Itzehoe
A1
B207
Elbe
GLÜCKSTADT
RATZEBURG
Cuxhaven
AHRENSBURG
MÖLLN
B73
DDR
0
20km
STADE
HAMBURG
REINBECK
B5
LAUENBURG
Elbe

Ahrensburg

Kr. Stormarn, 26 m, 27000 Einw. Weitläufiger Nachbarort der Hansestadt Hamburg, etwa 22 km nordöstlich von dessen Stadtzentrum in waldreicher Umgebung, reizvoll durch seine Gärten und Alleen, durch sein Renaissanceschloß und die Schloßkirche. 3 bis 5 km östlich breitet sich die Gemeinde ***Großhansdorf*** *aus, ein von schönen Wäldern umgebener Villenort, Ausflugsziel und Ausgangspunkt für Wanderungen. Außenstelle der Bundesforschungsanstalt für Fischerei.*

Auskunft: Stadtverwaltung, 2070 Ahrensburg, Tel. 04102/771.
Verkehr: Autobahn A 1 Anschlußstelle (7 km). – B 75 Hamburg – Bad Oldesloe. – U- und S-Bahn-Station im Hamburger Verkehrs-Verbund (HVV).

Sehenswert:
Schloß Ahrensburg, errichtet im Renaissancestil 1594–1596 nach dem Vorbild von Schloß Glücksburg für Peter Rantzau, als Wasserburg, heute inmitten eines Parks. Der auf Geheiß Schimmelmanns zugeschüttete Wassergraben wird z. Z. im Zuge von Restaurierungsarbeiten wieder ausgehoben. Der quadratische Bau mit dreigeteilter Giebelfassade wird von eleganten Ecktürmen flankiert. Innen im 18. und 19. Jh. umgestaltet und eingerichtet. Das **Schloßmuseum** zeigt ein reiches Inventar an Möbeln, Porzellanen, Gemälden und weiteren Kunstwerken und kunsthandwerklichen Gegenständen, an Hand derer Wohnkultur und Lebensstil der höheren Kreise im 18. Jh. demonstriert werden. Besichtigung außer Mo 10–12.30 und 13.30–17 Uhr.

In der Umgebung: Nach 4,5 km in Richtung Bad Oldesloe kommt man zum Schloßhotel **Tremsbüttel.** Dieses im typischen Historismus der Jahrhundertwende 1893/95 als Privathaus gebaut, ist heute ein exklusives Hotel, umgeben von einem 16 Morgen großen Park mit exotischen Bäumen. Im ehemaligen Marstall ein **Automuseum** mit 83 Oldtimer-Autos und Motorrädern ab 1900 (April–Oktober täglich 10–18 Uhr; November bis März Sa, So und Fei 10–18 Uhr).

2-Zylinder-Piccolo, Baujahr 1904, im Automuseum Tremsbüttel

Burg auf Fehmarn

5900 Einw. Ostseeheilbad und Inselhauptstadt. Eine der schönsten Kleinstädte Schleswig-Holsteins. Bereits im 13. Jh. erwähnt und mit Stadtrechten versehen. Der Stadtname erinnert an eine Burg, die ehemals auf dem Gelände der heutigen Grundschule an der Orthstraße lag. Ursprünglich war hier auch der Burger Hafen. Nach dessen Verlandung im 15. Jh. Bau einer neuen Hafenanlage, zunächst in der Neuen Tiefe, ab 1867/70 in ***Burgstaaken.*** *Auf der*

2,5 km südlich der Stadt gelegenen ***Burgtiefe*** *der einzige Sandstrand der deutschen Ostseeküste in direkter Südlage. Hier ist seit 1973 das Kur- und Sportzentrum Südstrand mit Appartementhäusern, Strandbungalows, Restaurants, Geschäften, Boutiquen und einem Yachthafen entstanden. Wirtschaftliche Grundlage von Burg sind daneben u. a. Fischerei- und Getreideverarbeitung.*

Auskunft: Kurverwaltung, 2448 Burg auf Fehmarn, Tel. 04371/4011.
Verkehr: B 207 Lübeck – Puttgarden. – Busverbindung zu den meisten Inselorten und zum Festland. – Bahnstation.

Sehenswert:
Bürgerhäuser aus dem 17. und 18. Jh.; neben der Kirche, in der Breiten Str. (45–51), schöne Fachwerkbauten. Hier befindet sich auch das **Peter-Wiepert-Museum**; große Sammlung zur Siedlungs-, Kultur- und Wirtschaftsgeschichte Fehmarns (u. a. wertvolle Lübecker Intarsienmöbel, Schiffsmodelle), geöffnet Juni–September, Mo, Mi, Sa 14–18 Uhr und an Regennachmittagen.

In der Umgebung:
Lemkendorf (8 km), großer Dorfanger. Abstecher nach **Lemkenhafen** (3 km südlich), frühe Stadtrechte, schindelverkleidete, unter Denkmalschutz stehende Holländer-Windmühle von 1787, heute noch betriebsfähig. Einzige noch in Europa existierende Segelwindmühle. Heute **Mühlen- und Landwirtschaftsmuseum** im Innern, mit eindrucksvollem Überblick über die Geschichte und Gegenwart der ländlichen Kultur auf Fehmarn und Informationsmaterial über die Mühlen der Insel, geöffnet im Juni bis September täglich, außer Mi, 14–18 Uhr und nach Vereinbarung.

Burg in Dithmarschen

Kr. Dithmarschen, etwa 3900 Einw. Luftkurort zwischen Marsch und Geest in unmittelbarer Nähe des Nord-Ostsee-Kanals, 10 km von der Elbe und ca. 20 km von der Meldorfer Bucht entfernt.

Auskunft: Gemeindeverwaltung, Holzmarkt, 2224 Burg in Dithmarschen, Tel. 04825/2294 und Fremdenverkehrsverein, Buchholzer Str. 149, Tel. 8408.
Verkehr: B 431 (Grüne Küstenstraße) Glückstadt – Meldorf; Abzweigung bei Hochdonn (4 km). – Bahnstation. – Busverbindung mit Kiel, Meldorf, Brunsbüttel und Itzehoe.

Sehenswert:
Waldmuseum, am Fuß des Turmes, in dem die heimische Fauna und Flora anhand von Originalstücken, Präparaten und graphischen Darstellungen dem Besucher nähergebracht wird. Sonderausstellung zur Wechselbeziehung Natur – Industrie (geöffnet 15. 4. bis 15. 10. Di–So 10–12 und 14–17 Uhr). In der Umgebung ein **Waldlehrpfad** mit fast allen Bäumen, die in unserem Klimabereich wachsen. Eine waldgeschichtliche Pflanzung zeigt die Einwanderungsfolge der Gehölze seit der letzten Eiszeit.

Eutin

Kreisstadt des Landkreises Ostholstein, 34 m, 18000 Einw. Luftkurort und frühere Residenz des Fürstbistums Lübeck-Eutin. Die »Rosenstadt« Eutin ist dank ihrer Lage inmitten der ostholsteinischen Hügel- und Seenlandschaft einer der bedeutendsten Fremdenverkehrsorte im Ostteil der Holsteinischen Schweiz und Ausgangspunkt für Fahrten und Wanderungen in die nahe und weitere Umgebung.

Auskunft: Fremdenverkehrsamt, Am Großen Eutiner See, 2420 Eutin, Tel. 04521/3155.
Verkehr: B 76 Kiel – Lübeck – Travemünde. – Bahnstation.

Sehenswert:
Schloß aus dem 17./18. Jh. mit schlichtem Schloßhof, zu dem man über eine schöne Steinbrücke kommt. Das Schloß entstand auf den Grundmauern der Burg der Bischöfe von Lübeck aus dem 13. Jh. Aus dieser Zeit sind noch Teile der Keller und der innere Bogen der Tordurchfahrt erhalten. In den Innenräumen die **Großherzogliche Sammlung** mit Gemälden (u. a. Tischbein), Porzellan und Gobelins, sowie einer großen fürstlichen Portraitsammlung. Beachtenswerte Räume sind vor allem der Blaue Saal mit Stuckdekorationen und die Schloßkapelle mit schöner Einrichtung des 17. Jh. Das Schloß ist im Besitz der ehem. Großherzöge von Oldenburg (geöffnet 16. 5. bis 30. 9., Führungen um 10, 11, 14, 15 und 16 Uhr und n. V.). Am Vorhof zwei klassizistische Marstallgebäude und ein Kavaliershaus (1836).

Kreisheimatmuseum, Lübecker Str. 17, im alten St.-Georgs-Hospital aus dem Jahre 1770. Ausstellung zu bäuerlicher und bürgerlicher Wohnkultur. Geöffnet tägl. außer Mo 15–17 Uhr.

Weber-Museum, Lübecker Str. 6, mit Erinnerungsstücken an den Komponisten, geöffnet Mo–Fr 8.30–12 und 14.30–18 Uhr, Sa bis 12, So 10–12 Uhr.

Voßhaus, am Voßplatz 6/8, heute ein altertümliches Gasthaus mit Erinnerungen an den Dichter und Homer-Übersetzer Johann H. Voß.

Flensburg

Kreisfreie Stadt, 2–58 m, 87900 Einw. Deutschlands nördlichste und Schleswig-Holsteins drittgrößte Stadt liegt nur 3 km südlich der deutsch-dänischen Grenzübergänge Ellund und Kupfermühle/Kruså. Die Stadt umschließt die Südspitze der Flensburger Förde, die hier einen natürlichen Hafen bildet. Flensburg ist Sitz des Kraftfahr-Bundesamtes, bedeutende Werft- und Industriestadt. Neben der Spirituosenindustrie (Rum, Aquavit, Flensburg gilt als die Rummetropole Deutschlands) auch Schiffsbau, Eisen- und Metallverarbeitung, Apparatebau, Holz-, Papier- und Pappeerzeugung und -verarbeitung sowie graphische Betriebe.

Auskunft: Verkehrsverein, Norderstr. 6, 2390 Flensburg, Tel. 0461/23090.
Verkehr: Autobahn A 7, Anschlußstelle Flensburg – Harrislee; nördlicher Endpunkt der B 76 Kiel – Schleswig – Flensburg, der B 200 Husum – Flensburg; B 199 Kappeln – Flensburg – Niebüll.

Sehenswert:
Städtisches Museum am Lutherplatz 1 mit bedeutenden Sammlungsbeständen der Kunst- und Kulturgeschichte aus dem gesamten Landesteil Schleswig (geöffnet Di–Sa, 10–13 und 15–17, So 10–13 Uhr).

Schiffahrtsmuseum, Schiffbrücke 41, Schiffsbilder und -modelle, Galionsfiguren, nautische Instrumente, Seekarten u. ä., Stadtmodell um 1600 (geöffnet Di–Sa, 10–17 Uhr, So 10–13 Uhr). Am Bollwerk Traditionssegler des Vereins Museumshafen, am gegenüberliegenden Ufer »Alexandra«, das älteste Dampfschiff der Flensburger Fördeflotte, erbaut 1908.

Naturwissenschaftliches Heimatmuseum, Süderhofenden 40/42, Ausstellungsstücke der Tier- und Pflanzenwelt sowie der Geologie, Versteinerungen (geöffnet Di–Fr 10–12, 15–17 Uhr, So 10–13).

Friedrichstadt

Kr. Nordfriesland, 2700 Einw. Staatlich anerkannter Luftkurort am Zusammenfluß von Treene und Eider. Aufgrund der zahlreichen Kanäle und 13 Brücken im Stadtgebiet nennt man Friedrichstadt auch das »Venedig des Nordens«.

Auskunft: Tourist-Information, Am Mittelburgwall, 2254 Friedrichstadt, Tel. 04881/7240.
Verkehr: Autobahn A 7, Anschlußstelle Owschlag (30 km). – Kreuzungspunkt der B 5 (Grüne Küstenstraße) Hamburg – Heide – Husum und der B 202 Rendsburg – St. Peter-Ording.

Sehenswert:
Alte Münze, 1626 vom Statthalter Adolf van de Wael erbaut, aber nie als Münzstätte genutzt, beherbergt seit 1708 in seinem Südteil den Kirchenraum der Mennonitengemeinde mit puritanisch einfachem Betsaal. Im Nordflügel (mit Sandstein verzierte Backsteinfassade) ist das Stadtarchiv und die **Sammlung »Vögel der Westküste«** untergebracht (ca. 200 präparierte Vögel; geöffnet Mo–Do 7–16.30, Fr 7–12.30 Uhr, in der Hauptsaison auch Sa und So 14–17 Uhr).

Glücksburg

Kr. Schleswig-Flensburg, 0 bis 40 m, 7600 Einw. Seit 1871 Seebad, seit 1953 staatlich anerkanntes Ostseeheilbad. Der Ort ist umgeben von 600 ha Wald, Moränenhügeln und romantischen kleinen Seen. Er erstreckt sich mit seinem modernen Yachthafen am Südufer der Flensburger Innenförde. Die nach dem Wasserschloß benannte Stadt (Stadtrechte seit 1910) ist durch einen etwa 1 km breiten Laubwaldgürtel vom Kurzentrum und dem Yachthafen getrennt.

Auskunft: Kurverwaltung, Sandwigstr. 1 a, 2392 Glücksburg, Tel. 04631/921.
Verkehr: B 199 Flensburg – Kappeln, Abzweigungen bei Flensburg-Fruerlund, Wees, Oxbüll, Munkbrarup und Ringsberg. – Nächste Bahnstation Flensburg (12 km). – Busverbindung und Schiffsverkehr mit Flensburg.

Sehenswert:
Schloß Glücksburg ist eines der schönsten Wasserschlösser Norddeutschlands. Es wurde 1583

bis 1587 im Renaissancestil anstelle des um 1210 gegründeten Zisterzienserklosters von Rüde erbaut. Der Bauherr Johann der Jüngere von Sønderborg/Dänemark nannte es nach seiner Devise »Gott gebe Glück und Frieden« die Glücksburg. Dreigeschossiger, annähernd quadratischer Bau mit 3 Giebelhäusern und 4 wuchtigen, spitzen Ecktürmen. Seit 1768 in der Mitte ein Barocktürmchen, später Giebel vereinfacht. Sommerresidenz des Königs Friedrich VII. von Dänemark, der hier 1863 auch starb. Besonders attraktiv der Anblick vom gegenüberliegenden Ufer des aufgestauten Schloßteichs. Innen ist es teilweise als **Schloßmuseum** zu besichtigen. Beachtenswert die Originalfußböden und Stuckdecken, die mit zu den ältesten Schleswig-Holsteins gehören. Bedeutende Ledertapeten und Gobelinsammlung mit holländischen, flämischen und französischen Werken aus dem 17. und

Schloß Glücksburg

18. Jahrhundert, u. a. im Weißen Saal und im »Gobelin-Zimmer« (z. T. früher im Schloß Gottorf). Kapelle mit Altar und Taufe im Knorpelbarock (1717). Daneben Bildergalerie, Kupferstichkabinett und Bibliothek. Täglich außer Mo geöffnet (im Sommer 10–16.30 Uhr, sonst 10–12 und 14–16 Uhr). Am Teichufer Wirtschaftshof aus dem 16./17. Jahrhundert, später großenteils umgebaut. Im Norden *Schloßpark* mit Orangerie von 1827. Schloßkonzerte. **Planetarium** mit wechselnden Themenstellungen, geöffnet jeden Di 20 Uhr oder nach Vereinbarung.

Glückstadt

Kr. Steinburg, 3 m, 11 800 Einw. Hafenstadt und beliebter Ausflugsort an der hier schon 4 km breiten Unterelbe in der Kremper Marsch.

Auskunft: Verkehrsverein und Stadtverwaltung, Am Markt, 2208 Glückstadt, Tel. 04 24/20 11.
Verkehr: Autobahn A 23, Anschlußstelle Elmshorn (23 km). – B 431 Elmshorn – Meldorf. – Bahnstation. – Busverbindung mit den Nachbarorten. – Fährverbindung über die Elbe: Glückstadt – Wischhafen, einzige Elbquerungsmöglichkeit nördlich von Hamburg, 5 Fähren im Einsatz.

Sehenswert:
Brockdorffpalais (1631/32) mit Barockportal. Detlefsmuseum für Heimatkunde und Walfangmuseum, Am Fleth 42, Öffnungszeiten: Sa 15.30–17.30, So 10–12, 15–18 Uhr.

Hamburg

Die Freie und Hansestadt Hamburg, gelegen an der Einmündung von Alster und Bille in die Elbe, ist trotz

Werftensterben und Hafenkrisen immer noch der größte deutsche Seehafen und der bedeutendste Außenhandelsplatz des Bundesgebiets. Hamburg ist Land der Bundesrepublik Deutschland, fast 775 km² groß, liegt durchschnittlich 10 m über NN und hat über 1,65 Mio. Einw. (eine weitere Million wohnt im engeren Einzugsgebiet der Stadt). Es ist eine der führenden deutschen Industriestädte und nimmt eine Spitzenstellung als Medienmetropole ein (Presse, Film, Fernsehen, Funk, Werbung). Neben zwei Universitäten (Universität Hamburg und Technische Universität Hamburg-Harburg) gibt es sechs Hochschulen und zahlreiche Forschungsinstitute, z. T. von weltweiter Bedeutung.

Auskunft: Tourist Information Bieberhaus, Hochmannplatz 1, 2000 Hamburg 1, Tel. 040/24870-0. Information in der City, Gerhart-Hauptmann-Platz, Tel. 324758. – Tourist Information und Hotelnachweis in der Wandelhalle des Hauptbahnhofes, Tel. 24870230.

Sehenswert:
Krameramtswohnungen, Krayenkamp 10, unweit des Michels, 1676 von der Krameramtsgilde für die Witwen der dem Krameramt angehörenden Kleinhändler erbaut, bis 1969 bewohnt, seit 1974 restauriert. Haus C im Biedermeierstil als Museum eingerichtet (tägl. außer Mo 10–17 Uhr zugänglich). Ferner Galerie, Gaststätte.

In den letzten Jahrzehnten des 19. Jahrhunderts wurde in unmittelbarer Nähe der City auf der Kehrwieder-Wandrahm-Insel, südlich des neuangelegten Zollkanals, die auch heute noch sehr eindrucksvolle **»Speicherstadt«** errichtet. Um für ihre monumentalen Backsteinbauten Raum zu schaffen, mußten malerische Wohnquartiere abgerissen und etwa 20000 Menschen umgesiedelt werden.

Heute steht die Speicherstadt selber unter Denkmalschutz. Diese Stadt in der Stadt (Zollausland) gleicht einem gigantischen »Freilichtmuseum«. Aus rotgebranntem und glasiertem Ziegel türmen sich sechs-, sieben- und achtstökkige Häuser auf, verziert mit allen Stilelementen früherer Architektur. 42 Architekten und 15 Ingenieure entwarfen die Pläne für diesen »Kaufmannstraum«, der 106 Millionen Reichsmark verschlang. Besichtigung zu Fuß ab U-Bahnstation Meßberg; mit Alsterdampfer der Fleet-Fahrt oder anläßlich der Großen Hafenrundfahrt mit Barkassen.

MUSEEN. Über 30 Museen gibt es in Hamburg. Die Hamburger Kunsthalle zählt dabei zu den bedeutendsten Museen der Bundesrepublik. Hier eine Auswahl:

Kunsthalle, Glockengießerwall 1, Tel. 24825-1, geöffnet täglich außer Mo, 10–17 Uhr, Mi bis 19 Uhr. – Malerei von der Gotik bis zur Gegenwart. Plastiken vom Klassizismus bis zur Gegenwart. Kupferstich- und Münzkabinett. Viele große Wanderausstellungen. – S- und U-Bahn Hauptbahnhof.

Museum für Kunst und Gewerbe, Steintorplatz 1, Tel. 24825-2630, geöffnet täglich außer Mo, 10–17 Uhr. Plastik und angewandte Kunst Europas vom Mittelalter bis zur Neuzeit; Jugendstil; Kunst der Antike sowie des Nahen und Fernen Ostens. Selbstbedienungsrestaurant

»Destille«. – S- und U-Bahnhof Hauptbahnhof.

Museum für Hamburgische Geschichte, Holstenwall 24, Tel. 3 49 12-23 60, geöffnet täglich außer Mo, 10–17 Uhr. Stadtgeschichte, Hafen und Schiffahrt, Münzkabinett, Kaufmannsdiele, Eisenbahnmodellanlage. Bekannt für Eintopf ist das »Historant«. – U-Bahn St. Pauli.

Museum für Völkerkunde, Rothenbaumchaussee 64, Tel. 441 95-524; geöffnet täglich außer Mo, 10–17 Uhr. Zeugnisse von den Hochkulturen aller Erdteile. Goldarbeiten aus Mittel- und Südamerika, afrikanische Kunst. – U-Bahn Hallerstraße.

Altonaer Museum/Norddeutsches Landesmuseum, Hamburg-Altona, Museumstraße 23, Tel. 38 07-483; geöffnet täglich außer Mo, 10–17 Uhr. Sammlungen zur Kulturgeschichte Norddeutschlands, des Schiffbaus, der Schiffahrt und der Fischerei; Keramik, Textilien, Spielzeug. – Die Original Vierländer Kate von 1745 dient als Gaststätte.

Jenisch-Haus, Klein Flottbek, Baron-Voght-Str. 50 (Jenisch-Park), Tel. 82 87 90; geöffnet täglich außer Mo, 10–17 Uhr, ab Nov. Di–Sa 14–17 Uhr, So 11–17 Uhr. Beispiele großbürgerlicher Wohnkultur vom 16. bis 19. Jh. – S-Bahn Klein Flottbek. – Daneben

Ernst-Barlach-Haus, Stiftung H. F. Reemtsma, Klein Flottbek, Baron-Voght-Straße 50 A (Jenisch-Park), Tel. 82 60 85, geöffnet täglich außer Mo, 11–17 Uhr. Über 80 Plastiken und mehr als 450 Handzeichnungen, Lithographien und Holzschnitte von dem 1870 in Wedel bei Hamburg geborenen Künstler. – S-Bahn Klein Flottbek.

KZ-Gedenkstätte Neuengamme, unweit von Bergedorf, auf dem Gelände des damaligen Konzentrationslagers des Dritten Reiches. Es wurde 1938 als Außenstelle des KZ Sachsenhausen eingerichtet, ab 1940 als eigenständiges KZ geführt. Geöffnet Di–So 10–17 Uhr; Tel. 7 23 10 31. – S-Bahn Bergedorf und Bus 327.

Helms-Museum, Hamburgisches Museum für Vor- und Frühgeschichte, Hamburg-Harburg, Museumsplatz 2, Tel. 771 70-691; geöffnet täglich außer Mo, 10–17 Uhr. Vor- und Frühgeschichte des hamburgischen und unterelbischen Raumes, Harburger Stadtgeschichte, Industrieabteilung. – S-Bahn Harburg.

Freilichtmuseum Kiekeberg bei Ehestorf, Harburger Berge, im Süden, Tel. 7 90 76 62; geöffnet April–Oktober Di–Fr 8–17 Uhr, Sa, So 10–18 Uhr; November–März Di–Fr 10–16 Uhr, Sa, So 10–16 Uhr. Typischer alter Heidehof mit zwölf originalgetreuen Gebäuden.

Kunsthaus, Ferdinandstor, nahe der Kunsthalle, Tel. 33 58 03; geöffnet täglich außer Mo, 10–18 Uhr, Mi bis 20 Uhr. – Wechselnde Ausstellungen hamburgischer und auswärtiger zeitgenössischer Maler, Grafiker und Bildhauer. – U- und S-Bahn Hauptbahnhof.

Kunstverein Hamburg, Ferdinandstor, Tel. 32 78 45/46; geöffnet täglich außer Mo, 10–18 Uhr. – Ausstellungen von der klassischen Moderne bis zur Gegenwartskunst. – U- und S-Bahn Hauptbahnhof.

Mineralogisches Museum, Grindelallee 48, Tel. 41 23 20 51; geöffnet Mi 15–19 Uhr, jeden 1. Sonntag im Monat 10–13 Uhr. –

Eine der größten europäischen Meteoritensammlungen, seltene Mineralien, Kristalle, Edelsteine, Gesteine und Erze.

»electrum«, Museum der Hamburgischen Electricitäts-Werke, Klinikweg 23 (beim U-Bahnhof Hamburger Straße), Tel. 6363641; geöffnet Di–Fr 9–17 Uhr. – Sammlung historischer Dokumente aus der Geschichte der Elektrizität, aus Haushalt, Gewerbe, Industrie und Verkehr.

Postmuseum, Stephansplatz 1, nahe der Oper, Tel. 3572411; geöffnet Di–Fr 10–14 Uhr, Do 10–16 Uhr. Ausstellungsstücke zur hamburgischen und allgemeinen Postgeschichte, u. a. auch historische Telegraphen und Fernsprechgeräte.

Museumsdorf Volksdorf, Bauerndorf mit stilgerechten Inneneinrichtungen (täglich außer Di und Do 9–12 Uhr, 14 Uhr bis zum Einbruch der Dunkelheit); Im Alten Dorfe 48, U-Bahn Volksdorf.

Museumshafen Övelgönne, am Fähranleger *Neumühlen,* westlich von Hamburg, direkt beim neuen Elbtunnel. Star der Oldtimer-Flotte ist das ehemalige Feuerschiff Elbe 3, 1888 in Bremen gebaut. In unmittelbarer Nähe Käpt'n Lührs »Oevelgönner Seekiste«, eine Sammlung maritimer Raritäten. Besichtigung Sa und So am Nachmittag (Tel. 8809327). Anfahrt: HADAG-Dampfer 66 ab St.-Pauli-Landungsbrücken. Schnellbus 36 ab Rathausmarkt bis Hohenzollernring.

Galerien. Etwa 100 Galerien gibt es in Hamburg. (Ausstellungsprogramme in den Informationsbroschüren.) Eine Auswahl: Brinke & Riemenschneider (Büschstr. 9, Expressionisten), Hauptmann (Colonaden 96), Levy (Tesdorpfstr. 18), Gabriele von Loeper (Doormannsweg 22).

Planetarium im Wasserturm des Stadtparks (U-Bahn Borgweg, S-Bahn Alte Wöhr), Tel. 516621, Warburg-Ausstellung über die Geschichte der Astrologie und der Astronomie. Schöner Blick vom Aussichtsturm. Die Kuppel mit einem Durchmesser von fast 21 m bildet zusammen mit einem Zeiss-Planetariums-Projektor und weiteren Zusatzgeräten die größte Anlage dieser Art in der Bundesrepublik.

Heide in Holstein

Kreisstadt des Kreises Dithmarschen, 14 m, 21100 Einw. Die Stadt liegt am Rand eines hier weit nach Westen vorstoßenden Geestrückens. Sie ist Wirtschafts-, Verkehrs- und Kulturzentrum von Dithmarschen. Aus Heide stammt der Dichter Klaus Groth, der Vater von Johannes Brahms war hier Stadtmusiker. Heute ist die Stadt ein bedeutender Behördensitz und Mittelpunkt eines weiten Umlandes. Getreide-, Vieh- und Holzhandel, Textilindustrie, Apparatebau.

Auskunft: Fremdenverkehrsbüro, Postelweg 1, 2240 Heide, Tel. 0481/699-117.

Verkehr: Kreuzungspunkt der B 5 (Grüne Küstenstraße) Husum – Brunsbüttel und der B 203 Rendsburg – Büsum; Ausgangspunkt der B 204 nach Itzehoe.

Sehenswert:
Klaus-Groth-Museum, Lüttheid 48, Geburtshaus des großen niederdeutschen Dichters mit zahlreichen persönlichen Erinnerungen, geöffnet April bis September täglich außer Mi, 9.30–12 Uhr, Mo, Di, Do, Fr, So auch 14–16.30 Uhr. Okt. bis März, Mo–Sa 10–12 Uhr, Mo und Do auch 14–16 Uhr.

Museum für Dithmarscher Vorgeschichte und Heider Heimatmuseum, Brahmsstr. 8. Im Innern u. a. das Modell der Stellerburg, ein 4 m hoher Abdruck einer Kieswand, der sowohl den Schichtenaufbau der Geest widerspiegelt, als auch die ältesten Besiedlungsspuren von Neandertalern (vor 60000 Jahren) zeigt, ein 1900 Jahre alter Töpferofen, zwei Heckfiguren eines gestrandeten Schiffes, die Rekonstruktion des ersten bekannten Marschenhauses aus dem Ostermoor bei Brunsbüttel u. a. Geöffnet April bis Sept., Di–Fr 9–12 und 14–17 Uhr, So 10–17 Uhr, sonst Di–Fr 14–17 Uhr, So 10–12 und 14–17 Uhr und nach Vereinbarung. Im Park vor dem Heimatmuseum ein umgesetztes **Megalithgrab** aus Schalkholz.

Hooge

569 ha, 140 Einw. Anerkannter Erholungsort. 4 km südlich von Langeneß und 3 km nordwestlich von Pellworm. 9 Warften, im 18. Jh. noch 19 Warften. Vollständig durch Sommerdeich eingedeicht, daher nur noch 2- bis 3mal im Jahr überflutet und Verlust des ursprünglichen Halligcharakters. Gilt als schönste und für den Tourismus am besten erschlossene Hallig.

Auskunft: Gemeindeverwaltung, 2251 Hallig Hooge, Tel. 04849/255.
Verkehr: Schiffsanlegestelle bei der Backenswarft im Norden. Schiffsverbindungen mit Schlüttsiel (1¼ Std.), Langeneß (30 Min.) und Wittdün/Amrum (1 Std.). Im Südosten bei der Ockenswarft Hoogerfähre nach Pellworm (30 Min.). Im Sommer Ausflugsfahrten von Husum, Wyk/Föhr, Hörnum/Sylt und Strucklahnungshörn/Nordstrand.

Sehenswert:
Hansen'sches Haus. 1776 erbautes Backsteinhaus mit dem Königspesel. Hier übernachtete 1826 der dänische König Frederik VI. wegen ungünstiger Witterungsverhältnisse. Wunderschönes Beispiel friesischer Wohnkultur: Blau auf Weiß bemalte holländische Kacheln und Kachelbilder. An den Türen und an der Holzdecke gemalte Blumen und Rocailleschmuck. Links im Raum ein Alkoven (Wandbett), die Schlafstatt des Königs. Gesamtes Mobiliar mit einem schönen gußeisernen Ofen noch original erhalten. Geöffnet täglich nach Ankunft der Schiffe und nach Vereinbarung. – Ebenfalls auf der Hanswarft ein Heimatmuseum im Haus der Familie von Holdt.

Husum

Kreisstadt des Kreises Nordfriesland, 5 m, 24300 Einw. Im 15. Jh. wichtiger Hafen- und Handelsplatz am Priel Heverstrom, begünstigt durch von Sturmfluten veränderte Schiffahrtswege Anfang des 17. Jh.

Vor allem der Handel mit den Niederlanden war lange wirtschaftsbestimmend. Der Stadtgrundriß wird geprägt durch den alten Hafen am Heverstrom und durch die parallel laufende, im Stadtinnern platzartig erweiterte Hauptachse, die Großstraße. Husum ist die Geburtsstadt des Dichters Theodor Storm, der 1817 hier geboren wurde und dessen Grab sich ebenfalls hier befindet. Er machte Husum als »Graue Stadt am Meer« bekannt, was auf den früher hier üblichen Zementanstrich der Häuser zurückgeht, der heute allerdings keine Verwendung mehr findet. Die Stadt liegt unweit der Nordseeküste an der Husumer Au im südlichen Nordfriesland, umgeben von den Ausläufern der Eiderstedter Marschen im Süden und der Geest im Norden und Osten. Husum ist wirtschaftlicher Mittelpunkt und kulturelles Zentrum eines weiten Umlandes. Haupterwerbszweige bilden der Fisch- und Krabbenfang, Viehhandel (zentraler Versandschlachthof), Fischverarbeitung als Folgeindustrie, aber auch Textil- und Maschinenherstellung und nicht zuletzt der Schiffsbau.

Auskunft: Tourist-Information im Rathaus, 2250 Husum, Tel. 04841/666133.
Verkehr: B 5 Hamburg – Heide – dänische Grenze (Grüne Küstenstraße). Endpunkt der B 200 von Flensburg und der B 201 von Kappeln–Schleswig. Anreise auch über die A 7 bis Ausfahrt Schleswig/Schuby, danach B 201 nach Husum.

Sehenswert:
Storm-Museum, Wasserreihe 31. Altes Bürgerhaus aus dem Jahre 1730, in dem Theodor Storm mit seiner zweiten Frau, Dorothea Jensen, von 1866 bis 1880 wohnte. Hier entstanden viele seiner Gedichte und Erzählungen. Es ist nach Wiederherstellung einiger Räume als Museum eingerichtet und zeigt Handschriften, Erstausgaben und Illustrationen. Geöffnet April–Okt., Di–Fr 10–12 und Sa, So 14–17 Uhr.

Theodor Storm war Husums berühmtester Sohn

Nordfriesisches Museum im Nissenhaus, Herzog-Adolf-Str. 25. Interessante Sammlungen zur Erdgeschichte (Geest und Marschen in Modellen, Schaustücke zur Moränen- und Gletscherkunde), zur Landschafts-, Natur- und Völkerkunde sowie zur Kunst- und Kulturgeschichte. Geöffnet April–Okt., werktags 10–12, 14–17 Uhr, So 10–17, im Winter jeweils bis 16 Uhr.

Schloß, 1577–1582 als Witwensitz der Gottorfer Herzöge errichtet. Die Anlage lag damals vor den Toren der Stadt. Mit sieben Türmen und prächtigen hohen Giebeln zählte das Schloß zu den bedeutendsten Zeugnissen der Renaissance. 1752 wurde es renoviert und anschließend barock verändert. Im Innern sind Rittersaal, Empfangsräume und das Treppenhaus erhalten und als Museum zugänglich. Im Aufbau befinden sich Sammlungen zur Volkskunde und Geschichte Nordfrieslands. Geöffnet April–Okt. Di–So 10–12 und 14–17 Uhr, sonst Di, Do und Sa 15–17 Uhr. Prachtvolle Kamine aus Sandstein und Alabaster (17. Jh.).

Keitum auf Sylt

4 m, 1900 Einw. Luftkurort; gilt als Deutschlands schönstes Friesendorf, an der Ostküste der Insel Sylt fast zentral gelegen und dem Wattenmeer zwischen Insel und Festland zugewendet. 1440 erstmals urkundlich erwähnt, vor der Verschlickung des Hafens von 1820 bis 1868 Haupthafen der Insel. Keitum, dessen Häuser auf hohem grünen Kliff liegen, wird wegen seiner zahlreichen Laub- und Obstbäume auch »das grüne Herz der Insel« genannt.

Auskunft: Gemeinde- und Kurverwaltung, 2280 Keitum, Tel. 04651/31050.
Verkehr: Inselstraße Westerland – Morsum. – Busverbindung Westerland – Keitum.

Sehenswert:
Sylter Heimatmuseum. Zeugnisse aus der großen Zeit des Walfangs und der Handelsschifffahrt, wunderschöne Trachten, Funde aus über 400 Hünengräbern aus der Zeit von 1800 v. Chr. bis 150 n. Chr., Funde aus den Wikingerjahren des 9. bis 12. Jh., vogelkundliche Sammlung, Ausstellung über den von hier stammenden Freiheitskämpfer Uwe Jens Lornsen (er strebte um 1830 die Unabhängigkeit der Friesen von den Dänen an). Geöffnet April–Oktober, täglich außer Mo 10–12, 14–17.30 Uhr.

Altfriesisches Haus (1739), Wohnhaus des Sylter Lehrers und Chronisten C. P. Hansen (geb. 1803 in Westerland), schöne Einrichtungsgegenstände des 18. und 19. Jh. Geöffnet Mai–Oktober, täglich außer Di 10–12, 14–17 Uhr.

Kiel

Kreisfreie Stadt und Landeshauptstadt. Mit 250000 Einwohnern zugleich die größte Stadt Schleswig-Holsteins. Die Stadt liegt am Südende der 17 km tief ins Land einschneidenden Kieler Förde, einem hervorragenden Naturhafen. Als Zentrum der deutschen Marine hatte die Stadt unter schweren Kriegsschäden zu leiden. Nach 1945 Neuaufbau des Wirtschaftslebens. Verwaltungs-, Wirtschafts- und Einkaufszentrum für ein weites Umland. Auch heute spielt der Hafen mit seinen Werften und schiffsbauorientierten Spezialbetrieben (Maschinenbau, Elektronik, Informationstechnik u. a.) eine große Rolle. Weitere Industriebetriebe (Feinmechanik, Nahrungsmittel-, bes. Konservenindustrie) und zahlreiche Landesbehörden haben hier ihren Sitz. Als Universitäts- und Theaterstadt ist Kiel auch geistiger und kultureller Mittelpunkt des Landes.

Auskunft: Verkehrsverein der Landeshauptstadt Kiel, Auguste-Viktoria-Straße 16, 2300 Kiel, Tel. 0431/62230.
Verkehr: Endpunkt der Bundesautobahn A 215.

Sehenswert:
Viele reizvolle Giebelhäuser mußten seit 1900 der neuen City weichen. Nach dem Zweiten Weltkrieg blieb lediglich in der Dänischen Str. 19 der **Warleberger Hof,** ein 1616 erbauter alter Adelssitz mit Rokokoportal übrig. Heute **Kieler Stadtmuseum** (15. April–14. Okt. tägl. geöffnet von 10–18Uhr, sonst Di 10–17 Uhr) mit wechselnden Ausstellungen.

Kieler Schloß, östlich auf der ehemaligen Landzunge zwischen Förde und Kleiner Kiel. Nach Kriegszerstörung neu errichtet und 1955 eröffnet. In den Gebäuden befinden sich die Landesbibliothek, Funk- und Fernsehstudio des NDR, ein Kulturzentrum mit Konzerthalle für 1400 Personen, Tagungsräume, die historische Landeshalle mit **Landesgeschichtlicher Sammlung** (Bilder, Handschriften, Bücher usw., geöffnet Di, Do 10–13, 15–19 Uhr, Mi 10–13 Uhr, So 11–13 Uhr). Im Rantzau-Bau, dem erhalten gebliebenen Westflügel des alten Schlosses mit barockem Treppenhaus, die **Gemäldesammlung der Stiftung Pommern** mit Werken u. a. von Hals, C. D. Friedrich, Runge, Feuerbach, Uhde, van Gogh, Utrillo. Daneben Graphische und Kulturgeschichtliche Sammlung. Alle Museumsstücke ursprünglich im Städt. Museum Stettin, nach dem Krieg bis 1971 in Coburg (geöffnet Di–Fr 10–13 Uhr und 14–18 Uhr, Sa, So 14–18 Uhr).

Kunsthalle, nordöstlich am Düsternbrooker Weg 1–7; das im Krieg schwer getroffene Gebäude von Lohr (1911) ist wieder aufgebaut. Gemäldesammlung und Plastiken vorwiegend deutscher, insbesondere schleswig-holsteinischer Künstler des 17. bis 20. Jh., Höhepunkt der Sammlung liegt im 19. Jh. sowie in einer geschlossenen Werkgruppe von Nolde, bedeutende Graphische Sammlung (v. a. Holländer des 16. und 17. Jh.), Kupferstichkabinett, Bibilothek. Im Erdgeschoß antike Kleinkunst. Wechselnde Ausstellungen, geöffnet tägl., außer Mo.

Zoologisches Museum mit Sammlungen zur Tierwelt Australiens, Indiens, der malaiischen Inselwelt, Afrikas, Süd- und Mittelamerikas, der Antarktis, lokalen Eiszeitformen u. a. und **Museum für Völkerkunde** mit Sammlungen Kieler Seeleuchte aus Südsee und Afrika. Beide geöffnet Di–Sa von 10–17 Uhr, So von 10–13 Uhr.

Am Wall 65 die unter Denkmalschutz gestellte Fischhalle von 1909/10. Seit 1978 **Schiffahrtsgeschichtliche Abteilung** des Stadtmuseums mit Segelschiffmodellen verschiedener Länder (17.–20. Jh.) und den weiteren Schwerpunkten Kieler Schiffbau und Schiffahrt, Fördefischerei, Fördelandschaft u. a., Öffnungszeiten s. Stadtmuseum. An der Museumsbrücke zwei **Oldtimerschiffe** (Tonnenleger »Bussard«, Seenotrettungskreuzer »Hindenburg«).

Geologisch-Paläontologisches Museum und **Mineralogisch-Petrographisches Museum,** Olshausenstr. 40–60, Universität, Haus B I., Höhepunkt der Sammlungen sind Fossilplatten aus dem Jura Süddeutschlands u. a. von Flug- und Ichthyosauriern. Erläuterungen zum geologischen Aufbau des Küstenlandes. Geöffnet nur Mi 14–18 Uhr und nach Vereinbarung.

Das Schleswig-Holsteinische Freilichtmuseum in Molfsee aus der Vogelschau

Molfsee (6 km), Kieler Vorort mit dem **Schleswig-Holsteinischen Freilichtmuseum,** in der Regel auch als Freilichtmuseum Kiel-Molfsee bezeichnet. Hier wurden seit 1961 über 50 alte schleswig-holsteinische Bauernhäuser aus dem ganzen Land zusammengetragen und wieder aufgebaut. Weitere sind noch im Aufbau, insgesamt sind 75 geplant. Sie sind trotz Vielfalt und farbenfroher Ausstattung originalgetreu eingerichtet. In den für Schleswig-Holstein typischen Katen werden z. T. noch die alten Handwerke ausgeübt: Brotbäckerei, Meierei, Wind- und Wassermühle. Das älteste der Häuser ist das Pfarrhaus aus Grube von 1569, hervorzuheben ein Dithmarscher Hof von 1781, zwei uthlandfriesische Häuser, der Heydenreichsche Hof von 1697 aus der Gegend von Glückstadt sowie eine Gaststätte im Bauernhaus aus den Elbmarschen von 1794, die den Besucher zur Rast einlädt. Geöffnet 1. April–15. November täglich, außer Mo, 9–17 Uhr, Juli und August auch Mo 9–17 Uhr, sonst nur So 10 Uhr bis Dämmerung. Neben dem Gelände auch der neue Standort des **Brandschutzmuseums.**

Laboe

Kr. Plön, 4300 Einw., Ostseebad. Vielbesuchter Ausflugs- und Badeort am östlichen Ufer der Kieler Außenförde. Bereits im 13. Jh. als »Lyboden« (vermutlich svw. »Schwanensee«) bekannt. Der Hafen von Laboe ist Rettungs-, Lotsen- und Zollstation sowie Yacht- und Fischereihafen.

Auskunft: Kurverwaltung, 2304 Laboe, Tel. 04343/7352.
Verkehr: B 502 bis Brodersdorf, hier Abzweigung nach Laboe. – Nächste Bahnstation Kiel (18 km). – Regelmäßige Schiffsverbindung mit Kiel.

Sehenswert:
72 m hohes **Marine-Ehrenmal** (85 m ü. NN), Wahrzeichen der Kieler Förde. Errichtet zur Erinnerung an die 35000 gefallenen Seeleute des Ersten Weltkriegs und die 120000 Toten der Kriegsmarine im Zweiten Weltkrieg. Über Fahrstühle erreichbare Plattform mit herrlichem Panoramablick, bei gutem Wetter bis Fehmarn und Dänemark.

Ehrenhalle, Weihehalle und Historische Halle als **Museum** eingerichtet: See- und marinegeschichtliche Entwicklung von der Wikingerzeit bis zur Gegenwart. Zur Erinnerung an die 736 versenkten U-Boote des Zweiten Weltkriegs. Vor dem Ehrenmal das Unterseeboot U 995 als marinetechnisches Museum aufgestellt. Geöffnet täglich ab 9 Uhr.

Lauenburg

Kr. Herzogtum Lauenburg, 11300 Einw. Die alte Schifferstadt am steil abfallenden Nordufer der Oberelbe und am Elbe-Lübeck-Kanal gelegen, ist heute die südlichste Stadt Schleswig-Holsteins. Die Bedeutung als Grenzübergang zur DDR hat seit Fertigstellung der Autobahn Hamburg – Berlin nun Gudow-Zarrentin übernommen. Lauenburg hat verkehrsmäßig besondere Bedeutung durch die kombinierte Straßen- und Eisenbahnbrücke, die hier nicht weit von der neuen Elbbrücke an der Staustufe Geesthacht als einzige Brücke außerhalb der Hansestadt Hamburg in der Bundesrepublik die Elbe überquert und Schleswig-Holstein mit Niedersachsen verbindet. Lauenburg ist ein beliebter Ausflugsort. Vielseitige Industrie (u. a. Werften, Zündholzfabriken, holz-, metall- und kunststoffverarbeitende Betriebe).

Auskunft: Stadtverwaltung, Im Schloß, 2058 Lauenburg, Tel. 04153/13208 und 13209.
Verkehr: Kreuzungspunkt der B 5 Hamburg – Grenze zur DDR mit der B 209 Lüneburg – Schwarzenbek. – Bahnstation. – Busverbindungen.

Sehenswert:
Elbschiffahrtsmuseum, am Markt. Heimatkundliche Sammlungen zu Schiffahrt und Entwicklung der Stadt Lauenburg. Geöffnet außer Mo u. Mi 10–13, 14–16.30 Uhr, So 10–13 Uhr.

Museumsdampfer »Kaiser Wilhelm«, von Privatinitiative vor dem Verschrotten gerettet und in mühevoller Kleinarbeit restauriert. Der Schaufelraddampfer war früher auf der Donau und Weser eingesetzt. Dampffahrten im Sommer an den Wochenenden.

Mühlen-Museum, in der 110 Jahre alten Lauenburger Mühle. Von hier weiter Blick bis nach Niedersachsen hinein.

Lübeck

Kreisfreie Stadt, 220000 Einw. Lübeck, die alte Hansestadt, hat besser als alle ihre Schwesterstädte, trotz vieler Kriegszerstörungen und neuer Ergänzungen, ihr mittelalterliches Bild in der Altstadt lebendig bewahrt, nicht zuletzt durch seine Rolle als Umschlagplatz des Internationalen Roten Kreuzes (1942). Es ist jedoch auch eine moderne Großstadt mit bedeutendem bundesdeutschen Ostseehafen (Travemünde) und einer vielseitigen Industrie (Werften, Metallverarbeitung, Nahrungsmittelindustrie, Keramik- und Holzindustrie vor allem in der Industriegasse nach Nordosten in Richtung Travemünde.

Die Altstadt ist vom Wasser der Trave und des Elbe-Lübeck-Kanals umgeben und hebt sich so deutlich von den Vorstädten ***St. Lorenz*** *im Westen,* ***St. Gertrud*** *im Nordosten und* ***St. Jürgen*** *im Südosten ab.*

Auskunft: Amt für Stadtwerbung und Fremdenverkehr, Beckergrube 95, 2400 Lübeck, Tel. 0451/1228100. Lübecker Verkehrsverein, Am Markt, Tel. 0451/72300 und 1228106.
Verkehr: Autobahnanschlußstellen zur A1/E4 Hamburg – Oldenburg; Kreuzungspunkt der B75, B206 und B207.

Sehenswert:
Stadtmauer. Seit dem 13. Jh. wurde die Stadt nach und nach mit einer Stadtmauer und Wehrtürmen befestigt (im 18. Jh. größtenteils abgebrochen). Erhalten blieb u. a. das **Holstentor,** Wahrzeichen der Stadt. Das von zwei mächtigen Rundtürmen flankierte Tor mit Stufengiebel, von Hinrich Helmstede erbaut, 1477 vollendet, lag ursprünglich vor der Stadt. Inschrift auf der Feldseite: »concordia domi, foris pax«. Einmütigkeit im Innern, draußen Friede. Es birgt außer den vollständig erhaltenen alten Kasematten ein kleines **Museum** zur Stadtgeschichte und zur Geschichte der Hanse (großes Stadtmodell von 1650). Geöffnet April–Sept. 10–17, Okt.–März 10–16 Uhr, außer Mo.

Behnhaus, Patrizierhaus von 1738 mit klassizistischer Fassade; es bildet mit dem benachbarten restaurierten **Draegerhaus** einen Museumskomplex. Die Kunstsammlung umfaßt Gemälde und Plastiken vor allem Lübecker Meister des 18.–20. Jh. sowie Graphiken. Geöffnet April–Sept. 10–17, Okt.–März 10–16 Uhr, außer Mo.

Holstentor, weltberühmtes Wahrzeichen der Hansestadt Lübeck

Puppenmuseum mit Ausstellungen zu Puppentheatern in der kleinen Petersgrube 4. Geöffnet tägl. außer Mo, 9.30–18 Uhr.

St.-Annen-Museum, in der *St.-Annen-Str. 15,* als Augustinerinnenkloster 1502–1515 erbaut. Von der Kirche blieb lediglich der Treppenturm und ein Portal mit der hl. Anna elbdritt erhalten. Das Kloster ist heute Museum für Kunst- und Kulturgeschichte mit reichen Sammlungen aus der kirchlichen und bürgerlichen Kultur der Stadt. Im Erdgeschoß kirchliche Kunst, vor allem der Gotik, mit Schnitzaltären und Plastiken von Bernt Notke, Herman Rode, Benedikt Dreyer, Henning van der Heide. Im Obergeschoß Zeugen bürgerlicher Kultur und Wohnräume von der Gotik bis zum Biedermeier, reich ausgestattete Lübecker Diele, Fayencen, Musikinstrumente. Geöffnet April–Sept. 10–17 Uhr, Okt.–März 10–16 Uhr, außer Mo.

Meldorf

Kr. Dithmarschen, 16 m, 7300 Einw. Die reizvolle Kleinstadt liegt am Kreuzungspunkt alter Landstraßen auf einer weit nach Westen reichenden Geesthalbinsel unweit der Meldorfer Bucht, deren Küste durch einen 1978 angelegten Deich um 4 km weiter entrückt ist. Nachdem der Platz bereits früher als Thingstätte der Dithmarscher gedient hatte, entwickelte sich im 9. Jh. eine Siedlung (»Melindorp«), die zwischen 1227 und 1447 Sitz der Landesversammlung und damit Hauptstadt des Bauernfreistaats Dithmarschen war. 1447 zog der Rat der 48 nach Heide um, und nach der Niederlage der Dithmarscher wurden Meldorf sogar die Stadtrechte entzogen (1598). Erst 1869 erneut Stadt. Der Hafen verlor im Laufe der Zeit erheblich an Bedeutung. Heute nur noch Seglerhafen am vorverlegten Deich. In Meldorf lebt noch die alte Handweberei, die Goldschmiedekunst der Stadt steht in hohem Ansehen. Daneben zahlreiche Industriebetriebe: Gemüse- und Konservenfabriken, Papier- und Holzverarbeitung, Textilindustrie.

Auskunft: Fremdenverkehrsverein Meldorf – Meldorfer Umland, Zingelstraße 27, 2223 Meldorf, Tel. 04832/7045 u. 7046.
Verkehr: B 5 (Grüne Küstenstraße) Hamburg – Heide – Brunsbüttel; Endpunkt der B 431 nach Itzehoe.

Sehenswert: **Dithmarscher Landesmuseum,** Bütjestraße 4, mit reichen Sammlungen zur Dithmarscher Bauernkultur. Prunkstück ist der Pesel des Marcus Swin von 1568, eine vollständig ausgestattete Renaissancebauernstube (ursprünglich in Lunden). Ebenfalls ausgestellt Teile eines Frachtschiffes aus dem 17. Jh., das 1717/18 beim Deichbruch des Hedwigenkooges in der Nordermarsch angespült wurde (1969 entdeckt). Daneben Spielzeugschau, Schiffsmodelle und Darstellungen zur Landgewinnung und zum Deichbau, geöffnet März–Okt., Di–Fr, 9–17.30, Sa, So 10–16 Uhr, sonst Di–Sa 9–17.30 (vom 15. Sept.–5. Okt. geschl.). Als Außenstelle des Landesmuseums eine **Neuzeitabteilung** in der benachbarten, ehemaligen Gelehrtenschule (seit 1975) mit Schulklasse, Dorfläden, Arztpraxis, Küche und Stuben der Jahrhundertwende, Industriearbeit u. ä.

Freilichtmuseum am Jungfernstieg 4a, ein altes, original eingerichtetes Bauernhaus aus dem 17. Jh. Geöffnet 15. April–14. Sept., Di–Fr 9–12 und 13–17.30 Uhr, Sa, So 10–12 und 13–16 Uhr.

Mölln

Kr. Herzogtum Lauenburg, 15500 Einw. Die »Eulenspiegelstadt« Mölln liegt mitten im Naturpark Lauenburgische Seen zwischen Wäldern und Seen am Elbe-Lübeck-Kanal. Schon 1104 urkundlich erwähnt, wurde Mölln bereits im Jahr 1202 Stadt. – Heute ist Mölln staatlich anerkannter Kneippkurort.

Auskunft: Städtische Kurverwaltung, 2410 Mölln, Tel. 04542/7090 u. 7099.
Verkehr: B 207 Hamburg-Bergedorf – Lübeck.

Sehenswert: **Rathaus,** ein stattlicher gotischer Bau von 1373 mit Gerichtslaube (1475). Im Vorraum des Ratssaales und im Ratskeller Wandbilder aus dem Leben Till Eulenspiegels. Gegenüber vom Rathaus mehrere alte Bürgerhäuser (Nr. 1 von 1632); darunter befindet sich auch das **Stadtmuseum,** (Nr. 2, geöffnet Di–Fr 9–12, 15–17 Uhr, Sa, So 9–12, 14–16 Uhr, 15. Okt.–1. April geschl.).

Nebel

940 Einw. Nordseebad und Hauptort Amrums mit Amtsverwaltung und anderen Behörden. Nebel liegt in der Mitte der dem Wattenmeer zugekehrten Ostseite Amrums in einer Talmulde zwischen Wiesen, Gärten und einer Umgebung von Dünen, Wald und Heide. Der Name kommt von »Neues Bol« (= Neue Gemeinde) und weist auf die im Vergleich zu Norddorf und Süddorf relativ späte Gründung im 16. Jh. hin. Der Ortsteil Süddorf wurde bereits 1464 als »Suder« urkundlich erwähnt, während der kleinste Ort Amrums, Steenodde (svw. Steinspitze), erst zu Anfang des 18. Jh. entstand.

Auskunft: Kurverwaltung, 2279 Nebel, Tel. 04682/544.
Verkehr: Busverbindung mit Wittdün (Schiffsanlegestelle), Süddorf und Norddorf.

Sehenswert: Im Süden Nebels befindet sich die wuchtige, mit Reet gedeckte **Erdholländer-Windmühle** von 1771, die älteste und gleichzeitig letzte noch voll betriebsfähige Windmühle Nordfrieslands. Im Lagerraum der Mühle das **Amrumer Heimatmuseum.** Es enthält Dokumente zur Geschichte der Mühle, zur Heimatkunde Amrums mit vorgeschichtlichen Funden, zur Fauna und Flora der Insel sowie zur Schiffahrt (geöffnet Frühjahr bis Herbst Mo–Mi 10–12 Uhr, Do–So 15–18 Uhr).

Neumünster

Kreisfreie Stadt, 22 m, 80000 Einw. Zentral in Mittelholstein auf einem Geeströcken am Zusammenfluß von Stör und Schwale gelegen. Wichtiger Verkehrsknotenpunkt und bedeutendes Wirtschafts- und Einkaufszentrum (Bekleidungsindustrie, Maschinenbau, Metall- und Kunststoffverarbeitung, chemische und Elektroindustrie).

Auskunft: Fremdenverkehrsbüro, Großflecken (Verkehrspavillon ZOB), 2350 Neumünster, Tel. 04321/43280.
Verkehr: Kreuzungspunkt der Bundesstraßen 4, 205 und 430, BAB A 7 mit 3 Anschlußstellen.

Sehenswert:
Textilmuseum mit Forschungsstelle für frühgeschichtliche Gewebe, Parkstr. 17, Öffnungszeiten Mo–Fr 7.30–16, So 10–13 Uhr. Es zeigt in Bildern, Geräten und Rekonstruktionen die Geschichte der Textiltechnik von der Frühzeit bis zum Eintritt in das Industriezeitalter. Als einziges norddeutsches Museum besitzt es nachgewebte Kleidungsstücke aus bronzezeitlichen Baumsarg- und eiszeitlichen Moorfunden.

Neustadt in Holstein

Kr. Ostholstein, 16 000 Einw. Ostseebad, Stadtgründung 1242, an der Nordwestseite der Lübecker Bucht und dem sogenannten Binnenwasser; die Badeorte ***Pelzerhaken*** *und* ***Rettin,*** *in denen Kurtaxe erhoben wird, liegen etwa 3 km und 5 km südöstlich der Stadt im Dünengelände, Pelzerhaken auf einer weit vorspringenden Landspitze. Dem flachen steinfreien Badestrand sind mehrere Sandbänke vorgelagert, die bei geringer Wassertiefe das Baden selbst für kleine Kinder ungefährlich machen. – In Neustadt befinden sich moderne Yachthäfen und der sehenswerte alte Fischereihafen. Kurabgabe.*

Auskunft: Kurverwaltung, 2430 Neustadt, Tel. 04561/7011.
Verkehr: Autobahn A 1 Hamburg – Puttgarden, Ausfahrt Neustadt Nord. – B 207 Lübeck – Puttgarden.

Sehenswert:
Kremper Tor, Rest der mittelalterlichen Stadtbefestigung mit Treppengiebel. Im Tor das **Kreismuseum** mit Ausstellungen der Vor- und Frühgeschichte sowie der Stadtgeschichte, Moritatenschilder (geöffnet Juli u. Aug., Mo–Sa 14–17, So 10–12 Uhr, Mai/Juni/Sept., Sa 14–17, So 10–12 Uhr).

Niebüll

Kr. Nordfriesland, 2 m, 6700 Einw. Anerkannter Erholungsort. Die Stadt liegt inmitten der Marschenlandschaft Bökingharde und wurde bekannt durch die Verladerampe der Bundesbahn für Kraftfahrzeuge nach der Insel Sylt und als Umsteigestation nach Dagebüll (Mole) zur Weiterfahrt mit dem Schiff zu den Inseln Amrum und Föhr.

Auskunft: Stadtverwaltung, 2260 Niebüll, Tel. 04661/601-1; Informationsbüro, Rathausplatz, Tel. 601-90.
Verkehr: B 5 (Grüne Küstenstraße) Husum – dänische Grenze. – B 199 Flensburg – Niebüll.

Sehenswert:
Friesisches Heimatmuseum im Ortsteil Deezbüll, Osterweg 76, Freilichtmuseum. Mit altem Hausrat eingerichtetes, uthlandfriesisches Langhaus aus der Zeit um 1700, stein- und eisenzeitliche Funde, Möbel des 16. Jh. bis 19. Jh., Haus- und Küchengeräte, Geräte des Handwerks und einheimische Trachten, geöffnet täglich nach Bedarf und Vereinbarung.

Naturkundliches Heimatmuseum im Ortsteil Deezbüll, Deezbüller Str. 108. Tiere der Landschaft in hiesigen Landschaftsdioramen, ständige Ausstellungen von Fotos der Sturmfluten, geöffnet 15. Mai–15. Aug., täglich 10–12 und 14–17 Uhr, sonst täglich 14–17 Uhr.

In der Umgebung: **Hof Seebüll** bei *Neukirchen,* 17 km nördlich. Im Hof Seebüll **Noldemuseum.** Stiftung Ada und Emil Nolde, ständige Ausstellungen von Malerei, Graphiken, Skulpturen und Keramiken, u. a. eine Auswahl der »Ungemalten Bilder« aus der Zeit des Malverbots während der Nazi-Herrschaft, geöffnet März bis November, täglich 10–18 Uhr.

Oldenburg in Holstein

Kr. Ostholstein, 7 m, 9800 Einw. Kleinstadt an der schmalsten Stelle des Oldenburger Grabens, dem Überbleibsel einer früheren schiffbaren Verbindung zwischen der Hohwachter und der Lübecker Bucht. Stadtgründung 1235. Außer uralten, bis zu 17 m hohen Erdwällen, den Resten einer altgermanischen Fliehburg (»Brandenhuse«), weist heute nichts mehr auf die Bedeutung Oldenburgs als Seehandelsstadt in früheren Jahrhunderten hin, da Krieg und Feuersbrünste sie mehrfach zerstörten.

Auskunft: Städtisches Verkehrsamt, Markt 1, 2440 Oldenburg/Holst., Tel. 04361/561.
Verkehr: Autobahn A 1 Lübeck – Kiel. – B 207 (E 4) Lübeck – Puttgarden und B 202 Kiel – Oldenburg/Holstein.

Sehenswert: **Fliehburg,** die »Klörisburg«, mit weitem Rundblick von der Höhe der Wallanlage.

Die germanische Burganlage von 680 ist eine der größten und ältesten ihrer Art in ganz Deutschland, auf der im 10. Jh. eine slawische Burg stand. Unterhalb des Burgwalls entsteht z. Zt. das **»Museum am Wall«,** das in mehreren alten Bauernhäusern eine Dokumentation des slawischen Fürstensitzes bieten soll. In der Umgebung eine Reihe von vorgeschichtlichen Steingräbern.

Preetz

Kr. Plön, 33 m 15 600 Einw. Luftkurort und Gartenstadt an der Mündung der Postau in die Schwentine, die als das westliche »Tor zur Holsteinischen Schweiz« bezeichnet wird; Preetz liegt inmitten von Seen und Wäldern.

Auskunft: Fremdenverkehrsverein, Mühlenstraße 14, 2308 Preetz, Tel. 04342/2207.
Verkehr: B 76 Flensburg – Lübeck – Travemünde.

Sehenswert: **Zirkus-Museum:** Fotos, Dokumente, Kostüme und Kuriositäten, zur Zirkus-Geschichte (geöffnet Mi 17–20, Sa 15–18, So 11–18 Uhr).

Ratzeburg

Kreisstadt des Kreises Herzogtum Lauenburg, bis 45 m (Stadtteil St. Georgsberg), 13 000 Einw. Luftkurort und Inselstadt umgeben von vier waldumsäumten Seen **(Ratzeburger**

***See, Domsee, Küchensee** und **Stadtsee),** mit dem Festland durch drei Dämme und Brücken verbunden, im nördlichen Teil des Naturparks Lauenburgische Seen. Durch seine Lage an der Grenze zur DDR befindet sich Ratzeburg als östlichste Stadt Schleswig-Holsteins verkehrsmäßig in einer Sackgasse, da wenige Kilometer östlich der Stadt sämtliche Straßen und Bahnlinien gesperrt sind; weiter nördlich gehört auch das Ostufer des Ratzeburger Sees schon zur DDR.*

Auskunft: Städtisches Verkehrsamt, Alte Wache, 2418 Ratzeburg, Tel. 04541/2727 und 2051.
Verkehr: A 24 Hamburg – Berlin, Abfahrt Talkau, weiter über die B 207. – B 208 Bad Oldesloe – Ratzeburg – Mustin.

Sehenswert:
Steintor, auf dem Domhof rechter Hand, erbaut 1764. Hier das **Kreismuseum des Herzogtums Lauenburg,** mit vorgeschichtlichen und heimatkundlichen Sammlungen (geöffnet Di–So 10–13, 14–17 Uhr).

A.-Paul-Weber-Haus, Domhof 5, 17. Jh., Fassade 18. Jh., mit Werken des satirischen Zeichners und Graphikers. Geöffnet Di–So 10–13, 14–17 Uhr.

Ernst-Barlach-Museum im Vaterhaus des Künstlers, Barlachplatz 3. 1840 erbaut, mit einer Ausstellung von Barlachs Werken. Geöffnet Di–So 10–12 und 15–18 Uhr, 15. 12.–15. 2. geschlossen.

Reinbek

Kr. Stormarn, 26000 Einw. Am Südwestrand des Sachsenwaldes und beiderseits der Bille gelegene Stadt, etwa 20 km vom Zentrum Hamburgs entfernt. Landschaftlich attraktiver Wohnort vieler Hamburger.

Auskunft: Rathaus, Hamburger Str. 7, 2057 Reinbek, Tel. 040/72700-1.
Verkehr: Autobahn Hamburg – Berlin (A 24) und Anschluß an die Autobahn Hamburg – Lübeck (A 7/A 1). Flughafen Hamburg-Fuhlsbüttel ca. 30 Kilometer. – S-Bahn-Station.

Dieses berühmte Aquarell zeigt Bismarck bei Kaiser Wilhelm I.

Sehenswert:
Sachsenwald (heute noch im Besitz der Familie Bismarck; Otto von Bismarck erhielt den Wald 1871 von Kaiser Wilhelm I. als Geschenk); von Wohltorf (Wandertafel am Bahnhof) und von Aumühle-Friedrichsruh 5 km. In Gut Friedrichsruh, einer lockeren Ansammlung weniger Häuser, lohnend das **Bismarck-Museum,** ein schlichter Fachwerkbau, Alterssitz Bismarcks

mit umfangreichen Erinnerungsstücken. In geringer Entfernung das **Bismarck-Mausoleum** (1899), ein neuromanischer Bau, der die Särge des Fürstenpaares birgt. Besichtigung täglich außer Mo 9–17 Uhr.

Rendsburg

Kreisstadt des Kreises Rendsburg-Eckernförde, 7 m, 32 000 Einw. Am Schnittpunkt internationaler Land- und Wasserstraßen zwischen Eider und Nord-Ostsee-Kanal gelegen. Der 1895 eröffnete Kanal hat Rendsburg zu einer Seehafen- und Werftstadt im Binnenlande gemacht; die Stadt besitzt eine leistungsfähige Industrie (Eisenwerk, Schiffswerften, Düngemittel-, Baustoff- und Textilindustrie) und Bedeutung als Viehmarktzentrum wie auch als Tagungs- und Kongreßstadt.

Auskunft: Fremdenverkehrsamt, 2370 Rendsburg, Tel. 04331/206357.

Verkehr: Autobahn A 7 Anschlußstellen. Kreuzungspunkt der B 77 Schleswig – Itzehoe, der B 202 Kiel – Friedrichstadt und der B 203 Heide – Eckernförde.

Sehenswert:
Altes Rathaus, neue Ergänzungen, mit **Rendsburger Heimatmuseum.** Es zeigt die Geschichte und Entwicklung der Stadt seit dem 12. Jh. anhand verschiedener Stadtmodelle. Umfangreiche Schiffahrtsabteilung. Dargestellt ist die Eider-Schiffahrt bis hin zu den modernen Schiffen, die auf den hiesigen Werften gebaut werden. Sehenswert auch die historische Schwurlade aus dem Jahre 1530, das Richtschwert des letzten Scharfrichters, verschiedene Zunft- und Handwerksgeräte, Rendsburger Zinn und Fayencen, Münzen und Briefmarkensammlungen. Geöffnet: Di–So 15–17 Uhr.

Ahlmann-Kunstguß-Museum, An der Lio 41, von den Besitzern der Carlshütte seit 1827 zusammengetragene Sammlung. Kamin- und Ofenplatten alter Meister vom 16. bis 19. Jh.; Pyramidenöfen, Beilegöfen mit reichverzierten Stülpen; 196 Gußstücke der Königlichen Gießerei Berlin aus der Zeit um 1805 bis 1813. Geöffnet: Sa 15–18 Uhr, für Gruppen nach Vereinbarung.

Elektro-Museum, Kieler Str. 19. Dokumentation über die Geschichte der Elektrizität anhand von Elektrogeräten, Schalt- und Meßanlagen, Elektromotoren, elektrischen Musikinstrumenten seit 1890. Geöffnet: Mi 15–17 Uhr und nach Vereinbarung

St. Peter-Ording

Kr. Nordfriesland, 3–14 m, 5500 Einw. (davon 4800 in St. Peter, 650 in Ording). Nordseeheil- und Schwefelbad an der äußersten Spitze der weit in die Nordsee ragenden Halbinsel Eiderstadt. Das größte Bad auf dem Festland der schleswig-holsteinischen Westküste ist zugleich das einzige, das einen Sandstrand besitzt. Vor St. Peter-Ording liegt eine vom Meer hierher verlagerte ehemalige Sandbank (Hitzsand, Hochsichtsand), die ideale Voraussetzungen für die Badegäste bietet. Bis 14 m hohe Düne hinter dem Deich. Die vor einigen Jahren beim Bau des Kurbadehauses zufällig entdeckte Schwefelquelle gilt als stärkste Deutschlands.

Auskunft: Kurverwaltung, 2252 St. Peter-Ording, Tel. 04863/8321 und 8330.
Verkehr: Endpunkt der B 202 von Rendsburg.

Sehenswert:
Eiderstedter Heimatmuseum, in einem friesischen Bauernhaus (Uhlsdorfer Str. 6), zahlreiche Ausstellungsstücke zur Landschafts- und Wirtschaftsgeschichte, insbesondere zur frühen Besiedlung der Warften und der Marsch, geöffnet April–September, Di–Sa 10–12, 15–17 Uhr, So 10–12 Uhr; sonst Di–Sa 15–17 Uhr, So 10–12 Uhr.

Der hübsche Backsteinbau des Heimatmuseums St. Peter-Ording

Schleswig

Kr. Schleswig-Flensburg, 14 m, 29800 Einw. Ehem. Residenz, besonders hübsch am Ende der ca. 40 km langen Schlei gelegen, mit einer langen bewegten Vergangenheit. Vorgelagert die unter Naturschutz stehende kleine Insel Möwenberg. Bekannt durch die Ausgrabungen der alten Wikingersiedlung Haithabu und durch eine Reihe von kulturgeschichtlich wertvollen Bauten, vor allem den romanisch-gotischen St.-Petri-Dom, das Wahrzeichen der Stadt. Schleswig ist Sitz der Obergerichte des Bundeslandes Schleswig-Holstein sowie weiterer Landesbehörden. Einkaufsmittelpunkt eines ländlich strukturierten Hinterlandes. Zahlreiche Industrien der Nahrungs- und Genußmittelherstellung (u. a. Spiritus).

Auskunft: Städtisches Touristbüro, Plessenstr. 7, 2380 Schleswig, Tel. 04621/814-226 und 814-0.
Verkehr: Autobahnanschlußstellen zur A 7 Hamburg – Flensburg. Kreuzungspunkt der B 76 Flensburg – Eckernförde und B 201 Husum – Kappeln; Ausgangspunkt der B 77 nach Rendsburg.

Sehenswert:
Schloß Gottorf (Wanderwege Nr. 1 und 4). Auf der heutigen Schloßinsel im Burgsee, im 12. Jh. Bischofssitz, seit 1268 herzogliche Residenz. Heutiger Bau auf den alten Fundamenten errichtet aus der Zeit nach 1492 (mehrere Brände). 1713 Verwahrlosung nach dänischer Besetzung, später als Kaserne benutzt. Nach dem 2. Weltkrieg Aufnahme der Landesmuseen und des Landesarchivs. Vierflügelanlage mit repräsentativer Südfassade von 1698–1703. Als größtes Fürstenschloß des Landes war es vom 16. bis 18. Jh. Residenz der Herzöge von Schleswig-Holstein-Gottorf.

Landesmuseum für Vor- und Frühgeschichte, demonstriert übersichtlich die Entwicklung des Landes bis zu den Wikingern. Größte prähistorische Sammlung in der Bundesrepublik, urgeschichtliche Sammlung mit Funden aus der Rentierjägerkultur der Alt- und Mittelsteinzeit, Goldkammer der Bronzezeit, Gestaltungsformen und Komplexe ausgegrabener Siedlungen. Grabfunde aus vorrömischer und römischer Zeit. Frühgeschichtliche Abteilung Waffen, Schmuck u. a. aus der Wikingerzeit, heute z. T. im Haithabu-Museum. Die Marschenabteilung veranschaulicht die umfangreichen Küstenveränderungen (verschiedene Wattfunde). Von besonderem Interesse die *Nydamhalle* mit der Hauptattraktion, dem 23 m langen Ruderschiff (ältestes erhaltenes Großschiff Nordeuropas aus dem 4. Jh.) und mehreren etwa 2000 Jahre alten Moorleichen sowie großen Opferfunden von Nydam und aus dem Thorsberger Moor (bei Süderbrarup).

Schleswig-Holsteinisches Landesmuseum mit reichen Schätzen aus der Kunst- und Kulturgeschichte des Landes vom 11. Jh. bis zur Gegenwart: kirchliche Kunst, Möbel, Gemälde (u. a. von Cranach), Volkskunst, Fayencen, Geräte, Waffen, zeitgenössische Kunst u. v. a. m. – Geöffnet April–Oktober, täglich 9–17 Uhr, Mo nur Nydamhalle und mittelalterliche Kunst zu besichtigen, im Winter Di bis So 9.30–16 Uhr, Tel. 04621/614-0.

Städtisches Museum im v. Günderroth'schen Hof, Friedrichstr. 7–11 (Wanderweg 2). Als Quartier für eine persische Gesandtschaft 1635 entstaden, wechselte das Haus häufig den Besitzer; Torhaus und Seitenflügel wurden später hinzugefügt. Architektonisch interessant: die Halle mit barocker Wangentreppe, Galerie und Stuckdecke. Der Hauptbau beherbergt das Städtische Museum, das die geschichtli-

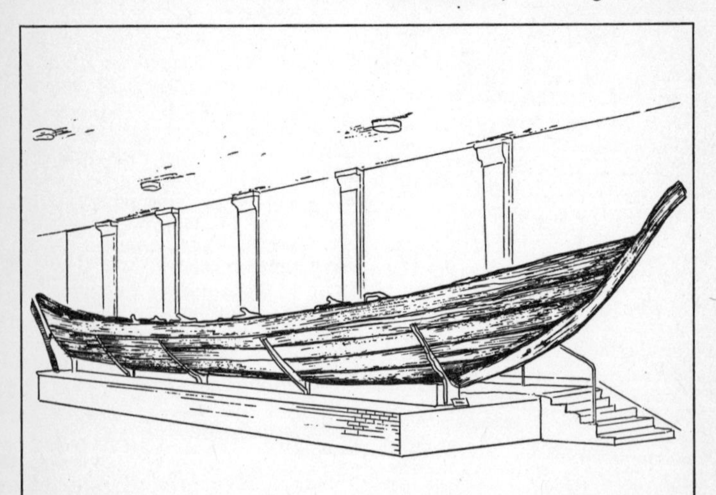

23 Meter lang ist das berühmte Nydamboot des Landesmuseums in Schleswig

che und kulturgeschichtliche Entwicklung der Stadt sowie die Ergebnisse der Ausgrabungen im Altstadtkern zeigt. Fayencenkabinett und Spielzeugausstellung. Geöffnet Mo und Mi–Sa 9–17 Uhr, So 9–13 Uhr.

In der Umgebung: **Haithabu,** am Haddebyer Noor, Vorläuferin der heutigen Stadt Schleswig, von den Wikingern aus dem Ostseeraum so benannt (= Ort an der Heide), von den Chronisten südlich der Eider als Sliasthorp und Sliaswich bezeichnet. Von dem größten Handelsplatz Nordeuropas in der Wikingerzeit (um 800 erwähnt) blieben eindrucksvolle Reste erhalten: Ein Areal von rund 25 ha wird halbkreisförmig von dem 8 bis 10 m hohen Stadtwall umschlossen. 1979 Fund eines vor etwa 1000 Jahren gesunkenen Wikinger-Handelsschiffes. Da das Holz des Schiffes »butterweich« war, wurde es vor der Bergung aus dem Schlick in 30 000 Einzelteile zerlegt und anschließend im Landesmuseum Schleswig mit enormem Kostenaufwand restauriert. Ein weiteres Wikingerschiff wurde 1981 entdeckt (man schätzt, daß erst 1/10 der unter der Erde liegenden Schätze gehoben sind). Seit Oktober 1985 gibt es ein **Haithabu-Museum** am Haddebyer Noor (neben dem berühmten Wikingerschiff sind weitere Funde ausgestellt, wie Schmuck, Münzen, Waffen u. a.).

Schönberg

Kr. Plön, mit den Ostseebädern ***Holm, Schönberger Strand, Brasilien*** *und* ***Kalifornien,*** *15 m, 4600 Einw. Schönberg ist der Hauptort der ehemaligen zum Kloster Preetz gehörenden Küstenlandschaft Probstei, die sich zwischen Kieler Förde und Selenter See erstreckt. Das durch Deiche geschützte Seebad Schönberger Strand liegt 4 km nördlich am offenen Meer.*

Auskunft: Kurverwaltung, Knüll 4, 2306 Schönberg, Tel. 04344/3836 und Kurmittelhaus Holm, Tel. 94222.
Verkehr: Endpunkt der B 502 von Kiel.

Sehenswert: **Verkehrsmuseum** im Museumsbahnhof Schönberger Strand, einem reinen Jugendstilbau. Schienenveteranen verschiedener Zeit aus ganz Deutschland. Zwischen Schönberg und dem Museum von Juni bis September Sa/So Linienverkehr eines historischen Zuges (Tel. 04344/2323).

Stade

Kreisstadt, 7 m, 45 000 Einw. Mittelalterliche Stadt auf dem linken Ufer der Unterelbe, wegen ihrer Anlagen auch »Grüne Stadt der Niederelbe« genannt. Die Schwinge, die bei Bremervörde entspringt und mit der Oste am Oberlauf durch einen Kanal verbunden ist, umfließt den alten, unzerstörten Stadtkern in Form eines Burggrabens und mündet 6 km weiter nordöstlich in die Elbe; dort liegt der Vorhafen Stadersand.

Auskunft: Fremdenverkehrsamt, Bahnhofstr. 7a, 2160 Stade, Tel. 04141/14215 und 3738.
Verkehr: B 73 Hamburg – Cuxhaven; Ausgangspunkt der B 74 (Grüne Küstenstraße) nach Bremervörde.

Sehenswert:
Schwedenspeicher am Wasser West, Backsteinbau von 1705, Bestandteil der schwedischen Festung. Hier befindet sich das **Urgeschichtsmuseum** mit Funden von 2000 v. Chr. bis 1000 n. Chr., u. a. der Dolch von Wiepenkathen, der Goldreif von Himmelpforten und der hl. Wagen von ca. 700 v. Chr. Geöffnet Di–Do 10–17, Fr–So 10–18 Uhr.

Heimatmuseum (geöffnet täglich außer Mo 10–13, 14–16 Uhr), Inselstraße 12. Das sehenswerte *Freilichtmuseum* auf der Insel zeigt ein Altländer Bauernhaus von 1733 und ein Geesthaus von 1841, das als Gaststätte eingerichtet ist. Geöffnet 1. 5.–30. 9., täglich außer Mo, 10–15, 14–17 Uhr.

»Alt Stade« im **Baumhaus** (Privatmuseum) enthält in reichen, hochinteressanten Sammlungen Zeugnisse aus der Vorgeschichte des Landes sowie aus der frühen und neueren Geschichte der Stadt (geöffnet 1. 5.–31. 10. Sa 15–18, So 10–12, 15–18; 1. 11.–28. 2. So 15–17 Uhr).

Wenningstedt auf Sylt

30 m, 2100 Einw. Nordseeheilbad, fast anschließend an Westerland, den Hauptort der Insel Sylt. Das ursprüngliche Wenningstedt war vor etwa 1000 Jahren 2 km westlicher gelegen, besaß damals einen eigenen Fischereihafen (anderer Küstenverlauf), wurde aber 1362 während einer Sturmflut zerstört. Von dort aus sollen die sagenhaften Angelsachsen Hengist und Horsa mit ihrer Gefolgschaft im Jahr 449 nach England aufgebrochen sein.

Nördlich die schönste Steilküste Sylts, das 25 m hohe Rote Kliff (Landschaftsschutzgebiet), bestehend aus rötlichem Geschiebelehm. An diesem Steilkliff herrscht starke Brandung. Der Ort steht im Ruf eines ruhigen Familienbades und besitzt einen Dorfteich, der durch einen Meereseinbruch entstand. Das kleine Friesendorf ***Braderup*** *liegt als östlicher Teil der Gemeinde Wenningstedt am Wattenmeer der Sylter Ostküste.*

Auskunft: Kurverwaltung, 2283 Wenningstedt, Strandstr., Tel. 04651/41081. Zimmernachweis, Westerlandstr. 1, Tel. 04651/43210.

Verkehr: Inselstraße Westerland – List. – Inselbus.

Sehenswert:
Megalithgrab »Denghoog« (Thinghügel), am nördlichen Ortsrand, an der Straße nach Kampen, bei der Kirche; einer der besterhaltenen und ältesten Grabgänge Deutschlands, aus der jüngeren Steinzeit (2500 v. Chr.), geöffnet 1868 (gefunden wurden Knochenreste, Schmuck, Werkzeuge und Waffen, die sich heute im Landesmuseum in Schleswig befinden). Das Grab ist 5 m lang, 3 m breit und besitzt einen 6 m langen Gang. Die vieleckige Kammer wird von 12 Tragsteinen und 6 großen Decksteinen gebildet und ist in einem Erdhügel gelegen, betretbar durch ein künstlich angelegtes Einstiegsloch. Besichtigung von Mai–September 9.30–11.30 und 15–17.30 Uhr, So geschlossen.

Wesselburen

Kr. Dithmarschen, 8 m, 3300 Einw. Landstadt inmitten der flachen Nordermarsch auf einer Halbinsel zwischen Eidermündung und Meldorfer

Bucht. In der Umgebung wird vor allem Kohl angebaut. Wesselburen wurde bereits 1281 erstmals als »Wislincgeburin« (= Siedlung des Wesling) erwähnt und erhielt 1899 die Stadtrechte. Wesselburen ist Geburtsort des Dichters Friedrich Hebbel (1813–1863). Reizvoller Ortskern auf zwei Warften.

Auskunft: Stadtverwaltung, 2244 Wesselburen, Tel. 04833/2077 Verkehrsverein, Tel. 2480.
Verkehr: B 203 Heide – Büsum; Abzweigung bei Süderwöhrden (8 km).

Sehenswert:
Hebbelmuseum in der ehem. Kirchspielvogtei von 1737, Österstr. 6, große Zahl von Erinnerungsstücken aus dem Leben des Dichters: Kindheit und Jugend Hebbels, der mit 16 Jahren bereits Schreiber der Kirchspielvogtei war und zwischen 1827 und 1835 in diesem Haus gelebt hat, finden sich hier ebenso ausgezeichnet dokumentiert, wie der spätere Lebensweg bis zu seinen Wiener Jahren. Historische Räume zeigen die Umgebung, in der er lebte und arbeitete, daneben Erstausgaben, Lithographien, Kupferstiche und Spezialbibliothek, Hebbeldenkmal; geöffnet Mai–Oktober, Di–Sa 10–12 und 14–18 Uhr, So 10–12, 15–17 Uhr, sonst Di–Fr 15–18 Uhr.

Wyk auf Föhr

6 m, 5500 Einw. Nordseeheilbad sowie Hauptort und Hafen der Insel Föhr. 1710 Marktrecht, wichtige Einnahmequellen waren die Gewinne aus den Walfangfahrten, aufblühende Hafenstadt. Jedoch Niedergang von Schiffahrt und Handel (rückläufige Fangergebnisse, napoleonische Kriegswirren mit Kontinentalsperre, 1807 Krieg Dänemark/England mit anschließender Auslieferung der dänischen Kriegsflotte, dadurch erhöhte Steuern für Föhr). Lösung war die Gründung des Seebads Wyk (1819), schleppende Entwicklung bis 1842 als König Christian VIII. von Dänemark dort eine Badekur machte. Im Lauf der Zeit besuchten auch deutsche Adelige Wyk und bestärkten so den guten Ruf des Seebads. Die heilsame Wirkung des Nordseeklimas wurde v. a. von den beiden Ärzten Dr. Gmelin und Prof. Häberlin um die Jahrhundertwende erkannt, wodurch die Zahl der Gäste immer mehr anstieg.

Auskunft: Städtische Kurverwaltung, 2270 Wyk auf Föhr, Tel. 04681/765.
Verkehr: Schiffsverbindungen (auch Autofähre/nur nach Voranmeldung, Tel. 04681/701) Dagebüll – Wyk (45 Minuten).

Dr.-Carl-Häberlin-Friesenmuseum. Das Gelände ist mit einem Wall von Findlingen umgeben, Torbogen aus den Kieferknochen eines Wals. Zeugnisse aus der Stein-, Bronze-, Eisen- und Wikingerzeit sowie aus der Zeit des Wal- und Robbenfangs. Friesentrachten, Friesenschmuck, friesische Wohnkultur, handwerkliches Gerät, Deichbau, Landgewinnung, Flora, Fauna und Geologie der Insel. Geöffnet März–Okt. Di–So 10–12 und 15–17 Uhr (Juni–Aug. 14–18 Uhr), Nov.–Jan. Di–Sa 15–17 Uhr.

Zum einzigen Buddelschiffmuseum der Welt

Obwohl die Ostfriesischen Inseln, Ostfriesland und das oldenburgische Jeverland, Butjadingen und Stadland heute Bestandteile des Landes Niedersachsen sind, werden ihre Bewohner sich kaum als Niedersachsen, sondern immer als Friesen bezeichnen. Die friesische Stammesart zeichnet sich immer noch genügend ab in der eigenen plattdeutschen Sprache, den althergebrachten Wettkämpfen und in der Besonderheit des friesischen Bauernhauses.

Will man besondere Charaktermerkmale des Marsch- und Geestbewohners herausstellen, so ist das nicht ganz einfach. Beiden ist die ruhige und besonnene Art eigen, gepaart mit zäher Heimatverbundenheit und tiefsitzendem Bauernstolz. Dazu kommt aber auch ein »Humor um drei Ecken«, und es ist nicht verwunderlich, daß die besten »Ostfriesenwitze« – von den Ostfriesen selbst erfunden werden.

Außerdem spielt natürlich die Verbundenheit mit dem Meer eine große Rolle im Leben der Friesen. So ist denn auch die Zahl bedeutender Schiffahrtsmuseen in dieser Gegend besonders groß. Schwerpunkte bilden Brake, Bremen, Bremerhaven, Emden, Neuharlingersiel, Rhauderfehn und Wilhelmshaven. Hier erfährt der Museumsbesucher so gut wie alles zum Thema Seefahrt. Und über das bäuerliche Leben der Friesen informieren vor allem die Freilichtmuseen in Cloppenburg und in Bad Zwischenahn sowie in Bremerhaven.

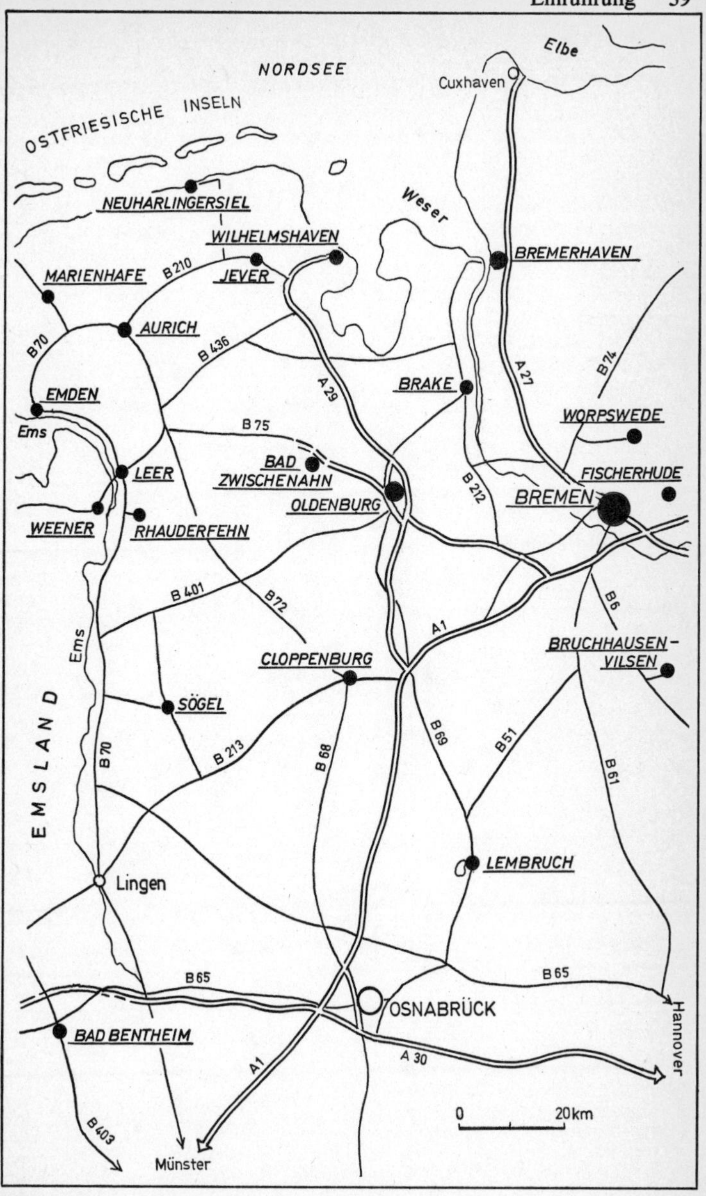
NORDSEE
OSTFRIESISCHE INSELN
Elbe
Cuxhaven
Weser
NEUHARLINGERSIEL
WILHELMSHAVEN
BREMERHAVEN
MARIENHAFE
B 210
JEVER
AURICH
B70
B 436
A 29
A 27
B74
BRAKE
EMDEN
Ems
B 75
WORPSWEDE
BAD
ZWISCHENAHN
LEER
B 212
FISCHERHUDE
BREMEN
OLDENBURG
WEENER
RHAUDERFEHN
B 401
B72
B6
A1
BRUCHHAUSEN-
VILSEN
Ems
CLOPPENBURG
EMSLAND
SÖGEL
B 213
B 68
B 69
B51
B70
B61
LEMBRUCH
Lingen
B65
B 65
OSNABRÜCK
Hannover
BAD BENTHEIM
A 30
A1
0
20km
B403
Münster

Aurich

Kreisstadt, 8 m, 34 000 Einw. »Grüne Stadt« im Herzen Ostfrieslands, Verwaltungs- und Verkehrszentrum, Hafen am Ems-Jade-Kanal. Bemerkenswert sind die großen Grünanlagen und die parkartige Wallheckenlandschaft. – Aurich war von 1561 bis zum Aussterben des Hauses Cirksena (1744) Residenz der ostfriesischen Grafen und Fürsten.

Auskunft: Verkehrsverein, 2960 Aurich, Pavillon am Pferdemarkt, Tel. 0 49 41/44 64.
Verkehr: B 72 (Grüne Küstenstraße) Norden – Friesoyte; Ausgangspunkt der B 210 nach Jever.

Im Auricher Mühlenfachmuseum

Sehenswert:
Stiftsmühle, höchste Windmühle Ostfrieslands, als **Mühlenfachmuseum** eingerichtet. Geöffnet Mai–Sept. Di–Sa 10–12 und 15–17 Uhr, So 15–18 Uhr.

Bad Bentheim

Kr. Grafschaft Bentheim, 96 m, 14 000 Einw. Stadt nahe der holländischen Grenze, überragt von einem massigen Schloß. 2 km nördlich, mitten im Forst Bentheim liegt der Ortsteil **Bad Bentheim** *mit seiner seit 250 Jahren bekannten Schwefelmineralquelle.*

Auskunft: Städtisches Verkehrsbüro, 4444 Bentheim, Postfach 1 58, Tel. 0 59 22/31 66.
Verkehr: Kreuzungspunkt der B 65 Rheine – holländische Grenze und der B 403 Nordhorn – Ochtrup.

Sehenswert:
Schloß Bentheim, im 12. Jh. war schon eine Burg der Grafen von Bentheim vorhanden. Die heutige gewaltige Anlage mit dem massigen, quadratischen Bergfried stammt aus dem 15. bis 16. Jh. und wurde im 19. Jh. ausgebaut. Im Innern die berühmte Steinplastik »Herrgott von Bentheim«, eine Christusfigur frühromanischen Stils (11. Jh.). Im Innern **Heimatmuseum** der Grafschaft Bentheim mit einer Doppelmadonna des Meisters von Osnabrück von 1510–1520, 1,30 m Höhe. – Historische Gaststätte im Bürgerhaus des ehemaligen Heimatmuseums, mit Ratsherrnstube, Bauernstube, Kamin- und Thekenraum. Geöffnet März–Okt. 9.30–18 Uhr.

Bad Zwischenahn

Kr. Ammerland, 6 m, 22 400 Einw. Mit 23 Ortsteilen staatlich anerkanntes Heilbad am Zwischenahner Meer.

Auskunft: Kurverwaltung, 2903 Bad Zwischenahn, Auf dem hohen Ufer, Tel. 04403/2580 und 4433–37.
Verkehr: Autobahn A 28, Anschlußstelle Zwischenahner Meer (8 km). B 75 Oldenburg – Leer.

Sehenswert: Ammerländer **Freilandmuseum,** 1908 gegründet, mit einem Bauernhaus von 1605, Heuerhaus, Töpferei, Schmiede, Windmühle und der historischen Gaststätte »Spieker«. Geöffnet im Sommer 9–18 Uhr, im Winter 10–17 Uhr.

Veranstaltungen: Am Herdfeuer des Bauernhauses im Freilichtmuseum werden alljährlich zur Heimatwoche plattdeutsche Werke von einer Laienbühne aufgeführt.

Brake

Kreisstadt des Kreises Wesermarsch, 4 m, 18300 Einw. Fremdenverkehrsstadt und Überseehafen am linken Ufer der seeschifftiefen Unterweser.

Auskunft: Stadtverwaltung, Rathaus, 2880 Brake, Schrabberdeich 1, Tel. 04401/5001-05.
Verkehr: Autobahn A 29 Anschlußstelle Autobahnkreuz Oldenburg-Nord (22 km). B 212 Delmenhorst – Nordenham; Endpunkt der B 211 von Oldenburg.

Sehenswert: Im Turm des »Telegraph« (Wahrzeichen der Stadt) das **Schiffahrtsmuseum** (geöffnet Di–Sa 10–12 und 14–17 Uhr, So 10–17 Uhr; Tel. 4383).

Bremen

5 m, 570000 Einw. Freie Hansestadt, Haupstadt des Bundeslandes Bremen, das außerdem die Stadtgemeinde Bremerhaven umfaßt, zweitgrößter Seehafen der Bundesrepublik, Welthandelsplatz, Standort leistungsfähiger Werften und vielseitiger Industrie. Das Stadtgebiet erstreckt sich 66 km stromaufwärts von Bremerhaven, ringsum vom Land Niedersachsen umgeben, zu beiden Seiten der Unterweser, an die es sich auf rund 40 km Länge anlehnt. Bis zum Weserwehr in Bremen-Hastedt machen sich Ebbe und Flut stark bemerkbar. Die Strombreite beträgt bei Flut 210 m. Der Stadtbezirk **Bremen-Nord** *mit den Ortsteilen Blumenthal, Farge, Lesum und Vegesack dehnt sich 20 km weserabwärts vom Stadtzentrum am malerischen Geestufer von Weser und Lesum aus. Das beliebte Ausflugsgebiet besitzt zahlreiche Anlagen, Gaststätten und Sommergärten am Wasser, von denen aus man die Aussicht auf Strom und Schiffahrt genießt.*

Auskunft: Tourist-Information gegenüber dem Hauptbahnhof, 2800 Bremen, Bahnhofsplatz 29, Tel. 0421/321212.
Verkehr: Kreuzungspunkt der Autobahnen A 1 Hamburg – Osnabrück und der A 27 Bremerhaven – A 7 Hannover – Hamburg.

Sehenswert: **Bremisches Museum für Kunst- und Kulturgeschichte (Focke-Museum),** *Schwachhauser Heerstr. 240,* entstanden auf dem Gelände des alten Gutes Riesenbeck, genannt »Museum im Park«, da die Landschaft mit einbezogen wurde.

Ein Teil der Sammlungen ist stilgerecht im wiederaufgebauten Gutshaus und im Mittelsbürener Bauernhaus untergebracht; Gaststätte in der alten Scheune (geöffnet Di–Sa 10–16 Uhr, Mi bis 18 Uhr, So 10–14 Uhr, Juni–August So auch 15–17 Uhr). – Außenstelle Mühle Oberneuland, Mühlenfeldstr. 34 (geöffnet April–September, Di, Do, Fr und So 10–13 Uhr, Mi 15–18 Uhr; Oktober–März So 10–13 Uhr ständige Ausstellung »Korn und Brot im alten Bremen«).

Gerhard-Marcks-Haus, *Am Wall 208,* Skulpturen, Skizzen, Handzeichnungen und Aquarelle des Künstlers (geöffnet Mi–So 10–18 Uhr).

Kunsthalle, *Am Wall 207.* Sie zeigt etwa 700 Gemälde aller europäischen Völker und Schulen; zur Schau gestellt werden die Malerei Italiens (15. bis 18. Jh.), Deutschlands (15. bis 20. Jh.), Frankreichs (15. bis 20. Jh.) und der Niederlande (15. bis 17. Jh.). Skulpturensammlung mit Bildhauerwerken des 18. bis 20. Jh. – Im Kupferstichkabinett Handzeichnungen, Druckgraphiken und illustrierte Bücher aus allen Epochen (15. Jh. bis zur Gegenwart). Sammlungen japanischer Handzeichnungen und Farbholzschnitte. Europäische Plakate des 19. und 20. Jh. (geöffnet Di–So 10–16 Uhr, Di und Fr auch 19–21 Uhr).

Paula-Modersohn-Becker-Haus, *Böttcherstraße.* Errichtet 1926 zum Gedenken an Worpswedes große Künstlerin nach Plänen von Professor Bernhard Hoetger. Im Vestibül lebensgroße Plastik »Mutter und Kind« von Prof. Hoetger. Durchgang zum Werkstättenhof mit dem Sieben-Faulen-Brunnen. Links Ausstellungs- und Verkaufsraum der Bremer Werkschau für Kunsthandwerk, Textilien und Lehrspielzeug. Im ersten Stockwerk eine umfangreiche Sammlung der wesentlichsten Werke von Paula Modersohn-Becker (geöffnet Mo–Fr 10–16 Uhr, Sa 10–19 Uhr, So 11–13 Uhr und 15–19 Uhr).

Roseliushaus, *Böttcherstraße.* Die Ludwig-Roselius-Sammlung enthält Meisterwerke niederdeutscher Kunst aus Gotik, Renaissance und Barock, darunter Werke von Tilman Riemenschneider und Lucas Cranach (geöffnet Mo–Do 10–16 Uhr, Sa und So 11–16 Uhr).

Überseemuseum, *am Bahnhofsplatz.* Seltene Sammlungen aus allen Erdteilen, besonders reizvolle Stücke aus Ost- und Südostasien, Afrika und Ozeanien. Handelskunde, Naturkunde und Völkerkunde sind integriert in Großräumen dargestellt. Die bremischen Bezüge Schiffahrt, Häfen, Im- und Export werden gezeigt. Das Aquarium stellt Lebensräume dar. Geöffnet Di–So 10–18 Uhr.

Pagodenbau im bremischen Überseemuseum

Schloß Schönebeck (1686–1705); innen Heimatmuseum mit den Abteilungen Schiffahrt, Schiffbau, Walfang, Sammlungen des in Vegesack geborenen Afrikaforschers Gerhard Rohlfs und des Südseepioniers Kapitän Dallmann. Di, Mi, Sa, So 15–17, So auch 10–12.30 Uhr.

Bremerhaven

3 m, 142 000 Einw. Bedeutende Hafenstadt an der Einmündung der Geeste in die hier 1800 m breite Unterweser, Teil des Bundeslandes Bremen. »Brücke nach Übersee« mit dem führenden deutschen Passagierhafen an der Columbuskaje; »Stadt der Hochseefischerei«, einer der größten Seefischmärkte Europas.

Auskunft: Städtisches Verkehrsamt, 2850 Bremerhaven, Columbus-Center, Obere Bürger 13, Tel. 0471/5902243.
Verkehr: Autobahn A 27, fünf Anschlußstellen. – B 6 Bremen – Cuxhaven; Ausgangspunkt der B 71 nach Bremervörde.

Sehenswert:
Deutsches Schiffahrtsmuseum. Sechs Museumsschiffe sind im Alten Hafen zu besichtigen: die Dreimastbark »Seute Deern«, das Feuerschiff »Elbe III«, der Walfänger »Rau IX.«, der Hochseeschlepper »Seefalke«, die Expeditionsjacht »Grönland« und das Schnellboot »Kranich«. Di–So 10–18 Uhr.

Morgensternmuseum, *Karlstraße 6.* Prähistorische Funde aus der Umgebung, Sammlung zur Volkskunde und Stadtgeschichte (geöffnet Di–Fr 10–16 Uhr, Sa 10–13 Uhr, So 10.30–12.30 Uhr, an Fei geschlossen; Tel. 5902568).

Fischereihafen. Ein Stadtteil für sich mit 2,5 km Länge und 1,2 km Breite auf 700 ha. In diesem Hafenteil werden die Frischfischanlandungen der Trawler und Kutter gelöscht und in Auktionen versteigert (werktags außer Sa 7–8 Uhr). Auch die bereits auf See gefrosteten Fische der Fabrikschiffe werden hier umgeschlagen oder weiter verarbeitet. Durch eine Doppelschleuse ist die 120 ha große Wasserfläche unabhängig von Ebbe und Flut (normaler Tidenhub 3 m). Die kajennahen Kühlhäuser haben eine Kapazität von rund 40 000 Tonnen.

Daneben befindet sich das **Institut für Meeresforschung** mit dem **Nordseemuseum** (Tier- und Pflanzenwelt des Meeres; geöffnet Mo–Fr 8–18 Uhr, Sa, So, Fei 10–18 Uhr).

Kunsthalle des Kunstvereins Bremerhaven, *Karlsburg 4;* wechselnde Ausstellungen (geöffnet Di–Sa 15–18 Uhr, So 11–13 Uhr; Tel. 46838).

Freilichtmuseum Speckenbüttel mit Geesthaus, *Parkstraße 9,* und Marschenhaus sowie Marschenmühle, *Marschenhausweg.* Niedersächsische Bauernhäuser des 17. Jh. mit Ausstellung bäuerlichen Kulturguts (geöffnet täglich außer Do und Sa 9–11 und 15–17 Uhr, Tel. 81113).

Bruchhausen-Vilsen

Kr. Grafschaft Hoya, 19 m, 4700 Einw. Staatlich anerkannter Luft- und Kneippkurort an der Grenzscheide zwischen Hoher Geest und Weserniederung, bekannt als Station einer Museumseisenbahn.

Auskunft: Gemeindeverwaltung, 2814 Bruchhausen-Vilsen, Tel. 0 42 52/39 10.
Verkehr: B 6 Syke – Nienburg; Abzweigung bei Ochtmannien (7 km).

Sehenswert:
Museumseisenbahn des Deutschen Eisenbahnvereins, historisch wertvolle Eisenbahnfahrzeuge aus allen Teilen Deutschlands, darunter verschiedene Lokomotiven, Waggons mit offener Plattform, Güterwagen, Pack- und Postwagen (Sonderstempel). Die Museumseisenbahn verkehrt in verschiedener Zusammenstellung an den Wochenenden von Anfang Mai bis Ende September auf einer Schmalspurstrecke zwischen Bruchhausen-Vilsen und Asendorf.

Museumsbahn Bruchhausen-Vilsen

Fahrplan und nähere Auskunft durch den Deutschen Eisenbahnverein e. V., 2814 Bruchhausen-Vilsen, Bahnhof.

Cloppenburg

Kreisstadt, 20 000 Einw. Standort eines großen Freilichtmuseums bäuerlicher Kulturdenkmäler in Deutschland. Bedeutender Markt für landwirtschaftliche Erzeugnisse, Einkaufszentrum Südoldenburgs.

Auskunft: Stadtverwaltung, 4590 Cloppenburg, Sevelter Str. 8, Tel. 0 44 71/66 11 und 27 71.
Verkehr: Autobahn A 1, Anschlußstelle Cloppenburg (15 km). – Kreuzungspunkt der B 72 Friesoythe – Emstek und der B 213 Wildeshausen – Lingen.

Sehenswert:
Museumsdorf Cloppenburg, mitten im Stadtgebiet gelegen. Auf einem Gelände von 18 ha befindet sich ein Dorf aus echten alten Bauerhäusern mit der vollen Einrichtung, die aus dem Land zwischen Weser und Ems und angrenzenden Landschaften stammen und hier wieder aufgebaut wurden. Die einzelnen Höfe und ihre Nebengebäude gruppieren sich um einen langgestreckten Platz, genannt »Brink«, in dessen Mitte der Dorfteich liegt.

50 Gebäude dokumentieren die einstige bäuerliche Kultur Niedersachsens. Durch eindrucksvolle Beispiele vertreten sind nicht nur die drei niederländischen Haustypen (Ostfriesisches Gulfhaus, Niederdeutsches Hallenhaus, Mitteldeutsches

Gehöft), sondern auch verschiedene Mühlenarten (Wind-, Wasser-, Tier- und Handmühlen) sowie typische alte Handwerksbetriebe. Auch ein Herrenhaus aus der Zeit um 1680, genannt »Burg Arkenstede«, wurde originalgetreu wiedererrichtet und beherbergt Sammlungen der Volkskunst und Vorgeschichte. Geöffnet ist das Museumsdorf werktags 8–18 Uhr, So 9–18 Uhr, im Winter nur bis 17 Uhr; im »Dorfkrug« kann man auch abends noch einkehren. Führungen nach Anmeldung, Tel. 25 04. – Eine 1799 erbaute Fachwerkkirche hat ebenfalls im Museumsdorf einen neuen Standort bekommen. Die Kirche stand bisher in Klein Escherde bei Hildesheim. Sie wurde Stein für Stein abgetragen und nach Cloppenburg gebracht.

Emden

Kreisfreie Stadt, 4 m, 53 500 Einw. Größte Stadt Ostfrieslands, gelegen an der Emsmündung, am Dortmund-Ems-Kanal und Ems-Jade-Kanal. Drittgrößter Seehafen der Bundesrepublik, Massenguthafen für das östliche Ruhrgebiet mit Umschlagsmöglichkeiten für Erz, Kohle, Mineralöl, Getreide, Baustoffe und anderes; bedeutender Exporthafen für Kraftfahrzeuge, Standort mehrerer Werften. Kraftwerke, Erdölraffinerie, Erdnußgroßrösterei, Anlandestation für Erdgas aus der Nordsee.

Emden hat eine tausendjährige, wechselvolle Geschichte. Im Zweiten Weltkrieg wurde die Innenstadt fast völlig durch Bombenangriffe vernichtet, der Wiederaufbau etwa 25 Jahre später abgeschlossen.

Auskunft: Stadtverwaltung, 2970 Emden, Tel. 0 49 21/ 8 71-1.

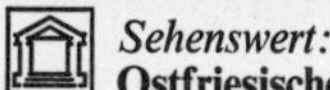

Sehenswert: **Ostfriesisches Landesmuseum, Städtische Rüstkammer und Stadtarchiv** im nach dem Krieg wiedererbauten Rathaus am Delft (geöffnet Di–Fr 10–13 und 15–17 Uhr, Sa und So 11–13 Uhr). Gemäldegalerie, Silberschatz, Sammlungen zur Vor- und Stadtgeschichte, Abteilungen Hafen, Schiffahrt und Volkskunde. Die berühmte Rüstkammer enthält etwa 1000 alte Waffen und Rüstungen; den Kern bildet die Ausrüstung der 21 Emder Bürgerkompanien.

Fischerhude

Ortsteil der Gemeinde Ottersberg, Kr. Verden, 10–25 m, 2500 Einw. Malerdorf an der Wümme, mit dem Ortsteil ***Quelkorn*** *zu einer Gemeinde zusammengeschlossen. Vielbesuchter Ausflugsort. Fischerhude ist wahrscheinlich von holländischen Ansiedlern gegründet worden. Wie in Holland benutzte man früher die Wasserzüge der Wümme als Verkehrswege und holte die gesamte Ernte in Booten ein. Daher suchten sich alle Bauernhöfe einen Platz am Wasser. Die malerischen Winkel am Fluß und die ursprüngliche Eigenart dieses alten niederdeutschen Dorfes mit seinen schönen Bauernhöfen zogen nicht nur Wanderer, sondern auch Maler, Bildhauer und Dichter an.*

Auskunft: Gemeindeverwaltung, 2802 Fischerhude, Tel. 0 42 93/3 71.

Verkehr: Autobahn A 1 Anschlußstelle Oyten (10 km). B 75 Bremen – Hamburg; Abzweigung bei Oyten (9 km).

Sehenswert:
Heimathaus Irmintraut, altes Niedersachsenhaus mit offenem Herdfeuer, Heimatmuseum. – »Kunstschau Fischerhude«, Sammlung Worpsweder Maler und kunsthandwerkliche Arbeiten. Apr.–Sept. tägl. 10–13, 15–18 Uhr. Okt.–März 11–13, 15–17 Uhr. Mi geschl.

Jever

Kreisstadt des Kr. Friesland, 5 m, 12400 Einw. Historische Stadt nahe der friesischen Küste. Sie war im Mittelalter Residenz der Herrschaft Jever, bis 1918 Nebenresidenz der oldenburgischen Großherzöge.

Auskunft: Verkehrsverein, 2942 Jever, Am Markt, Tel. 04461/2838.
Verkehr: Autobahn A 29 Anschlußstelle Zetel (20 km). B 210 Wilhelmshaven – Wittmund.

Sehenswert:
Schloß, dessen ältester Teil 1505 vollendet wurde. Fräulein Maria von Jever, letzte Regentin der Herrschaft Jever, erweiterte um die Mitte des 16. Jh. den Bau und verstärkte die Befestigungen. Der Turm im Hof des vierflügeligen Gebäudes wurde 1730–1736 auf 60 m Höhe aufgestockt und mit breiter Kuppel, schlanker Laterne und zwiebelförmiger Spitze versehen; in der jetzigen Gestalt wird er allgemein als Wahrzeichen des Jeverlandes betrachtet. 1794–1830 verschwanden die Befestigungsanlagen und machten dem schönen Schloßgarten Platz. 1834–1840 wurde das Schloß erneut umgebaut. Besonders beachtenswert ist der Audienzsaal mit einer kunstvoll geschnitzten Eichenholz-Kassettendecke; an den Wänden Ledertapeten und das von J. B. Lampi in St. Petersburg gemalte Porträt der russischen Kaiserin Katharina II., die ab 1793 Regentin des Jeverlandes war. In anderen Räumen ist das seit 1886 bestehende **Heimatmuseum** untergebracht; es zeigt u. a. friesische Bauernstuben und -küchen, Trachten und eine Hausmarkensammlung. Di–Sa 10–13, 15–17 Uhr, So 11–13, 15–17 Uhr.

In der Gaststätte **»Haus der Getreuen von Jever«** wird neben vielen anderen Bismarck-Erinnerungen der silberne Kiebitzbecher gezeigt, den der Altkanzler seinen Getreuen verehrte, die ihm jährlich zum Geburtstag 101 Kiebitzeier und einen plattdeutschen Glückwunschvers schickten.

Lembruch

Kr. Grafschaft Diepholz, 38 m, 900 Einw. Fremdenverkehrsort am Ostufer des Dümmer (Erholungsgebiet Dümmer See), des zweitgrößten Binnensees Norddeutschlands.

Auskunft: Fremdenverkehrsamt, 2841 Lembruch, Tel. 05441/242.
Verkehr: Autobahn A 1 Anschlußstelle Holdorf (30 km). – B 51 Osnabrück – Diepholz.

Sehenswert:
Dümmermuseum in einem strohgedeckten Bau, Tier- und Pflanzenwelt der Dümmerlandschaft, Vor- und Frühgeschichte. Geöffnet März–Okt. tägl. 9–18 Uhr.

Marienhafe

Kr. Norden, 1600 Einw. (Gesamtgemeinde 10700 Einw.). Alter Marktflecken in Ostfriesland und Hauptort der Samtgemeinde Brookmerland mit den Ortsteilen ***Leezdorf, Osteel, Rechtsupweg, Upgant-Schott*** *und* ***Wirdum,*** *12 km von der Küste entfernt.*

Auskunft: Fremdenverkehrsverein Brookmerland, 2986 Marienhafe, Am Markt 10, Tel. 04934/1022.
Verkehr: B 70 (Grüne Küstenstraße) Norden – Emden.

Sehenswert:
Der alte Kirchturm, **Störtebekerturm,** 32 m hoch; er kann bestiegen werden, guter Ausblick. Der Name des Turms weist auf die Seeräuber hin, die im Turm Unterschlupf fanden. Der sechsgeschossige Turm wurde im 12. Jh. in Verbindung mit einer großen **Kreuzkirche** erbaut. Diese wurde 1829 zum Teil abgebrochen, da 8000 Taler fehlten, um sie vor Baufälligkeit zu retten. Chor, Kreuz und Seitenschiffe verschwanden, der Turm wurde um zwei Geschosse erniedrigt. Man ließ nur die Wände des Hauptschiffes stehen, verkürzte aber auch deren Höhe, mauerte die Arkaden einfach aus und fügte niedrige Spitzbogenfenster ein. Auch in diesem Zustand ist das Bauwerk noch interessant. – **Störtebekerkammer,** Museum im Kirchturm.

Neuharlingersiel

Kr. Wittmund, 1600 Einw. Staatlich anerkannter Nordseeküstenbadeort und Sielhafen gegenüber der ostfriesischen Insel Spiekeroog.

Auskunft: Kurverein, 2934 Neuharlingersiel, Tel. 04974/355.
Verkehr: B 461 (Grüne Küstenstraße) Wittmund – Carolinensiel; Abzweigung bei Carolinensiel (7 km).

Sehenswert:
Buddelschiffmuseum, einzigstes Museum dieser Art in Europa (geöffnet täglich außer Di 10–13 und 14.30–18 Uhr).

Oldenburg in Oldb.

Kreisfreie Stadt, 7 m, 135000 Einw. Drittgrößte Stadt im Bundesland Niedersachsen, an der Hunte gelegen. Regierungssitz des Niedersächsischen Verwaltungsbezirks Oldenburg. Zentrum der oldenburgischen Landwirtschaft und Universitätsstadt. Historische Residenzstadt, die sich zu einer modernen, durch ausgedehnte Grünanlagen aufgelockerten Großstadt entwickelt hat.

Auskunft: Verkehrsverein, 2900 Oldenburg, Lange Str. 3, Tel. 0441/25092.
Verkehr: Autobahn A 29 nach Delmenhorst und A 28 nach Westerstede (Anschlußstellen im Stadtgebiet).

Sehenswert:
Altes Schloß, die ehemalige Residenz der Großherzöge. Unter Benutzung alter Teile der Burg ab 1607 durch Graf Anton Günther errichtet und im 18. und 19. Jh. mit Ost- und Westflügel erweitert. Baumeister war der Mecklenburger André Speza. Teile des plastischen Mauerschmucks stammen von Ludwig Münstermann. **Landesmuseum**

für Kunst- und Kulturgeschichte (im Gebäude des *Alten Schlosses*) (geöffnet Di–Fr 9–17, Sa, So 9–13 Uhr. Tel. 2 20 26 00).

Museum für Naturkunde und Vorgeschichte, *Damm 40* (geöffnet Di–Fr 9–17, Sa, So 9–13 Uhr).

Stadtmuseum, *Raiffeisenstraße 32/33,* mit den Abteilungen »Theodor-Francksen-Stiftung« (oldenburgische Kulturgeschichte, Stadtgeschichte, graphische Sammlungen, antike Kleinkunst), »Bernhard-Winter-Ausstellung« und »Neue Galerie« (Malerei und Plastik des 20. Jh.). Geöffnet Di, Fr, Sa 10–13, 15–17 Uhr. Mi 15–19.30 Uhr, Do 15–17 Uhr, So 10–18 Uhr.

Rhauderfehn

Kr. Leer, 4 m, 13 200 Einw. Ostfriesische Großgemeinde südöstlich von Leer. Beliebtes Erholungsgebiet zwischen Moor und Meer mit teilweise noch sehr urwüchsiger Landschaft.

Auskunft: Verkehrsverein Rhauderfehn, 2953 Rhauderfehn, Westrhauderfehn, Rajen 5, Tel. 0 49 52/80 30.

Verkehr: B 70 Leer – Aschendorf, Abzweigung bei Hustede (7 km).

Sehenswert:
Fehn- undSchiffahrtsmuseum, (geöffnet vom 1. April–30. September Di–Sa 10–12 und 15–17 Uhr, So 15–17 Uhr).

Sögel

Kr. Aschendorf-Hümmling, 37 m, 4500 Einw. Mit dem Ortsteil ***Eisten*** *hübsche Gemeinde am Fuß des Hümmling, in reizvoller Wald-, Heide- und Moorlandschaft.*

Auskunft: Gemeindeverwaltung, Clemens-August-Str. 39, 4475 Sögel,Tel. 0 59 52/10 32.
Verkehr: B 70 Meppen – Papenburg; Abzweigung bei Lathen (15 km).

Sehenswert:
Schloß Clemenswerth, ehemaliges Jagdschloß, für Kurfürst Clemens August von J. C. Schlaun 1737–50 errichtet. Originelle Anlage mit acht kleinen Pavillons (unter ihnen die beachtenswerte Kapelle), die sich sternförmig um den Hauptbau ordnen. Namhafte Künstler schufen die Ausstattung. Schöne Parkanlage. In sechs Pavillons ist das **Emsländische Heimatmuseum** eingerichtet. Geöffnet April–Oktober tägl. außer Mo 10–12.30 und 14–18 Uhr.

Weener/Ems

Kr. Leer, 14 200 Einw. 1000jähriger Hauptort des Rheiderlandes am linken Ufer der Ems. Weener war oft Schauplatz der ostfriesischen Geschichte und seit 1508 bedeutender Marktflecken mit lebhaftem Pferdehandel. Stadtrecht seit 1929. Große Baumschulen, verschiedene Industrien, Gewerbe- und Großhandelsbetriebe.

Auskunft: Stadtverwaltung, Osterstr. 1, 2952 Weener, Tel. 04951/2001.
Verkehr: B 75 (Grüne Küstenstraße) Leer – niederländische Grenze.

Sehenswert:
Rheiderländer Heimatmuseum mit Itzen-Bücherei, Neue Straße 26. Wertvolle Sammlungen zum Studium von Volkskunde und Volkskunst. Große landwirtschaftliche Abteilung mit alten Erntegeräten, Butter- und Käsewirtschaft, Töpferei, Nagelschmiede und Ziegeleiabteilung. Die wichtigsten Stücke sind der geschnitzte Altar von Holtgaste (gotisch, um 1500), Waffenfunde aus wissenschaftlichen Grabungen und Modell eines 2600jährigen Hallenhauses. Bedeutende Bibliothek zur ostfriesischen Geschichte.

Wilhelmshaven

Kreisfreie Stadt, 103000 Einw. Mit dem Stadtteil ***Sengwarden*** *Nordsee- und Heilschlickbad am Jadebusen, »Grüne Stadt am Meer«. Standort und Hafen der Bundesmarine (z. B. Zerstörer, Minensucher). Größter Massengut-Umschlaghafen der Bundesrepublik.*

Auskunft: Freizeit in Wilhelmshaven GmbH, Börsenstr. 55B, 2940 Wilhelmshaven, Tel. 04421/26261.
Verkehr: Autobahn A 29 Anschlußstelle Zetel (13 km).

Sehenswert:
Küsten- und Schiffahrtsmuseum, City-Haus, Rathausplatz (geöffnet Di–Fr u. So 10–13, 15–18 Uhr. Sa 10–13 Uhr).

Worpswede

Kr. Osterholz, 40 m, 2500 Einw. (Gesamtgemeinde 8000 Einw.). Staatlich anerkannter Erholungsort und bekannte Künstlerkolonie im Teufelsmoor, am Fuß des unter Landschaftsschutz stehenden Weyerberges, 57 m. – 1884 entdeckte der Düsseldorfer Maler Fritz Mackensen die Worpsweder Landschaft. 1889 brachte er seinen Studienfreund Otto Modersohn mit, und dann kamen noch Hans am Ende, Fritz Overbeck und Heinrich Vogeler hinzu. Diese fünf Künstler haben den Namen des stillen Dorfes bekannt gemacht. Heute ist Worpswede ein beliebtes Ausflugsziel vor den Toren Bremens. Zum einen der vielen Kunstausstellungen wegen, zum anderen, weil die stille Landschaft der Umgebung zu schönen Spaziergängen einlädt.

Auskunft: Verkehrsbüro, Bergstr. 13, 2862 Worpswede, Tel. 04792/1477.
Verkehr: Autobahn A 27 Anschlußstelle Horn-Lehe (20 km). B 74 Burglesum – Vollersode; Abzweigung bei Osterholz-Scharmbeck (13 km).

Sehenswert:
Ständige und wechselnde **Ausstellungen:** »Worpsweder Kunsthalle«, Tel. 277 (Worpsweder Maler, Kunsthandwerk, Moderne Galerie); »Große Kunstschau«, Tel. 302 (Kunsthandwerk, Ausstellung »Die alten Worpsweder«); »Haus am Weyerberg«, Tel. 400 (die frühen Worpsweder Maler, Antiquitäten, Delfter Kacheln); »Haus im Schluh«, Tel. 339 (Heimatmuseum, Vogeler-Sammlung, Gobelinweberei).

Museumsreise in die Geschichte der Heide

Die Beschaffenheit des Bodens, die dadurch bedingte Lebensform und die bis vor verhältnismäßig kurzer Zeit herrschende verkehrsmäßige Abgeschlossenheit haben dem Volksschlag der Heidebewohner, »Heidjer«, besondere Züge aufgeprägt. Der Heidjer ist von zurückhaltender und gastfreundlicher Art, ein schlichter Mensch, der auch bei anderen keinen Standesdünkel kennt. Er ist geradeaus und vertraulich, so spricht man sich auf dem Lande mit »du« an.

Der Heidjer hängt am Althergebrachten. Alte Trachten sieht man noch hin und wieder im Kirchspiel Scheeßel. Hier gibt es ein Heimatmuseum mit einer Trachtensammlung. Bei Hochzeiten und Heimatfesten wird im Wendland, im Raum Dannenberg und Lüchow, eine dem Spreewald verwandte Tracht getragen.

Die Mundart der Heidebewohner ist das Niederdeutsche oder Plattdeutsche und steht in enger Verwandtschaft zum Mecklenburgischen, Holsteinischen, Stadischen, Oldenburgischen. Es hat die Überflutung mit fremden Mundarten überstanden, im Norden klarer als im Süden und in den Dörfern besser als in den Städten.

Höhepunkte für Museumsfreunde sind Celle, dessen Heimatmuseum zu den eindrucksvollsten in ganz Norddeutschland zählt, Dahlenburg mit seinem berühmten Zinnfigurendiorama, Wilsede mit »Dat Ole Huus«, das Heidemuseum Walsrode sowie das Mühlenmuseum in Gifhorn. Nicht zu vergessen natürlich Lüneburg mit seinem berühmten Rathaus.

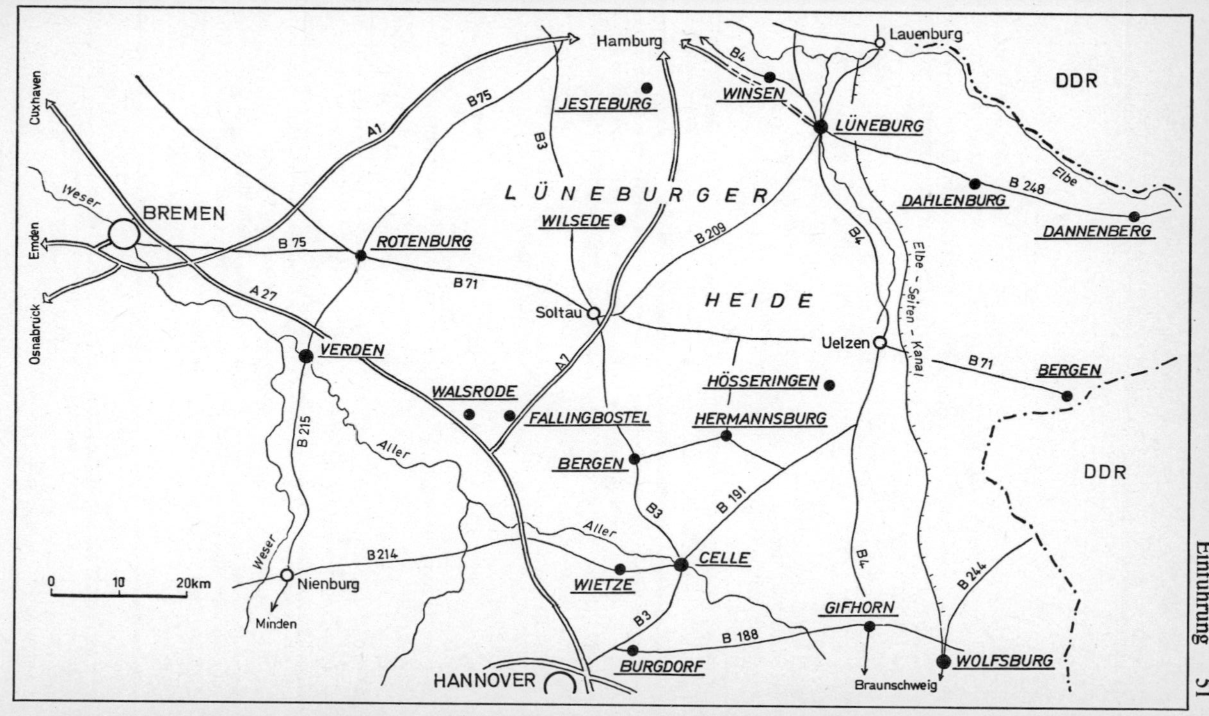
Hamburg
Lauenburg
DDR
Cuxhaven
B75
JESTEBURG
B4
WINSEN
A1
B3
LÜNEBURG
L Ü N E B U R G E R
B 248
Elbe
Weser
BREMEN
WILSEDE
DAHLENBURG
DANNENBERG
Emden
B 75
ROTENBURG
B 209
B4
B 71
Elbe - Seiten - Kanal
A 27
H E I D E
Osnabrück
Soltau
Uelzen
VERDEN
A7
B 71
BERGEN
HÖSSERINGEN
WALSRODE
FALLINGBOSTEL
HERMANNSBURG
B 215
Aller
BERGEN
DDR
B3
B 191
Aller
Weser
B 214
CELLE
B4
B 244
0
10
20km
Nienburg
WIETZE
GIFHORN
Minden
B3
B 188
BURGDORF
WOLFSBURG
HANNOVER
Braunschweig

Bergen

Kr. Celle, 73 m, 18200 Einw. Sommerferienort, Kleinstadt und günstig gelegener Mittelpunkt für den Besuch des Naturparks Südheide.

Auskunft: Stadtverwaltung, 3103 Bergen, Tel. 05051/8011.
Verkehr: B 3 Celle – Soltau; Autobahnanschlußstelle Soltau-Süd (11 km).

Sehenswert:
Heimatmuseum im Römstedthaus, einem alten Bauernhaus, mit umfangreicher Sammlung vorgeschichtlicher Funde.

In Sülze: **Afrika-Museum** im ehemaligen Rathaus.

Burgdorf

Kr. Hannover, 56 m, 29000 Einw. Naherholungsstadt am Südrand der Lüneburger Heide, dem Ballungsraum Hannover vorgelagert.

Auskunft: Stadtverwaltung, Rathaus, 3167 Burgdorf, Tel. 05136/6081.
Verkehr: Kreuzungspunkt der B 443 (von Schillerslage) und B 188 (Gifhorn – Kirchhorst); Autobahnanschlußstelle Hannover-Kirchhorst (10 km).

Sehenswert:
Stadtmuseum, Schmiedestr. 6. Umfangreiche Zinnfigurensammlung, Heimatstube und heimatkundliche Exponate der Region.

Celle

Große selbständige Stadt, Sitz des Kreises Celle, 40 m, 80000 Einw. Alte Residenzstadt an der Aller am Südrand der Lüneburger Heide, ehemaliger Sitz der Herzöge von Braunschweig-Lüneburg. Celle ist das südlichste Tor in der Lüneburger Heide und für Ausflüge dorthin günstig gelegen. Die Stadt breitet sich mit ausgedehnten Parkanlagen und reizvollen Plätzen um das Schloß aus. Sie bietet mit ihren farbig gestalteten Fachwerkbauten ein selten gut erhaltenes Bild spätmittelalterlicher Städtebaukunst.

Auskunft: Verkehrsverein, Schloßplatz 6A, 3100 Celle, Tel. 05141/23031.
Verkehr: Kreuzungspunkt der B 3 Hannover – Soltau und B 214 Braunschweig – Nienburg; Ausgangspunkt der B 191 nach Uelzen. – Autobahnanschlußstelle Mellendorf (16 km).

Sehenswert:
Dem Schloß gegenüber liegt das **Bomann-Museum,** eines der bedeutendsten Heimatmuseen Nordwestdeutschlands. – Mo–Sa 10–17 Uhr; So 10–13 Uhr. Eintrittsgebühr.

Das Museum zeigt die alte Wirtschaftsform und Kultur der Lüneburger Heide durch ein vollständig eingerichtetes Bauernhaus von 1571, Haus- und Wirtschaftsgeräte, Trachten, Bauern, fürstliche Bildnisse, althannoversche Uniformsammlung, Handwerksaltertümer, bürgerlichen Hausrat, Kleidung und Wohnung der Empire- bzw. Biedermeierzeit.

Das herrliche Schloß beherrscht das Stadtbild Celles

Schloß, der alte Sitz der Herzöge von Braunschweig und Lüneburg. Der Ostflügel an der Stadtseite zeigt Frührenaissanceformen. Die anderen Flügel sind im italienischen Barockstil erbaut. Die herrlichen Stukkaturen der Prunkräume stammen von dem Italiener Tornielli.

Im Innern (Führungen täglich, auch So, stündlich von 9–12 und 14–16 Uhr) die reichsten Stuckdecken in Niedersachsen, von der Hand italienischer Meister geschaffen. – Besondere Beachtung verdient die **Schloßkapelle** mit vollständig erhaltener schöner Renaissance-Innenausstattung aus dem Jahre 1570 und 70 farbenprächtigen Gemälden von Marten de Vos. Porträtdarstellungen auf Medaillons im Stil der Renaissance befinden sich am Kapellenturm. Das **Schloßtheater** (1674 eingebaut) ist das älteste bespielte fürstliche Theater in Deutschland, in dem auch heute noch ständig Aufführungen stattfinden.

Französischer Garten, angelegt von Eleonore d'Olbreuse, der Gemahlin des letzten Herzogs Georg Wilhelm. *Bienen-Institut* im Französischen Garten mit **Imkerei-Museum.**

Dahlenburg

Kr. Lüneburg, 30 m, 6700 Einw. Ferienort an der Neetze im weiten Dahlenburger Becken und Eingangstor zur Göhrde.

Auskunft: Rathaus, 2121 Dahlenburg, Tel. 05851/ 611-613, und Fremdenverkehrsverein »Tor zur Göhrde e. V.«, Tel. 611.

Verkehr: B 216 Lüneburg – Dannenberg.

Sehenswert:
Heimatmuseum in der alten Laurentiuskapelle mit Zinnfigurendiorama der Schlacht in der Göhrde 1813 mit 1500 Zinnfiguren.

Dannenberg

Kr. Lüchow-Dannenberg, 22 m, 13 700 Einw. Samtgemeinde mit den

Teilgemeinden ***Damnatz, Gusborn, Jameln, Karwitz, Langendorf*** *und* ***Zernien*** *mit fast 60 Ortsteilen, in der Jeetzelniederung im Hannoverschen Wendland. Der 1153 von Heinrich dem Löwen begründete Ortskern liegt auf einer Insel, die von mehreren Armen der Jeetzel umschlossen wird.*

Auskunft: Samtgemeindeverwaltung, Postfach 1260, 3138 Dannenberg, Tel. 05861/301.
Verkehr: B 191 Uelzen – Grenze zur DDR und B 216 Lüneburg – Dannenberg.

Sehenswert:
Waldemarturm mit Fernsicht (1223–1225 Gefängnis des dänischen Königs Waldemar II.), jetzt **Heimatmuseum.** Geöffnet 1. 4.–15. 10. Mi und Sa von 15–17 Uhr, So 14–16 Uhr.

Fallingbostel

Sitz des Kreises Soltau-Fallingbostel, 58 m, 10400 Einw. Staatlich anerkanntes Kneippheilbad, Schroth- und Luftkurort am tief eingeschnittenen Böhmetal, umgeben von einer parkartigen Landschaft und weiten Wäldern.

Auskunft: Kurverwaltung, Sebastian-Kneipp-Platz 1, Postfach 100, 3032 Fallingbostel 1, Tel. 05162/2101.
Verkehr: B 209 Soltau – Walsrode. Autobahnanschlußstellen.

Sehenswert:
Am Eingang zum Liethwald der **Hof der Heidmark** aus dem Jahre 1642, wieder aufgebaut zur Erinnerung an die schönen alten Bauernhöfe, die bei Einrichtung des Truppenübungsplatzes, jetzt NATO-Schießplatz, vernichtet wurden.

Gifhorn

Kreisstadt, 54 m, 35000 Einw. Zusammenschluß mit den Gemeinden ***Gamsen, Kastorf, Neubokel, Winkel*** *und* ***Wilsche,*** *in einer Niederung an Aller und Ilse gelegen. Getränke-, Armaturen- und Maschinenfabriken, im Norden große Torfverarbeitungswerke in Triangel.*

Auskunft: Stadtverwaltung, Lindenstr. 3, 3170 Gifhorn, Tel. 05371/88251.
Verkehr: Kreuzung der B 4 Hamburg – Braunschweig und B 188 Hannover – Wolfsburg.

Internationales Mühlenmuseum nahe der Stadt. Hier werden eine Mühlenmodellschau, Exponate aus der jahrtausendealten Mühlengeschichte und ein Freilichtmuseum historischer Mühlen gezeigt.

Welfenschloß (1296 zuerst urkundlich erwähnt, jetziger Bau aus dem 16. Jh. in den Übergangsformen von der Spätgotik zur Frührenaissance) mit dem **Heimatmuseum** mit seinen Sammlungen aus der Vorgeschichte, der Volkskunde und sakraler Kunst.

Gifhorn, Mühlenmuseum

Hermannsburg

Kr. Celle, 54 m, 8000 Einw. Staatlich anerkannter Erholungsort. Einer der ältesten Orte der Lüneburger Heide, am Westrand des Naturparks Südheide gelegen. Der Ort ist Sitz der 1849 durch Pastor Harms gegründeten Hermannsburger Missionsanstalt mit ihren Seminaren und Schulen.

Auskunft: Verkehrsverein Hermannsburg, Am Markt 3, 3102 Hermannsburg, Tel. 05052/8055.
Verkehr: B 3 Celle – Soltau; Abzweigung bei Bergen (10 km).

Sehenswert:
Missionsmuseum mit ständiger Ausstellung »Mission – gestern, heute und morgen« im Ludwig-Harms-Haus. – *In Oldendorf:* **Bauernhaus-Museum** mit Gemälde-Galerie.

Hösseringen

5 km s. Suderburg. Gemeinde Suderburg, Kr. Uelzen, 70 m, 600 Einw. Dorf in schöner Heide- und Waldlandschaft (Landschaftsschutzgebiet) nördlich von Unterlüß direkt am Rande des wildreichen Lüßwaldes.

Auskunft: Verkehrsverein Hardautal, 3113 Hösseringen, Tel. 05826/669 und 1471.
Verkehr: B 4/191 Uelzen – Breitenhees; Abzweigung 3 km südlich von Holdenstedt (10 km).

Sehenswert:
Freilichtmuseum Hösseringen, geöffnet 1. April–31. Oktober täglich außer Mo 14 Uhr bis zum Einbruch der Dunkelheit, So ab 10 Uhr.

Jesteburg

Kr. Harburg, 35 m, 8500 Einw. Luftkurort mit den Ortsteilen ***Bendestorf, Harmstorf, Itzenbüttel, Lüllau*** *und* ***Wiedenhof*** *am Südrand des Klecker Forstes im Seevetal.*

Auskunft: Verkehrsverein, Hauptstraße 68, 2112 Jesteburg, Tel. 04183/5362.
Verkehr: B 3 Soltau – Buxtehude; Abzweigung bei Welle (14 km). Autobahnanschlußstellen Ramelsloh (5 km), Thieshope (10 km) und Hittfeld (10 km).

Sehenswert:
3 km südwestlich, bei dem Dorf *Lüllau,* die **Kunststätte** des Hamburger Bildhauers, Malers und Graphikers Prof. J. M. **Bossard** (1874–1950).

Lüneburg

Große selbständige Stadt, 17 m, 68000 Einw. Staatlich anerkanntes Sole- und Moorheilbad am Durchbruch der Ilmenau durch den Geestrand gelegen, Sitz der Regierung für den gleichnamigen Regierungsbezirk und der Kreisbehörden für den Landkreis Lüneburg. Mit bedeutenden Baudenkmälern der niederdeutschen Backsteingotik, dem eindrucksvollen Rathaus, den Kirchen aus dem 13. und 14. Jh. und den Straßenzeilen von hochstrebenden Giebelhäusern aus dem späten Mittelalter ist Lüneburg eine der charakteristischen Städte Norddeutschlands. Tausendjährige Saline (seit 1980 wird die Sole nur noch für den Kurbetrieb gewonnen).

Auskunft: Verkehrsverein, Rathaus, Marktplatz, 2120 Lüneburg, Tel. 04131/32200. Werbe- und Verkehrsamt, Tel. 24593.
Verkehr: Kreuzungspunkt B 4, B 209 und B 216.

Sehenswert:
Museum für das Fürstentum Lüneburg. Kulturgeschichtliches Museum, Stadtgeschichte, Vorgeschichte, volkskundliche Altertümer. *Führungen* Di–Fr 10–16 Uhr, Sa und So 10–13 Uhr.

Bei dem Brand des historischen »Kaufhaus« wurden die Ausstellungsgegenstände des im Kaufhaus untergebrachten **Ostpreußischen Jagdmuseums** sowie des ebenfalls in diesem Gebäude wiederaufgebauten *Landschaftlichen Heidemuseums* des Naturwissenschaftlichen Vereins für das Fürstentum Lüneburg fast völlig vernichtet; die geretteten Stücke bildeten den Grundstock des neuen Ostpreußischen Jagdmuseums mit einer Schau von Wild, Wald und Pferden Ostpreußens und einer beachtenswerten Bernsteinsammlung in der Ritterstraße 10. *Besichtigung* Di–So 10–17 Uhr.

Rathaus, eines der größten mittelalterlichen Rathäuser Deutschlands, Fassade von 1720. Der älteste, aus dem Anfang des 13. Jh. stammende Teil wurde 1899 zum Stadtarchiv umgebaut und zählt heute zu den bedeutendsten kommunalen Archiven Deutschlands.

An der Nordseite sind die gotische Haustür sowie der erneuerte, aus dem 15. Jh. stammende Giebel und an der Westseite die zahlreichen Wappen und Figuren sehenswert. In den offenen Säulenhallen, den Kleinen Lauben (15. Jh.), wurde im Mittelalter öffentlich Gericht gehalten.

Inneres des Rathauses: Im Huldigungssaal und Traubensaal (Barockstil) Wand- und Deckengemälde, Leuchter usw. Die im Renaissancestil gehaltene große Ratsstube, 1564–1583 eingerichtet, enthält vortreffliche Holzschnitzereien von Albert von Soest (16. Jh.) und Wandgemälde des Malers und Kartographen Daniel Frese aus der gleichen Zeit. Die Gerichtslaube, der alte Ratssaal im gotischen Stil (14. Jh.), enthält prächtige Glasmalereien und Wandgemälde. Der Raum besitzt eine der ältesten Luftheizungsanlagen Norddeutschlands aus dem 14. Jh. Noch ein mittelalterliches Gepräge trägt die Körkammer (1491), in der die Bürgermeisterwahlen stattfanden.

Die barocke Fassade des Lüneburger Rathauses

Daneben das getäfelte Archiv mit zahlreichen Wandschränken. Gegenüber die gotische Kanzlei, die zahlreiche historische Anschauungsstücke, wie die städtischen Richtschwerter, die Prägestöcke der

Münze usw. enthält. Im oberen Stockwerk der Fürstensaal (um 1460), der seinen Namen nach den hier befindlichen Gemälden der Landesfürsten (bis zu Ernst II.) trägt. An der Decke Medaillonbilder der römischen Kaiser von Augustus bis Rudolf II., von Daniel Frese gemalt. Ferner sind beachtenswert die gotische Wandtäfelung und die gotischen Kronleuchter.

Im Kämmereigebäude des Rathauses die Große Kommissionsstube mit geschnitzter Wandtäfelung und Decke.

Rathausführungen (Eingang Ochsenmarkt) mit Ausstellung des Lüneburger Ratssilbers im Gewandhaus: Di–Fr 10; 11, 12, 14 u. 15 Uhr. Sa, So 10, 11, 14 u. 15 Uhr.

Im Oberen Gewandhaus befindet sich eine ständige Ausstellung besonderer lüneburgischer Kostbarkeiten aus Archiv, Museum und Ratsbücherei, u. a. die berühmten Prunkhandschriften des Sachsenspiegels aus dem 15. Jh.

Rotenburg (Wümme)

Kreisstadt, 28 m, 20000 Einw. Die Stadt liegt im schönen Wümmetal am Westrand der Lüneburger Heide.

Auskunft: Stadtverwaltung, Große Straße 1, 2720 Rotenburg (Wümme), Tel. 04261/710.
Verkehr: Kreuzungspunkt der B 71 Soltau – Bremervörde und B 75 Hamburg-Harburg – Bremen; Ausgangspunkt der B 440 nach Visselhövede und der B 215 nach Verden/Aller. Autobahnanschlußstellen Bockel und Stuckenborstel (je 14 km).

Sehenswert:
Heimatmuseum, niedersächsisches Bauernhaus aus dem 18. Jh. mit Nebengebäuden an der Burgstraße. – In einem der Nebengebäude befindet sich das *Angerburger Zimmer,* in einem anderen ist eine *Holzschnitzer-Werkstatt* untergebracht.

Verden

Kreisstadt, 24 m, 24200 Einw. Bekannte »Reiterstadt« an der Aller, ehemalige Bischofsresidenz mit einem zur Allerseite hin geschlossenen mittelalterlichen Stadtbild. Lebhaft entwickelte Industrie.

Auskunft: Städtisches Verkehrsamt, Ostertorstr. 7 a, 2810 Verden, Tel. 04231/12317.
Verkehr: B 215 Rotenburg (Wümme) – Nienburg. Autobahnanschlußstellen Verden Nord und Verden Ost.

Deutsches Pferdemuseum in der »Pferdestadt« Verden

Sehenswert:
Heimatmuseummit besonders gepflegter vorgeschichtlicher Abteilung, ältester Speer der Welt (150 000 Jahre).

Deutsches Pferdemuseum zeigt alles, was mit Pferden zu tun hat. Di–So 9–16 Uhr.

Walsrode

Kr. Soltau-Fallingbostel, 35 m, 23 500 Einw. Staatlich anerkannter Erholungsort und »Löns-Stadt«, an der Böhme gelegen, durch Höhenzüge geschützt. Laub- und Nadelwälder reichen bis dicht an die Stadt heran.

Auskunft: Fremdenverkehrsamt, Lange Str. 20, 3030 Walsrode, Tel. 0 51 61/20 37.
Verkehr: B 209 Soltau – Nienburg. Autobahnanschlußstellen Walsrode West (2 km). Walsrode Süd (3 km) und Fallingbostel (8 km).

Sehenswert:
Heidemuseum in einem alten Bauernhaus in der Hermann-Löns-Straße, mit dem Nachlaß des Dichters im Hermann-Löns-Zimmer.

Wietze

*Kr. Celle, 36 m, 7000 Einw. Samtgemeinde mit den Ortsteilen **Hornbostel, Wieckenberg** und **Jeversen,** Erholungsort inmitten ausgedehnter Kiefernwälder.*

Auskunft: Verkehrsverein Aller-Wietzetal, Rathaus, 3101 Wietze, Tel. 0 51 46/3 66.
Verkehr: B 214 Celle – Nienburg. Autobahnanschlußstelle Schwarmstedt (10 km).

Sehenswert:
Erdölmuseum. Ein großes Freigelände mit Erdölförderanlagen und Betriebseinrichtungen sowie ein Ausstellungsgebäude vermittelt Informationen über Erdölgeschichte und Erdölförderung in Wietze bis 1963. Geöffnet April–Okt. Mi, Sa, So, Fei 13.30–16.30 Uhr.

Wilsede

*10 km nw. Bispingen. Teilgemeinde von Bispingen, Kr. Soltau-Fallingbostel, 124 m, 70 Einw. Das schon 1287 erstmals erwähnte Dorf ist Mittelpunkt des Naturschutzparks Lüneburger Heide. Der stille Heideort liegt am Fuße des **Wilseder Berges,** 169 m, von weiten Heideflächen umgeben, nahe dem Totengrund, einem beckenartigen Talkessel, der vom Schmelzwasser der Saale-Eiszeit geformt wurde, und der Wacholderwildnis im Steingrund. Halbhohe Mauern aus Findlingsbrocken und der eigentümliche »Eekenboltentun«, ein Zaun aus Eichenstammholz, umrahmen die langgestreckten, strohgedeckten Bauernhäuser.*
Verkehr: Wilsede kann nicht mit dem Kraftfahrzeug erreicht werden. Nächstgelegene Ortschaften an der Durchgangsstraße durch das Parkgebiet sind Undeloh (4 km) und Ober- und Niederhaverbeck (5 km). Von verschiedenen Orten aus besteht die Möglichkeit zu *Kutschwagenfahrten* nach Wilsede.

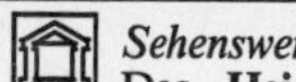

Sehenswert:
Das **Heidemuseum** »Dat ole Huus« ist ein Bau, der 1907 in Hanstedt von dem Lehrer Dageförde erworben und in Wilsede wiederaufgebaut wurde. Mit seiner aus der Umgebung zusammengetragenen Ausstattung gibt es einen Eindruck von der Lebensweise der Heidebauern um 1800. Im Obergeschoß vorgeschichtliche Funde aus der Heide. Der Emmannhof von 1609 wurde 1963 als eines der bedeutendsten Gebäude der weiteren Umgebung hierher versetzt. Geöffnet Mai–Sept. 10–13, 14–17 Uhr.

Winsen/Luhe

Kreisstadt des Landkreises Harburg, 8 m, 26 000 Einw. Alte Herzogstadt zwischen Elbe, Ilmenau und Luhe. Dreizehn umliegende, ehemals selbständige Gemeinden wurden der Stadt als Ortsteile angeschlossen. Winsen hat zwei ganz verschiedene Landschaften in unmittelbarer Nähe: zur Elbe hin die »Winsener Marsch« und luheaufwärts die »Heide«.

Auskunft: Verkehrsbüro, 2090 Winsen, Tel. 04171/2910 und 2428.
Verkehr: B 4 Lüneburg – Hamburg-Harburg. Autobahnanschlußstelle Thieshope (13 km).

Sehenswert:
Das *Stift St. Georg* mit Strohdach, früher Heim für Leprakranke, ist **Heimatmuseum.** Geöffnet n. V. Während der Wechselausstellungen Do–Sa 15–18 Uhr, So 10–12 und 15–18 Uhr.

Wolfsburg

Kreisfreie Stadt, 63 m, 132 000 Einw. Großstadt mit Hafen am Mittellandkanal, durch Zusammenschluß mit den Städten ***Fallersleben*** *und* ***Vorsfelde*** *sowie 18 Landgemeinden entstanden. Besondere Bedeutung erhielt Wolfsburg durch die Errichtung des Volkswagenwerkes im Jahre 1938.*

Schloß Wolfsburg mit Heimatmuseum

Auskunft: Verkehrsverein, Porschestraße, 3180 Wolfsburg, Tel. 05361/14322.
Verkehr: Kreuzungspunkt der B 188 Burgdorf – Velpke und der B 248 Braunschweig – Brome. Autobahnanschlußstelle Königslutter.

Sehenswert:
Schloß Wolfsburg, ein Bau der Weserrenaissance mit einem Treppenturm von 1551 und schönem Schloßpark. Hier befindet sich ein *Heimatmuseum* (geöffnet Di–Fr und So 9–17 Uhr, Sa 13–17 Uhr). – Im *Forsthaus* von Fallersleben ist dem Dichter des Deutschland-Liedes das Hoffmann-von-Fallersleben-Museum gewidmet. Er wurde in Wolfsburg geboren. Geöffnet Di, Do 9–12 und 16–18 Uhr.

Von der Römerzeit ins Industriezeitalter

Die alteingesessene Bevölkerung am Niederrhein ist überwiegend fränkischen, also germanischen Ursprungs. Hier und da mögen sich auch noch Überreste aus der vorfränkischen, der römischen Zeit bemerkbar machen. Vielfältige Ursachen haben im Laufe der Jahrhunderte etwas unterschiedliche Menschentypen geschaffen. So ist z.B. der Bauer am unteren Niederrhein im allgemeinen von mehr bedächtigem Wesen, wohingegen der Bewohner der niederrheinischen Börde in seiner beweglicheren Art mehr nach Köln hinneigt.

Auf rechtsrheinischer Seite ist die Bevölkerungsstruktur differenzierter. Nordöstlich und östlich des Industriegebietes an der Ruhr ist die Landbevölkerung hauptsächlich sächsischen bzw. westfälischen Stammes, also mehr ruhig und ernst, wohingegen die Landbevölkerung am Südrand des Industriegebietes bereits vom bergischen Volkscharakter mit seiner Mischung von Ernst und Humor geprägt ist. Ein völlig eigener Menschenschlag lebt in den Großstädten des Industriegebietes. Die Westfalen, die hier ursprünglich gelebt hatten, wurden seit dem industriellen Aufschwung vor einhundert Jahren von den Einwanderern überrollt.

Die bewegte Geschichte dieses Raumes von der Römerzeit bis zum modernen Industriezeitalter bestimmt die thematischen Schwerpunkte seiner Museen. Bergbau und Industrie stehen in Bochum (Bergbaumuseum), Essen (Villa Hügel) und Krefeld (Textilmuseum) im Vordergrund, Geschichte wird hauptsächlich in Xanten (Römerzeit) und Köln (Römerzeit und Mittelalter) präsentiert. Ein weiterer Höhepunkt ist Duisburgs Binnenschiffahrtsmuseum.

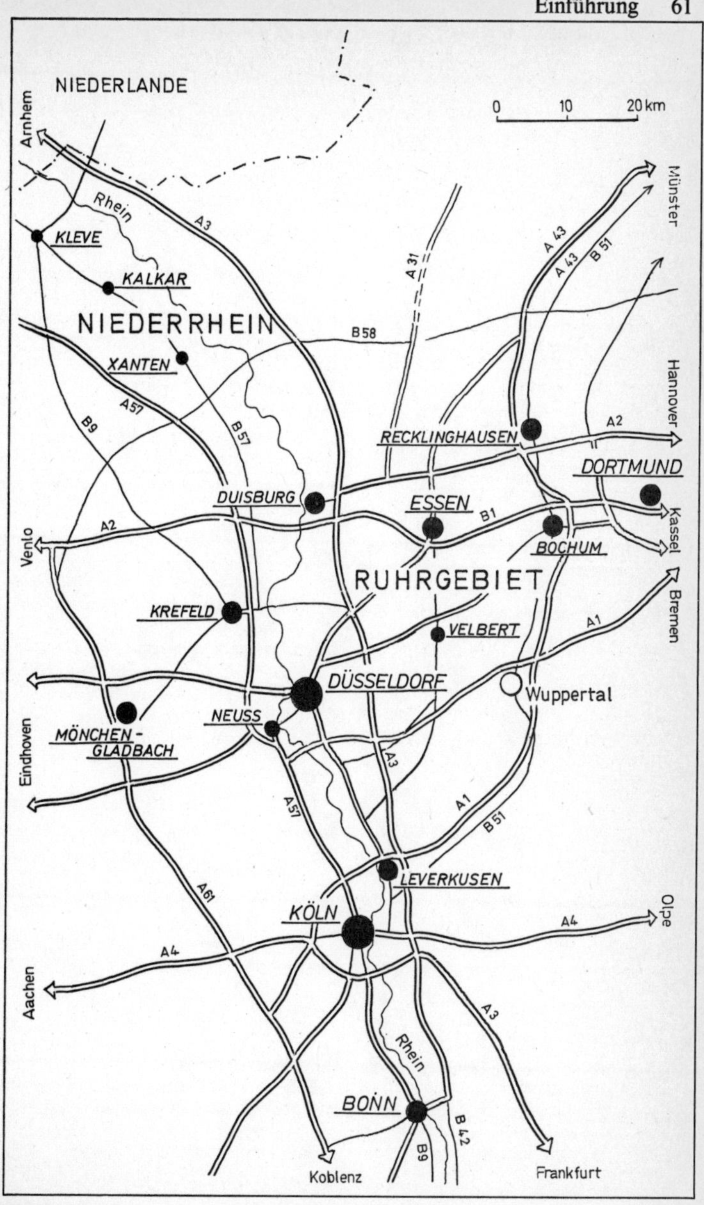
NIEDERLANDE
0 10 20 km
Arnhem
Münster
Rhein
A3
KLEVE
KALKAR
A 43
A 43
B 51
A 31
NIEDERRHEIN
B 58
XANTEN
A 57
B 9
B 57
Hannover
A2
RECKLINGHAUSEN
DORTMUND
DUISBURG
ESSEN
B1
Kassel
A2
Venlo
BOCHUM
RUHRGEBIET
Bremen
KREFELD
VELBERT
A1
DÜSSELDORF
Wuppertal
NEUSS
MÖNCHEN-GLADBACH
Eindhoven
A3
A 57
A1
B 51
LEVERKUSEN
A 61
KÖLN
A4
Olpe
A4
Aachen
A3
Rhein
BONN
B 42
B9
Koblenz
Frankfurt

Bochum

Kreisfreie Stadt, 83 m, 403 000 Einw., moderne Industriegroßstadt, die sich mit ihren südlichen Stadtteilen bis zur Ruhr ausdehnt; Universitätsstadt.

Auskunft: Amt für Verkehrs- und Wirtschaftsförderung, Haus-Böckler-Str. 6, 4630 Bochum, Tel. 0234/693575–81; Verkehrsverein, Hauptbahnhof, 4630 Bochum, Tel. 0234/13031.
Verkehr: Kreuzungspunkt B 1 (Ruhrschnellweg) – B 51 – B 226; Autobahnanschlußstellen.

Sehenswert:
Geologisches Museum, Herner Str. 45, mit reichen Sammlungen, die den geologischen Aufbau des Ruhrgebietes zeigen (geöffnet Di–Fr 8–16, Sa und So 9–13 Uhr).

Bergbaumuseum, Vödestr. 28 (Haupteingang Wielandstraße), vermittelt eine vollständige Übersicht über alle technischen, historischen, kulturellen und sozialen Probleme des Bergbaues an Hand von lebendigem Anschauungsmaterial, u. a. eine Schachtanlage von 1800 m Streckenlänge (geöffnet Di–Fr 8.30–17.30 Uhr, Sa, So und Fei 9–13 Uhr).

Museum Bochum, Kunstsammlung, Kortumstr. 147. Das Museum wurde 1960 in der umgebauten Villa Markoff eröffnet. Neben der Sammlung, die laufend durch Werke der Kunst nach 1945 erweitert wird, zeigt es wechselnde Ausstellungen der Malerei, Plastik, Graphik und des Kunsthandwerks, vornehmlich aus dem 20. Jh. (geöffnet Di–Fr 12–20 Uhr; Sa, So 10–18 Uhr).

Planetarium, Castroper Str. 67, eines der größten in Europa. Geöffnet nach Programm.

Kunstsammlungen der Ruhr-Universität. Antike Kleinkunst, Münzen, moderne Kunst. Geöffnet Di–Fr 12–15 Uhr, Sa, So 10–18 Uhr.

Eisenbahnmuseum, Dahlhausen. Größtes privates Eisenbahnmuseum mit über 80 Fahrzeugen. Geöffnet So, Fei 10–12.45, Mi, Fr 10–17 Uhr.

Bonn

Kreisfreie Stadt, 291 000 Einw., 46–195 m, am Übergang der Mittelrhein- zur Niederrheinlandschaft am linken Rheinufer gelegen. Bundeshauptstadt, ehemalige kurfürstliche Residenz, Universitäts- und Beethovenstadt. Sitz des Bundestages, Bundesrates und der Bundesregierung. Ausgangspunkt für romantische Reisen zu Burgen und Wein.

Auskunft: Informations-Pavillon des städtischen Verkehrsamtes, Cassius-Bastei, 5300 Bonn, Tel. 0228/77466-467. Nebenstelle in 5300 Bonn-Bad Godesberg, Moltkestr. 63, Tel. 0228/830548 und 830662.
Verkehr: Kreuzungspunkt der B 9, 56 und 257; Autobahnanschlußstellen. – Flughafen Köln-Bonn – Anlegestelle der »Köln-Düsseldorfer«.

Sehenswert:
In der Rathausgasse 7 liegt das **Städtische Kunstmuseum** (Kunst des 20. Jahrhunderts, u. a. bedeutende Macke-Sammlungen und wechselnde Ausstellungen; geöff-

net Mi, Fr, Sa und So 10–17, Di, Do 10–21 Uhr, Mo geschlossen).

Beethoven-Haus, im ursprünglichen historischen Zustand des 18. Jh. wiederhergestellt, in dem Ludwig van Beethoven am 17. 12. 1770 geboren wurde; das Beethoven-Museum enthält in sieben Ausstellungsräumen mit dem Geburtszimmer, Orgelspieltisch, Flügel und Quartettinstrumenten zahlreiche Erinnerungsstücke, Originalbildnisse, Musikmanuskripte, Briefe u. a. Im Nebenhaus Beethoven-Archiv mit umfangreicher Bibliothek (geöffnet werktags im Sommer 9–13 und 15–18 Uhr, im Winter 9.30–13 und 15–17 Uhr; So und Fei im Sommer 9–13 Uhr, im Winter 10–13 Uhr).

Im Liebfrauenweg 7 das Seminar für Völkerkunde mit einem **Völkerkunde-Museum**; Sammlungen aus aller Welt, insbesondere aus Lateinamerika.

Zoologisches Museum Alexander Koenig (größtes Tiermuseum Europas) mit interessanten Sammlungen (Adenauerallee 150–164). Bundesministerium für das Post- und Fernmeldewesen (Adenauerallee 81) mit **Briefmarken-Museum**; die Ausstellungsstücke wechseln alle zwei Monate.

Poppelsdorfer Schloß, als Residenzschloß »Clemensruhe« 1715 bis 1730 unter Kurfürst Clemens-August erbaut. Wiederherstellung nach schweren Zerstörungen im Zweiten Weltkrieg. Der Schloßpark ist Botanischer Garten. Im Schloß Universitätsinstitute und das **Mineralogisch-Petrologische Museum,** eine der bedeutendsten Sammlungen von Mineralien, Gesteinen und Meteoriten.

Rheinisches Landesmuseum, Colmantstr. 14–16, schöner italienischer Renaissancebau mit reichen Sammlungen aus vorgeschichtlicher, römischer und fränkischer Zeit sowie romanischen, gotischen und späteren Kunstgegenständen. Besonders hervorzuheben: Neandertalschädel. Waldalgersheimer Goldschatz, Grabstein des im Teutoburger Wald gefallenen M. Caelius, prächtige römische Gläser und Mosaikböden; außerdem ständig neue Ausstellungen.

In Bonn-Endenich **Schumann-Haus,** Sebastianstr. 182, Erinnerung an Robert Schumann und seine Frau Clara, auch Städtische Musikbücherei, täglich geöffnet; das Gedenkzimmer ist täglich von 10–13 Uhr zu besichtigen.

Dortmund

Kreisfreie Stadt, 87–256 m, 550 000 Einw. Größte Stadt Westfalens; Zentrum des westfälischen Industriegebietes, Ausgangspunkt des Dortmund-Ems-Kanals und größter deutscher Kanalhafen, bekannte Bierstadt, Sitz einer Universität sowie namhafter wissenschaftlicher Institute und Fachschulen.

i *Auskunft:* Informations- und Presseamt, Balkenstr. 4, 4600 Dortmund, Tel. 0231/54 22 21 30–39. Dortmunder Reisebüro, Markt 12, gegenüber dem Hauptbahnhof, 4600 Dortmund, Tel. 0231/14 03 41 und 5 42 25 60.
Verkehr: Kreuzungspunkt B 1 (Ruhr-Schnellweg) – B 54; Autobahnanschlußstellen.

Sehenswert:
Museum für Naturkunde, Münsterstr. 271, mit zoologischen, geologischen und mineralogischen Sammlungen. Geöffnet Di–So 10–18, Do bis 20.30 Uhr.

Museum am Ostwall, Ostwall 7, mit Sammlungen der Kunst des 20. Jh. Geöffnet Di–Sa 9.30–18, So 10–14 Uhr.

Museum für Kunst- und Kulturgeschichte, Hansastr. 3. Vor- und Frühgeschichte, Wohnen, Kunsthandwerk. Geöffnet Di–So 10–18 Uhr.

Hier ist auch das **Vermessungstechnische Museum** untergebracht.

Dortmunder Münzkabinett, Freistuhl 2. Interessante Sammlung zur Dortmunder Münzgeschichte. Geöffnet Mo–Fr 8.30–16 Uhr.

Alter Bierwagen in Dortmunds Brauereimuseum

Dortmunder Brauereimuseum, Märkische Str. 85. Dokumentation der brautechnischen Entwicklung von der Mitte des 19. Jh. bis in die ersten Jahrzehnte des 20. Jh. Geöffnet Di–So 10–18 Uhr.

Düsseldorf

Kreisfreie Stadt, 38 m, 564 000 Einw. Hauptstadt des Landes Nordrhein-Westfalen, an beiden Ufern des hier 300 m breiten Rheins, moderne und rege Handels-, Mode-, Universitäts- und Kunststadt, Verwaltungssitz zahlreicher großer Konzerne und Verbände. Mittelpunkt der rheinisch-westfälischen Industrie mit großem Rheinhafen, bedeutende Messe-, Kongreß- und Ausstellungsstadt. Neben Köln und Mainz ein Zentrum des rheinischen Karnevals.

Auskunft: Amt für Fremdenverkehr und Wirtschaftsförderung, Ehrenhof 3, 4000 Düsseldorf, Tel. 02 11/8 99 38 22.
Verkehr: Kreuzungspunkt B 1, B 7, B 8, B 326; Autobahnanschlußstellen.

Sehenswert:
Ständige Ausstellung von Oldtimer-Flugzeugen, Flughafen Rhein-Ruhr. Gegenwärtig 7 Flugzeuge, 5 Motoren und Triebwerke.

Kunstmuseum der Stadt Düsseldorf, Ehrenhof 5, Gemälde 15. bis 20. Jh., Moderne Galerie, Kupferstichkabinett, Handzeichnungen 15.–20. Jh., Plastik und Kunstgewerbe frühes Mittelalter bis Neuzeit. Geöffnet Di–So 10–18 Uhr, Mo geschlossen.

Kunstsammlung Nordrhein-Westfalen, Grabbeplatz 5, Kunst des 20. Jh., Paul-Klee-Sammlung. Geöffnet Di–So 10–17 Uhr, Mi bis 20 Uhr, Mo geschlossen.

Das Alte Haus an der Bilkerstraße (Conzen-Sammlung), Bilker Straße 5, Sammlung Alt-Düsseldorf, Ansichten seit 1585, wechselnde Graphikausstellungen. Geöffnet werktags 15–18.30 Uhr, Sa 9.30–13 Uhr und nach Vereinbarung.

Städtische Kunsthalle Düsseldorf, Grabbeplatz 4, wechselnde Ausstellungen zeitgenössischer Kunst für die Rheinlande und Westfalen. Geöffnet täglich 10–20 Uhr, Mo geschlossen, Führungen Mi und Fr 17.30 Uhr und nach Vereinbarung.

Stadtgeschichtliches Museum, Bäkkerstraße 7–9, Sammlungen zur Geschichte und Kultur des Düsseldorfer Raumes. Geöffnet Di–So 10–17 Uhr, Mo geschlossen.

Hetjens-Museum (Keramische Sammlung), Schulstraße 4, Keramiken aus acht Jahrtausenden; Vorderer Orient und Ost-Asien; Europäische Keramik und Porzellan. Geöffnet Di–So 10–17 Uhr, Mo geschlossen.

Sammlung Dr. Ernst Schneider, Schloß Jägerhof, Jacobistr. 2, frühes Meißner Porzellan (1705–50), Möbel- und Goldschmiedearbeiten des 18. Jh. Geöffnet Di–So 10–17 Uhr, Mi bis 20 Uhr, Mo geschlossen.

Goethe-Museum, Anton und Katharina Kippenberg-Stiftung, Hofgärtnerhaus, Jägerhofstr. 1. Geöffnet Di–So 10–17 Uhr, Mo geschlossen.

Heinrich-Heine-Institut, Bilker Str. 14, über 4000 Bände sowie der handschriftliche Nachlaß des Dichters. Geöffnet Mo–Fr 10–16 Uhr.

Aquarium und Löbbecke-Museum, Kaiserswerther Str. 380. Fische und Krebse aus aller Welt, Reptilien und Amphibien; Muscheln und Schnecken der berühmten Sammlung Löbbecke; Schmetterlinge, Käfer und Insekten aus aller Welt. Mineralien und Edelsteine. Allgemeine Geologie. Erdgeschichte, früheste Menschheitsgeschichte; Sammlung von Plastiken, Abgüssen und Originalen des Düsseldorfer Tierbildhauers Joseph Pallenberg. Geöffnet täglich 10–18 Uhr.

Naturkundliches Heimatmuseum Benrath, Schloß Benrath, westlicher Flügel. Geöffnet Di–So 9–17 Uhr, Mo geschlossen.

Theatermuseum, Bilker Str. 12. Dokumentation der 400jährigen Düsseldorfer Theatergeschichte in 8 Ausstellungsräumen.

Duisburg

Kreisfreie Stadt, 27 m, 527000 Einw. Industriestadt an der Mündung der Ruhr in den Rhein, größter Binnenhafen Europas und Umschlagplatz des Ruhrgebietes mit günstigem Anschluß an das europäische Wasserstraßennetz. In den Duisburger Hüttenwerken wird nahezu die Hälfte der Produktion an Roheisen des gesamten Ruhrgebietes gewonnen.

i *Auskunft:* Duisburger Werbe- und Touristik GmbH – Stadtinformation, Königstr. 53, 4100 Duisburg 1, Tel. 0203/2832189.
Verkehr: Kreuzungspunkt der B 8, B 60 und B 288; Autobahnanschlußstellen.

Sehenswert:
Wilhelm-Lehmbruck-Museum, Friedrich-Wilhelm-Str. 40, Sammlung moderner Kunst, u. a. Werke des Bildhauers und Sohnes der Stadt Wilhelm Lehmbruck. Öffnungszeiten Di und Fr 10–22 Uhr, Mi, Do, Sa und So 10–17 Uhr. Mo geschlossen.

Niederrheinisches Museum, Friedrich-Wilhelm-Str. 64, mit Schwerpunkt Vor- und Frühgeschichte des Duisburger Raumes. Geöffnet Di, Do–Sa 10–17, Mi 10–16, So 11–17 Uhr.

Museum der Deutschen Binnenschiffahrt, Dammstr. 11 (Ruhrort). Thema ist die Binnenschifffahrt einst und heute. Ausstellungsräume im alten Rathaus. Außen 2 Museumsschiffe. Geöffnet Di, Fr–So 10–17 Uhr, Mi, Do 10–16 Uhr.

Essen

Kreisfreie Stadt, 116 m, 622 000 Einw. Moderne Industriegroßstadt, wirtschaftlicher und kultureller Mittelpunkt des Ruhrgebietes. Freundliche Wohnsiedlungen in den Vororten – z. T. in bevorzugter landschaftlicher Lage, wie auf den Ruhrhöhen über dem Baldeneysee – bilden einen überraschenden Kontrast zu den Industrieanlagen im Norden.

Auskunft: Werbe- und Verkehrsamt der Stadt Essen, Rathaus, 4300 Essen, Tel. 02 01/1 81 23 00; Verkehrsverein Essen e. V., im Hauptbahnhof, Südseite, 4300 Essen, Tel. 02 01/2 04 01.
Verkehr: Kreuzungspunkt B 1 (Ruhr-Schnellweg) – B 224 – B 227 – B 231 – B 288; Autobahnanschlußstellen.

Sehenswert:
Münsterschatz, Münster am Burgplatz. Sammlung ottonischer Kunst. Geöffnet Di–So 10–16 Uhr.

Museum Folkwang und **Deutsches Plakatmuseum.** Sammlung vorwiegend neuer Kunst (19. und 20. Jh.): Malerei, Plastik, Kupferstiche, Kunstgewerbe; Plakate 19./20. Jh., Goethestr. 41. Geöffnet Di–So 10–18 Uhr.

Ruhrland-Museum, wissenschaftliche Schau- und Studiensammlung zur Biologie, Geologie, Heimatgeschichte und zur geschichtlichen Entwicklung des Ruhrgebietes und der Stadt Essen; Goethestr. 41. Geöffnet Di–So 10–18 Uhr.

Villa Hügel in Bredeny. Historie der Krupp-Dynastie, Originalmobiliar. Geöffnet Di–So 10–18 Uhr.

Kalkar

Kr. Kleve, 17 m, 11 000 Einw., alte Stadt und beliebtes Ausflugsziel in der anmutigen Landschaft des linken Niederrheingebietes, unweit des Rheinstromes auf einer alten Rheininsel gelegen. Die Stadt des »lebendigen Mittelalters am Niederrhein« ist vor allem berühmt wegen ihrer Kunstwerke aus Spätgotik und Frührenaissance.

Auskunft: Städtisches Verkehrsamt im Rathaus, 4192 Kalkar, Tel. 0 28 24/1 31 38.
Verkehr: Kreuzungspunkt der B 57 Kleve – Xanten und B 67 Goch – Rees.

Sehenswert:
St.-Nikolai-Kirche, die größte dreischiffige gotische Hallenkirche am Niederrhein mit reichgegliedertem Westturm, Neubau nach Brand von 1409 durch Johann Wyrenberg, Chor 1450 vollendet, 1481–1505 mehrfach erweitert. Die Kirche birgt heute noch einen ungewöhnlich reichen Schatz an Holzschnitzwerken und Gemälden der Kalkarer Schule des 15./16. Jh.

Städtisches Museum mit Kunstwerken des 19. und 20. Jh., außerdem eine stadtgeschichtliche Abteilung. Handschrift des Sachsenspiegels. Geöffnet Di–So 10–13, 14–17 Uhr.

Kleve

Kreisstadt, 46–106 m, 46 000 Einw. Alte Residenzstadt der Grafen und späteren Herzöge von Kleve, wirtschaftlichr und kultureller Mittelpunkt am linken unteren Niederrhein. Kleve ist die Stadt der Lohengrinsage und liegt in unmittelbarer Nähe des Reichswaldes.

Auskunft: Städtisches Verkehrsamt, 4190 Kleve, Tel. 0 28 21/8 42 54.
Verkehr: B 9 Krefeld – niederländische Grenze. Ausgangspunkt der B 57 nach Xanten und B 220 nach Emmerich; Autobahnanschlußstelle Emmerich (13 km).

Sehenswert:
Städtisches Museum Haus Koekkoek mit umfangreichen Sammlungen der niederrheinischen Kunst. Geöffnet Di–So 10–13, 14–17 Uhr.

Köln

36 m, 965 000 Einw. Größte Stadt Nordrhein-Westfalens, Metropole des Rheinlandes, berühmte Dom-, Universitäts- und internationale Messestadt, Sitz des Kölner Erzbischofs.

Köln, zu beiden Seiten des Rheins in der weiten Terrassenlandschaft der Kölner Tieflandbucht gelegen, hat eine über zweitausendjährige Geschichte, ist mit Mainz und Trier eine der ältesten Städte Deutschlands überhaupt und eine der frühesten Pflegestätten der abendländischen Kultur.

Auskunft: Verkehrsamt der Stadt Köln, gegenüber dem Dom, 5000 Köln, Tel. 02 21/2 21 33 45.
Verkehr: Kreuzungspunkt der B 8, 9, 51, 55, 59, 264, 265 und 506. Autobahnanschlußstellen. – Anlegestelle der »Köln-Düsseldorfer«.

Sehenswert:
Overstolzenhaus, 13. Jh., im 19. Jh. stark erneuert, reiche Fenstergliederung und mächtige Treppengiebel. Im Innern Wandgemälde profaner Themen aus dem 13. Jh. Beherbergt Wechselausstellungen des Kunstgewerbemuseums.

Römisch-Germanisches Museum im Neubau an der Südseite des Doms, mit weltberühmter Sammlung römischer Gläser und Kunst der Völkerwanderungszeit, Dionysos-Mosaik, Publicius-Grabmal (14 m hoch), römischer Triumphwagen u. a. (geöffnet Di–So 10–17, Do 10–20 Uhr). (Römische Funde auch unter dem Rathaus [Praetorium].)

Wallraf-Richartz-Museum am Funkhaus, größte Gemäldesammlung des Rheinlandes (geöffnet Di–So 10–17, Di 10–20 Uhr; Kunstbibliothek von 10–17 Uhr), mit Schwerpunkten bei der alten Kölner Malerschule.

Stadtmuseum im Renaissance-Ziegelbau des alten Zeughauses (1594) mit Sammlungen zur Geschichte Kölns von den Anfängen bis ins 20. Jh. (geöffnet Di–So 10–17, Do 10–20 Uhr). Eines der interessantesten Exponate ist das berühmte Stadtmodell nach Mercator. Dieses einzigartige Kleinod stammt aus dem Jahr 1571.

St. Ursula, 12. Jh., erste romanische Emporenbasilika am Niederrhein, Ausgrabungen weisen auf eine Märtyrerkirche aus dem 4. Jh. hin. Chor frühgotisch, 13. Jh. Reiche Ausstattung, einzigartiger **Schrein** des hl. Aetherius, um 1170, berühmte »Goldene Kammer«, **Schatzkammer** mit zahlreichen Reliquien aus verschiedenen Jahrhunderten, u. a. 122 Reliquienbüsten, z. T. von sehr hohem künstlerischem Rang.

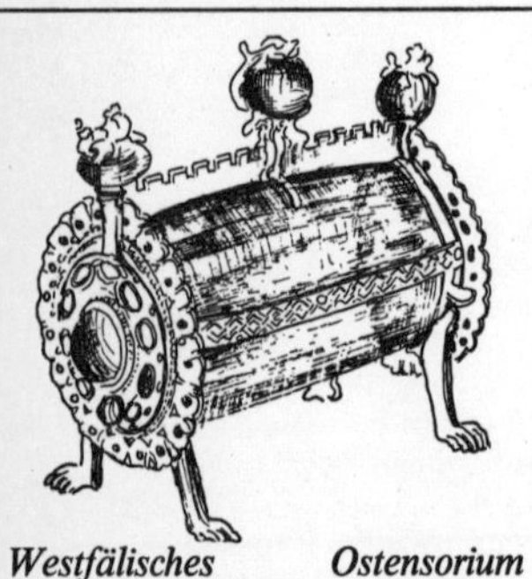

Westfälisches Ostensorium (12. Jh.) im Schnütgen-Museum

St. Cäcilien, ehemalige Stiftskirche, 1150–70 erbaut, einzelne Bauteile aus dem 10. Jh., romanische dreischiffige Pfeilerbasilika, 1803 aufgehoben und profanisiert, heute beherbergt sie das **Schnütgenmuseum,** eine wertvolle Sammlung kirchlicher Kunst vom frühesten Mittelalter bis zum Barock.

Völkerkundemuseum (Rautenstrauch-Joest-Museum) am Ubierring 45 (geöffnet Di–So 10–17 Uhr).

Museum für Ostasiatische Kunst in der Universitätsstr. 100.

Lackmuseum, Vitalisstr. 198–226, gibt einen einzigartigen Überblick über die 2000jährige Geschichte der Lackkunst. Etwa 10000 Lackarbeiten. Geöffnet Mo–Fr 9–16 Uhr und n. V.

Kipi's Polizeimuseum, Venloer Str. 16, mit Uniformen, Utensilien, Fälschungen u. v. a. Geöffnet n. V.

Krefeld

Kreisfreie Stadt, 39 m, 223000 Einw. Industriestadt und wirtschaftlicher Mittelpunkt westlich des Rheins (Rheinhafen), im Abfall der Krefeld-Kempener Platte zur mittleren Niederrheinebene gelegen, als »Samt- und Seidenstadt« bekannt.

i *Auskunft:* Amt für Stadtwerbung, Ostwall 171–175, 4150 Krefeld, Tel. 02151/632792. Verkehrsverein, Hansahaus am Hauptbahnhof, 4150 Krefeld, Tel. 02151/34138.

Verkehr: Kreuzungspunkt der B 9 Neuss – Goch und B 57 Uerdingen – Viersen; Autobahnanschlußstellen.

Sehenswert:
Wasserburg Linn, 1299 erstmals urkundlich belegt, stammt aus ihrer heutigen Form aus dem 14./15. Jh., weist aber romanische Reste auf. Obgleich seit dem 18. Jh. Ruine, gilt sie noch heute als die »bedeutendste niederrheinische Wasserburg«. Kurkölnische Landesburg, kurfürstliches Jagdschloß, Heimathaus des Niederrheins, bäuerlich-handwerkliches Freilichtmuseum.

Das ehemalige Herrenhaus beherbergt das **Museum Burg Linn** mit reichhaltigen Sammlungen zur Vor- und Frühgeschichte sowie der Volkskunde am Niederrhein.

Ebenfalls in Linn, Andreasmarkt 8, befindet sich das hochinteressante **Deutsche Textilmuseum,** das so ziemlich alles Wissenswerte über Textilien vermittelt. Geöffnet sind beide Museen April–Okt. Di–Sa 10–13 und 15–18 Uhr, So 10–18 Uhr; Nov.–März Di–So 10–13 und 14–17 Uhr.

Kaiser-Wilhelm-Museum, Karlsplatz 35. Kunst des Niederrheins aller Zeiten und Gebiete, italienische Renaissance, Kunst des 20. Jahrhunderts, Graphische Sammlung, Kunstgewerbe, Wechselausstellungen. Kunstgeschichtliche Bibliothek mit über 7000 Bänden.

Haus Lange, Wilhelmshofallee 91. Wechselnde Ausstellungen moderner Kunst.

Leverkusen

*Kreisfreie Stadt, 34–198 m, 156000 Einw. Industriestadt am Rhein mit den Stadtteilen **Küppersteg, Manfort, Rheindorf, Schlebusch** und **Wiesdorf**; die Stadt liegt im Mündungsgebiet von Wupper und Dhünn und erstreckt sich unmittelbar nördlich von Köln bis zu den Ausläufern des Bergischen Landes. Bekannt ist Leverkusen vor allem als Sitz der Farbenfabriken Bayer AG.*

Auskunft: Presse- und Verkehrsamt, Stadthaus, 5090 Leverkusen, Tel. 02172/352237.
Verkehr: Kreuzungspunkt der B 8 Köln – Düsseldorf und B 51 Köln – Remscheid; Autobahnanschlußstellen.

Sehenswert:
Schloß Morsbroich in Leverkusen-Schlebusch, 18. Jh., mit Zubauten aus dem 19. Jh., ehem. Sitz einer Landkomturei des Deutschen Ritterordens, heute Museum mit wechselnden Kunstausstellungen. Geöffnet Mi–So 11–17, Di 11–21 Uhr.

Mönchengladbach

Kreisfreie Stadt, 80 m, 258000 Einw. Industriestadt im linken Niederrheingebiet.

Auskunft: Städtisches Verkehrs- und Werbeamt, Rathaus, 4050 Mönchengladbach, Tel. 02161/270580/81/82; Verkehrsverein am Hauptbahnhof, 4050 Mönchengladbach, Tel. 02161/266 44/45.
Verkehr: Kreuzungspunkt der B 59 Grevenbroich – Viersen und B 230 Neuss – niederländische Grenze; Autobahnanschlußstelle.

Sehenswert:
Das **Münster,** ehem. Klosterkirche St. Vitus, von Erzbischof Gero von Köln 972 gegründet, in der heutigen Form aus der 2. Hälfte des 11. Jh., dreischiffige Pfeilerbasilika mit romanischen, spätromanischen und frühgotischen Bauteilen. Im Inneren die **Münsterschatzkammer** mit kostbaren Kunstgegenständen. Geöffnet So 10.15–12.15 Uhr.

Städtisches Museum, Abteistr. 27, mit Malerei des 19./20. Jh. sowie Wechselausstellungen. Geöffnet Di–So 10–18 Uhr.

Schloß Rheydt am Rande der Stadt inmitten weiter pappel- und erlenbestandener Bruchlandschaft, landschaftlich eines der am reizvollsten gelegenen Schlösser des Niederrheins. Hervorgegangen aus einem fränkischen Saalhof, 1567–81 im Renaissancestil aus einer spätgotischen Anlage entwickelt. Reichgegliederte Fassade des Hauptbaues, offene Bogenhalle zur Hofseite. Im Inneren das **städtische Heimatmuseum.** Geöffnet März–Okt. Di–So 10–18 Uhr, Nov.–Febr. Mi, Sa, So 11–17 Uhr.

Neuss

Kreisfreie Stadt, 42 m, 144000 Einw. Industrie-, Hafen- und Handelsstadt am linken Niederrhein, an der Mündung der Erft, gegenüber Düsseldorf, Sitz von über 100 Wirtschaftsunternehmen, bedeutendster öffentlicher Industriehafen und größte Blumenversteigerung in der Bundesrepublik, Umschlagplatz für das linksrheinische industrielle und landwirtschaftliche Hinterland, alte römische Siedlung; mit dem Quirinusmünster besitzt Neuss eines der bedeutendsten Kunstdenkmäler am Niederrhein. Neuss ist der Geburtsort von Theodor Schwann (1810–82), der die Zellenlehre auf das Tierreich übertrug. Bekannte Trabrennbahn.

Auskunft: Verkehrsverein, Friedrichstr. 40, 4040 Neuss, Tel. 02101/2798/0; Amt für Wirtschaftsförderung und Werbung, Stadthalle, Selikumer Str. 25, 4040 Neuss, Tel. 02101/12275 und 206641.
Verkehr: B 1 Düsseldorf – Jülich, B 7 Düsseldorf – Viersen, B 9 Krefeld – Köln; Ausgangspunkt der B 222 nach Krefeld – Uerdingen, der B 230 nach Rheydt und der B 477 nach Bergheim; Autobahnanschlußstellen.

Sehenswert:
Clemens-Sels-Museum, Am Obertor. Römische Bodenfunde, Dokumente zur Stadtgeschichte, mittelalterliche und barocke Kunstsammlungen, Kunst des 19./20. Jh., naive Kunst, Volkskunst und Spielzeug.

Recklinghausen

Kreisfreie Stadt, 98 m, 119000 Einw., Industriegroßstadt am Nordrand des Ruhrgebietes zwischen Rhein-Herne-Kanal und dem Naturpark Hohe Mark, Wirtschafts- und Kulturmittelpunkt des Neuen Reviers, Stadt der Ruhrfestspiele und Ausgangspunkt für Wanderungen und Ausflüge in den Naturpark Hohe Mark, die Borkenberge sowie in das Lippe- und Stevergebiet.

Auskunft: Amt für Wirtschafts- und Verkehrsförderung, Kunibertistr. 23, 4350 Recklinghausen, Tel. 02361/587-1.
Verkehr: Ausgangspunkt der B 51 nach Haltern und B 225 nach Marl; Autobahnanschlußstellen.

Sehenswert:
Ikonenmuseum, Kirchplatz 2a, die einzige Sammlung ostkirchlicher Kunst in Westeuropa mit über 700 Schaustücken. Geöffnet Di–Sa 10–18, So 11–13 und 15–18 Uhr.

Velbert

Kr. Düsseldorf-Mettmann, 260 m, 58000 Einw. Stadt im Niederbergischen Land zwischen Ruhr und Wupper in freundlicher Lage, mit reizvollen Fernblicken zum Rhein- und Ruhrtal. Die Stadt wurde bereits 875 als »Feldbrahti« urkundlich erwähnt. Schloß- und Beschlagindustrie.

Auskunft: Verkehrsverein, 5620 Velbert, Tel. 02124/313296 und 4542.
Verkehr: Kreuzungspunkt B 224 Essen – Wuppertal und B 227 Essen – Heiligenhaus.

Sehenswert:
Deutsches Schloß- und Beschlägemuseum am Marktplatz. Überblick über die Entwicklung von Schloß und Beschlag vom 3. Jahrtausend v. Chr. an bis zur technischen Vollendung in der Gegenwart; kulturgeschichtliche Dokumente von großem Wert mit beispielgebenden Meisterwerken (geöffnet Di–Fr 10–17 Uhr, Sa 10–13 Uhr, So 10–13 und 14–16 Uhr, Mo und Fei geschlossen).

Xanten

Kr. Moers, 24–27 m, 15800 Einw., alte Stadt mit historischer Vergangenheit und bedeutender Fremdenverkehrsort u. a. mit den Ortsteilen Birten und Marienbaum am unteren Niederrhein. Die Stadt war schon zur Römerzeit ein wichtiger Stützpunkt und soll zur Merowingerzeit Sitz der Frankenkönige gewesen sein. Sie ist verknüpft mit der Siegfriedsage und dem Nibelungenlied.

Auskunft: Verkehrsamt, 4232 Xanten, Tel. 02801/2461.
Verkehr: B 57 Kleve – Moers.

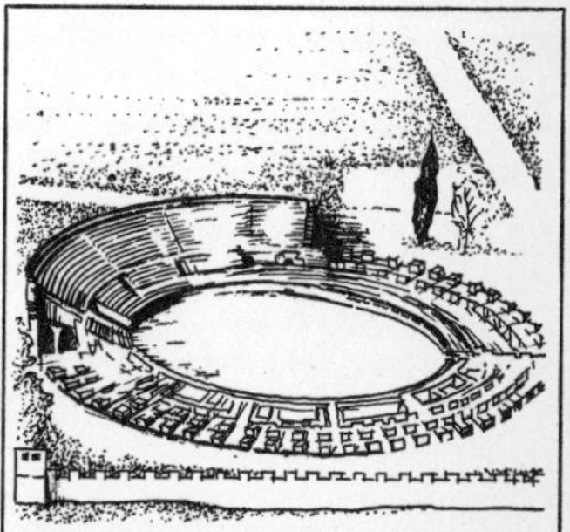

Originalgetreu rekonstruierte Römerstadt vor den Toren Xantens

Sehenswert:
St.-Viktor-Dom: gilt als bedeutendstes kirchliches Bauwerk der Gotik am Niederrhein. Im Inneren äußerst wertvolle Ausstattung. Zahlreiche weitere Kunstwerke birgt das **Dommuseum** im Kapitelsaal.

Ausgrabungen der **Colonia Trajan** mit Amphitheater. – Ausgrabungen der **Castra Vetera** bei Birten.

Wo die Museen für jeden etwas bieten

Im Münsterland leben Bauerngeschlechter, die älter als der westfälische Landadel sind, der die idyllischen Wasserburgen angelegt hat. Die uralten Eichen, hinter denen sich die weit ausladenden Höfe verstecken, scheinen auch den Menschen von ihrer harten, knorrigen Natur gegeben zu haben. Diesen Eindruck verstärkt noch die Mundart, das Münsterländer Platt.

Viele Erzählungen und Legenden haben sich mit dem Land und seinen Menschen beschäftigt. Auch eine ganze Reihe von Originalen stammt aus dieser Gegend, darunter der tolle Bomberg, der alle Welt zum Narren hielt, der kleine Professor Landois, Gründer des Zoologischen Gartens von Münster, ein Mann voll Witz und Tatkraft, sowie der urwüchsige Professor Jostes, der dem Volkstum nachspürte und um den sich viele Anekdoten gesponnen haben.

Der Teutoburger Wald, das Lippische Bergland und das Wiehengebirge ziehen sich durch die Länder Nordrhein-Westfalen und Niedersachsen. Westfalen wie Niedersachsen sind stolze Menschen, bedächtig im Handeln, die mit Treue am Althergebrachten hängen. Viel unverfälschtes Volkstum findet sich vor allem im Lipper Land. Hier werden in Schwalenberg noch die alten Trachten und Tänze gehegt und gepflegt. Hier hängen über dem Dielentor noch Erntehahn oder Erntekrone, die nach dem Einfahren des letzten Fuders dem Bauern als Symbol ewiger Fruchtbarkeit übergeben werden. Brakel im Nethegau begeht seine feierliche Lobeprozession. Osnabrück läßt die Erinnerung an mittelalterliche Wehrhaftigkeit im Schnatgang weiterleben. Und Paderborn feiert Jahr für Jahr sein Liborifest.

Breit gefächert ist denn auch das Themenspektrum der hiesigen Museen: angefangen beim Mittelalter und seinen Folterkammern (Lemgo) über die stolzen und berühmten Wasserschlösser (Anholt, Lembeck, Raesfeld u.a.) bis hin zu Tabakanbau (Bünde), Hausiererwesen (Mettingen) und bäuerlichem Lebensalltag (Detmold). Mittelpunkt ist daneben natürlich die Museumsstadt Münster, wo vom Thema her für jeden Museumsfreund etwas dabei ist!

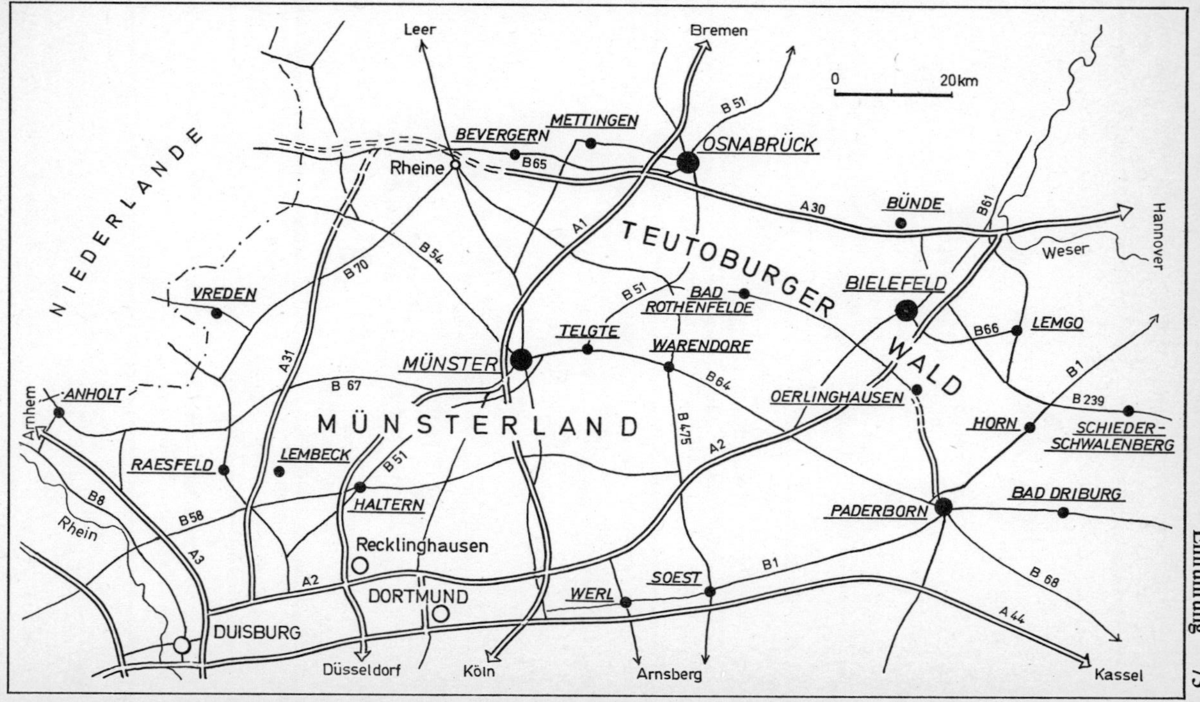
Leer
Bremen
0
20km
B 51
METTINGEN
BEVERGERN
OSNABRÜCK
Rheine
B65
NIEDERLANDE
A30
BÜNDE
B61
Hannover
Weser
A1
TEUTOBURGER WALD
B 54
B70
VREDEN
B51
BAD ROTHENFELDE
BIELEFELD
B66
LEMGO
TELGTE
WARENDORF
A31
MÜNSTER
B 67
B64
OERLINGHAUSEN
B1
B 239
ANHOLT
Arnhem
MÜNSTERLAND
B 475
HORN
SCHIEDER-SCHWALENBERG
LEMBECK
RAESFELD
B51
A2
HALTERN
BAD DRIBURG
B8
B58
PADERBORN
Rhein
Recklinghausen
A3
A2
DORTMUND
SOEST
B1
WERL
B 68
A 44
DUISBURG
Düsseldorf
Köln
Arnsberg
Kassel

Anholt

Kr. Borken, 16 m, 3100 Einw. Vielbesuchter Ausflugsort im westlichen Münsterland, nahe der holländischen Grenze in landschaftlich reizvoller Umgebung.

Auskunft: Stadtverwaltung, Markt 14–16, 4294 Anholt, Tel. 02874/2045.
Verkehr: B 67 Bocholt – Rees; Abzweigung bei Isselburg (6 km). – Autobahnanschlußstelle Bocholt/Rees (5 km).

Sehenswert: **Schloß Anholt,** Wasserburg aus dem 12. Jh. im Besitz der Fürsten zu Salm-Salm. Museum (Bildergalerie, u. a. ein Rembrandt, Porzellansammlung, Wandteppiche, altes Mobiliar) und große Parkanlagen, ständige Rosen- und Dahlienschau.

Bad Rothenfelde

Kr. Osnabrück, 112 m, 5500 Einw. Staatlich anerkanntes Heilbad am Südhang des Teutoburger Waldes.

Auskunft: Kurverwaltung, 4502 Bad Rothenfelde, Tel. 05424/4588; Kur- und Verkehrsverein, Ladenpassage am Alten Gradierwerk, 4502 Bad Rothenfelde, Tel. 05424/875.
Verkehr: B 68 Osnabrück – Halle; Abzweigung bei Dissen (3 km).

Sehenswert: **Dr.-A.-Bauer-Heimatmuseum** mit Sammlungen prähistorischer und geologischer Funde. Geöffnet Di, Do 16–18 Uhr.

Automuseum mit 37 Cabriolets von 1904–1965. Geöffnet tägl. 10–18 Uhr.

Bielefeld

Kreisfreie Stadt, 115 m, 305000 Einw. Einzige Groß- und Universitätsstadt sowie wirtschaftliches und kulturelles Zentrum Ost-Westfalens, bevorzugter Tagungsort und ausgedehntes Erholungsgebiet am Rand des Teutoburger Waldes. Vielseitige Industrie, Maschinenbau, Textil-, Fahrrad-, Chemie-, Nährmittel-, Büro- und Nähmaschinenfabriken.

Auskunft: Tourist-Information, im Alten Rathaus, Niederwall 25, 4800 Bielefeld, Tel. 0521/178899.
Verkehr: Kreuzungspunkt B 61 Herford – Gütersloh und B 68 Osnabrück – Paderborn, Ausgangspunkt der B 66 nach Lemgo; Autobahnanschlußstelle.

Sehenswert: **Naturkundemuseum,** Kreuzstr. 38 (Mo geschlossen). – **Kulturhistorisches Museum,** Welle 61. – **Kunsthalle der Stadt Bielefeld,** Sammlungen des 20. Jh., Artur-Ladebeck-Str. 5 (Mo geschlossen). – **Bauernhausmuseum,** Dornberger Str. 82 (Mo geschlossen). – **Calender-Cabinet,** Feilenstr. 1.

Bünde

Kr. Herford, 85 m, 43000 Einw., wirtschaftliches und kulturelles Zentrum im Tal der Else, südlich des Wiehengebirges, in dichtbesiedelter Landschaft gelegen. Bekannte Tabak- und Zigarrenfabrikation.

Auskunft: Amt für Planung, Wirtschaft und Verkehr, Rathaus, Bahnhofstr. 13, 4980 Bünde, Tel. 05223/4455.
Verkehr: B 239 Herford – Lübbekke; Abzweigung bei Südlengern (3 km); Autobahnanschlußstellen.

Sehenswert:
Deutsches Tabak- und Zigarrenmuseum mit der größten Zigarre der Welt. Im gleichen Gebäude das Kreis-Heimatmuseum und die Dobergsammlung (vorgeschichtliche Funde).

Detmold

Kreisstadt des Kreises Lippe, 134 m, 65000 Einw. Fremdenverkehrs- und Kongreßstadt am Nordrand des Teutoburger Waldes. Sitz der Nordwestdeutschen Musikakademie. Detmold war über 400 Jahre (1501–1918) Residenz der lippischen Fürsten.

Auskunft: Städtisches Verkehrsamt, Rathaus, Lange Str., Postfach 61, 4930 Detmold, Tel. 05231/77-1.
Verkehr: B 239 Herford – Höxter; Ausgangspunkt der B 238 nach Lemgo.

Sehenswert:
Residenzschloß, Renaissancebau, 16. Jh., umgeben vom Hofgarten. Innen zahlreiche Prunkräume; besonders sehenswert die »Königszimmer« mit wertvollen Gobelins sowie eine Sammlung alten Porzellans. *Führungen:* 1. 4.– 30. 10. täglich 9.30–12 und 14–17 Uhr; 1. 11.–31. 3. tägl. 10, 11, 15 und 16 Uhr.

Lippisches Landesmuseum und Heimathäuser, Ameide 4. Öffnungszeiten täglich 9–12 Uhr und 14–17 Uhr außer Mo u. Sa nachmittags.

Westfälisches Freilichtmuseum, bäuerliche Kulturdenkmale, Krummes Haus. Auf 80 ha sind insgesamt 81 bäuerliche Bauten Westfalen-Lippes zu sehen. Öffnungszeiten: 1. 4.–1. 11. täglich 9–18 Uhr (Einlaß bis 17 Uhr) außer Mo oder nach Vereinbarung.

Haltern

Kr. Recklinghausen, 40 m, 31000 Einw. Seit 1289 Stadt im südwestlichen Münsterland, am Nordufer der Lippe, umgeben von den Hügellandschaften Hohe Mark, Borkenberge und Haard. Auf dem südwestlich der Stadt gelegenen Annaberg wurde 1836 ein Römerkastell für 3000 Mann Besatzung entdeckt, 1899 ein Feldlager und zwei weitere Kastelle, war Anlegeplatz und Hafen an der Lippe, bis heute Ausgrabungen.

Auskunft: Städtisches Verkehrsbüro, Rekumer Str., 4358 Haltern, Tel. 02364/3021–27 und 306165.
Verkehr: Kreuzungspunkt der B 51 Münster – Recklinghausen und der B 58 Wesel – Lüdinghausen.

Sehenswert:
Römisch-Germanisches Museum mit bedeutenden Ausgrabungsfunden der römischen Militärstationen.

Horn

Kr. Detmold, 225–400 m, 6500 Einw., mit dem Ortsteil ***Bad Meinberg*** *Stadt und Luftkurort am Nordostrand des Lippischen Waldes, nach Lemgo die älteste Stadt des Lipper Landes.*

Auskunft: Städtisches Verkehrsamt, Rathausplatz 2, 4934 Horn, Tel. 05234/2010.
Verkehr: B 1 Hameln – Paderborn.

Sehenswert:
Neben stattlichen Fachwerkhäusern die **Burg** aus dem Jahr 1344–1348 mit interessantem **Heimatmuseum.**

Lembeck

Ortsteil der Gemeinde Dorsten, Kr. Recklinghausen, 60 m, 4600 Einw. Gemeinde im südwestlichen Münsterland, in der waldreichen Umgebung des Naturparks »Hohe Mark«.

Auskunft: Stadtverwaltung, 4270 Dorsten, Tel. 02362/66339.
Verkehr: B 58 Wesel – Haltern; Abzweigung bei Wulfen (5 km).

Sehenswert:
2 km südlich **Schloß Lembeck,** 15.–17. Jh. mit Museum, eine der eigenwilligsten Wasserburgen Westfalens, mit Großem Saal von J. C. Schlaun (Besichtigung mit Führung 1. 3.–15. 11. tägl. 9–17 Uhr).

Lemgo

Kr. Lippe, 105 m, 40000 Einw., schöne einstige Hansestadt und älteste Industriestadt des lippischen Landes, gelegen im Begatal, im Nordosten des Lippischen Waldes.

Auskunft: Städtisches Verkehrs- und Reisebüro, Am Mart, 4920 Lemgo, Tel. 05261/213347.
Verkehr: Kreuzungspunkt der B 66 Bielefeld – Barntrup und der B 238 Rinteln – Detmold.

Sehenswert: **Hexenbürgermeisterhaus** von 1751 (Museum für Stadt- und Rechtsgeschichte), zählt zu den schönsten Steinhäusern der Frührenaissance in Deutschland. Geöffnet tägl. 9–13 und 15–18 Uhr, außer Mo und Sa nachmittags.

Lemgos prächtiges Hexenbürgermeisterhaus

Junkerhaus, phantastischer Bau eines Sonderlings, begonnen um 1890. 20 Jahre hatte Karl Junker an diesem seltsamsten aller Häuser gearbeitet. Sämtliche Wände und Decken vom Keller bis zum Boden sind mit Schnitzwerk beladen. Eine verschmähte Liebe gab den Anlaß zum Bau dieses Hauses. Hier das **Städtische Museum.**

Mettingen

Kr. Steinfurt, 50–120 m, 10200 Einw. Augesdehntes Tüöttendorf mit städtischem Kern, 7 km nordöstlich von Ibbenbüren vor dem Nordhang des Schafberges. Die typischen Tüöttenhäuser vereinigen Bauweise und Anlage des Tecklenburger Hauses mit Bauformen holländischer Bürgerhäuser.

Auskunft: Gemeindeverwaltung, Burgstr. 6/8, 4532 Mettingen, Tel. 05452/1081; Heimat- und Verkehrsverein, Tel. 05452/1837.
Verkehr: B 65 Rheine – Osnabrück; Abzweigung bei Ibbenbüren (6 km); Autobahnanschlußstellen Osnabrück/Hafen (13 km) und Ibbenbüren (10 km).

Sehenswert:
Tüöttenmuseum. Tüötten hießen in Westfalen einst die herumziehenden Hausierer, deren Leben hier umfassend dargestellt wird. Geöffnet tägl. 9–18 Uhr.

Münster

Kreisfreie Stadt, 60 m, 260000 Einw. Sitz des gleichnamigen Regierungsbezirkes, Bischofs- und Universitätsstadt, Sitz des Landschaftsverbandes Westfalen-Lippe und zahlreicher Behörden; gelegen im Mittelpunkt der fruchtbaren Münsterschen Bucht an der Aa, einem kleinen Nebenfluß der Ems, sowie am Dortmund-Ems-Kanal. Rege Industrie- und Handelsstadt, Zentrum des westfälischen Zuchtviehmarktes, wichtiger Umschlagsort für Getreide, Holz und Baumaterialien. Bevorzugte Kongreß- und Ausstellungsstadt, attraktives Touristenziel mit zahlreichen bedeutenden Sehenswürdigkeiten.

Auskunft: Städtisches Werbe- und Verkehrsamt, Berliner Platz 22, 4400 Münster, Tel. 0251/492313; Verkehrsverein Münster-Münsterland e. V., Berliner Platz 22, 4400 Münster, Tel. 0251/42200 und 42478.
Verkehr: Kreuzungspunkt der B 51 (Haltern – Telgte und der B 54 Gronau – Lünen; Ausgangspunkt der B 219 nach Greven; Autobahnschlußstellen.

Sehenswert:
St.-Paulus-Dom, größtes kirchliches Bauwerk Westfalens, 13. Jh., mit Resten eines früheren Baues und leichten Veränderungen aus spätgotischer Zeit. **Domschatz** mit bedeutenden Werken aller Kunstepochen.

Rathaus am Prinzipalmarkt, 14. Jh. (die Fassade von 1335 wurde nach schwerer Kriegszerstörung originalgetreu wiedererrichtet), einer der bedeutendsten gotischen Rathausbauten Deutschlands. Im Innern die alte Ratskammer (der sogenannte **Friedenssaal** von 1648) mit zeitgenössischen Gemälden der Friedensgesandten; prachtvolle Ausstattung.

Freilichtmuseum »Mühlenhof« mit Bauwerken und reichen Innenausstattungen aus vier Jahrhunderten, Sentruper Str. 185.

Geologisches Museum, Pferdegasse 3. Geöffnet Mi 15–17 und So 11–12.30 Uhr.

Landesmuseum für Kunst- und Kulturgeschichte, Domplatz 10–15. Geöffnet tägl. außer Mo 10–18 Uhr.

Westfälisches Museum für Naturkunde (mit Planetarium), Sentruper Str. 285. Geöffnet tägl. außer Mo 10–17 Uhr, So 13–17 Uhr.

Westfälisches Museum für Archäologie, Rothenburg 30. Geöffnet Di–Sa 10–13 Uhr und 14–18 Uhr, So 10–13 Uhr, Mo geschlossen.

Annette-von-Droste-Hülshoff-Museum, Haus Rüschhaus. Geöffnet täglich 9–12 und 14.30–17 Uhr.

Oerlinghausen

Kr. Lippe, 225–334 m, 14900 Einw. Stadt und Ferienort im südöstlichen Teutoburger Wald, am Hang des 334 m hohen Tönsberges.

Auskunft: Reisebüro Lippe – Reiseservice, 4811 Oerlinghausen, Tel. 05202/6020.
Verkehr: B 66 Bielefeld – Lemgo; Autobahnanschlußstelle Bielefeld (6 km).

Sehenswert:
Archäologisches Freilichtmuseum »Germanengehöft« am Barkhauser Berg, Nachbildung einer germanischen Sippensiedlung sowie Rekonstruktion ur- und frühgeschichtlicher Häuser. Geöffnet Di–So 9–17 Uhr.

Osnabrück

150000 Einw., mit den Teilen Voxtrup, Nahne, Lüstringen, Darum, Hellern, Sutthausen und Atter an der Hase, zwischen Teutoburger Wald und Wiehengebirge gelegen. Die Großstadt ist das Wirtschafts- und Kulturzentrum Westniedersachsens mit bedeutenden Metallwerken, Maschinen- und Textilfabriken, Automobilindustrie sowie Hafen am Stichkanal zum Mittellandkanal.

Auskunft: Verkehrsamt, Markt 22, 4500 Osnabrück, Tel. 0541/3232202, und Tourist-Information, Schloßwall 1–9, 4500 Osnabrück, Tel. 0541/23724.
Verkehr: Kreuzungspunkt der B 51 Diepholz – Bad Iburg, B 65 Ibbenbüren – Lübbecke und der B 68 Bramsche – Halle; Autobahn.

Von großem kunsthistorischem Wert: der Domschatz

 *Sehenswert:*
Domschatz und Diözesanmuseum in der Kleinen Domfreiheit 24. Geöffnet Di–Fr 10–13, 15–17 Uhr, Sa, So 10–13 Uhr.

Kulturgeschichtliches Museum, Heger-Tor-Wall 28, Sammlung zur Volkskunde von Stadt und Bistum. Hier befindet sich auch die Sammlung des Fürstenberg-Porzellans. Geöffnet Di–Fr 9–17, Sa 10–13, So 10–17 Uhr.

Paderborn

Kreisstadt, 94–380 m, 109 000 Einw. Alte Kaiser- und Hansestadt an den 200 Quellen der Pader, Zentrum des Paderborner Landes, im Schnittpunkt von Teutoburger Wald, Eggegebirge und Sauerland, am Ostrand der münsterländischen Tiefebene. Sitz eines Erzbistums. Beliebter Tagungsort und Universitätsstadt.

Auskunft: Verkehrsverein, Marienplatz 2 A, 4790 Paderborn, Tel. 0 52 51/2 64 61.

Sehenswert:
Diözesanmuseum, am Domplatz; Kunstwerke aus dem Erzbistum, darunter als bedeutendstes die Madonna des Bischofs Imad aus der zweiten Hälfte des 11. Jh. Geöffnet Di–So 10–17 Uhr.

Museum in der Kaiserpfalz, Ikenberg. Archäologische Funde aus dem Bereich der karolingischen Pfalz.

In der Umgebung: **Schloß Neuhaus,** ehemaliger Bischofssitz am Zusammenfluß von Lippe, Pader und Alme, Geburtsort des Apothekers F. W. A. Sertürner (1783–1841), des Entdeckers des Morphiums. **Städtische Galerie.**

Raesfeld

Kr. Borken, 49 m, 6500 Einw., mit den Ortsteilen ***Erle*** *und* ***Overbeck*** *Gemeinde im Naturpark Hohe Mark im westlichen Münsterland, überragt von einem imposanten Schloßbau.*

Auskunft: Gemeindeverwaltung, 4281 Raesfeld, Tel. 0 28 65/60 10.

Verkehr: B 70 Borken – Brünnen; Ausgangspunkt der B 224 nach Dorsten.

Sehenswert:
Schloß Raesfeld, Wasserburg aus dem 14.–17. Jh.; im 17. Jh. bedeutend als Residenz des kaiserlichen Feldmarschalls Alexander II. von Velen, des »Westfälischen Wallensteins«. Vorburg (als Bauernhof genutzt) mit »Sterndeuterturm«, Schloßkapelle (1658) mit schöner Barockausstattung. Schloß Raesfeld ist heute als Akademie des Handwerks und Tagungsort bekannt. **Heimatmuseum** im Schloß mit vor- und frühgeschichtlichen Funden sowie umfangreicher Waffensammlung.

Schloß Raesfeld, ein beliebtes Ausflugsziel

Schieder-Schwalenberg

Kr. Lippe, 150–300 m, 10 700 Einw. Aus den beiden bisher selbständigen Städten Schieder und Schwalenberg gebildete Stadt. Schwalenberg ist ein waldumgebenes »Malerstädtchen« und Ferienort im südöstlichen Lipper Bergland.

Auskunft: Stadtverwaltung Schieder-Schwalenberg in Schieder, 3284 Schieder-Schwalenberg, Tel. 0 52 82/80 66. Verkehrsamt Schieder-Schwalenberg, Tel. 0 52 82/2 12.
Verkehr: B 239 Horn-Bad Meinberg – Höxter.

Sehenswert: **Gemäldeausstellung** in der **»Künstlerklause«,** Wandbilder aus der Geschichte Schwalenbergs von 1128–1761 im **»Schwalenberger Malkasten«.**

Soest

Kreisstadt, 98 m, 43 000 Einw. »Stadt des deutschen Mittelalters« in der fruchtbaren Soester Börde, am Rand des westfälischen Industriegebietes und der Münsterschen Tieflandsbucht, alte Kunst- und Handelsstadt mit schönen, aus grünem Sandstein erbauten Kirchen. Malerisches Stadtbild mit einem Labyrinth krummer Gäßchen, alten Fachwerk- und Patrizierhäusern innerhalb hübscher Gärten sowie gut erhaltener Umwallung.

Auskunft: Städtisches Verkehrsamt, Am Seel 5, 4770 Soest, Tel. 0 29 21/10 33 23.
Verkehr: B 1 Unna – Paderborn. Ausgangspunkt der B 229 nach Arnsberg und der B 475 nach Bekkum; Autobahnanschlußstellen.

Sehenswert: **Rathaus,** von 1713 bis 1718, offene, neunbogige Halle, Giebel mit hl. Patroklus von J. Volmer, 1716, unter den Bogen Erinnerungstafeln an die Soester Fehde.

Stadtarchiv, im 1. Stock des Rathauses, eines der bedeutendsten Archive in Westfalen, mit Soester Schrae und Nequambuch.

Wilhelm-Morgner-Haus, 1963, mit Städtischen Kunstsammlungen. Geöffnet täglich 10.30–12 Uhr und 15–17 Uhr, So 10.30–12.30 Uhr.

Kunstpavillon im Theodor-Heuß-Park; wechselnde Ausstellungen. Geöffnet 11–12.30 Uhr und 15–17 Uhr.

Burghofmuseum mit reichhaltigen Sammlungen zu bäuerlichem und bürgerlichem Kulturgut seit der Steinzeit. Geöffnet Di–Sa 10–12, 15–17 Uhr, So 11–13 Uhr.

Osthofentormuseum. Demonstriert Geschichte Soests mit mittelalterlicher Wehrgeschichte. Geöffnet April–Sept. Di–Fr 14–16, Sa 11–13, So 11–13 und 15–17 Uhr. Okt.–März Mi 14–16, So 11–13 Uhr.

Dom-Museum im Westwerk der Kirche mit zahlreichen Kunstwerken aus dem Dom. Geöffnet Sa 10.30–12.30 und 14–16 Uhr, So 11.30–12.30 und 14–16 Uhr.

Telgte

Kr. Warendorf, 49 m, 15 300 Einw. Stadt im östlichen Münsterland, Ausflugs- und Wallfahrtsort in landschaftlich reizvoller Umgebung an der Ems.

Auskunft: Verkehrsamt, 4404 Telgte, Tel. 0 25 04/1 31.

Verkehr: B 51 Münster – Osnabrück; Ausgangspunkt der B 64 nach Warendorf. Autobahnanschlußstelle Münster-Süd (20 km).

Sehenswert:
Heimathaus Münsterland mit wechselnden Ausstellungen. Kostbarer Besitz ist das »Telgter Hungertuch«, ein bedeutendes Werk der westfälischen religiösen Volkskunst von 1623. Bekannt sind auch die »Telgter Nachtigallen« (kleine Tonpfeifen) als Erzeugnisse der Heimatkunst. Geöffnet täglich außer Mo 9–12 und 13.30–17.00 Uhr.

Vreden

Kr. Borken, 40 m, 18 000 Einw. Alte Stadt mit bedeutender historischer Vergangenheit, im nordwestlichen Münsterland an der Brekel, nahe der holländischen Grenze gelegen.

Auskunft: Stadtverwaltung, 4426 Vreden, Tel. 0 25 64/8 84.
Verkehr: B 70 Ahaus – Borken; Abzweigung bei Wendfeld (5 km).

Sehenswert:
Hamalandmuseum; wertvolle volkskundliche Sammlungen aus dem Westmünsterland. Bedeutende Reste der romanischen Bauplastik sowie der gotischen und barocken Ausstattung der beiden alten Kirchen. Vor- und frühgeschichtliche Sammlung.

Warendorf

Kreisstadt, 56 m, 32 000 Einw. Mittelalterliche Stadt an der Ems, Fremdenverkehrsort und wirtschaftliches sowie kulturelles Zentrum im östlichen Münsterland. »Stadt des Pferdes«, Mittelpunkt der westfälischen Pferdezucht und des Reitsports.

Auskunft: Verkehrsamt, Markt 1, 4410 Warendorf, Tel. 0 25 81/26 25 und 5 42 62.
Verkehr: Kreuzungspunkt der B 475 Osnabrück – Beckum und der B 64 Münster – Rheda.

Sehenswert:
Kreisheimathaus mit beachtlichen Sammlungen im historischen Rathaus am Markt.

Werl

*Kr. Soest, 90 m, 30 000 Einw. Mit den Ortsteilen **Hilbeck** und **Rhynern** 300 Jahre alter Wallfahrtsort nördlich des Haarstranges, zwischen Münsterland und Sauerland. Werl entstand aus einem Grafensitz am Hellweg, der wichtigen alten Handelsstraße; Salzquellen und Salzgewinnung brachten vom 13. bis 19. Jh. mancher Familie Geld und Adel ein.*

Auskunft: Stadtverwaltung, Wirtschaftsförderungsamt, 4760 Werl, Tel. 0 29 22/80 01 36.
Verkehr: Kreuzungspunkt der B 1 Unna – Soest und der B 63 Hamm – Menden; Ausgangspunkt der B 479 nach Neheim – Hüsten. Autobahnanschlußstelle.

Sehenswert:
Missionsmuseum der sächsischen Franziskanerprovinz mit bedeutender chinesischer Münzsammlung sowie eine Sammlung von Keilschrifttafeln aus Babylon. – **Heimatmuseum** (Haus Rykenberg, 13. Jh.).

Auf den Spuren von Münchhausen

Von den drei sächsischen Stämmen, den Westfalen, Engern und Ostfalen, wohnten im Weserbergland vor allem die Engern. Von ihnen stammen die heutigen Bewohner des Weserberglandes ab. Volkskundlich gehört dieses Gebiet zu dem großen niedersächsischen Kulturkreis, dem sich in der Gegend von Kassel das Hessenland anschließt. Über Kassel führt die Grenze sowohl des niedersächsischen Bauernhauses wie die der niedersächsischen Mundarten. Südlich von Kassel beginnt dann die hessische Mundart, die zum Mitteldeutschen gehört. Während die Werra aus Thüringen kommt und deren Einzugsbereich eindeutig von dort her beeinflußt wird, sind an der Oberweser bei Sprache und Hausformen die Übergänge gleitend; und dieser Zustand ist noch verstärkt worden durch fremde Zuwanderung. So haben Hugenotten in Karlshafen und Waldenser in Gottstreu, Gewissenruh und im Reinhardswald eine neue Heimat gefunden. Viel echtes, unverfälschtes Volkstum – die ländliche Bevölkerung spricht platt und hält an Sitte und Brauchtum fest – findet sich an der Ober- wie Mittelweser. Die Feuerräder von Lügde, die am Abend des Ostersonntags zu Tal sausen, gelten als der älteste Osterbrauch in Niedersachsen. In Wahmbeck wird zur Sommersonnwende der Johannisbaum – in die christliche Form des Kreuzes verwandelt – umtanzt und umsprungen. Im Lippischen sind Erntehahn und Erntekranz Symbole der Fruchtbarkeit. Und durch das Hildesheimer Land ziehen um die Weihnachtszeit die als Hl. Drei Könige verkleideten Steinmetzen. Alte Tänze in heimatlicher Tracht werden in Schwalenberg gepflegt. Jedoch nur noch im Schaumburger Land ist die Volkstracht im eigentlichen Sinne lebendig. Hier im Land der »Rotröcke« haben sich auf engstem Raum drei Trachtengruppen erhalten: die Friller an der Weser bei Minden, die Bückeburger Tracht und die von Haste und Bad Nenndorf.

Die Museen zollen den althergebrachten Traditionen leider nur recht wenig Aufmerksamkeit. Im Vordergrund stehen eher Technik (Hubschraubermuseum Bückeburg, Auto- und Technikmuseum Bad Oeynhausen) und Literatur (Märchen- und Wesersagenmuseum Bad Oeynhausen, Kestner-Museum und Wilhelm-Busch-Museum in Hannover, Münchhausenmuseum Bodenwerder), zwei Themenbereiche, die auf jeden Fall ihre Freunde finden dürften.

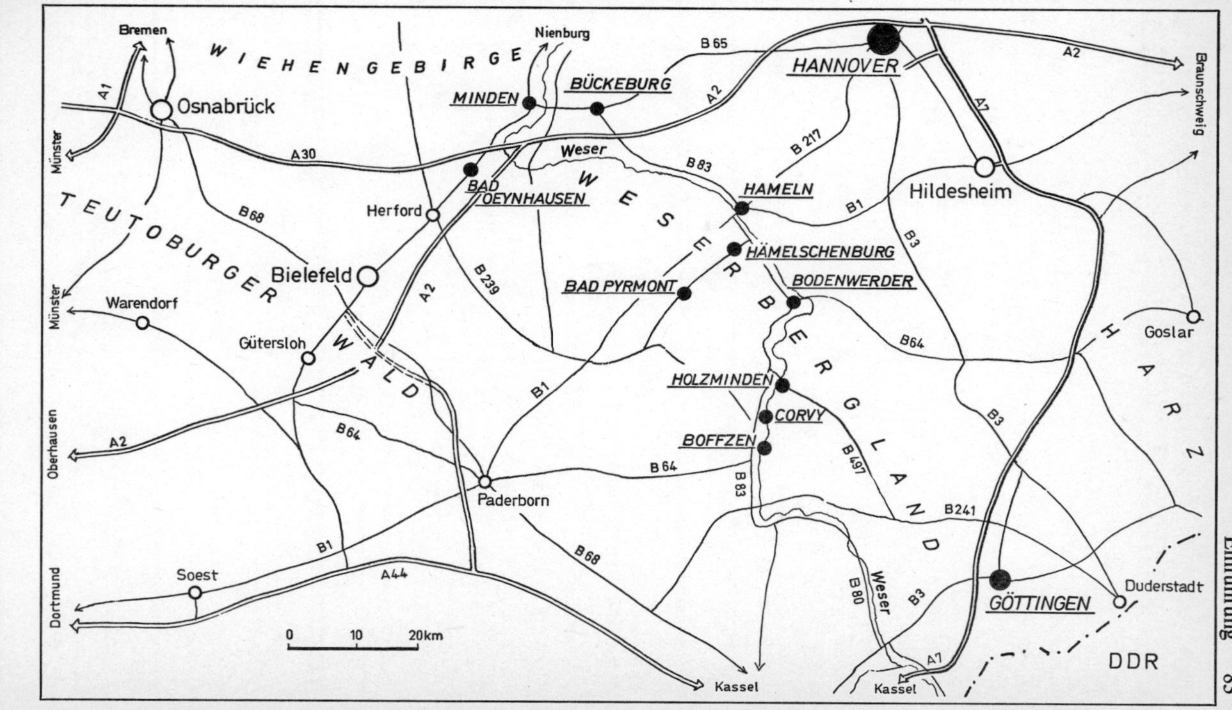
Bremen
Nienburg
WIEHENGEBIRGE
B 65
HANNOVER
A2
Braunschweig
A1
Osnabrück
MINDEN
BÜCKEBURG
A2
A7
Münster
A30
Weser
B 217
B 83
BAD OEYNHAUSEN
WESERBERGLAND
HAMELN
B1
Hildesheim
TEUTOBURGER WALD
B68
Herford
B3
HÄMELSCHENBURG
Bielefeld
A2
B239
BAD PYRMONT
BODENWERDER
Münster
Warendorf
Goslar
Gütersloh
B64
HARZ
HOLZMINDEN
B1
CORVY
B3
Oberhausen
A2
B64
BOFFZEN
B 497
B 64
B 83
Paderborn
B241
B1
B68
A44
Soest
Weser
B80
B3
GÖTTINGEN
Duderstadt
Dortmund
0
10
20km
DDR
A7
Kassel
Kassel

Bad Oeynhausen

Kr. Minden-Lübbecke, 71 m, 48 700 Einw. Staatsbad des Landes Nordrhein-Westfalen. Es liegt in der Nähe der Porta Westfalica, umgeben von den Höhenzügen des Wiehen- und Wesergebirges sowie des Lippischen Berglandes. Das Bad hieß früher Solbad Neusalzwerk und erhielt 1848 zu Ehren seines Begründers, des Freiherrn von Oeynhausen, den jetzigen Namen.

Auskunft: Verkehrsamt, Postfach 10 08 09, 4970 Bad Oeynhausen, Tel. 0 57 31/24 51 84.
Verkehr: B 61 Minden – Herford; Autobahnanschlußstelle.

Sehenswert:
Am Rande des **Kurparks** ist ein **Heimatmuseum** in einem Bauernhaus (1739) untergebracht.

Deutsches Märchen- und Wesersagenmuseum. Das einzige Märchenmuseum der Bundesrepublik – eine eindrucksvolle Schausammlung mit Plakaten, Bilderbogen (Moritz von Schwind), Kinderzeichnungen und Volksbüchern. Geöffnet Di–So 10–12, 15–17.30 Uhr.

Norddeutsches Auto-, Motorrad- und Technik-Museum. Geöffnet März–Okt. Di–So u. Fei 10–18; Nov. u. Febr. Di–So u. Fei 13–17; Dez. u. Jan. geschl.

Bad Pyrmont

22 500 Einw. Weltbekanntes niedersächsisches Heilbad zwischen den bewaldeten Bergzügen des Weserberglandes und Ausläufern des Teutoburger Waldes im Tal der Emmer.

Auskunft: Kur- und Verkehrsverein, Arkaden 14, 3280 Bad Pyrmont, Tel. 0 52 81/46 27.

Sehenswert:
Schloß, das 1706 seine jetzige Form erhielt und 1562 als Wasserburg von den Grafen von Spiegelberg erbaut wurde. Das Museum zeigt neben geologischen und urgeschichtlichen Funden die Geschichte des Bades und der Stadt. Geöffnet Di–So 10–17 Uhr.

Bodenwerder

6200 Einw. Bodenwerder ist ein ganz von Bergen umschlossener, staatlicher Luftkurort und Jod-Solbad in einer Schleife der Oberweser bei der Mündung der Lenne. Die hübsche Stadt ist Geburtsort des Freiherrn von Münchhausen.

Auskunft: Städtisches Verkehrsamt, Brückenstr. 7, 3452 Bodenwerder, Tel. 0 55 33/25 60.

Sehenswert:
Das **Rathaus,** Münchhausens Heimathaus, um 1605 erbaut, mit kleinem Münchhausenmuseum. In diesem Gebäude wurde er 1720 geboren und 1797 starb er hier. Geöffnet April–Sept. 10–12, 14–17 Uhr.

Boffzen

Kr. Holzminden, 8100 Einw. Waldumgebener Ferienort mit den Ortsteilen ***Fürstenberg,*** *bekannt durch seine Porzellanmanufaktur,* ***Derental*** *und* ***Lauenförde*** *an der Oberweser und Tor zum Solling.*

Auskunft: Verkehrsamt, 3474 Boffzen, Tel. 05271/5025.
Verkehr: B 83 Holzminden – Beverungen; Abzweigung bei Höxter (3 km).

Sehenswert:
Schloß Fürstenberg, 1350 als Grenzfeste gegen die Stadt Höxter erbaut, 1613 zu einem Renaissance-Schloß umgebaut. Herzog Karl I. von Braunschweig gründete hier 1745 eine **Porzellanmanufaktur.** Eine Schausammlung gibt Aufschluß über das Schaffen dieser Manufaktur. Geöffnet März–Okt. Mo–Sa 9–17, So 10–12 Uhr.

Bückeburg

Kr. Schaumburg-Lippe, 63 m, 21000 Einw. Freundliche Villenstadt am Fuß des buchenbewaldeten Harrl zwischen Weser und Mittellandkanal, ehemalige Residenz der Fürsten zu Schaumburg-Lippe mit bedeutenden Bauten des frühen Barock.

Auskunft: Städtisches Verkehrsbüro, Rathaus, 3062 Bückeburg, Tel. 05722/20624.
Verkehr: Autobahnanschlußstelle Bad Eilsen (7 km).

Sehenswert:
Residenzschloß mit bedeutender Gemäldegalerie italienischer, niederländischer, spanischer und deutscher Meister des 16.–18. Jh. Die Anfänge des heutigen Baues gehen bis ins 14. Jh. zurück, später wurde das Schloß vielfach umgebaut, zuletzt im 18. und 19. Jh. bedeutend vergrößert; der goldene Saal mit seiner prachtvollen barocken Türrahmung ist besonders reich ausgestattet. Tägl. geöffnet.

Heimatmuseum mit Sammlungen zur Stadt- und Landesgeschichte; das altertümliche Gebäude ist einer der vier Burgmannshöfe, die sich als erste beim Schloß ansiedelten. Geöffnet April–Okt. tägl.

Hubschrauber-Museum; es zeigt die Entwicklung von der ersten Idee Leonardo da Vincis bis zu den Flugzeugen unserer Zeit. Geöffnet tägl. 9–17 Uhr.

Corvey

Berühmtes Schloß und ehemals eine der bedeutendsten Abteien des Abendlandes, östlich von Höxter im Wesertal am Westrand des Sollings gelegen. Bekannt sind die Corveyer Schloßkonzerte und die Corveyer Musikwoche.

Auskunft: Städtisches Verkehrsamt, Am Rathaus 7, 3470 Höxter, Tel. 05271/63244.
Verkehr: Kreuzungspunkt der B 83 Hameln – Hofgeismar und B 64 Holzminden – Bad Driburg.

Sehenswert:
Schloß mit einem Kreuzgang; Kruzifix aus dem 13. Jh.; im 1. Stock Galerie der Corveyschen Äbte; verschiedene Wohnräume; Bibliothek von 60000 Bänden (die Bibliothek der ehemaligen Abtei ist nicht mehr vorhanden, in dieser wurden 1517 die sechs ersten Bücher von Tacitus' Annalen gefunden. Hoffmann von Fallersleben, der Dichter des Deutschlandliedes, war hier von 1860 bis zu seinem Tode 1874 Bibliothekar; sein Grab mit Denkmal findet man hinter der Kirche); Sommersaal der Äbte; Kaisersaal, von den Mönchen ausgemalt.

Göttingen

138 000 Einw. Die alte Universitätsstadt im Leinetal ist umgeben von bewaldeten Höhen. Beliebte Kongreß- und Touristenstadt, Sitz namhafter feinmechanischer und optischer Industrie. (Große moderne Kongreßhalle.) Kulturzentrum im südlichen Niedersachsen, Sitz der Max-Planck-Gesellschaft zur Förderung der Wissenschaften und der Göttinger Akademie der Wissenschaften.

Auskunft: Tourist Office am Bahnhof, 3400 Göttingen, Tel. 05 51/5 60 00.

Sehenswert:
Städtisches Museum im Hardenberger Hof aus dem Jahre 1592, Ritterplan 7, Abteilungen: Erd- und Vorgeschichte, Geschichte der Stadt, Universitäts- und Studentengeschichte, kirchliche Kunst. Geöffnet Di–Sa 10–13 und 15–17 Uhr, So 10–13 Uhr.

Im Hardenberger Hof befindet sich das Städtische Museum

Museum für Völkerkunde, Theaterplatz 15, geöffnet So 10–13 Uhr (außer 1. So des Monats).

Kunstsammlung der Universität, Hospitalstr. 10, geöffnet nach Vereinbarung.

Zoologisches Musum, Berliner Straße 28, geöffnet So 10–13 Uhr und für Gruppen nach Vereinbarung.

Sternwarte (1803–17), Geismarlandstraße, Sammlung historischer Instrumente (Besichtigung nach Vereinbarung).

Hämelschenburg

Ortsteil von Emmerthal, Kr. Hameln-Pyrmont, 80 m, 500 Einw. Kleines Dorf im Emmertal.

Auskunft: Gemeindeamt Emmerthal 13, 3251 Emmerthal-Hämelschenburg, Tel. 0 51 55/70 67.
Verkehr: B 83 Hameln – Bodenwerder; Abzweigung bei Emmern (4 km).

Sehenswert:
Schloß Hämelschenburg, stolzester Bau der Weserrenaissance, anstelle einer Burgfeste im Jahre 1588 von Jürgen von Klencke als repräsentativer Herrensitz errichtet; Porträtgalerie deutscher Fürsten und Pilgerhalle im Verbindungstrakt. Geöffnet April–Okt. Di–So 10–17 Uhr.

Hameln

Schöne alte Stadt im fruchtbaren, von Bergzügen geschützten Wesertal zwischen Süntel und Weserbergland mit bedeutenden Bauwerken der Weserrenaissance. Schauplatz der weltbekannten Rattenfängersage.

Auskunft: Verkehrsverein, Deisterallee, 3550 Hameln, Tel. 0 51 51/20 25 17.

Sehenswert:
Leist'sches Haus (1589) in der Osterstraße, ein Bau der Weserrenaissance, und das **Stiftsherrenhaus** (1558), Hamelns schönster Fachwerkbau. Hier ist das **Heimatmuseum** untergebracht (geöffnet Di–Fr 10–13, 14–17 Uhr, Sa, So 10–13 Uhr).

Hannover

Hauptstadt des Landes Niedersachsen, 55 m, 536 000 Einw. (Großraum über 1 Mio.). Bedeutendes Wirtschaftszentrum im Schnittpunkt wichtiger europäischer Verkehrslinien. Die ehemalige Residenzstadt, heute Sitz der Hannover-Messe, liegt an der Leine, an der Grenze zwischen dem mitteldeutschen Bergland und dem norddeutschen Flachland. Ihr Name kommt vom mitteldeutschen »Honovere«, das heißt hohes Ufer und deutet an, daß hier, oberhalb der im Frühjahr überschwemmten Niederungen im Süden und Norden, jederzeit der Übergang über den Fluß möglich war.

Auskunft: Verkehrsbüro Hannover, Ernst-August-Platz 8, 3000 Hannover 1, Tel. 0511/ 16 82 3 19.
Verkehr: Kreuzungspunkt B 3, B 6, B 65, B 217. Autobahnanschlußstellen.

Sehenswert:
Kestner-Museum, Trammplatz 3, geöffnet Di–Fr 10–16, Mi 20, Sa und So 10–18 Uhr.
Das Museum enthält Kostbarkeiten aus sechs Jahrtausenden, z. B. antike Kleinkunst, ägyptische Altertümer, mittelalterliches Kunstgewerbe, Wiegendrucke, Graphik, Fayencen, Porzellan, Gläser, Münzen, Kupferstichkabinett mit wechselnden Ausstellungen. Die ägyptische Sammlung ist eine der bedeutendsten in Deutschland.

Der Fayence-Löwe gehört zu den kostbarsten Exponaten des Kestner-Museums

Landesmuseum. Am Maschpark 5, Di–So 10–17 Uhr; Do 10–19 Uhr. Abteilungen für Kunst (Meisterwerke abendländischer Malerei sowie Plastiken berühmter Meister, darunter solche von Tilman Riemenschneider), Naturkunde, Urgeschichte und Völkerkunde.

Beginenturm, der älteste Zeuge der wehrhaften Stadt, bereits 1357 als der »nye Torn« erwähnt. Unmittelbar neben dem Turm das **Historische Museum am Hohen Ufer.**

Im Historischen Museum am Hohen Ufer stehen diese prächtigen Staatskarossen

Wilhelm-Busch-Museum, Georgengarten 1, geöffnet täglich außer Mo 10–17 Uhr. Das einzige Museum seiner Art in Deutschland zeigt Gemälde, Zeichnungen, Handschriften und die Originale fast aller Bildergeschichten von Wilhelm Busch, dem großen deutschen Humoristen. Ausstellungen kritischer Graphik. Im Westflügel ist eine umfassende Heinrich-Zille-Sammlung untergebracht.

Herrenhausen-Museum an der Alten Herrenhauser Straße, geöffnet täglich 10–18 Uhr.

Holzminden

Kreisstadt, 99–450 m, 23500 Einw. Schöne alte Stadt mit sehenswerten Fachwerkhäusern im romantischen Tal der Oberweser. Die Stadtteile ***Neuhaus*** *und* ***Silberborn*** *sind Höhenluftkurorte im wald- und wildreichen Solling. In Holzminden verlebte Wilhelm Raabe unter der Obhut seines Großvaters die Schul- und Jugendjahre. Die Holzmindener Industrie ist von großer Bedeutung. Hier wurde im Jahre 1874 das Vanillin (Vanilleersatz) erfunden. Die Stadt ist Sitz der ältesten staatlichen Ingenieurschule für Bauwesen in Deutschland.*

Auskunft: Verkehrsverein e. V., Neue Str. 12, 3450 Holzminden, Tel. 05531/7373; Verkehrsamt, 3450 Holzminden, Tel. 05531/2088.
Verkehr: Kreuzungspunkt der B 83 Hameln – Höxter und B 64 Höxter – Bad Gandersheim; Ausgangspunkt der B 497 nach Uslar.

Sehenswert:
Bedeutendes **Heimatmuseum** mit anerkannter geologischer Sammlung. Geöffnet 1. 5.–31. 10. Mi 15–17 und So 10.30–12.30 Uhr.

Im Stadtteil Neuhaus **Waldmuseum.** Geöffnet Sommer 9–19, Winter 9–17 Uhr.

Minden

Kreisstadt des Kreises Minden-Lübbecke, 46 m, 80000 Einw. Schöne alte westfälische Stadt mit reichgeschmückten Patrizierhäusern am Wasserstraßenkreuz Weser und Mittellandkanal und an der ***Porta Westfalica,*** *dem Tor zur norddeutschen Tiefebene.*

Auskunft: Verkehrs- und Werbeamt, Ritterstr. 3, 4950 Minden, Tel. 0571/89385 und 23472.
Verkehr: Kreuzungspunkt der B 61, 65, 83 und 482; Autobahnanschlußstelle Vennebeck (12 km). – Schiffsanlegestelle.

Sehenswert:
Dom St. Peter, ein Monumentalbau des 9.–11. Jh. mit Westwerk, Vorhalle und Chorquadrum. Der Unterbau ist karolingisch und frühromanisch. Im Innern bedeutendes, großes Bronzekruzifix, das »Mindener Kreuz« von 1070. Der **Domschatz** neben der Kaiserloge ist zugänglich und enthält eine Fülle großer Kostbarkeiten, darunter eine gotische Madonna mit der Taube mit Silberblechüberzug von 1450. Geöffnet Di, Do, Sa, So 10–12, Mi und Fr 15–17 Uhr.

Alles über alte Bergbautechnik

Im Verlaufe seiner Sachsenkriege machte Karl der Große den Harz zum »Reichsbannforst« (775), und die Bischöfe von Hildesheim christianisierten den West- und Nordwestharz. Die im Laufe der Geschichte aus vielen Stämmen zusammengeschmolzene Bevölkerung des Harzes hat wie alle Gebirgsvölker einen harten Kampf um ihr Dasein führen müssen. Seit Jahrhunderten haben die Harzer ihren kargen Lebensunterhalt aus dem früher allerdings sehr bedeutenden Bergbau (Edelmetalle, Schiefer, Baumaterial) sowie aus der Holzwirtschaft (Nutzholz, Holzkohle), aus der geringen Viehzucht, welche die Bergwiesen erlauben, und aus der Holzschnitzerei (Andenken, Haushaltsgebrauchsgegenstände) bestritten.

Durch die Jahrhunderte hindurch haben die Gebirgler an ihren Lebensgewohnheiten festgehalten, und auch heute noch ist ihr Heimatbewußtsein, das in Volks- und Trachtenfesten, volkstümlichen Wettbewerben und Freilichtaufführungen zum Ausdruck kommt, lebendig. Bestimmte Bräuche, wie etwa das jährlich in Hohegeiß und St. Andreasberg abgehaltene »Finkenmanöver«, ferner Walpurgisspiele in der Walpurgisnacht (in der Nacht zum 1. Mai), in der, der Sage nach, die Hexen zu ihrem Tanzplatz auf dem Brocken reiten (daher: Brokkenhexe), Johannisfeste in Altenau und Clausthal-Zellerfeld, Märchenspiele und Freilicht-Laienaufführungen an verschiedenen Orten sowie die weltberühmte »Harzer-Roller«-Kanarienzucht dürften auch in Zukunft nicht ihre Bedeutung verlieren.

Insbesondere der Bergbau taucht in den Ausstellungsvitrinen und in alten Stollen immer wieder auf. An allererster Stelle zu nennen sind das Oberharzer Heimatmuseum in Clausthal-Zellerfeld, ebenso die dortige Mineraliensammlung, sowie das Bergwerksmuseum von St. Andreasberg. Besonders bedeutsame historische Sammlungen besitzen die Städte Goslar und Hildesheim.

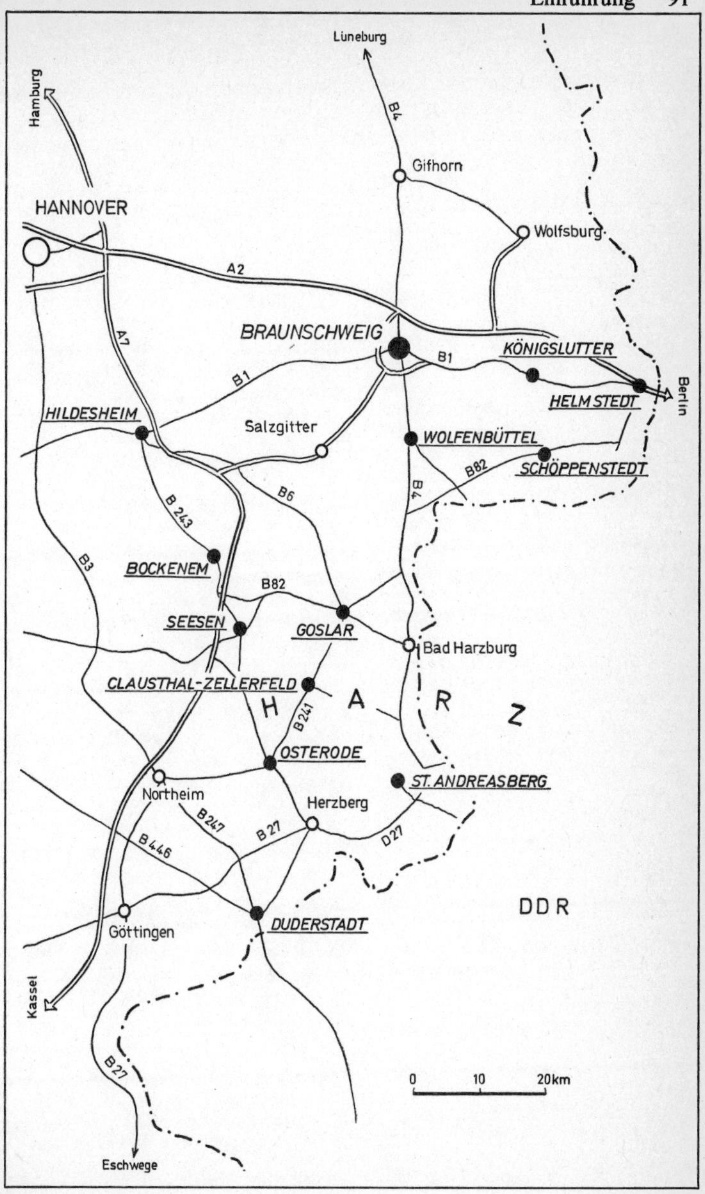

Lüneburg
Hamburg
B4
Gifhorn
HANNOVER
Wolfsburg
A2
A7
BRAUNSCHWEIG
KÖNIGSLUTTER
B1
B1
Berlin
HELMSTEDT
HILDESHEIM
Salzgitter
WOLFENBÜTTEL
SCHÖPPENSTEDT
B82
B6
B4
B 243
B3
BOCKENEM
B82
SEESEN
GOSLAR
Bad Harzburg
CLAUSTHAL-ZELLERFELD
H A R Z
B241
OSTERODE
ST. ANDREASBERG
Northeim
Herzberg
B247
B27
B 446
D27
DDR
Göttingen
DUDERSTADT
Kassel
0 10 20km
B27
Eschwege

Bockenem

Kr. Hildesheim, 113–157 m, 11 300 Einw. Altes Städtchen und Erholungsort in den Bergen des nördlichen Vorharzes an der Nette, südöstlich von Hildesheim gelegen. Die Stadt ist Mittelpunkt des fruchtbaren und reizvollen Ambergaues, einer von lieblichen Wäldern umgebenen Beckenlandschaft.

Auskunft: Stadtverwaltung, 3205 Bockenem 1, Tel. 05067/751.
Verkehr: B 243 Hildesheim – Seesen; Autobahnanschlußstelle an die A 7.

Sehenswert:
Heimatmuseum am Buchholzmarkt.

Kleinwagenmuseum Störy. Das Museum mit seinen Kleinwagen und Motorrädern bietet einen reizvollen Überblick über die Entwicklung des Kleinwagenbaus. Geöffnet April–Okt. Sa, So, Fei 10–12, 13–18 Uhr.

Braunschweig

Kreisfreie Stadt, 70–75 m, 252 000 Einw. Niedersächsische Großstadt, unweit der Grenze zur DDR zwischen Harz und Heide gelegen und von der aus dem Harz kommenden Oker durchflossen.

Auskunft: Städt. Verkehrsverein e. V., Hauptbahnhof, 3300 Braunschweig, Tel. 0531/79237, und Bohlweg, Tel. 0531/46419.
Verkehr: Kreuzungspunkt der B 1, 4, 214, 248 und 490; Autobahnanschlußstellen.

Sehenswert:
Herzog-Anton-Ulrich-Museum, *Museumstraße 1,* Tel. 4842400, ein Museum von internationalem Rang; aus den Salzdahlumer Sammlungen des Herzogs (um 1690) hervorgegangen, die nach Abbruch des Schlosses 1813 nach Braunschweig überführt wurden. Das Museum verfügt – abgesehen von Berlin – über die einzige bedeutende Rembrandt-Sammlung im norddeutschen Raum. Außerdem besitzt es Werke von Rubens, Vermeer, van Delft u. a. Größte Sammlung italienischer Majolikagefäße und Fürstenberger Porzellans in der Bundesrepublik. Französische Emailarbeiten, Kupferstiche, Skulpturen und Kleinkunst. Geöffnet Di–So 10–17, Mi 10–20 Uhr.

Braunschweigisches Landesmuseum für Geschichte und Volkstum, Burgplatz 1, Tel. 4840. Geöffnet Di–Sa 10–17, So 10–13 Uhr.

Städtisches Museum mit stadtgeschichtlicher und Münzen- und Medaillensammlung, Am Löwenwall, Tel. 470-2450; hier der 1483 von Konrad Borgentrik geschaffene Schnitzaltar. Geöffnet Fr–Mi, außer Mo 10–17, Do 10–20 Uhr.

Staatliches Naturhistorisches Museum, Pockelstr. 10a, Tel. 331914. Geöffnet Di, Do, Fr, Sa, So 9–17, Mi 9–19 Uhr.

Haus »Salve Hospes«, Lessingplatz 12, Tel. 49556, Kunstverein mit ständigen Ausstellungen moderner Kunstwerke. Geöffnet Di–Fr 11–17, Sa 11–16, So 11–14 Uhr.

Formsammlung der Stadt Braun-

schweig mit historischen und modernen Hausgeräten. Staatliche Hochschule für bildende Kunst, Löwenwall 16, Tel. 4702474. Geöffnet Di, Mi, Do, Fr, So 10–13 Uhr.

Stadtarchiv und Stadtbibliothek, *Steintorwall 15,* Tel. 470-2448. 160000 Bände, mittelalterliche Handschriften, Wiegendrucke, Literatur über Stadt und Land Braunschweig. Geöffnet Mo, Di, Do, Fr 9–13 und 14–18, Mi 9–13 Uhr.

Wilhelm-Raabe-Gedächtnisstätte, Leonhardstr. 29a, Tel. 75225. Geöffnet Mi, Fr, So 11–13 Uhr und nach Vereinbarung.

Clausthal-Zellerfeld

Kr. Goslar, 550–765 m, 17000 Einw. Staatlich anerkannter heilklimatischer Kurort und Wintersportplatz. Mittelpunkt der nach ihm benannten Hochebene, umgeben von einem Kranz schöner Waldseen und Teiche. Die Stadt ist Sitz einer Technischen Universität (Bergakademie), eines Oberbergamtes und einer Schule für mittlere Bergbaubeamte.

Auskunft: »Die Oberharzer«, Kurgeschäftsstelle, Bahnhofstr. 2, 3392 Clausthal-Zellerfeld, Tel. 05323/7024 und 7025.
Verkehr: Kreuzungspunkt der B 241 Goslar – Osterode und B 242 Bad Grund – Abzw. von der B 4 beim Oderteich. Autobahnanschlußstelle Seesen/Harz (25 km).

Sehenswert:
Oberharzer Heimatmuseum im ehemaligen Zellerfelder Rathaus mit Bergwerksanlage, einzigartige Modelle, Urkunden, Erinnerungsstücke, das erste Drahtseil der Welt (Erfinder Oberbergrat Albert), die erste »Fahrkunst« (Erfinder Bergmeister Dörell, 1883), sowie eine Schachtanlage. Geöffnet Di–So 9–13, 14–17 Uhr.

Mineraliensammlung in der Technischen Universität (Bergakademie) in Clausthal, eine der größten Sammlungen ihrer Art. Geöffnet Mo 14–17, Di–Fr 9–12 Uhr.

Duderstadt

Kr. Göttingen, 175 m, 24000 Einw. Erholungsort im nördlichen Eichsfeld mit unverändertem mittelalterlichen Stadtbild am Grenzübergang nach Worbis (DDR). Duderstadt gehört mit über 400 Fachwerkhäusern zu den schönsten Fachwerkstädten Deutschlands.

Auskunft: Städtisches Verkehrsamt, Städt. Verkehrsbüro, Rathaus, 3428 Duderstadt 1, Tel. 05527/81510.
Verkehr: Kreuzungspunkt der B 446 Nörten-Hardenberg – Duderstadt und B 247 Gieboldehausen – Worbis/DDR. Autobahnanschlußstelle Göttingen (30 km).

Sehenswert:
Rathaus, eines der ältesten Rathausbauten Deutschlands, der Bau wurde um 1230 mit zweigeschossigem Saal-Langbau begonnen, Südostflügel 1423 bis 1435, Fachwerkstock mit Erkertürmen und Laube 1525–1536, Freitreppe 1673 im Westturm »Anreischke« mit Glockenspiel (täglich 9, 11, 13, 15, 17 Uhr). – In der historischen **Salzkammer** des Rathauses ständige Ausstellung seltener Archivalien

(seit 1148) und Folterkammer, beides kann besichtigt werden.

Heimatmuseum des Eichfeldes in der ehemaligen Stadtschule bei der Oberkirche.

Goslar

Sitz des Landkreises Goslar, 265–325 m, 54 000 Einw. Vielbesuchte, alte und historisch bedeutsame Stadt. Zugleich moderne Fremdenverkehrs- und Touristenstadt am Nordrand des Harzes, am Abhang des Rammelsberges im Naturpark Harz.

Auskunft: Kur- und Fremdenverkehrsgesellschaft Goslar-Hahnenklee mbH, Markt 7, 3380 Goslar, Tel. 0 53 21/28 46.

Verkehr: Kreuzungspunkt der B 6, B 82 (zur Autobahnanschlußstelle), B 241 und B 498.

Sehenswert:
Kaiserpfalz mit Dom. Von den Baulichkeiten der alten Kaiserpfalz, die zu den wichtigsten Profanbauten Deutschlands aus dem 11. Jh. zählt, sind das »Kaiserhaus« mit Saalbau sowie die Ulrichskapelle noch erhalten.

Die Kaiserpfalz, von Kaiser Heinrich III. (1039–1056) großzügig angelegt, nach Verfall mit großen Kosten 1868–1879 wiederhergestellt, besteht aus einem langgestreckten zweigeschossigen Hauptbau; das Untergeschoß, jetzt durch gotische Gewölbe aufgeteilt, enthielt einst die Räume für das Gefolge, das Obergeschoß dagegen mit seinen großen offenen Bogenöffnungen diente den Reichstagen. Die großen Wandflächen des Reichssaales sind in den Jahren 1879–1897 von dem Düsseldorfer Maler Prof. Hermann Wislicenus mit einer Folge von monumentalen Gemälden zur deutschen Kaisergeschichte ausgeschmückt worden.

Südlich vom Saalbau und mit ihm durch einen neuen Gang verbunden liegt die **St. Ulrichs-Kapelle**, die der 1. Hälfte des 12. Jh. angehört und durch ihre doppelgeschossige Anlage ein bemerkenswertes Beispiel solcher Palastkapellen bildet. Im unteren Raum das aus dem Dom nach hier übertragene Grabmal Heinrichs III., das in einer vergoldeten Kapsel das Herz des Kaisers birgt; im Obergeschoß die An-

Goslars Kaiserpfalz mit St.-Ulrichs-Kapelle

dachtsstätte der kaiserlichen Familie. Gegenüber stand der sog. Goslarer »Dom«, das Chorherrenstift St. Simeon und Judas, eine Gründung Heinrichs III. Von der dreischiffigen Basilika, die 1050 geweiht, nach Verfall 1820–1822 abgebrochen wurde, blieb vom Abbruch nur die um 1150 angebaute »Domvorhalle« verschont, die 1824 zur Aufbewahrung der letzten Reste der einstigen Ausstattung bestimmt wurde. Hier ist heute der berühmte *Kaiserstuhl* zu finden, der früher im Dom stand (Teile der Innenausstattung des ehemaligen Domes sind im **Stadtmuseum** zu sehen, unter ihnen der Krodo-Altar aus dem 11. Jh.). Geöffnet Mai–September 9–17.30 Uhr; letzte Führung 30 Minuten vor Besichtigungsschluß. – Domvorhalle: Juni–September, wochentags 10–13 Uhr und 14.30–16.30 Uhr, So 10–13 Uhr; Oktober–Mai täglich 10.30–12 Uhr (Anmeldung Kasse Kaiserpfalz).

Das **Rathaus** stammt aus dem 12. Jh., wurde jedoch in der Mitte des 15. Jh. durch den jetzigen steinernen Arkadenbau mit seinen fünf Spitzbogen im Erdgeschoß ersetzt. Eine Freitreppe von 1537 führt hinauf zu den Repräsentationsräumen und zur Diele, die von gotischen Fenstern erhellt ist (die heutigen stammen erst aus dem Jahre 1926). Unter der Hauptfront der Ratskeller mit gotischem Gewölbe. Im Obergeschoß des Arkadenbaues hängen drei alte Leuchter aus der Zeit um 1500. Eine spätgotische Tür führt über einen schmalen Gang zum Ratsherrenzimmer, dem sogenannten **»Huldigungssaal«.** Dieser Raum ist ein bemerkenswertes Beispiel profaner Innenarchitektur aus der Zeit um 1500 und mit großartigen Gemälden aus dem Anfang des 16. Jh. eines unbekannten Meisters geschmückt. Im großen Sitzungssaal, dem alten Gerichtsraum, wurde 1959 ein eindrucksvolles Tafelwandgemälde mit einer Darstellung des »Jüngsten Gerichts« freigelegt. Bemerkenswert noch die silberne Bergkanne, ein Prachtstück der Silberschmiedekunst (1477), und ein Evangelienbuch (um 1230) mit herrlichen Buchmalereien. Geöffnet: Juni–September 9.30–17.30; Oktober–Mai 10–16 Uhr. Letzte Führung: 15 Minuten vor Besichtigungsschluß.

Goslarer Museum (Stadtgeschichtsmuseum), Königstr. 1, 1932–1936 neu eingerichtet, besonders sehenswert der Domraum mit dem Krodo-Altar des 11. Jh., der Rammelsbergraum mit sog. Praetoriusorgel sowie die geologische Sammlung, die u. a. die »klassische geologische Quadratmeile« von Goslar veranschaulicht. Geöffnet Juni–September wochentags 9–13 und 14.30–17 Uhr; Oktober–Mai 10–13 und 15–17 Uhr, So 10–13 Uhr.

Mönchehaus-Museum für moderne Kunst, Mönchestr. 3. Geöffnet Di–Sa 10–13 und 15–17 Uhr, So 10–13 Uhr. Mo geschlossen.

Rüst-, **Folter-** und **Waffenkammer** im *Zwinger*. Geöffnet täglich von 9–18 Uhr. Im Winter Mo geschlossen.

Haus der Tiere (Exoten, Naturkundemuseum), *Münzstr. 11*, präparierte Tiere aus aller Welt. Geöffnet Juni–September Di–Sa 10–13 Uhr und 15–17 Uhr, So 10–13 Uhr; Oktober, April, Mai Di–So 10–13 Uhr;

November–März Di–So 10.30–12.30 Uhr. Mo geschlossen.

Helmstedt

Kreisstadt und Sitz des gleichnamigen Landkreises, 140 m, 27000 Einw. Alte Stadt und wichtiger Grenzübergangsort zur DDR und den osteuropäischen Ländern östlich von Braunschweig am Rande des 7500 ha großen Lappwaldes.

Auskunft: Stadt Helmstedt, Markt 1, 3330 Helmstedt, Tel. 05351/17333.
Verkehr: Kreuzungspunkt der B 1, B 244 und B 248. Autobahnanschlußstelle.

Sehenswert:
Juleum, das Gebäude der ehemaligen welfischen Universität mit Aula und Auditorium im Stil der Hochrenaissance 1577 bis 1595 von Baumeister Paul Francke erbaut; nach vollständiger Restaurierung ist im Obergeschoß die ehemalige Universitätsbibliothek mit 30000 Bänden, im Sockelgeschoß das **Heimatmuseum** untergebracht worden.

Hildesheim

Landkreis Hildesheim, 70 bis 244 m, 103000 Einw. Lebhafte Industriestadt, malerisch zwischen Vorbergen des Harzes an der zur Leine fließenden Innerste gelegen. Alte Bischofsstadt, ehemaliger Sitz des gleichnamigen Regierungsbezirks und bis 1974 kreisfreie Stadt.

Auskunft: Verkehrsverein, Markt 5, 3200 Hildesheim, Tel. 05121/1995 und 1996.
Verkehr: Kreuzungspunkt der B 1, B 6, B 243 und B 494. Autobahnanschlußstellen.

Sehenswert:
Diözesan-Museum und **Domschatz,** südlich des Domes. Es enthält eine der bedeutendsten Sammlungen sakraler Kunstgegenstände aus der Romanik: so die goldene Madonna des Bischofs Bernward, das Bernwardkreuz aus dem 11. Jh., drei romanische Scheibenkreuze sowie Altargerät und Reliquiare. Außerdem finden sich Codices des 11. Jh., unter ihnen die mit Miniaturen ausgestattete *Reichenauer Handschrift* und der runde Codex rotundus.

Der Hildesheimer Domschatz war während des Krieges ausgelagert und wurde daher gerettet. Neben der Schatzkammer einige weitere Ausstellungsräume. Geöffnet Di, Do und Fr 10–16 Uhr, Mi und Sa 10–17 Uhr, So 12–17 Uhr.

Roemer-Pelizaeus-Museum, Am Steine, westlich des Domes. Der Konsul und Großkaufmann Wilhelm Pelizaeus, in Kairo, konnte 1907 die Sammlung Hermann Roemers um kostbare Originale aus Altägypten erweitern. Dabei handelte es sich um Stücke aus der Frühzeit (3000 v. Chr.) bis zur Ptolemäerzeit (4. Jh.). Der Hauptwert der weltbekannten Sammlung besteht in den *Denkmälern des Alten Reiches.*

Im Seitenflügel des Gebäudes eine *heimatkundliche Sammlung* des Roemer-Museums mit einer Übersicht über die Erdgeschichte und Geschichte der Stadt. Im Obergeschoß Alt-Hildesheim im Bild sowie Zunftaltertümer. Geöffnet Di–Fr

10–16.30 Uhr, Sa 10–13 Uhr, So 10–16.30 Uhr, Mo geschlossen.

Fast 4300 Jahre alt ist diese Heti-Statue im Pelizaeus-Museum

Königslutter am Elm

Kr. Helmstedt, 123 m, 17000 Einw. Ferienort im Naturpark Elm-Lappwald und Städtchen des Braunschweiger Landes, in waldreicher Umgebung am Nordhang des Elm gelegen.

Auskunft: Verkehrsamt der Stadt, Am Pastorenkamp 13, 3308 Königslutter am Elm, Tel. 05353/1011.
Verkehr: B 1 Braunschweig – Helmstedt. Autobahnanschlußstelle.

Sehenswert:
Petrefaktensammlung des Kaufmanns Otto Klages mit systematisch geordneten Funden aus der Erdgeschichte des Elm im Haus der Volkshochschule, Sack 1.

Osterode am Harz

Kreisstadt und Sitz des gleichnamigen Landkreises, 200–300 m, 30000 Einw. Fremdenverkehrsstadt, in grüne Berghügel am Südwesthang des Harzes eingebettet, wo das Lerbachtal und das Sösetal in spitzem Winkel zusammentreffen, gegen rauhe Ostwinde durch Brocken, Bruchberg- und Ackergebiet geschützt. – Wahrscheinlich wurde in Osterode Tilman Riemenschneider (um 1460 bis 1531) geboren; diese Annahme ist jedoch noch nicht endgültig bewiesen.

Auskunft: Fremdenverkehrsamt, Postfach 1720, 3360 Osterode am Harz 1, Tel. 05522/318-1.
Verkehr: Kreuzungspunkt der B 241, B 243 und B 498. Autobahnanschlußstelle Echte (20 km).

Sehenswert:
Heimatmuseum am Rollberg, ein schöner Fachwerkbau von 1640, mit reichen heimatkundlichen Sammlungen aus dem Harzvorland. Geöffnet Di–Fr 10.30–16 Uhr, Sa 10–12 Uhr, So 9–12 Uhr. Mo geschlossen.

St. Andreasberg

Kr. Goslar, 650–900 m, 4200 Einw. Vielbesuchter, staatlich anerkannter heilklimatischer Kurort und Wintersportplatz. Höchstgelegene Bergstadt des Harzes, von Wiesen und Hochwald umgeben.

Auskunft: Städt. Kurverwaltung, Am Glockenberg 12, 3424 St. Andreasberg, Tel. 05582/1012.
Verkehr: Verbindungsstraße zur B 27 bzw. B 243 (Herzberg) und B 242.

Sehenswert:
Bergwerksmuseum Samson und **Heimatmuseum,** ein früheres Silberbergwerk mit erhalten gebliebenen großen Wasserrädern von 9 bis 12 m Durchmesser, einzige noch in Betrieb befindliche »Fahrkunst«. *Führungen* im Museum täglich 11 und 14.30 Uhr außer So und Fei. Dauer 1 Std.

Im **Heimatmuseum** reichhaltige Mineraliensammlung.

Schöppenstedt

Kr. Wolfenbüttel, 108 m, 5800 Einw. Mit den Ortsteilen ***Eitzum, Sambleben*** *und* ***Schliestedt.*** *Altes Städtchen am Südrand des Elm, bekannt als die Stadt. in deren Umgebung nach alter Überlieferung Till Eulenspiegel einige seiner Schelmereien getrieben hat.*

Auskunft: Arbeitsgemeinschaft für Fremdenverkehr, Schöppenstedt e. V., Rathaus, 3307 Schöppenstedt, Tel. 0 53 32/20 51.
Verkehr: B 82 Schöningen – Hornburg. Autobahnanschlußstelle.

Sehenswert:
Till-Eulenspiegel-Museum in der Nordstraße, das Erich Leimkugel in jahrzehntelanger Arbeit aufgebaut hat, eine wertvolle Sammlung der Till-Eulenspiegel-Literatur, Musik und bildenden Künste, die sich hier zu einer Übersicht über das Leben und Treiben des weltbekannten Narren vereinen. Geöffnet Mo–Sa 14–17 Uhr, So und Fei 10–12 und 14–17 Uhr, Gruppen auch nach Vereinbarung.

Seesen

Kr. Goslar, 209–280 m, 25 000 Einw. Erholungsort und Industriestadt unmittelbar am Westrand des Harzes mit einem am südöstlichen Stadtrand gelegenen, 70 000 qm großen Kurpark. Dieser wurde der Stadt von William Steinway, dem 1835 in Seesen geborenen Gründer der New Yorker Pianofabrik Steinway, gestiftet.

Werkstatt im Seesener Heimatmuseum

Auskunft: Städtisches Verkehrsamt, Am Markt 8 a, 3370 Seesen, Tel. 0 53 81/7 52 54.
Verkehr: Kreuzungspunkt der B 242, B 243 und B 248. Autobahnanschlußstelle.

Sehenswert:
Fürstliches Jagdschloß, um 1700, Fachwerkbau, im 18. und 19. Jh. im Besitz der Braunschweigischen Herzöge, jetzt **Heimatmuseum.**

Wolfenbüttel

Kreisstadt und Sitz des gleichnamigen Landkreises, 75 m, 52 000 Einw. Ehemalige Residenzstadt, auch in Erinnerung an G. E. Lessing als »Lessingstadt« bezeichnet, zwischen Braunschweig und dem Harz an der Oker gelegen.

Auskunft: Verkehrsverein, Breite Herzogstr. 25, 3340 Wolfenbüttel, Tel. 0 53 31/23 37.
Verkehr: Kreuzungspunkt der B 4 und B 79. Autobahnanschlußstelle.

Sehenswert:
Das ehemalige **Residenzschloß** der Herzöge von Braunschweig und Lüneburg auf dem geräumigen Schloßplatz, das größte erhaltene Schloß Niedersachsens. Eine erste Anlage stammt aus dem frühen Mittelalter, wurde dann im Laufe der Jahrhunderte mehrmals verändert und erhielt im frühen 18. Jh. die heutigen Fassaden. Die säulenreichen Schloßhoffronten stammen von 1643. Der Hausmannsturm von 1614 bietet eine weite Rundsicht. Im Innern des Schlosses Renaissance- und Barocksäle mit kostbarer Ausstattung, zugleich *Heimatmuseum* mit zahlreichen Sammlungen. Hier wohnte von 1770 bis 1776 Lessing. Öffnungszeiten der historischen Schloßräume: Di–So 9.30–12.30, Mi 15–17, Fr und Sa 15–18 Uhr.

Lessinghaus, Lessingplatz 2, 1735 errichtet, Lessings Wohnung von 1777 bis zu seinem Tode. Geöffnet täglich 10–13 Uhr und 14–16 Uhr, werktags Führungen um 14 Uhr.

Herzog-August-Bibliothek, um 1670 eine der größten Bibliotheken Europas, heutiger Bestand rund 8000 Handschriften (berühmt das Reichenauer Evangeliar des 10. Jh.), 4000 Wiegendrucke, 450 000 Bücher, 2000 Bibeln und zahlreiche Landkarten. Führungen.

Klein-Venedig, ein grachtenartiger Okerarm, von Fachwerkhäusern eingefaßt, umgeben von einstigen Hof- und Verwaltungshäusern (Fachwerk). Die ehemalige Kanzlei, 1588, früher Sitz der gesamten Landesverwaltung, enthält heute die Urgeschichtliche Abteilung des **Braunschweigischen Landesmuseums.**

Niedersächsisches Staatsarchiv, Forstweg, mit reicher Urkundensammlung.

Urnen aus der Eisenzeit kann man im Braunschweigischen Landesmuseum bewundern

Zu den Anfängen deutscher Geschichte

Die Bevölkerung des Rheintals und der Eifel zeichnet sich durch geistige Beweglichkeit, Daseinsfreude, Unternehmungslust, Fleiß, Aufgeschlossenheit, leichtbeschwingte Fröhlichkeit und Sinn für Witz und Humor (Karneval) aus. Aus der wechselvollen Geschichte des Landes ergeben sich die mannigfachen Blutsbeimischungen, die sich bis auf die Römerzeit zurückverfolgen lassen. Auch nach der Besitzergreifung durch die Frankenstämme im weiteren Verlauf der Völkerwanderung wirkten römische kulturelle und geistige Einflüsse bis ins hohe Mittelalter nach. Der rege Handelsverkehr entlang von Rhein und Mosel, die Anziehungskraft der Kultur- und Geisteszentren am Rhein und am Rand der Eifel, allen voran Trier und Aachen, und die spätere rasche wirtschaftliche Entfaltung brachten immer wieder neue Volksgruppen, die Besiedlung wurde immer dichter. Doch ist die Formkraft des Landes so stark, daß sich ein Menschenschlag ganz eigener Prägung herausgebildet hat, der sich deutlich von anderen deutschen Landschaften und selbst von der Bevölkerung der Hochflächen östlich des Rheins unterscheidet. Dies tritt bersonders bei den Wein- und Winzerfesten und noch deutlicher in der Fastnachtszeit in Erscheinung.

Als einzigartige Museumshochburgen dürfen in erster Linie Trier und Aachen gelten, die sich seit der Römerzeit bzw. seit dem Mittelalter zu Zentren mitteleuropäischer Kultur entwickelten. Sehr interessant sind auch einige Museen zu ganz speziellen Themen: Aachens Zeitungsmuseum, das Koblenzer Weindorf, das Rheinische Freilichtmuseum in Mechernich oder das Eifeler Landschaftsmuseum in Mayen.

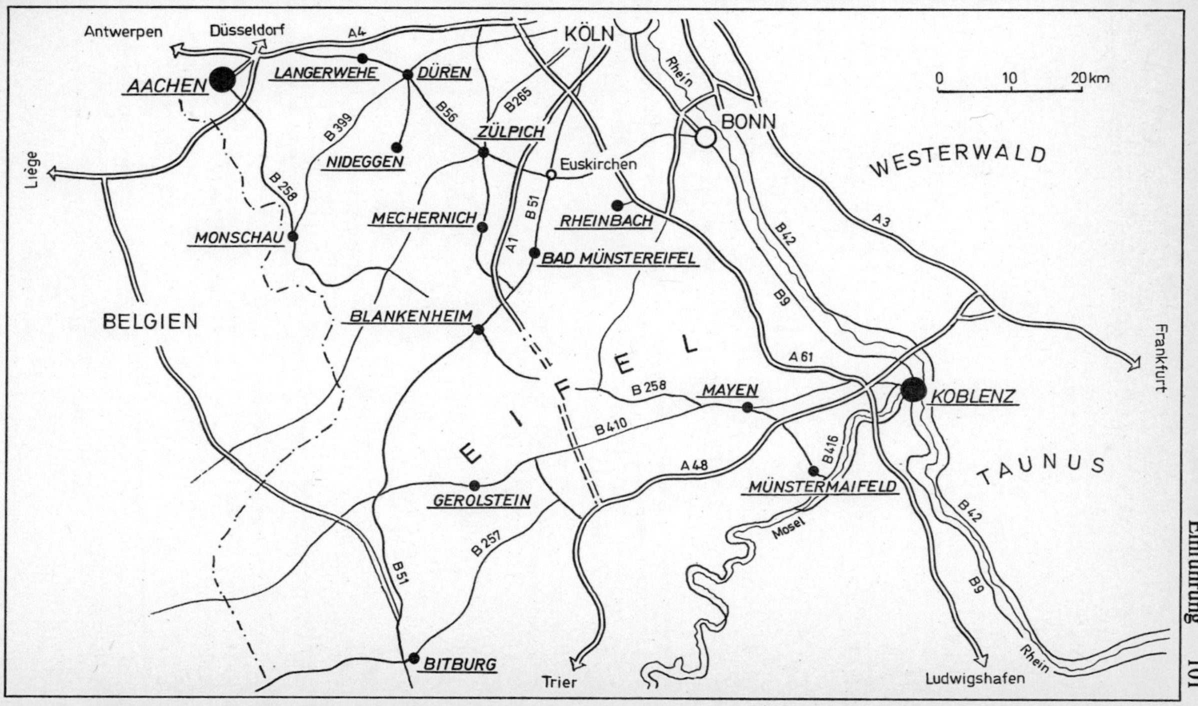
Antwerpen
Düsseldorf
A4
KÖLN
AACHEN
LANGERWEHE
DÜREN
Rhein
0 10 20km
B265
B56
BONN
B 399
ZÜLPICH
WESTERWALD
NIDEGGEN
Euskirchen
Liège
B 258
B 51
MECHERNICH
RHEINBACH
B42
A3
MONSCHAU
A1
BAD MÜNSTEREIFEL
B9
BELGIEN
BLANKENHEIM
E I F E L
Frankfurt
A 61
B 258
MAYEN
KOBLENZ
B410
B416
A 48
TAUNUS
MÜNSTERMAIFELD
GEROLSTEIN
B 42
Mosel
B 257
B51
B9
Rhein
BITBURG
Trier
Ludwigshafen

Aachen

Kreisfreie Stadt und Sitz des Kreises Aachen, 125–350 m, 247 500 Einw. Westlichste deutsche Großstadt, unmittelbar an der deutsch-niederländischen und deutsch-belgischen Grenze. Die ehemalige Krönungsstadt der deutschen Kaiser und Könige an den Nordausläufern der Eifel ist Heilbad und erfreut sich eines ausgeglichenen Klimas.

Auskunft: Kur- und Verkehrsamt, »Haus Löwenstein«, Markt 39/41, 5100 Aachen, Tel. 02 41/3 27 50.
Verkehr: Kreuzungspunkt der B 1 Düsseldorf – nierderländische Grenze, der B 57 Mönchengladbach – belgische Grenze und der B 264 Düren – belgische Grenze; Ausgangspunkt der B 258 nach Monschau. Autobahnanschlußstellen zur E 5 und E 39.

Sehenswert:
Der **Kaiserdom** (in der Altstadt, nordwestlich des Hauptbahnhofs), dessen Mittelstück von dem Franken Odo von Metz gebaut und im Jahr 805 geweiht wurde. In der Anlage verwandt der Palastkirche des Ostgotenkönigs Theoderich des Großen in Ravenna.

Im Grundriß ein Achteck, durch schwere Wandpfeiler von einem sechzehneckigen Umgang getrennt. Über diesem ein Obergeschoß mit Arkaden, deren Porphyr- und Granitsäulen aus Ravenna und Rom stammen, und einem edel geformten schweren Bronzegitter aus der Aachener Gießhütte des Kaisers.

Domschatz, einer der bedeutendsten Kirchenschätze diesseits der Alpen, ist in der durch einen Kunstschutzbunker gesicherten **Schatzkammer** untergebracht. Er enthält Kostbarkeiten von hervorragendem künstlerischem und historischem Wert, u. a. das Lotharkreuz, Ende des 10. Jh., den Marienschrein, in dem die Aachener Heiligtümer aufbewahrt werden (Heiligtumsfahrt alle sieben Jahre). Führungen. Katalog.

Das **Rathaus** in der Altstadt am Markt, auf den Grundmauern des Kaiserpalastes Karls des Großen errichtet, von dem noch Granusturm und Teile des Marktturmes erhalten sind. Der Bau wurde 1349 abgeschlossen, die Fassade mehrfach restauriert. Im Obergeschoß der 45 m lange und 20 m breite **Krönungssaal,** der die Tradition des altertümlichen Saales bei den Krönungsfeierlichkeiten übernahm.

Die gotischen Turmhelme wurden u. a. nach Zeichnungen von Dürer rekonstruiert. Die kriegsbeschädigten berühmten Fresken Alfred Rethels aus dem Leben Karls des Großen konnten gerettet werden.

Bürgerhaus oder **Grashaus,** 1267 erbaut, jetzt Stadtarchiv (Ausstellungen); die Fassade ist mit Figuren der sieben Kurfürsten geschmückt.

Suermondt-Ludwig-Museum, Wilhelmstr. 18, begründet von Barthold Suermondt, Skulpturensammlung aus dem 13. bis 18. Jh. sowie Gemäldegalerie mit vornehmlich niederländischen Werken aus dem 15. und 17. Jh. und einer Abteilung moderner Kunst, insbesondere der zeitgenössischen Glasmalerei. Geöffnet Di–Fr 10–17 Uhr, Sa und So 10–13 Uhr, Mo geschlossen.

Couven-Museum, Hühnermarkt 17, im Haus Monheim, in unmittelbarer Nähe des Rathauses, Bürgerhaus mit Möbeln und Einrichtungsgegenständen vom Régencestil bis zum Biedermeier (von 1740 bis etwa 1840); in den 24 Räumen sind u. a. eine alte Apotheke und eine Fliesensammlung untergebracht. – Joh. Jos. Couven, 1701–1763, war Baumeister und Künstler. Sein Vater und Großvater waren Baumeister und sein Sohn Jakob (1735–1812) ebenfalls; Joh. Jos. war der bekannteste. Er verstand es, den neuen Stil des Rokoko, der sich von Frankreich her nach Osten ausbreitete, mit solcher Eigenart zu gestalten, daß man mit Recht von einem »Couven-Stil« und dem »Aachener Rokoko« sprechen kann. Geöffnet Di–Fr 10–17 Uhr, Sa und So 10–13 Uhr, Mo geschlossen.

Neue Galerie – Sammlung Ludwig, Altes Kurhaus. Kunst des 20. Jh., in Wechselausstellungen. Geöffnet Sa, So 10–14 Uhr; Mo, Di 10–13, 15–19 Uhr; Do, Fr 10–13, 15–22 Uhr.

Heimat-Museum Burg Frankenberg, stadtgeschichtliche Sammlung in der Burg Frankenberg, Bismarckstr. 68, birgt u. a. Geräte der Älteren und Jüngeren Steinzeit, römische und merowingische Tongefäße und Gläser, Modelle der Pfalzanlage, des Rathauses und der Stadttore, alte Ansichten (Gemälde und Stiche) aus dem gesamten Stadtgebiet und der unmittelbaren Umgebung, Printenformen vom 17. bis zum 19. Jh., Aachener Brunnengläser sowie eine vollständige Sammlung Aachener Münzen und Medaillen. Geöffnet Di–Fr 10–17 Uhr, Sa und So 10–13 Uhr, Mo geschlossen.

Internationales Zeitungs-Museum, Pontstr. 13 (Stiftung von Oskar von Forckenbeck), in einem 1497 errichteten spätgotischen Bürgerhaus. Es enthält rund 125 000 Zeitungen aller Zeiten, Sprachen und Zonen. Geöffnet Di–Sa 9.30–13 Uhr, Mo, Mi, Di–Fr 14.30–17 Uhr, So geschlossen.

Bad Münstereifel

Kr. Euskirchen, 280–588 m, 16 000 Einw. Im Rahmen der kommunalen Neugliederung wurde das Stadtgebiet Bad Münstereifel um 52 Ortschaften vergrößert. Die Kernstadt Münstereifel zählt 4300 Einw. – Das Kneippheilbad liegt inmitten bewaldeter Höhenzüge im Tal der oberen Erft. Der Ort ist noch von alten Mauern umgeben und nur durch Tore betretbar; er wird wegen des einzigartigen wohlerhaltenen mittelalterlichen Stadtbildes gern das »Rheinische Rothenburg« genannt.

Auskunft: Kur- und Fremdenverkehrsamt, Rathaus, Marktstr., 5358 Bad Münstereifel, Tel. 0 22 53/50 51 82.
Verkehr: B 51 Euskirchen – Blankenheim. Autobahnanschlußstelle Euskirchen (14 km) und Rheinbach (24 km).

Sehenswert:
Romanisches Haus mit **Heimatmuseum,** Funde aus Stein-, Bronze-, Eisen- und Römerzeit, Entwicklung der Stadt und des Gewerbes.

Bitburg

Kreisstadt des Kreises Bitburg-Prüm, 12 000 Einw. Luftkurort auf einer Hochfläche zwischen Nima und Kyll, Mittelpunkt des fruchtbaren Bedgaus.

Auskunft: Verkehrsbüro Bitburger Land, 5520 Bitburg, Tel. 06561/8934.
Verkehr: Kreuzungspunkt der B 50 Wittlich – luxemburgische Grenze, der B 51 Trier – Prüm und der B 257 Daun – Echternach. Autobahnanschlußstelle Wittlich (36 km).

Sehenswert:
Kreisheimatmuseum, 1945 neu aufgebaut, Sammlungen aus Vorgeschichte, Römerzeit, kirchliche Kunst, Bäuerliches, Erzeugnisse aus Eisen-Zinngießerei und Töpfereien. – Geöffnet 1. 4.–30. 9. Mo, Di, Do, Fr und 1. 10.–31. 3. Mo und Do 9–12.

Blankenheim

Kr. Euskirchen, 500–700 m, 8500 Einw. Klimatisch begünstigter Luftkurort inmitten ausgedehnter Fichten- und Buchenhochwälder im Naturpark Eifel an der Quelle der Ahr.

Auskunft: Kur- und Verkehrsamt, 5378 Blankenheim, Tel. 02449/333.
Verkehr: Kreuzungspunkt der B 51 Euskirchen – Prüm und der B 258 Schleiden – Mayen.

Sehenswert:
Kreismuseum mit Sammlung von Fossilienfunden aus der Umgebung.

Düren

105–221 m, 88000 Einw. Alte Kreisstadt an der Rur, im fruchtbaren Eifelvorland zwischen Köln und Aachen, wirtschaftliches und kulturelles Zentrum. Düren erschließt das Ausflugs- und Wintersportgebiet der Nordeifel sowie die Eifeler Seenplatte.

Auskunft: Verkehrsamt, Rathaus, 5160 Düren, Tel. 02421/191231.
Verkehr: Kreuzungspunkt der B 56 Zülpich – Aldenhoven und der B 264 Köln – Aachen; Ausgangspunkt der B 399 nach Monschau. Autobahnanschlußstelle.

Sehenswert:
Leopold-Hoesch-Museum mit einer Sammlung von Gemälden, Aquarellen und Graphiken des 19. und 20. Jh., Wechselausstellungen moderner Kunst, einer vor- und frühgeschichtlichen Abteilung sowie einer papiergeschichtlichen Sammlung. Geöffnet Di–Fr 10–12 und 14–17 Uhr, Di bis 21 Uhr, So 10–13 Uhr.

Tier- und Waffensammlung aus dem Nachlaß des in Düren geborenen Afrikaforschers Carl Schilling in der Ostschule.

Gerolstein

Kr. Daun, 326 m, 7100 Einw. Ferienort und anerkannter Luftkurort der Vulkaneifel, in abwechslungsreicher Landschaft und klimatisch begünstigter Lage im oberen Kylltal. Die steil aufragenden Dolomitfelsen der uralten Korallenbänke Munterley, Auberg und Hustley ergeben ein großartiges Landschaftsbild. Zahlreiche Versteinerungsfundstellen und Erscheinungen vulkanischen Ursprungs sind von großer geologischer Bedeutung.

Auskunft: Verkehrsamt, 5530 Gerolstein, Tel. 06591/13217 und 13218.

Verkehr: B 410 Mayen – Prüm. Autobahnanschlußstelle Mehren/Daun (29 km).

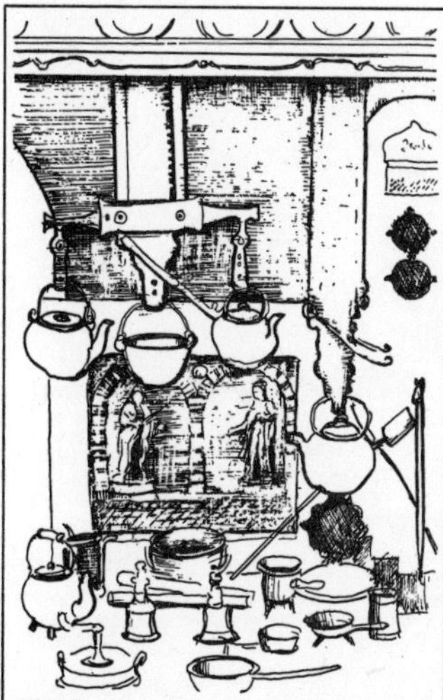
Küchengeräte aus Gußeisen im Kreisheimatmuseum

Sehenswert:
Im alten **Pfarrhof** von Sarresdorf war eine römische, dann fränkische Siedlung, die im 14. Jh. zugunsten der Stadt Gerolstein (Stadtrechte 1336) aufgegeben wurde; heute ist hier das **Kreisheimatmuseum** untergebracht. Es zeigt Eifeler Wohnkultur, alten Hausrat, Volkskundliches vom Mittelalter bis zur Gegenwart, ferner eine vulkanologische Gesteinssammlung und versteinerte Seelilien aus dem Devon. Geöffnet Apr.–Sept. Mo, Mi, Fr 9–12 Uhr. Mo, Mi, Do 14–17 Uhr; Okt.–März Mo, Mi, Do 10–12.30, 14–16 Uhr.

Altertumsmuseum, neben der Kirche, mit sehenswerten Funden, u. a. Abguß der Weihinschrift des keltisch-römischen Matronenheiligtums der Dea Caiva, einer Fruchtbarkeitsgöttin, das Marcus Victorius Pollentius im Jahr 124 n. Chr. auf der Hustley als Einlösung eines Gelübdes errichten ließ und mit 100000 Sesterzen dotierte. Geöffnet Mi 9–11 und Sa 14–16 Uhr.

Koblenz

Sitz des Regierungsbezirks und Kreisstadt (Kreis Mayen-Koblenz), 65–380 m, 111000 Einw. Zweitausendjährige Stadt, ehemalige Residenz der Kurfürsten von Trier, ehemalige Landeshauptstadt von Rheinland-Pfalz. Wichtiger Verkehrsknotenpunkt an der Mündung der Mosel in den Rhein, nahe der Lahnmündung, am Eckpunkt von Eifel, Hunsrück, Westerwald und Taunus.

Auskunft: Fremdenverkehrsamt im Verkehrspavillon gegenüber dem Hauptbahnhof, 5400 Koblenz, Tel. 0261/31304.
Verkehr: Kreuzungspunkt der B 9 Andernach – Boppard, der B 42 Linz – Lahnstein, der B 49 Limburg – Cochem, der B 258 Mayen, der B 327 Hunsrückhöhenstraße und der B 416 Winningen. Autobahnanschlußstellen an die A 48 und A 61.

Sehenswert:
Das ehemalige städtische *»Tanz- und Kaufhaus«,* um 1419–1430 entstanden, von 1674 bis 1794 Rathaus; 1688 ausgebrannt und 1724 barockisiert wiederaufgebaut mit Mansarddach

und Glockenturm, 1944 zerstört, 1962–1965 mit dem »Schöffenhof« als **Mittelrheinmuseum** wieder errichtet. Im Museum u. a. 50 Madonnen und Skulpturen aus Gotik und Barock, Besuch sehr lohnend. Geöffnet Mi–Sa 10–13 Uhr und 14.30–17.30 Uhr, Di bis 20 Uhr, So 10–13 Uhr. Eintritt frei. – An der Außenfront des Museums eine Kunstuhr.

Weindorf, einer der Hauptanziehungspunkte, 1925 als Ausstellungsgaststätte erbaut und 1951 erneuert, mit typischen Winzerhäusern der deutschen Weinbaugebiete Mosel, Pfalz-Nahe, Württemberg-Baden, Mittelrhein. Von Juni bis September täglich Weinfest.

Der rechtsrheinische Stadtteil **Ehrenbreitstein,** in der Talschlucht zwischen den von früheren Festungen gekrönten Höhen *Ehrenbreitstein* und *Asterstein* gelegen, war 1774 Sommeraufenthalt Goethes, Lavaters und Basedows, bis 1786 Residenz des Kurfürsten von Trier und ist Geburtsort Brentanos und der Mutter Beethovens. **Beethoven-Gedenkstätte** im Haus der Mutter Beethovens.

Felsenfeste Ehrenbreitstein, auf 118 m hohem, steil abfallendem Schieferfelsen mit übereinandergetürmten Bastionen, Redouten und Contregarden, Wehrmauern und einem steil aufwärtsführenden Kolonnenweg. Ursprünglich um das Jahr 1000 Burg eines Ritters aus konradinischem Geschlecht, später mit einer auf einem vorgelagerten Bergkegel errichteten erzbischöflichen Burg Helfenstein verbunden, unter den Kurfürsten von Trier lange Zeit Aufbewahrungsort des Hl. Rockes von Trier (Gewand Christi), als mächtige, schwer zugängliche Wehranlage niemals mit Waffengewalt bezwungen, sondern nur durch monate- oder jahrelanges Aushungern der Besatzung in andere Hände gelangt.

Staatliche Sammlung technischer Kulturdenkmäler im **Landesmuseum** (auf der Festung Ehrenbreitstein). 21.3.–1.11. tägl. 9–17 Uhr.

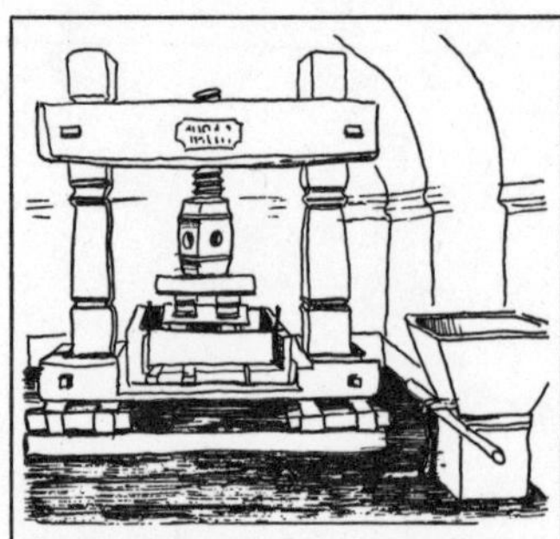

Kelter von 1767 im Landesmuseum Koblenz

Langerwehe

7 km ö. Eschweiler. Kr. Düren, 11 000 Einw. Gemeinde mit zwölf Ortsteilen, Nordeingang zum Naturpark Nordeifel und zum lieblichen Wehebachtal. Die seit dem 11. Jh. bodenständige Töpferei wird bis auf den heutigen Tag gepflegt.

i *Auskunft:* Gemeindeverwaltung, 5163 Langerwehe, Tel. 02423/2021/22.
Verkehr: B 264 Düren – Eschweiler. Autobahnanschlußstelle Weisweiler (4 km).

Sehenswert:
Töpfereimuseum mit Töpfereiwerkstätte im alten Pfarrhof einer fränkischen Hofanlage (Töpferkurse). Geöffnet Di–Fr 10–12, 14–17 Uhr; Sa, So 10–17 Uhr.

Mayen

Große Kreisstadt und Sitz des Kreises Mayen-Koblenz, 240–524 m, 21 200 Einw. Weit ausgedehnter Erholungsort in der Südosteifel, im Gebiet der vulkanischen Steine und Erden, von der Nette durchflossen, die bei Weißenthurm in den Rhein mündet. Zentrum der Natursteinindustrie mit Basalt und Lava sowie des Schieferbergbaus.

Auskunft: Verkehrsamt, 5440 Mayen, Tel. 0 26 51/8 82 60.
Verkehr: B 258 Koblenz – Nürburg; Ausgangspunkt der B 256 nach Neuwied. Autobahnanschlußstelle Mayen (5 km).

Sehenswert:
Die Stadt wird überragt von der **Genovevaburg** mit dem runden, 34 m hohen Goloturm, dem höchsten der vier Ecktürme. Die Burg wurde 1281 zuerst erwähnt; im heutigen Grundriß vom Trierer Erzbischof Heinrich von Vinstingen als Grenzfestung gegen das Erzbistum Köln erbaut.

Im ehemaligen Zehnthaus, dem Ostflügel der Burg, das **Eifeler Landschaftsmuseum** mit Bodenfunden aus Mayen und Umgebung von der älteren Steinzeit bis zur Frankenzeit; es sind ferner ausgestellt Gewerbe- und Kunsterzeugnisse des Mittelalters bis zur Neuzeit, zehn Alt-Eifeler Wohn- und Handwerkerstuben, Trachtenstücke sowie eine geologische Sammlung mit einer Übersicht der Entwicklung der Mayener Steinindustrie. Geöffnet Di–Sa 9–12 und 14–17 Uhr, So 10–13 Uhr.

In der Umgebung:
Schloß Bürresheim, auf einem Felsen an der Einmündung des Nitz-, Fraubach- und Welschenbachtals in das Nettetal, 1 Std. nordwestlich vom Stadtzentrum, auf dem Eifel-Wanderweg 14. Als vollkommen erhaltene und von Feindeshand unberührte Anlage ist Schloß Bürresheim ein seltenes Beispiel einer unzerstörten deutschen Burg, die mit ihrer wohlerhaltenen Einrichtung einen wertvollen Einblick in die deutsche Wohnkultur des 15. bis 18. Jh. vermittelt (Besichtigung sehr lohnend).

Mechernich

Kr. Euskirchen, 300 m, 22 000 Einw. Durch seine Bleierzgruben bekannte Stadt im weiten Tal des Veybachs.

Auskunft: Stadtverwaltung, 5353 Mechernich, Tel. 0 24 43/490.
Verkehr: Kreuzungspunkt der B 477 Tondorf – Zülpich und der B 266 Simmerath – Euskirchen.

Sehenswert:
Rheinisches Freilichtmuseum mit Bauernhäusern, Windmühlen, Wassermühlen. Geöffnet 1. 4.–31. 10. täglich 9–18 Uhr, 1. 11.–31. 3. täglich von 10–16 Uhr, Parkplatz vor dem Eingang;

im Zentrum des Museums Haus Kahlenbusch, Restaurant und Café, von den Terrassen Rundblick auf Siebengebirge und Eifel; innerhalb des Freilichtmuseums **Rheinisches Landes-Museum für Volkskunde.**

Münstermaifeld

Kr. Mayen-Koblenz, 271 m, 2600 Einw. Im Mittelpunkt des vorderen Maifeldes, unweit der Mosel gelegen. Durch seine Höhenlage, aber besonders durch die mächtigen Wehrtürme seines Münsters, ist das kleine Landstädtchen weithin sichtbar.

Auskunft: Verbandsgemeindeverwaltung Maifeld, 5440 Polch, Tel. 02654/2015.
Verkehr: B 416 Koblenz – Treis-Karden; Abzweigung bei Hatzenport (5 km). Autobahnanschlußstelle Polch (9 km).

Sehenswert:
Der großartige mittelalterliche Neubau des **Münsters,** der ehem. Stiftskirche, ist kunstgeschichtlich von besonderer Bedeutung. Der romanische Westbau aus der 1. Hälfte des 12. Jh. ist ein rechteckiger Mittelturm mit runden Flankentürmen, der entsprechenden Baugruppe am Münster Karls des Großen in Aachen verwandt und als später Vertreter seiner Art zum Bautyp des fränkisch-deutschen Westwerks gehörig. Das spätgotische Obergeschoß ist mit Zinnen zur Verteidigung ausgestattet.

Das Münster birgt u. a. im **Kirchenschatz** ein wertvolles Peristerium, ein mittelalterliches Hostiengefäß in Gestalt einer Taube zur Aufbewahrung des Hl. Sakramentes, aus dem 13. Jh.

In der Umgebung:
Burg Eltz. Die Herren von »Elce« wurden erstmals 1150 genannt. Mit der allmählichen Aufspaltung des Geschlechts in die Linien vom goldenen und silbernen Löwen, von den Büffelhörnern und ihren Verzweigungen seit dem 13. Jh. gewann die im Gemeineigentum verbliebene Burg durch das Nebeneinander verschiedener Häuser das romantische Aussehen, das Eltz zum Urbild der deutschen Burgen werden ließ.

Wie aus dem Märchenbuch: Burg Eltz

Was Fehden und Kriegen nicht gelang, blieb 1920 einem Brand vorbehalten. Bis auf das Haus Rübenach wurde Burg Eltz dadurch beschädigt, jedoch bald wieder hergestellt und mit altem Hausrat und wertvollen Kunstwerken ausgestattet.

Nideggen

Kr. Düren, 220–480 m, 7600 Einw. Luftkurort im Naturpark Nordeifel, nahe der Rurtalsperre Schwammenauel.

Auskunft: Verkehrsamt, Rathaus Zülpicher Str. 1, 5168 Nideggen, Tel. 02427/435.
Verkehr: B 265 Schleiden – Zülpich; Abzweigung im Stadtteil Wollersheim, 7 km.

Sehenswert:
In einem Turm der Burg befindet sich heute das **Burgenmuseum** der Eifel.

Rheinbach

Rhein-Sieg-Kreis, 170–400 m, 22500 Einw. Moderne Mittelstadt mit Resten einer mittelalterlichen Stadtbefestigung. Die mit den zwölf Stadtteilen weit ausgedehnte Gemeinde liegt am Rand des Naturparks Kottenforst-Ville.

Auskunft: Verkehrsbüro, Rathaus, 5308 Rheinbach, Tel. 02226/2061–65.
Verkehr: B 266 Bad Neuenahr-Ahrweiler – Euskirchen. Autobahnanschlußstelle.

Sehenswert:
Die Stadt ist jetzt Sitz der nordböhmischen Glasindustrie mit **Glasfachschule** und zahlreichen Glasveredelungs- und Keramik-Kunstwerkstätten.

Glasmuseum, vor dem Voigtstor 23, mit reicher Sammlung antiker und moderner Gläser. Geöffnet täglich außer Mo 10–12 und 14–17 Uhr; Sa, So 14–17 Uhr.

Zülpich

Kr. Euskirchen, 180 m, 17100 Einw. Altes, noch mit Mauern und vier Tortürmen bewehrtes Städtchen im Vorland der Eifel, am Rand der Kölner Bucht.

Auskunft: Verkehrsamt, 5352 Zülpich, Tel. 02252/521.
Verkehr: Kreuzungspunkt der B 56 Düren – Euskirchen, der B 265 Köln – Schleiden und der B 477 Neuss – Mechernich. Autobahnanschlußstelle (9 km).

Sehenswert:
Gut erhaltenes **Römerbad** aus der Zeit um 100 n. Chr. mit Frigidarium, Tepidarium, Caldarium und Sudatorium.

Hypokaustanlage im Römerbad

Heimatmuseum mit Funden aus der Hallstattzeit, aus keltischer, römischer und fränkischer Zeit (im Obergeschoß).

Gemäldesammlung des in Zülpich geborenen Professors Hubert Salentin (1822–1910).

Vom Neandertaler zur Kleineisenindustrie

In der Bevölkerung des Sauerlandes überwiegen die Westfalen, im Siegerland die Rheinfranken, im Wittgensteiner Land die Hessen. Der westfälische Menschenschlag ist im allgemeinen streng und verschlossen. Es charakterisiert die Eigenart seines Selbstbewußtseins, aber auch seiner Bedächtigkeit und seiner Verschlossenheit, wenn man von ihm sagt, daß man mit ihm »erst einen Scheffel Salz gegessen haben muß«, ehe man ihn ganz kennt und ihn zum Freund gewinnen kann. Er ist den Realitäten des Lebens gegenüber aufgeschlossen, enthebt sich jedoch nicht der Verpflichtung, die Tradition zu wahren. »Wenn Du uns willst willkommen sein, so schau aufs Herz, nicht auf den Schein – gradaus, das ist Westfalenbrauch!« Mit diesen Worten verleiht der Dichter Emil Rittershaus in seinem »Westfalenlied« seinem Empfinden für den westfälischen Menschen Ausdruck.

Der bergische Volkscharakter ist von der Gegensätzlichkeit zweier Volksstämme geprägt worden: der Franken und Sachsen die sich in diesem Gebiet begegnen. Wie das Land die Brücke ist zwichen der Rheinischen Tiefebene und den westfälischen Fluren, so steht auch der Mensch zwischen den Volksstämmen dieser Gebiete. Diese Gegensätze sind in ihm gemildert und haben einen Volksschlag eigener Prägung geschaffen. Im bergischen Menschen paaren sich westfälische Bedächtigkeit mit rheinischer Lebhaftigkeit, Zähigkeit und Ernst mit Frohsinn und Lebensmut. Er besitzt einen derben, oft drastischen Humor, der sich eine eigene bildkräftige Sprache geschaffen hat.

Die Heimatverbundenheit der Menschen zwischen Rhein, Ruhr und Sieg spiegelt sich in zahlreichen interessanten Museen zur Geschichte dieses Raumes wider. Schloß Burg, Altena, Attendorn, Menden oder das Neandertal bilden hier die Höhepunkte. Außerdem widmen sich viele Museen dem Thema »Kleineisenindustrie und Bergbau«, zwei Branchen, die schon seit Jahrhunderten in den engen Tälern zu Hause sind. Die bekanntesten Sammlungen bewundert man in Altena, Hagen, Ramsbeck, Solingen und Willingen.

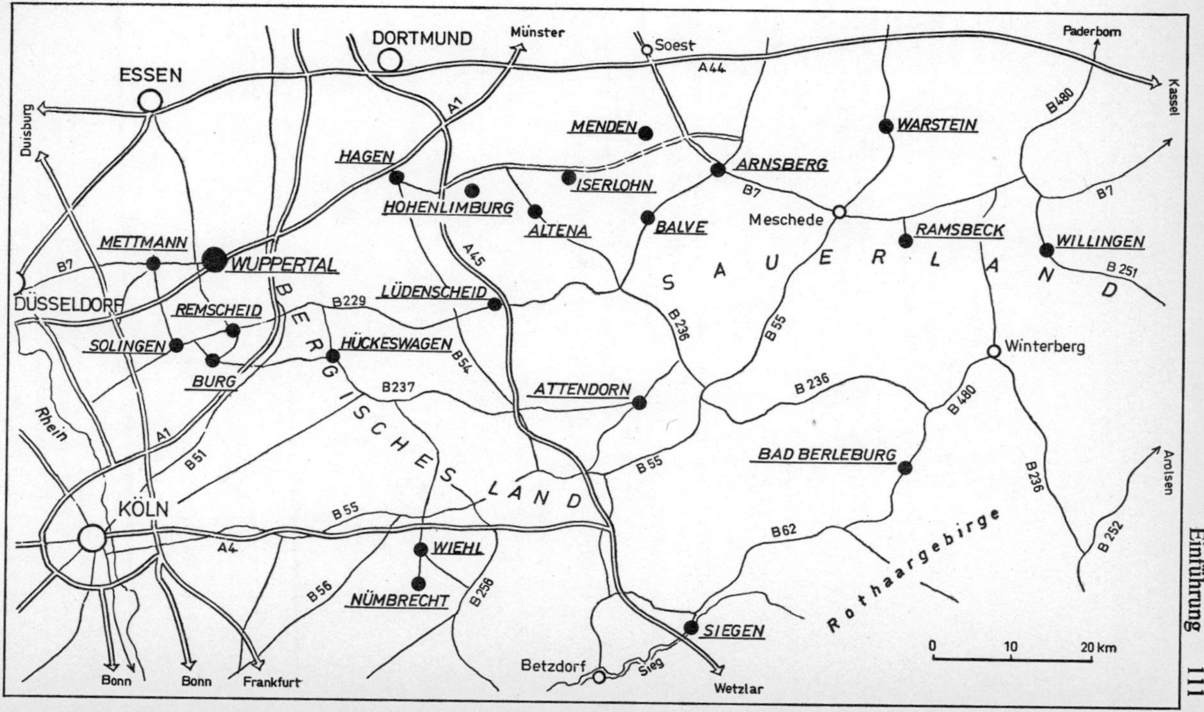
DORTMUND
Münster
Soest
Paderborn
ESSEN
A44
Kassel
Duisburg
A1
B480
MENDEN
WARSTEIN
HAGEN
ARNSBERG
ISERLOHN
B7
B7
HOHENLIMBURG
Meschede
ALTENA
BALVE
RAMSBECK
METTMANN
WILLINGEN
A45
S A U E R L A N D
WUPPERTAL
B7
B251
DÜSSELDORF
LÜDENSCHEID
B229
REMSCHEID
B236
B55
SOLINGEN
HÜCKESWAGEN
Winterberg
B54
BURG
B237
ATTENDORN
B236
B480
Rhein
A1
BAD BERLEBURG
B51
B55
B236
Arolsen
B E R G I S C H E S L A N D
KÖLN
B55
B62
A4
WIEHL
B252
Rothaargebirge
B56
NÜMBRECHT
B256
SIEGEN
0
10
20 km
Betzdorf
Sieg
Bonn
Bonn
Frankfurt
Wetzlar

Altena

Märkischer Kreis, 150–500 m, 28 000 Einw. Liegt inmitten der schönen sauerländischen Bergwelt terrassenförmig auf beiden Uferhängen der Lenne, überragt von der Burg Altena. Seit alters befindet sich hier Eisen-, Stahl-, Draht-, Kleineisen- und Metallindustrie.

Auskunft: Verkehrsverein, 5990 Altena, Tel. 0 23 52/ 29 27.
Verkehr: B 360 Letmathe – Werdohl. Autobahnanschlußstelle Lüdenscheid-Nord (8 km).

Sehenswert:
In der **Burg Altena:** Burgmuseum, **Museum der Grafschaft Mark** mit Sammlungen der Landes-, Kultur- und Wirtschaftsgeschichte. Geologisches Sauerlandmuseum. Deutsches Drahtmuseum. **Burgmuseum.** Die Haupträume sind das Städtezimmer aus dem 16. und 17. Jh., das Märkisch-Klevesche Zimmer (17. Jh.), das Biedermeierzimmer (19. Jh.) und die reichhaltige Waffensammlung; ferner die Burgkapelle mit dem Klappaltar (1440 bis 1490), einem Taufstein (13. Jh.) und Glasfenstern (12. Jh.). Der Rittersaal enthält Rüstungen aus verschiedenen Jahrhunderten. Geöffnet Di–So 9.30–17 Uhr.

Arnsberg

Hochsauerlandkreis, 82 000 Einw. Durch Zusammenschluß mit Neheim-Hüsten und zahlreichen kleineren Gemeinden wesentlich erweiterte Regierungsbezirks-Hauptstadt. Luftkurort zwischen Möhne- und Sorpestauseen, gilt als »Perle des Sauerlandes«. Die Stadt liegt in einer Doppelschleife der Ruhr, von riesigen Wäldern (Arnsberger Wald) umgeben. In der westlichen Schleife befindet sich die Altstadt auf einem 2 km langen Höhenrücken, die östliche Schleife umschließt das Regierungs- und Geschäftsviertel, die sogenannte Neustadt.

Auskunft: Verkehrsverein, Alter Markt 30, 5760 Arnsberg, Tel. 0 29 31/38 55.
Verkehr: B 7 Meschede – Neheim-Hüsten. Autobahnanschlußstelle Soest-Süd (24 km).

Sehenswert:
Sauerlandmuseum im Landberger Hof (16. Jh.): Sammlungen zur heimatlichen Kulturgeschichte. Geöffnet Mo–Fr 9.30–12.30, 14–17 Uhr; So 9.30–12.30 Uhr.

Attendorn

Kr. Olpe, 255–627 m, 23 000 Einw. Malerisch im Talkessel der Bigge gelegene und von Wäldern umgebene alte Hanse- und Festungsstadt. In unmittelbarer Nähe liegen der Bigge-, der Lister- und der Ahauser Stausee.

Auskunft: Reise- u. FV-GmbH, Rathauspassage, 5952 Attendorn, Tel. 0 27 22/ 6 42 27.
Verkehr: B 236 Lennestadt – Plettenberg; Abzweigung bei Finnentrop. Autobahnanschlußstelle Olpe (14 km).

Sehenswert:
Burg Schnellenberg, 17. Jh., die größte Burganlage Südwestfa-

Burg Schnellenberg bei Attendorn ist ein vielbesuchtes Ausflugsziel

lens, heute Hotel und Museum. Geöffnet Mai–Okt. tägl. 10–17 Uhr.

Kreisheimatmuseum im alten Rathaus am Markt. Geöffnet Di–Fr 9–13, 15–17 Uhr. Sa 9–13, So 11–13 Uhr.

Bad Berleburg

Kreis Siegen, 370–816 m, 22 000 Einw., davon 7500 in der Kernstadt, im Wittgensteiner Land inmitten des Naturparks Rothaargebirge, im untern Odeborntal reizend gelegenes Kneipp-Heilbad und Luftkurort.

Auskunft: Kurverwaltung, 5920 Bad Berleburg, Tel. 02751/821.
Verkehr: B 480 Winterberg, B 62.

Sehenswert:
Renaissanceschloß (mit Waffensammlung, kann besichtigt werden) des Fürsten Sayn-Wittgenstein-Berleburg (Fassade des Mittelbaues 1733).

Balve

Märkischer Kreis, 242 m, 10 900 Einw. Beliebter Ferienort im landschaftlich reizvollen Hönnetal, im Mittelpunkt geologischer und historischer Merkwürdigkeiten.

Auskunft: Amtsverwaltung, 5983 Balve, Tel. 02375/611.
Verkehr: B 229 Neheim-Hüsten – Werdohl.

Sehenswert:
Vorgeschichtliches Museum mit Funden aus den umliegenden Höhlen. Geöffnet Di, Mi, Fr 14–17 Uhr.

Balver Höhle, eiszeitliche Wohnhöhle, 1 km nördlich an der B 229.

Burg a. d. Wupper

Amtliche Bezeichnung Solingen-Burg, Stadtteil von Solingen, Rheinisch-Bergischer Kreis, 203 m, 2000 Einw. Alte Residenzstadt an der Wupper, beliebter Ausflugsort im Herzen des Bergischen Landes.

Auskunft: Presse- u. Informationsamt, 5650 Solingen 1, Tel. 02 12/2 90 23 33.
Verkehr: B 229 Langenfeld – Remscheid; Abzweigung in Solingen. Autobahnanschlußstelle Schloß Burg/Wermelskirchen (3 km).

Sehenswert:
Schloß Burg, beim Wiederaufbau wurde nach Möglichkeit der alte Zustand hergestellt. Von den älteren Anlagen stammen Bergfried, Palas und innerer Bering, Vorburg und äußerer Bering und Ostteil aus dem Ende des 12. Jh. Unter- und Oberburg sind mit einer Seilbahn verbunden.

Bergisches Museum Schloß Burg (vor- und frühgeschichtliche Sammlungen, Plastiken, Musikzimmer, gewerbliche Erzeugnisse, Waffen-, Münz- und historische Möbelsammlung). – Historisches Schloßrestaurant. Öffnungszeiten der Burg: März–Oktober 9–17.30 Uhr, Mo 13–17.30 Uhr; November–Februar 9–16.30 Uhr, Mo geschlossen.

Iserlohn

Märkischer Kreis, 240 m, 60 000 Einw. Anerkannter Erholungsort zwischen Lenne und Ruhr, Industriezentrum, Sitz mehrerer höherer Schulen und Fachschulen, Goethe-Institut und Garnisonsstadt, reizvolle Umgebung.

Auskunft: Verkehrsbüro, 5860 Iserlohn, Tel. 0 23 71/2 17 22 58.
Verkehr: B 7 Hohenlimburg – Menden; Ausgangspunkt der B 233 nach Unna. Autobahnanschlußstelle Letmathe – Oestrich (5 km).

Sehenswert:
Haus der Heimat, Patrizierhaus aus dem 18. Jh., heute birgt es die heimatkundlichen Sammlungen der Stadt.

Hagen

Kreisfreie Stadt, 86–436 m, 208 000 Einw. Kultureller wie wirtschaftlicher Mittelpunkt Süd-Westfalens und der Region Mark, Eingangspforte zum Sauerland. Hagen liegt in landschaftlich reizvoller Lage in einem Tal, rings umgeben von bewaldeten Höhen.

Auskunft: Verkehrsverein, Pavillon, 5800 Hagen, Mittelstr., Tel. 0 23 31/ 1 35 73.
Verkehr: Kreuzungspunkt der B 7, 54 und 226. 4 Autobahnanschlußstellen.

Sehenswert:
Karl-Ernst-Osthaus-Museum (Eingangshalle von Henry van de Velde), Hochstraße (geöffnet tägl. außer Mo 11–18, Do 11–22, So 11–16 Uhr). Heimatmuseum und Kunstsammlung des 19. und 20. Jh., hauptsächlich die Werke Christian Rohlfs, Henry van de Veldes und Alexander Archipenkos, aber auch der Meister der »Brücke« und des »Blauen Reiters«. Wechselnde Ausstellungen zur modernen Kunst, seit 1962 Sitz der Van-de-Velde-Gesellschaft. Porzellansammlung (18. Jh.), Westfälisches Literatur- und Musikarchiv, Hagener Planetenmodell (begreifbares und begehbares Planetensystem).

Am südlichen Stadtrand von Hagen verbirgt sich in einem Seitental der Volme das **»Westfälische Freilichtmuseum technischer Kulturdenkmale«.** Sauerländer Handwerk, Manufaktur und Industrie im Wechsel der Jahrhunderte von Karl dem Großen bis zur Gründerzeit werden in diesem einzigartigen Freilichtmuseum dargestellt und erläutert. Geöffnet tägl. außer Mo 9–18 Uhr, 2. 11.–31. 3. geschlossen.

Lüdenscheid

Märkischer Kreis, Kreisstadt, 232–539 m, 75 300 Einw. Alte Bergstadt auf dem Ausläufer des Ebbegebirges zwischen Lenne und Volme inmitten eines großen Wald- und Stauseengebiets. Größte Stadt des Sauerlandes in Südwestfalen mit bedeutender Kleinmetall-, Elektro- und Kunststoffindustrie. Wegen ihrer reizvollen Umgebung beliebt als Erholungs- und Kongreßort.

Auskunft: Stadtverwaltung, 5880 Lüdenscheid, Tel. 0 23 51/1 76 59.
Verkehr: B 229 Halver – Werdohl, B 54 Hagen – Siegen. Autobahnanschlußstellen.

Sehenswert:
Das **Museum** der Stadt zeigt unter dem Leitspruch »Der Raum, in dem wir leben« wertvolles und seltenes Sammlungsgut, insbesondere eine interessante Knopfsammlung. Geöffnet Di–Sa 9–12.30, 15.30–18 Uhr, So 10.30–13 Uhr.

Menden

Märkischer Kreis, 140 m, 56 500 Einw. Die »Stadt im Walde«, im unteren Hönnetal, ehemals Grenzfeste des Kurfürstentums Köln. Das Jagdschloß der Kurfürsten, Reste der Stadtmauern, die Burg auf dem Rodenberg, der Peiniger- und Hungerturm, Kirchen und Kapellen, alte Patrizier- und Bauernhäuser in den winkligen Straßen der Altstadt sind Zeugen reicher Vergangenheit. Das moderne Menden besitzt eine vielseitige Industrie, die aber das freundliche Stadt- und Landschaftsbild nicht beeinträchtigt hat.

Auskunft: Presse- und Informationsabteilung, Rathaus, 5750 Menden, Tel. 0 23 73/ 1 64-3 24.
Verkehr: B 7 Iserlohn – Neheim-Hüsten. Autobahnanschlußstellen Unna-Ost (13 km), Werl (18 km).

Sehenswert:
Städtisches Heimatmuseum (hinter dem Rathaus in einem Patrizierhaus von 1730) mit einzigartigen prähistorischen, geologischen, biologischen und mineralogischen Sammlungen, die durch vielseitige kultur- und kunstgeschichtliche Zeugnisse aus allen Jahrhunderten ergänzt werden. In seiner Gesamtheit bietet das Museum ein eindrucksvolles Bild der Heimatgeschichte von der geologischen Vorzeit über die Steinzeit (reiche Höhlenfunde des Hönnetals) bis in die Gegenwart. Geöffnet Di–Fr 9–12 und 15–17 Uhr, Sa 9–12, So 11–12. Mo und Fei geschlossen.

Mettmann

Kreisstadt, 67–201 m, 38 000 Einw. Ausgangspunkt für den Besuch des **Neandertales** *mit eiszeitlichem Wildgehege. Bedeutende Eisen- und Metallindustrie.*

Auskunft: Stadtverwaltung, 4020 Mettmann, Tel. 02104/7951.
Verkehr: B 7 Düsseldorf – Wuppertal. Autobahnanschlußstelle.

In der Umgebung:
Neandertal, Fundstätte des Skeletts des Neandertalmenschen und von Knochenresten eiszeitlicher Tiere bei Mettmann im Niederbergischen Hügelland. Das Naturschutzgebiet Neandertal, genannt nach dem Kirchenliederdichter und pietistischen Lyriker Joachim Neander (1650–1680), da er sich hier häufig aufhielt, zieht alljährlich Tausende von Besuchern an. Neben dem außerordentlichen Liebreiz der idyllischen Täler ist es durch die Auffindung des für die wissenschaftliche Erforschung der Entwicklungsgeschichte des Menschengeschlechtes so bedeutsam gewordenen Skeletts des Neandertalmenschen bekannt geworden, der zwischen 150 000 und 60 000 v. Chr. lebte, dessen Gebeine 1856 hier erstmals von Steinbrucharbeitern gefunden wurden.

Das Skelett des Neandertalmenschen und einige 1927 gefundene altsteinzeitliche Steinwerkzeuge befinden sich im **Urgeschichtlichen Museum,** das in einer einmaligen Schau in vielen Originalfunden, Nachbildungen, Fotos, Zeichnungen und Karten Aussehen, Kultur und Verbreitung dieser frühen eiszeitlichen Menschenrasse in allgemein verständlicher Weise darstellt. Geöffnet tägl. 10–17 Uhr.

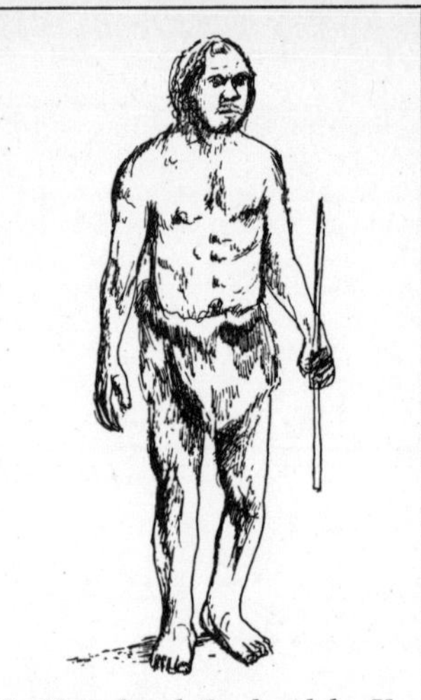

Im Neandertal: Denkmal des Urmenschen

Nümbrecht

Oberbergischer Kreis, 200–350 m, 12 000 Einw. Durch Zusammenschluß mit einigen Nachbargemeinden, darunter **Marienberghausen** *und* **Homburg-Bröl,** *erheblich gewachsener Luftkurort zwischen Wiehltal und Bröbachtal, in waldreicher Umgebung. Nümbrecht war einstmals Sitz der reichsunmittelbaren Herrschaft Homburgs. Südlich des Ortsteils Marienberghausen, in der Wolfescharre, lebte längere Zeit* *der Komponist Engelbert Humperdinck.*

Auskunft: Verkehrsamt, 5223 Nümbrecht, Tel. 02293/561.
Verkehr: B 478 Hennef – Waldbröl; Abzweigung bei Ruppichteroth.

Sehenswert:
Schloß Homburg mit berühmtem Oberbergischen Heimatmuseum. Geöffnet April–Okt. 9.30–18 Uhr, Nov., Feb. und März 13.30–16 Uhr.

Ramsbeck

Ortsteil von Bestwig, Hochsauerlandkreis, 370 m, 3200 Einw. Bergwerksort (ehem. Blei- und Zinkgrube, heute Museum) im Valmetal südlich Bestwig, Sommerfrische.

Auskunft: Verkehrsamt Bestwig, 5780 Bestwig, Tel. 02904/81275.
Verkehr: B 7 Brilon – Meschede, Abzweigung in Bestwig.

Sehenswert:
Erzbergbaumuseum und **Besucher-Bergwerk.** Geöffnet täglich 9–17 Uhr, außer Mo im Winter.

Remscheid

Kreisfreie Stadt, 378 m, 124500 Einw. Mit den Stadtteilen ***Lennep*** *und* ***Lüttringhausen*** *inmitten ländlicher Fluren auf Höhenrücken östlich von Solingen gelegene Großstadt.*

Auskunft: Amt für Wirtschafts- und Verkehrsförderung, Rathaus, 5630 Remscheid, Tel. 02191/442252.
Verkehr: Kreuzungspunkt der B 51 Leverkusen – Wuppertal und B 229 Solingen – Radevormwald. Autobahnanschlußstelle.

Sehenswert:
Städtisches Heimatmuseum.

Deutsches Röntgen-Museum in Remscheid-Lennep, das Geburtshaus eines der größten Söhne der Stadt, Wilh. Conr. Röntgen, des Entdeckers der X-Strahlen.

Deutsches Werkzeugmuseum.

Siegen

Kreisstadt und Sitz des gleichnamigen Landkreises, 230–350 m, 111000 Einw. Wirtschaftlicher wie kultureller Mittelpunkt des Siegerlandes. Die Stadt liegt in einem Talkessel der oberen Sieg zwischen sieben Bergen, an deren grünen Hängen sich die Wohnsiedlungen hinaufziehen, während die Industrie sich auf die durch den Verkehr erschlossenen Haupttäler beschränkt. Mittelpunkt und eigentliche Keimzelle der Stadt ist der Siegberg mit dem Oberen Schloß und anderen wichtigen historischen Bauten.

Auskunft: Verkehrsamt, 5900 Siegen 1, Tel. 0271/8031.
Verkehr: Kreuzungspunkt der B 54 und 62. Autobahnanschlußstellen.

Sehenswert:
Oberes Schloß, ging aus der Grundlage der 1224 erbauten Burg hervor. Hauptteil der Gebäude spätgotisch von 1500 bis 1506. Umbauten im 17. und 18. Jh. Im Schloß heute das **Museum des Siegerlandes.**

Besichtigung des Museums täglich, außer Mo, 10–12.30 und 14–17 Uhr. Im Innenhof ist das Nassauische Wappen (roter Sandstein) mit der Jahreszahl 1519 bemerkenswert. Es stammt von einem der um 1840 abgebrochenen Stadttore. Die Haupteingangshalle betritt man durch eine barocke Eichenpforte aus dem Hause Fischbach in Weidenau (Inschrift von 1709). Die eigentliche Tür wurde vor kurzem nach altem Vorbild erneuert. Verschiedene Räume sind im wesentlichen dem Eisenguß, der als eine Erfindung des Siegerlandes gelten darf, gewidmet. Er wurde hier im 15. Jh. zuerst für den Guß von Geschützen, Öfen und Grabplatten angewendet. Die in der sog. alten Kapelle an den Wänden angebrachten Ofenplatten gehören z. T. noch dem 16. Jh. an. Die eisernen Öfen waren schon im 15. Jh. ein Hauptgegenstand der Ausfuhr aus dem Siegerland. Von gußeisernen Grabplatten aus älterer Zeit sind einzelne Stücke in verschiedenen Räumen des Hauses verteilt. Im Hauptteil des Museums befindet sich der **Oraniersaal.** Das Andenken an die Nassau-Oranier wird im Museum des Siegerlands besonders gepflegt. Ein Raum ist der **Erinnerung an den Maler Peter Paul Rubens** gewidmet, der 1577 in Siegen geboren wurde. Das 1938 angelegte **Schaubergwerk** bildet eine Sonderabteilung des Museums.

Solingen

Stadtkreis, 53–276 m, 161 000 Einw. Industriestadt ohne Industriestadtcharakter im Bergischen Land, seit Jahrhunderten berühmt durch seine Klingen- und Schneidwarenindustrie. Das reich gegliederte Stadtgebiet hat sich trotz großstädtischer Geschäftigkeit in seiner näheren Umgebung viele landschaftliche Schönheiten mit Burgen, Strandbädern und Wanderstrecken (Klingenpfad) bewahrt.

Auskunft: Presse- und Werbeamt, 5650 Solingen, Tel. 02 12/2 90 23 33.
Verkehr: Kreuzungspunkt der B 224 und 229. Autobahnanschlußstelle.

Sehenswert:
Deutsches Klingenmuseum in Gräfrath. Geöffnet Di–So 10–13, 15–17 Uhr.

Warstein

Kr. Soest, 292–550 m, 31 000 Einw. Erholungsort zwischen Möhne und Ruhr am alten Rennweg, von weiten Wäldern umgeben. Ganz in der Nähe die bekannte ***Bilsteinhöhle*** *mit ihren einzigartigen Tropfsteinbildungen.*

Auskunft: Verkehrsverein, 4788 Warstein, Tel. 0 29 02/23 08.
Verkehr: B 55 Lippstadt – Meschede. Autobahnanschlußstelle Soest-Ost (30 km).

Sehenswert:
Bilsteinhöhle, 3 km südwestlich, mit interessanten Tropfsteinbildungen. In den mit der etwas tieferen Tropfsteinhöhle verbundenen Kulturhöhlen wurden zahlreiche Funde aus prähistorischer Zeit gemacht, die jetzt im **Heimatmuseum** zu besichtigen sind. Geöffnet Di 9–11, Do 15–17 Uhr.

Wiehl

Oberbergischer Kreis, 200–365 m, 20000 Einw. Mit den Ortsteilen **Bielstein, Drabenderhöhe** *und* **Marienhagen.** *Staatl. anerkannter Luftkurort im Wiehltal in reizvoller Lage.*

Auskunft: Verkehrsamt, 5276 Wiehl, Tel. 02262/9071.
Verkehr: B 56 Siegburg – Ründeroth/Osberghausen; Abzweigung ins Ortszentrum in Wiehl/Drabenderhöhe; B 256 Waldbröl – Gummersbach, Abzweigung bei Reichshof/Brüchermühle; B 55 Köln – Olpe, Anschlußstelle Gummersbach/Wiehl der Autobahn Köln – Olpe. Autobahnanschlußstellen Bonn/Siegburg und Siegburg/Troisdorf (jeweils 40 km).

Sehenswert:
»Achse, Rad und Wagen«-Museum, Überblick über Transportmittel von der Frühzeit bis heute.

Englische Postkutsche um 1850

Willingen

Kr. Waldeck-Frankenberg, 580–843 m, 6800 Einw. Heilklimatischer Kurort und Kneippkurort im Ittertal, im Waldecker Upland, auf allen Seiten von Wald umgebenes Wintersportzentrum.

Auskunft: Kurverwaltung, 3542 Willingen, Tel. 05632/6309.
Verkehr: B 251 Brilon – Korbach.

Sehenswert:
Besucherbergwerk. Geöffnet Mi–So 10, 11, 15, 16 Uhr. Im Winter 10 u. 11 Uhr.

Waldmuseum. Geöffnet tägl. 10–12, 16–18 Uhr, Sa 10–12 Uhr.

Wuppertal

100–350 m, 380000 Einw. Groß- und Industriestadt im Bergischen Land, zugleich dessen kultureller und wirtschaftlicher Mittelpunkt. Gelegen im engen Tal der Wupper, umgeben von bewaldeten Höhen. Die Stadt entstand aus dem Zusammenschluß der Gemeinden **Barmen, Elberfeld, Vohwinkel, Gronenberg, Ronsdorf** *und* **Beyenburg.**

Auskunft: Verkehrsverein Wuppertal-Elberfeld, Döppersberg, Pavillon, 5600 Wuppertal, Tel. 02121/456771 und 532270.
Verkehr: Kreuzungspunkt der B 7, 51 und 326. Autobahnanschlüsse.

Sehenswert:
Historisches Uhrenmuseum in Elberfeld.

Von-der-Heydt-Museum mit Meisterwerken des 19. und 20. Jh.

Fuhlrott-Museum in W.-Elberfeld; geologische, biologische und stadtgeschichtliche Ausstellungen.

Trachten, Tapeten und die Brüder Grimm

Die Hessen sind – außer den Friesen – »der einzige deutsche Volksschlag, der mit behauptetem altem Namen bis auf heute an derselben Stelle haftet, wo sie in der Geschichte zuerst erwähnt werden«. Aus dieser Feststellung der Brüder Grimm lassen sich mancherlei Schlüsse auf die Lebensgewohnheiten der Hessen ziehen.

Der Hesse ist seiner Heimat eng verbunden; hier lebten seine Vorfahren seit über 4000 Jahren. Hessenheimweh ist demnach geschichtlich begründet und kein nur literarischer Begriff. Der Heimatliebe verbunden ist der Zug des Hessen zum Althergebrachten und Überlieferten, wovon er sich nur ungern trennt, obwohl er die Werte des Neuen durchaus erkennt und sich ihnen nach nüchterner Erwägung nicht verschließt. Er macht nicht gern unnütze Worte und weiß zwischen dem »eitlen und tätigen Wort« scharf zu unterscheiden. Dennoch ist er ein Freund des volkstümlichen Erzählens. Menschen, die gut und spannend erzählen können, sind bei ihm sehr beliebt. Besonders begehrt sind heitere Geschichten und Anekdoten, wobei starker Tobak keineswegs verschmäht wird.

Dem Hang zum Alten verdankt die Sammlung der »Kinder- und Hausmärchen« der Brüder Grimm – die ja auch Hessen waren – ihre Entstehung. In Hessen entwickelte sich zuerst die Deutschtumswissenschaft, ebenfalls ein Zeichen für das bewertende Hängen am Alten. Als Dichter ist der Hesse mehr Epiker als Lyriker. Er liebt seine Volkslieder und -tänze; auch sie wurden durch Forscher gesammelt und aufgezeichnet.

Und auch viele Museen geben diesen Charakterzug der Hessen wieder. Sammlungen zur Heimatkunde gibt es fast in jeder auch noch so kleinen Stadt. Daneben sind als Höhepunkte zu nennen die hochinteressanten Museen in Kassel (Schloß Wilhelmshöhe, Tapetenmuseum, Hessisches Landesmuseum, Brüder-Grimm-Museum), Marburg (Universitätsmuseum) und Ziegenhain (Trachtenmuseum).

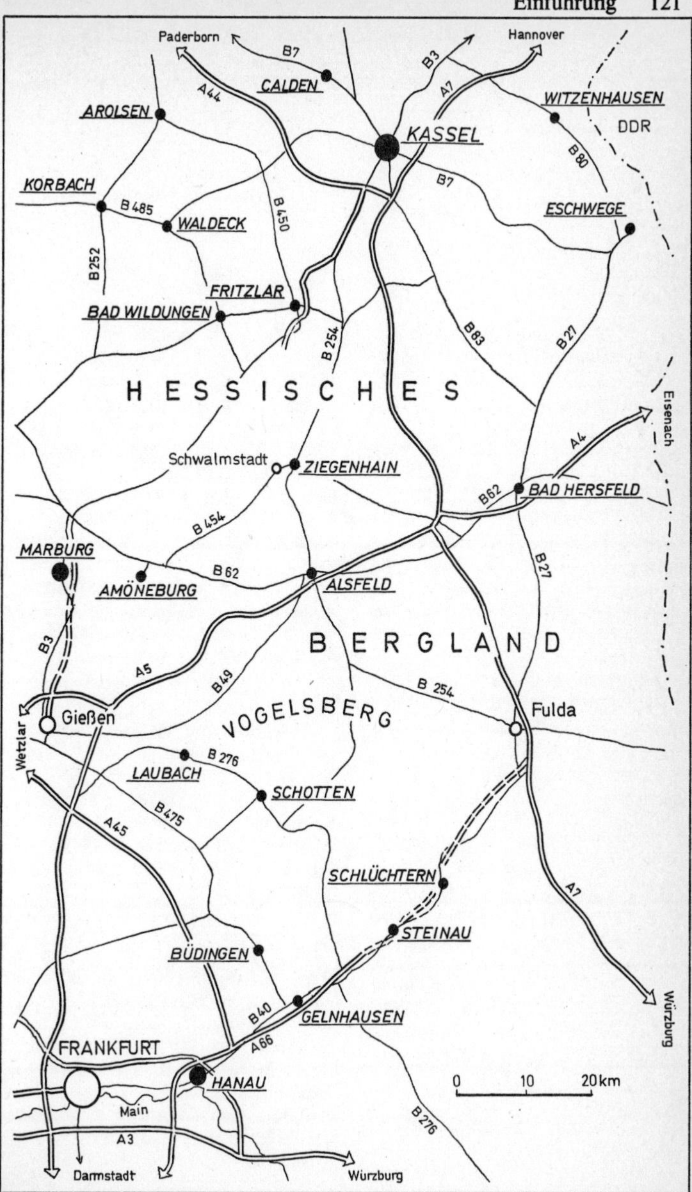
Paderborn
Hannover
B7
B3
A7
A44
CALDEN
AROLSEN
WITZENHAUSEN
DDR
KASSEL
B80
B7
KORBACH
B 485
WALDECK
B450
ESCHWEGE
B252
FRITZLAR
BAD WILDUNGEN
B 254
B83
B27
HESSISCHES
Eisenach
A4
Schwalmstadt
ZIEGENHAIN
BAD HERSFELD
B62
B 454
MARBURG
B 62
AMÖNEBURG
ALSFELD
B27
B3
BERGLAND
A5
B49
B 254
Gießen
VOGELSBERG
Fulda
Wetzlar
LAUBACH
B 276
SCHOTTEN
B475
A45
SCHLÜCHTERN
A7
STEINAU
BÜDINGEN
Würzburg
GELNHAUSEN
B40
A66
FRANKFURT
HANAU
0
10
20km
Main
B 276
A3
Darmstadt
Würzburg

Alsfeld

Vogelsbergkreis, 268 m, 18000 Einw. Zentrale aufstrebende Stadt Oberhessens an der Deutschen Ferienstraße Alpen – Ostsee und der Deutschen Märchenstraße. Das schöne mittelalterliche Stadtbild ist ein hervorragendes Zeugnis althessischer Bau- und Handwerkskunst und wurde in neuerer Zeit durch große gepflegte Parkanlagen verschönt. Alsfeld ist »Europäische Modellstadt für Denkmalschutz« sowie Wirtschafts- und Einkaufszentrum des Vogelsbergkreises.

Auskunft: Städtisches Verkehrsamt, Rittergasse 3, 6320 Alsfeld 1, Tel. 06631/182240.
Verkehr: Kreuzungspunkt B 62 Cölbe – Philippsthal, B 254 Kassel – Fulda; Ausgangspunkt der B 49 nach Gießen. Autobahn A 48 Frankfurt – Bad Hersfeld, 2 Anschlußstellen.

Sehenswert:
Neurath-Haus (1688) mit Prunktür (heute **Regional-Museum**) in der Rittergasse.

Amöneburg

Kr. Marburg-Biedenkopf, 320 m, 4800 Einw. Aus dem Amöneburger Becken und dem Ohmtal erhebt sich unweit Kirchhain und Marburg der weithin beherrschende Wendenberg, 362 m, mit alter Burgruine und guter Fernsicht. Unter seinem Gipfel liegt nach Nordwesten hin die malerische Stadt Amöneburg, ein beliebtes Ausflugsziel.

Auskunft: Stadtverwaltung, 3571 Amöneburg, Tel. 06422/1366.
Verkehr: B 62 (Philippsthal – Cölbe) Abzweigung bei Kirchhain. Autobahn A 48 Frankfurt – Kassel, Anschlußstelle Homberg (21 km).

Sehenswert:
Rathaus mit Heimatmuseum.

Arolsen

Kr. Waldeck-Frankenberg, 286 m, 6600 Einw. (Gesamtgemeinde 15800 Einw.). Der staatlich anerkannte Luftkurort (mit Heilquelle), »sonntägliche Stadt am Walde« genannt, liegt in schöner, hügeliger Landschaft und ist von ausgedehnten, prächtigen Wäldern umgeben. Ruhe und die kultivierte Atmosphäre der einstigen Residenzstadt bestimmen noch heute den Charakter der idyllischen Kleinstadt, die durch Alleen und Parks aufgelockert ist und wegen ihres Barockschlosses als Ausflugsziel einen Namen hat.

Auskunft: Kur- und Verkehrsverwaltung, Professor-Klapp-Str. 14, 3548 Arolsen, Tel. 05691/2030.
Verkehr: Kreuzungspunkt B 252 Korbach – Scherfede, B 450 von Wolfhagen. Autobahn A 44 Ruhrgebiet – Kassel, Anschlußstelle Diemelstadt (19 km).

Sehenswert:
Ehemaliges **Residenzschloß**, unter Fürst Friedrich Anton v. Waldeck 1713–1728 als Kleinod barocker Baukunst nach Versailler Vorbild durch Julius Ludwig Rothweil errichtet. Besonders bemerkenswert sind das Treppenhaus und der Steinerne Saal; Kunstschätze im Schloß:

Gemälde von Aldegrever, Meytens, Ziesenis, Heinrich und Friedrich August Tischbein, Friedrich Maul; Stuckarbeiten von Andreas Gallasini; Deckengemälde von Carlo Castelli; Plastiken von Rauch, Rietschel, Trippel; Möbel das Barock, Rokoko, Empire; Waffensammlung (Führungen Mai–Sept., täglich 9–11.30 Uhr, 14–16.30 Uhr, Okt.–April Mi 15 Uhr.)

Kaulbach-Museum, Kaulbachstr. 3 (Führungen Mi 15–17 Uhr, Sa und So 10–12 Uhr und nach Vereinbarung).

Christian-Rauch-Gedächtnisstätte, Rauchstr. 6. Geöffnet Di und Do 16–18 Uhr, Sa 10–12 Uhr.

Bad Hersfeld

Kreisstadt des Kreises Hersfeld-Rotenburg, 242 m, 30000 Einw. Hessisches Staatsbad, Diätkurort, Festspiel- und Kongreßstadt, von Wäldern umgeben. Aufgelockerte Bauweise wechselt mit romantischen, historischen Straßen; bedeutende Industrie und Wirtschaft.

Auskunft: Verkehrsbüro, Am Markt, 6430 Bad Hersfeld, Tel. 06621/201274.
Verkehr: Kreuzungspunkt B 62 Cölbe – Philippsthal, B 27 Fulda – Witzenhausen; Ausgangspunkt der B 324 nach Aua. Autobahn A 4 Kirchheim – Herleshausen/Grenze, Anschlußstelle Bad Hersfeld.

Sehenswert:
Romanische **Stiftskirche** von 831, 1144 wurde ihr Umbau in Anwesenheit von Kaiser Konrad III. geweiht. Im Siebenjährigen Krieg brannte sie 1761 nieder und ist nur als Ruine erhalten. Die Kirche war einmal mit ihrem Flächenraum von 3079 qm die größte nördlich der Alpen. In der Ruine der *Steinsarkophag* des hl. Lullus, der 786 hier beigesetzt wurde. Im Seitenflügel ein **Museum** (Besichtigung der Ruine: 15.–31. März, 1.–31. Okt. 9–12, 13–17 Uhr; 1. April–30. Sept. 10–12 Uhr, 13–18 Uhr).

Bad Wildungen

Kr. Waldeck-Frankenberg, 330 m, 8400 Einw. (Gesamtgemeinde 15600 Einw.). Alte Stadt und weltbekanntes Heilbad (Hessisches Staatsbad) in der prachtvollen Mittelgebirgslandschaft des Kellerwaldes und des Wildunger Berglandes. In der Nähe liegen der Edersee und die Burg Waldeck. Die geschützte Lage und das milde Reizklima mit überdurchschnittlicher Sonnenscheindauer zeichnen den Kurort aus.

Auskunft: Kurverwaltung, Brunnenallee 41, 3590 Bad Wildungen, Tel. 05621/6054.
Verkehr: Kreuzungspunkt B 253 Frankenberg – Melsungen, B 485 Sachsenhausen – Zwesten. Autobahn A 49 Kassel – Fritzlar, Anschlußstelle Fritzlar-Nord (14 km).

Sehenswert:
Heimatmuseum mit Sammlungen aus Geschichte und Heimatkunde, Lindenstr. 9.

Schloß Friedrichstein, an der Stelle der mittelalterlichen Burganlage unter Graf Josias II. im 17. Jh. errichtet. Dreiflügelige barocke Anlage mit gotischem Turm, großartige barocke Innenausstattung (Seitenflügel 1704–1714 angefügt).

Büdingen

Wetteraukreis, 135–377 m, 16700 Einw. Oberhessischer, staatlich anerkannter Luftkurort im Seemenbachtal, in der Nähe großer Wälder. Mittelalterliches Stadtbild, in seltener Geschlossenheit ähnlich Rothenburg o. d. Tauber.

Rathaus mit dem Heimatmuseum

Auskunft: Städt. Verkehrsamt, Zum Stadtgraben 7, 6470 Büdingen, Tel. 06042/3091. Informationspavillon auf dem Marktplatz (geöffnet 1. 4.–30. 9.).
Verkehr: B 457 Gießen – Gelnhausen; B 521 Bad Vilbel – Büdingen. Autobahn A 45 Gießen – Hanau, Anschlußstelle Altenstadt (11 km).

Sehenswert:
Heimatmuseum (Karl-Heuson-Museum), Rathausgasse 6.

Achthundertjähriges Schloß der Fürsten zu Ysenburg-Büdingen mit Schloßpark, Palas, Bergfried, Ludwigsbau, **Schloßmuseum,** Schloßkapelle des 15. Jh. und fürstlicher Bibliothek (25000 Bände).

Calden

Kr. Kassel, 260 m, 6300 Einw. Calden gehört zu den ältesten und größten niedersächsischen Hessendörfern (18 qkm Gemarkungsfläche), es war früher Sitz eines Gaugerichts, heute Wohngemeinde.

Auskunft: Gemeindeverwaltung, 3527 Calden, Tel. 05674/392.
Verkehr: B 7 Kassel – Scherfede. Autobahn A 7 Kassel – Göttingen, Anschlußstelle Kassel-Ost (20 km); Autobahn A 44 Kassel – Diemelstadt, Anschlußstelle Zierenberg (17 km).

Sehenswert:
Schloß Wilhelmsthal besteht ähnlich wie Schloß Wilhelmshöhe aus einem repräsentativen Mittelbau und zwei Seitengebäuden. Das nördliche ist der Kirchflügel (erbaut 1749), das südliche der Küchenflügel (errichtet 1753). Der Mittelbau wurde ebenfalls 1753 begonnen. Nach Westen zu sind dem Schloß links und rechts zwei Wachtgebäude vorgelagert. Von hier aus bietet sich, durch die westliche Einfahrt mit schmiedeeisernem Tor, ein eindrucksvoller Blick auf die Gesamtanlage. Auch von dem südlichen Einfahrtstor, gegenüber der von Kassel kommenden Rasenallee, wie auch von Nordosten hat der Besucher eine imposante Ansicht der Schloßanlage; von Osten her hört er ein achtfaches Echo. Gitterverzierte geschwungene Treppen führen vom Park in das Erdgeschoß. Als Schöpfer des Schlosses nimmt die Forschung François Cuvilliés d. Ä. (1695–1768) an, den Erbauer von Schloß Nymphenburg und

des alten Residenztheaters in München. Bei einer Besichtigung des Schlosses werden die Leichtigkeit und Beschwingtheit des Rokokostils deutlich, die Inneres und Äußeres zu einer harmonischen Einheit werden ließen.

Eschwege

Kreisstadt des Werra-Meißner-Kreises, 170 m, 25 000 Einw. Ferien- und Tagungsort im Werratal. Bedeutende Industriestadt, überragt durch die Leuchtberge, inmitten einer vielgestaltigen Landschaft, im DDR-Grenzgebiet gelegen.

Auskunft: Verkehrsamt, 3440 Eschwege, Tel. 0 56 51/30 42 36.
Verkehr: Kreuzungspunkt B 452 von Reichensachsen, B 249 von Wanfried. B 7 von Kassel, Abzweigung bei Wehretal (8 km) und B 27 Göttingen – Bad Hersfeld, Abzweigung bei Niederhone (4 km).

Sehenswert:
Heimatmuseum, Vor dem Berge 14 a (Kupferstiche aller Landgrafen von Hessen).

Fritzlar

Schwalm-Eder-Kreis, 205 m, 9000 Einw. (Gesamtgemeinde 15 000 Einw.). Altertümliche, 1250jährige Stadt mit großer geschichtlicher Vergangenheit. Die mittelalterliche Bauweise bestimmt das historische Stadtbild. Günstige klimatische Lage im unteren Edertal. Ausgangspunkt vieler Spaziergänge und Wanderungen in die umliegende waldreiche Mittelgebirgslandschaft.

Auskunft: Verkehrsbüro, Rathaus, 3580 Fritzlar, Tel. 0 56 22/38 36.
Verkehr: Kreuzungspunkt B 253 Frankenberg – Melsungen, B 3 Kassel – Marburg; Autobahn A 49 Kassel – Marburg, Anschlußstelle.

Sehenswert:
Dom (Stiftskirche St. Peter), inmitten mittelalterlicher Gäßchen auf dem höchsten Punkt des Edersteilufers, romanisch, 12. Jh., mit spätromanischer Vorhalle, Krypta (Hochgrab des hl. Wigbert) aus dem Jahr 1000, kostbaren Altären, beachtenswertem Kreuzgang aus dem 14. Jh. und wertvollem Domschatz; **Dommuseum**. Besichtigung des Domschatzes und des Dommuseums: Mo–Sa 10–12 Uhr, 14–17 Uhr, im Winter bis 16 Uhr, So 14–17 Uhr, im Winter bis 16 Uhr.

Das Heinrichskreuz gehört zu den Kostbarkeiten des Domschatzes

Hochzeitshaus an der Geismarstraße, erbaut 1580–1590, mit Renaissance-Portal. Heute beherbergt es das **Heimatmuseum** und **Museum für Ur- und Frühgeschichte.** Geöffnet tägl. 10–12, 15–17 Uhr, Sa 10–12 Uhr.

Gelnhausen

Main-Kinzig-Kreis, 141 m, 18 500 Einw. Alte Kaiser- und Freie Reichsstadt, klimatischer Luftkurort im Kinzigtal in geschützter Südlage, an der Deutschen Ferienstraße Alpen – Ostsee. Beliebtes Ausflugsziel, vor allem zur Zeit der Obstbaumblüte, und Ausgangspunkt für Wanderungen in den Vogelsberg und Spessart.

Auskunft: Verkehrsamt, Kirchgasse 2, 6460 Gelnhausen, Tel. 06051/820054.
Verkehr: B 40 Hanau – Fulda, B 43 Großauheim – Gelnhausen.

Sehenswert:
Heimatmuseum mit Grimmelshausen- und Reis-Gedächtnisraum und Funden aus Jungsteinzeit, Eisen- und Bronzezeit.

Hanau am Main

Sitz des Main-Kinzig-Kreises, 108 m, 88 000 Einw. Zwischen Wetterau und dem unteren Kinzigtal an der Mündung in den Main in einem weiten Kessel gelegen, umgeben von den Wäldern der Bulau und den fruchtbaren Feldern und weiten Wiesenflächen beider Täler. Die Stadt ist durch ihre zentrale Lage am Schnittpunkt mehrerer Bundesstraßen und wichtiger Eisenbahnlinien ein bedeutender Verkehrsknotenpunkt. Der Mainhafen nimmt Schiffe mit bis zu 2000 Tonnen Ladegewicht auf. In den Werkstätten der Gold- und Silberschmiede überwiegt noch der handwerkliche Anteil. Von Generation zu Generation weitergegeben, wurde hier die künstlerische Arbeit zur Tradition. Aber auch Gebrauchsgegenstände aus Marmor und die so selten gewordene Emaillierkunst fanden in Hanau eine Pflegestätte.

Auskunft: Magistrat der Stadt, Rathaus, 6450 Hanau, Tel. 06181/295333.
Verkehr: Kreuzungspunkt B 8 Aschaffenburg – Frankfurt a. M., B 40/43 Frankfurt a. M. – Fulda, B 45 Dieburg – Friedberg. Autobahn A 3 Frankfurter Kreuz – Aschaffenburg, Anschlußstelle Hanau (9 km).

Sehenswert:
Ohne Kriegsschäden blieb das außerhalb Hanaus bei Kesselstadt gelegene, 1701–1713 von dem letzten Hanauer Grafen Philipp Reinhard nach französischem Vorbild nach Entwurf von Julius Ludwig Rothweil erbaute **Schloß Philippsruhe** (im Schloß das **Museum des Hanauer Geschichtsvereins**) mit gepflegtem Park.

Es wurden an historischen Bauten wiederaufgebaut die beiden **Rathäuser,** von denen das der Altstadt seit 1958 wieder als **Deutsches Goldschmiedehaus** dient (Ausstellungen).

Kassel

Kreisfreie Stadt und Hauptstadt des gleichnamigen Regierungsbezirks, 190 000 Einw. Drittgrößte Stadt des

Landes Hessen, Verkehrs- und Handelszentrum des nordhessischen Industrie-, Wirtschafts- und Landwirtschaftsraums. Sitz zahlreicher Landes- und Bundesbehörden. Kassel liegt zu beiden Seiten der Fulda und erstreckt sich bis zu den das Kasseler Becken begrenzenden bewaldeten Höhenzügen, so u. a. Kaufunger Wald, Söhre und Habichtswald. Im Zentrum die historische Karlsaue an der Fulda, im Westen die berühmte, 6 km lange Wilhelmshöher Allee von der Stadtmitte in gerader Richtung zum Schloß und Park Wilhelmshöhe. Kassel ist altes Kulturzentrum Nordhessens – u. a. besitzt es eine weltberühmte Gemäldegalerie mit wertvoller Rembrandtsammlung – und Ausstellungsort der »documenta«, einer internationalen Großschau moderner Kunst.

Auskunft: Amt für Wirtschaftsförderung und Fremdenverkehr, Rathaus, 3500 Kassel, Tel. 0561/7878007.

Sehenswert:
Kassel ist eine Stadt der Parks und der Museen. Den Höhepunkt bildet **Schloß Wilhelmshöhe.**

Der Mittelbau des Schlosses wurde 1945 durch einen Luftangriff zerstört und wieder erneuert. Hier befinden sich seit 1974 die **Staatlichen Kunstsammlungen** (berühmte Gemäldesammlung Alter Meister der ehemaligen Kassler Gemäldegalerie, gegründet von Wilhelm VIII., 1730–1760) und die **Antikensammlung.** In den Staatlichen Kunstsammlungen weltberühmte holländische und flämische Meister wie Rembrandt, Rubens, Frans Hals, van Dyck, Steen, Jordaens u. a. sowie altdeutsche, italienische, spanische und französische Meister.

In der Antikensammlung unter zahlreichen Meisterwerken der berühmte *Apoll von Kassel* (römische Kopie eines Originals des griechischen Bildhauers Phidias, um 450 v. Chr.). Geöffnet Di–So 10–17 Uhr, Nov.–Febr. 10–16 Uhr, Juli–Aug. Sa bis 19 Uhr; an Fei auch Mo geöffnet.

Im Südflügel befindet sich im Erdgeschoß und Obergeschoß das **Schloßmuseum,** das Wohn- und Festräume der Landgrafen und Kurfürsten von Hessen zeigt. Geöffnet täglich außer Mo, April–Sept. 10–18 Uhr, März und Okt. 10–17 Uhr, Nov.–Febr. 10–16 Uhr.

Auch das **Staatliche Kupferstichkabinett** mit Handzeichnungen alter und neuer Meister, Graphik, Karten und Plänen, ist dort; ebenso die **Kunstbibliothek.** Geöffnet Mo–Fr 10–16.30 Uhr.

Die **Löwenburg** wurde gleichzeitig mit dem Schloß Wilhelmshöhe von 1793–1800 erbaut. Sie ist die Nachahmung einer im Zerfall begriffenen mittelalterlichen Burg im gotischen Stil unter dem Einfluß englisch-schottischer Neugotik. Der Entwurf stammt von Heinrich Christoph Jussow. Der Bau dieser Burgruine ist aus dem Geist der Romantik entstanden, in einer Zeit, die für die Burgenromantik, für die alten deutschen Märchen, Sagen und Lieder schwärmte. Wertvolle Rüstungen und Waffen enthält die Rüstkammer der Löwenburg, die neben der Burgkapelle liegt. – Rüstkammer, Burgkapelle und die Sammlungen des Löwenburg-Museums können besichtigt werden. Geöffnet täglich außer Mo, März–Oktober 10–17 Uhr, November–Februar 10–16 Uhr.

Hessisches Landesmuseum, Brüder-

Grimm-Platz 5: Vorgeschichtliche, technographische (wertvolle Sammlung mathematischer Instrumente und alter Uhren), mittelalterliche, kunsthandwerkliche, landesgeschichtliche und ostasiatische Abteilung, Münzkabinett, physikalisch-astronomisches Kabinett, Möbel, Keramik, Trachten und Spielzeug. Geöffnet täglich außer Mo 10–17 Uhr.

Deutsches Tapetenmuseum, im Hessischen Landesmuseum, Brüder-Grimm-Platz 5: Einziges Tapetenmuseum der Welt. Dokumente zur Geschichte der Tapetenkunst nach 1600; einmalige Sammlung historischer Tapeten aus drei Jahrhunderten; moderne Abteilung. Geöffnet täglich außer Mo 10–17 Uhr. Sa, So 10–13 Uhr.

Neue Galerie, Schöne Aussicht 1 (gegenüber dem Schloß Bellevue): Malerei und Plastik von 1750 bis zur Gegenwart aus städtischem Kunstbesitz. Geöffnet Di–So 10–17 Uhr.

Brüder-Grimm-Museum, im Schloß Bellevue, Schöne Aussicht 2: Sammlung aus dem Leben und Schaffen der Brüder Jakob und Wilhelm Grimm, Bilder und Zeichnungen von Ludwig Emil Grimm. Geöffnet Di–Fr 10–13, 14–17 Uhr; Sa, So 10–13 Uhr.

Louis-Spohr-Gedenk- und Forschungsstätte, Schloß Bellevue, Schöne Aussicht 2, geöffnet Fr 15–17 Uhr.

Naturkundemuseum, Steinweg 2 (im Ottoneum): Vorgeschichte, Zoologie, Geologie, Mineralogie, Holzbibliothek, ältestes Herbarium der Bundesrepublik; Elefantenschädel, an dem Goethe seine Forschungen über den Zwischenkieferknochen machte. Terrarien und Aquarien. Geöffnet Di–Fr 10–16.30 Uhr, Sa und So 10–13 Uhr.

Kasseler Kunstverein, Ständeplatz 16 (Kulturhaus): Ständig wechselnde Kunstausstellungen. Geöffnet Mo–Fr 10–16 Uhr, Mi bis 19 Uhr, Sa und So 10–13 Uhr.

Botanischer Garten im Park Schönfeld: Der Botanische Garten gehört der Stadt Kassel; u. a. Tropenhaus, Aquarium, interessantes Freilandterrarium. Geöffnet täglich 9–18 Uhr.

Korbach

Kreisstadt des Kreises Waldeck-Frankenberg, 325–500 m, 18 500 Einw. (Gesamtgemeinde 23 900 Einw.). Mittelpunkt des »Waldecker Ferienlandes«. Die Stadt liegt zwischen dem sauerländischen und dem oberhessischen Hauptwanderungssystem und ist Ausgangspunkt für viele Nah- und Fernwanderungen.

Auskunft: Verkehrsamt, Rathaus, 3540 Korbach, Tel. 05631/53231.
Verkehr: Kreuzungspunkt B 252 Arolsen – Frankenberg, B 251 Willingen – Sachsenhausen.

Sehenswert:
Heimatmuseum am Kirchplatz, u. a. mit wertvollen Funden aus der Steinzeit.

Laubach

Lahn-Dill-Kreis, 245–450 m, 4200 Einw. (Gesamtgemeinde 9600 Einw.). Kleinstadt und staatlich anerkannter Luftkurort im waldumgebenen Tal der Wetter, im Naturpark

Hoher Vogelsberg. Eisengießerei, Landmaschinen- und Metallbau, Furnierwerk.

Auskunft: Städt. Verkehrsamt, Rathaus, 6312 Laubach, Tel. 06405/2 02.
Verkehr: B 276 Wächtersbach – Mücke, Abzweigung 1,5 km; Autobahn A 5/48 Frankfurt – Kassel, Anschlußstellen Gießen-Ost und Homberg/Ohm (jeweils 18 km).

Sehenswert:
Dreitürmiges **Schloß** der Grafen zu Solms-Laubach, 13.–18 Jh., im Renaissance-Stil, zum Teil gotisch. Mit seinen ältesten Teilen steht das heutige Schloß auf den Grundmauern der bereits im frühen Mittelalter errichteten Burg. Als ältester Überrest gilt der Schaft des Uhrturms. Im Schloß ein kleines **Museum** und die größte **Privatbibliothek** Europas (80 000 Bände). Hier befindet sich auch die umfangreiche Bücherei des 1803 aufgelösten Zisterzienserklosters Arnsburg. Die Bibliothek ist Do 17.30 Uhr geöffnet.

Sehenswert:
Universitätsmuseum für Kunst und Kulturgeschichte u. a. die Schatzkammer der Elisabethkirche. Geöffnet 1. 4.–30. 9. Di–So 10–13 und 15–17 Uhr; 1. 10.–31. 3. Di–So 11–13 und 15–17 Uhr.

Carl Spitzweg, Universitätsmuseum Marburg

Marburg an der Lahn

Kr. Marburg-Biedenkopf, 180–380 m, 50 000 Einw. (Gesamtgemeinde 74 000 Einw.). Mit 18 Stadtteilen, Universitäts- und ehem. Residenzstadt in schöner Lage, mit dem größeren Teil der alten Stadt am Hang des rechtsufrigen Schloßberges terrassenartig ansteigend, bekrönt vom Landgrafenschloß.

Auskunft: Verkehrsamt, Postfach 2305, 3550 Marburg, Tel. 06421/20 12 49.
Verkehr: B 3 Fritzlar – Gießen; Stadtautobahn.

In beherrschender Lage über der Lahn (102 m) erhebt sich das 018Schloß, größtenteils aus dem 13. bis 16. Jh. Die Gebäudegruppe besteht aus drei um einen schmalen trapezoiden Hof geordneten Flügeln. Großartiger Saalbau, vollendet um 1300, und Kapelle, 1288 geweiht, zweistöckiger, dem engen Raum angepaßter Bau. Das Schloß war vom 13. bis 16. Jh. Residenz der Landgrafen von Hessen und die Geburtsstätte

Philipps des Großmütigen; 1529 fand hier das Religionsgespräch statt. Im Hauptbau mit dem inneren Schloßhof der frühgotische **Rittersaal** (1976 restauriert) als künstlerisch bedeutendster Teil des Baues, 33,5 m lang, 14 m breit und 7,8 m hoch, Kreuzgewölbe, Erker, Renaissancetür von 1572; vom äußeren Schloßhof schöne Aussicht.

In der Alten Kanzlei, Landgraf-Philipp-Str. 4, die **Religionskundliche Sammlung.** Geöffnet Mo, Mi, Fr 10–13 Uhr.

Schotten

Vogelsbergkreis, 280–575 m, 4000 Einw. (Gesamtgemeinde 10200 Einw.). Luftkurort und Hauptausgangspunkt für Wanderungen in den ***Naturpark Hoher Vogelsberg,*** *275 qkm, an den klimatisch besonders günstigen Südwestabhängen des Vogelsbergs und an der Deutschen Ferienstraße Alpen – Ostsee gelegen, Wintersportplatz in der Nähe des* ***Hoherodskopfs,*** *763 m. –* ***Wildpark*** *mit Rot- und Muffelwild: – Etwa 2 km langer und 1 km breiter* ***Stausee*** *der Nidda zwischen Schotten und Rainrod, westlich des Saubergs, östlich der Straße nach Rainrod. – Zu Schotten gehören 14 Stadtteile, darunter der staatlich anerkannte Erholungsort* ***Rainrod.*** *Schotten geht auf eine Siedlung irisch-schottischer Mönche um 700 zurück, die der Stadt den Namen gaben. Vom 13. bis 15. Jh. war es im Besitz der Herren von Büdingen, von Breuberg, von Trimberg und von Eppstein. 1356 wurden ihm Stadtrechte verliehen, 1431 kam es an Hessen.*

Auskunft: Auskunft in Schotten: Städt. Verkehrsamt, Rathaus, 6479 Schotten 1, Tel. 06044/20014.
Verkehr: B 276 Wächtersbach – Mücke, B 455 Bad Nauheim – Schotten.

Sehenswert:
Vogelsberger Heimatmuseum, Hauptstr. 29.

Steinau

Main-Kinzig-Kreis, 173–400 m, 5000 Einw. (Gesamtgemeinde 105000 Einw.). Erholungsort und historisches Städtchen im oberen Kinzigtal, zwischen Vogelsberg, Spessart und Rhön in waldreicher Landschaft gelegen. Ausgangspunkt für zahlreiche Wanderungen.

Auskunft: Verkehrsamt, Rathaus, 6497 Steinau 1, Tel. 06663/6336.
Verkehr: B 40 Hanau – Fulda. Autobahn A 7 Kassel – Schweinfurt, Anschlußstelle Fulda-Süd (20 km).

Sehenswert:
Schloß, vom Steinauer Steinmetzmeister Asmus 1528–1556 an der Stelle einer älteren Burganlage aus dem 13. Jh. erbaut, mit hohem Bergfried. Besichtigung täglich 10–17 Uhr. Mo geschlossen.

Im **Schloß Brüder-Grimm-Gedenkstätte** (Jakob und Wilhelm Grimm verbrachten ihre Jugend von 1791 bis 1796 im **Amtshaus** in Steinau, Fachwerkbau von 1562; Gedenktafel). Im Marstall des Schlosses das weitbekannte **Steinauer Marionettentheater** mit Puppentheater-Ausstellung (Aufführungen von Grimms Märchen, täglich Vorstellungen; Information und Spielpläne: Postfach 42, 6497 Steinau 1, Tel. 06663/6843).

Am »Kumpen« (Marktplatz) das 1561 erbaute **Rathaus.** Im Innern die Kaufhalle aus dem 16. Jh. mit regelmäßigen Ausstellungen von Steinauer Altertümern.

Schloß Steinau

Waldeck

Kr. Waldeck-Frankenberg, 400 m, 7300 Einw. Staatlich anerkannter Luftkurort, Mittelpunkt des waldreichen, gebirgigen Waldecker Ländchens, Bergstädtchen hoch über dem Edersee (Uferlänge 69 km), überragt von der Burg, dem Wahrzeichen des Waldecker Landes, die einen prächtigen Rundblick auf den Ederstausee und die großen Waldungen ringsum bietet.

Auskunft: Städt. Verkehrsamt, ehem. Rathaus, 3544 Waldeck, Tel. 05623/5302.
Verkehr: B 485 Bad Wildungen – Sachsenhausen, Abzweigung (3 km).

Sehenswert:
Burg Waldeck, 175 m über dem Edersee, Stammsitz der Fürsten von Waldeck, im 12. Jh. gegründet; Ringmauer, Burgtore, Bergfried, Burgverlies (Hexenspund). **Burgmuseum.**

Ziegenhain

3700 Einw. Ortsteil von Schwalmstadt. Mittelpunkt der Schwalm und des Schwälmer Trachtengebiets, günstiger Ausgangspunkt für Wanderungen in das Knüllgebirge.

Auskunft: Verkehrsamt, 3578 Schwalmstadt, Tel. 06691/20021.

Sehenswert:
Steinernes Haus am Paradeplatz, jetzt **Museum der Schwalm** mit Schwälmer Trachten, Hausrat und Handwerkskunst, Modell der Festung Ziegenhain, Wappen und Waffen, Kunstkabinett mit regelmäßigen Ausstellungen. Geöffnet täglich außer Mo 10–12, 15–17 Uhr.

Wo Segelflug und Holzschnitzerei Geschichte haben

Die Bewohner der Rhön sind ein genügsames, in Sprache, Sitten und Anschauungen ursprüngliches Volk, das zäh am Althergebrachten festhält. Altes Brauchtum hat sich hier länger erhalten als anderswo, wenngleich viele originelle Bräuche nicht mehr geübt werden. Rhöner Tracht trifft man vereinzelt bei Kirchweihfesten oder bei Umzügen. Die Tradition der Fastnachtsmasken wurde von der Holzschnitzschule in Bischofsheim wieder aufgegriffen und fortgeführt. Bekannt ist die Musikliebe der Rhönbewohner. Sie findet in den zahlreichen Kapellen und Tanzgruppen ihren Ausdruck. Altes Handwerk wie die Korbflechterei ist noch immer bodenständig. Weberei und Holzbearbeitung, einst Nebenerwerbszweige der in erster Linie in der Land- und Forstwirtschaft tätigen Bevölkerung, entwickelten sich zur künstlerischen Seite hin; beispielhaft die Schnitzschule in Bischofsheim. Von der Frömmigkeit und dem Lebensgefühl der einheimischen Bevölkerung zeugen nicht nur die vielen Bildstöcke und Kirchen, die dieser Landschaft auch einen architektonischen Reiz verleihen, sondern auch die vielen guten Madonnen- und Heiligenfiguren unbekannter Meister. Die Volkskunst findet ihren wesentlichsten Ausdruck in den vielen schönen Fachwerkbauten, die dem Besucher in vielen Dörfern und Städtchen als Fotomotiv dienen.

Die Themen der Museen sind damit schon genannt: Holzschnitzerei in Bischofsheim und Fladungen, bäuerliches Handwerk in Schlüchtern, bäuerliches Leben und Wohnen im Rhöner Museumsdorf Tann. Und als ungewöhnlichste Rarität gilt das einzigartige Segelflugmuseum auf der Wasserkuppe, dem Berg der Segelflieger.

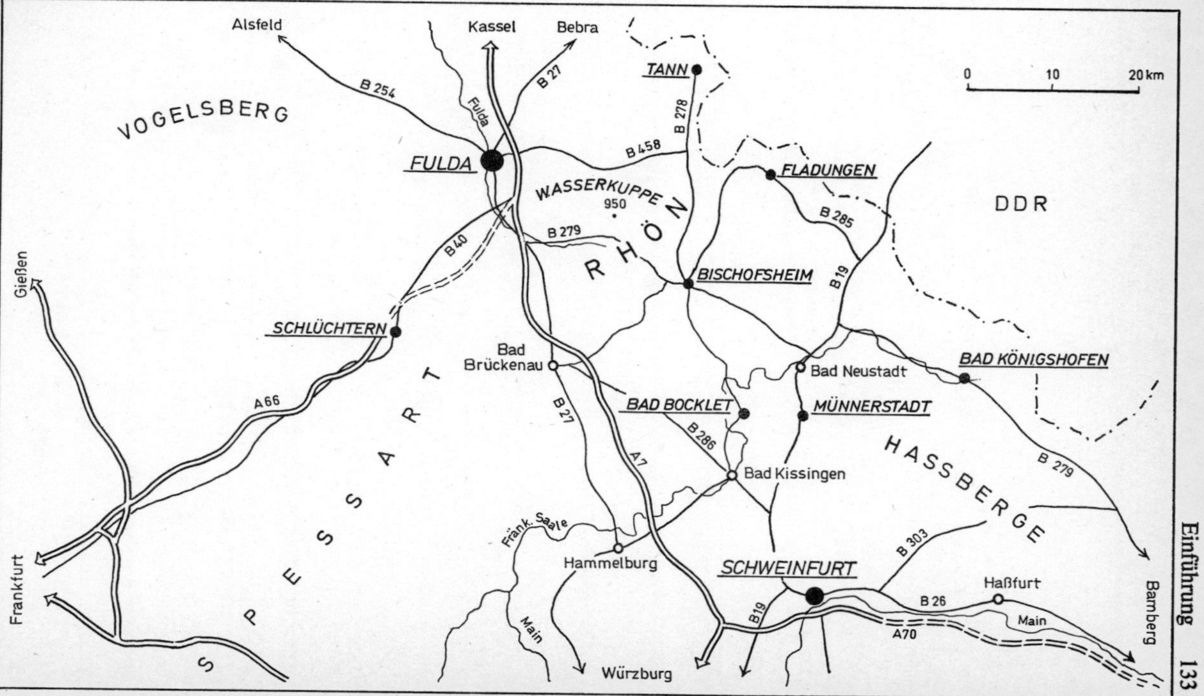
Alsfeld
Kassel
Bebra
TANN
0
10
20 km
B 254
B 27
VOGELSBERG
Fulda
B 278
B 458
FULDA
FLADUNGEN
WASSERKUPPE
950
DDR
B 285
B 279
RHÖN
B 40
BISCHOFSHEIM
B19
Gießen
SCHLÜCHTERN
Bad Brückenau
Bad Neustadt
BAD KÖNIGSHOFEN
A 66
BAD BOCKLET
MÜNNERSTADT
B 27
B 286
HASSBERGE
SPESSART
A7
Bad Kissingen
B 279
Fränk. Saale
B 303
Hammelburg
SCHWEINFURT
Haßfurt
Frankfurt
B 26
Main
B19
A70
Main
Würzburg
Bamberg

Bad Bocklet

Kr. Bad Kissingen, 207–210 m, 3800 Einw. Stärkstes Stahlbad Deutschlands, an der Fränkischen Saale und am Rand des Naturparks Bayerische Rhön gelegen. In dem beliebten Biedermeierbad wurde 1947–1948 eine kohlensäurereiche Heilquelle neu erbohrt; sie wirft in ungedrosseltem Zustand das Wasser 12 m empor. Die Bäder erhalten stets quellfrisches Mineralwasser.

Auskunft: Kur- und Fremdenverkehrsverein Bad Bocklet e. V., 8733 Bad Bocklet, Tel. 09708/217 und 224.
Verkehr: B 286 Bad Kissingen – Bad Brückenau; Abzweigung bei Bad Kissingen (9 **km**).

Sehenswert:
Schloß Aschach, das im 12. Jh. von den Hennebergern erbaut wurde, 1491 nach häufigem Besitzwechsel in die Hand der Würzburger Fürstbischöfe kam, wurde 1829 säkularisiert. 1955 schenkte es der letzte Graf von Luxburg dem Regierungsbezirk Unterfranken. Einzelne Gelasse werden z. Z. noch bewohnt; aber ein Teil des Schlosses ist als **Museum** zugänglich: Altertümliche und im Stil des ausgehenden 19. Jh. eingerichtete Räume; Barock- und Renaissancemöbel; Ölbilder, Holzplastiken, prachtvolles Porzellan-, Glas- und Silbergeschirr, Erzeugnisse japanischer, chinesischer und indischer Kunst, orientalische Teppiche u. v. a. sind hier zu sehen. Im Erdgeschoß Gastwirtschaft und Café.

Bad Königshofen im Grabfeld

Kr. Rhön-Grabfeld, 277 m, 5500 Einw. Das Mineralheilbad am Oberlauf der Fränkischen Saale, nahe der Grenze zur DDR, liegt eingebettet in die sanfte Hügellandschaft des Grabfeldes, am Nordrand des Naturparks Haßberge. Während die Altstadt im Kern noch den mittelalterlichen Charakter bewahrt hat, steht dem Gast am östlichen Stadtrand, Richtung Ipthausen, ein neues modernes Kurzentrum, umgeben von gepflegten Grünanlagen, zur Verfügung.

Auskunft: Kurverwaltung, Postfach 1210, 8742 Bad Königshofen, Tel. 09761/827 und 828.
Verkehr: B 279 Bamberg – Bad Neustadt.

Sehenswert:
Rathaus, 1563–1575, Frührenaissancebau, ehem. Kaufhaus, beachtenswerter Erker mit bischöflichem Wappen; historischer Rathaussaal: im Südflügel, in der Kellereistraße, **Heimatmuseum**. Geöffnet So 10–12 Uhr und 13–17 Uhr.

Fladungen

Kr. Rhön-Grabfeld, 416 m, 2400 Einw. Das reizende Rhönstädtchen im Naturpark Bayerische Rhön, am Oberlauf der Streu, in unmittelbarer Nähe der Grenze zur DDR, ist mit sechs Ortsteilen sowie der Gemeinde **Hausen** *ein beliebtes Fremdenverkehrszentrum.*

Auskunft: Fremdenverkehrsverein »Obere Rhön«, Marktplatz 1, 8741 Fladungen, Tel. 09778/248.

Verkehr: Endpunkt der B 285 von Mellrichstadt; Ausgangspunkt der Hochrhönstraße nach Bischofsheim a. d. Rhön.

Sehenswert:
Innerhalb der fast vollständig von der mittelalterlichen **Stadtmauer** mit fünf **Türmen** (z. B. Fixierturm mit schiefer Haube und dem »Maulaffen« am nördlichen Stadtausgang) umschlossenen Altstadt mit schönen Fachwerkhäusern das alte **Rathaus,** 1628 als Zehnthaus von Michael Kaut errichtet. In ihm ist das sehenswerte **Rhönmuseum** untergebracht. Die Sammlungen umfassen vorgeschichtliche Funde, Holzbildhauerarbeiten, bemalte Möbel und Truhen, Gerätschaften aus verschiedenen Zeitabschnitten, Masken und Sammlung von Tieren, Pflanzen und Steinen der Rhön.

Fulda

Kreisfreie Stadt und Sitz des Kreises Fulda-Hünfeld, 280 m, 60 000 Einw. Die altehrwürdige Bischofsstadt in schöner Lage an der Fulda, zwischen den Naturparken Vogelsberg und Hessische Rhön, ist kultureller, wirtschaftlicher und administrativer Mittelpunkt der Planungsregion Osthessen. Die kulturhistorische Bedeutung der Stadt, seit der Gründung eines Klosters durch Bonifatius, den »Apostel der Deutschen« im Jahr 744, bezeugen Baudenkmäler aus karolingischer Zeit, als Kaiser und Könige in der Stadt weilten, um Reichstag zu halten. Den Titel »Stadt des deutschen Barock« verdankt Fulda der glanzvollen Regierungszeit seiner Fürstäbte. Der prächtige Dom und das reich ausgeschmückte Stadtschloß mit der Orangerie künden von der Verbindung geistlichen und weltlichen Fürstentums.

Auskunft: Städtisches Verkehrsbüro, Schloßstr. 1, 6400 Fulda, Tel. 0661/102345 und 346.
Verkehr: Autobahn A 7 (Rhönlinie) Würzburg – Kassel mit Anschlußstellen Fulda-Nord und Fulda-Süd.

Sehenswert:
Dom St. Salvator und Bonifatius, am weiträumigen *Domplatz,* gegenüber dem Schloßpark, ist eines der Hauptwerke des Barockbaumeisters Johann Dientzenhofer (1665–1725), der in Rom und Prag seine künstlerische Reife fand (von ihm die Klosterkirche Banz, Schloß Pommersfelden, Bauten in Bamberg). Hinter dem Hochaltar führt eine Treppe (Nachbildung des Bronzestandbildes des hl. Petrus aus der Peterskirche in Rom) zur **Bonifatiusgruft,** dem Nationalheiligtum des katholischen Deutschlands. An der Ostwand der kreuzförmigen Krypta der Bonifatiusaltar, das Grab des Apostels der Deutschen.

Dommuseum. Geöffnet 1. 4.–15. 10. 10–17.30 Uhr, Sa 10–14 Uhr, So 12.30–17.30 Uhr; im Winterhalbjahr 9.30–12 Uhr und 13.30–16 Uhr, Sa 9.30–14 und So 12.30–16 Uhr. Es zeigt die Bonifatius-Heiligtümer, Architekturfragmente der karolingischen und ottonischen Zeit, Goldschmiedearbeiten und Gemälde sowie Paramente.

Stadtschloß, ehemalige Residenz der Reichs- und Fürstäbte, heute Sitz der Stadtverwaltung und **Museum** (Kunst des 18. Jh.). Unter Einbeziehung der mittelalterlichen Abtsburg aus dem 14. Jh. (erhalten der Bergfried) entstand Anfang des 17. Jh. ein Renaissance-Schloß und 1707–1713 unter Johann Dientzenhofer das heutige Barock-Schloß. Die vorderen Seitenflügel vollendete Andreas Gallasini 1734, dem zu Ehren ein neuer Stadtteil als Gallasiniring benannt wurde. Durch den

Spiegelkabinett im Fuldaer Schloß

äußeren Ehrenhof mit zwei niedrigen Seitenflügeln erreicht man den inneren Hof, den ein dreigeschossiger Mittelbau nach Westen abschließt. Ihn schmückt ein Diana-Brunnen, den A. B. Weber nach Entwurf von Artari 1710 fertigte; von Johann Neudecker sind die Figuren auf den Pfeilern des Abschlußgitters.

Im Innern der Fürstensaal (heute Stadtverordneten-Sitzungssaal) mit reicher Stuckdekoration von Andreas Schwarzmann und Deckengemälde von Melchior Steidl; an den Wänden Porträts der Fürstäbte. Im Mittelbau der Gartenfront der Kaisersaal, an dessen reicher Ausschmückung zahlreiche namhafte Künstler beteiligt waren. Die von A. Schwarzmann stuckierte und von Melchior Steidl prachtvoll dekorierte Katharinenkapelle ist heute Magistrats-Sitzungssaal; in den Spiegelsälen die Porzellansammlung. Vom Schloßturm schöner Blick auf die Stadt. Geöffnet Mo, Di, Mi, Do 10–12.30 Uhr und 14.30–17 Uhr, Fr 14.30–17 Uhr, Sa und So 10–12.30 und 14.30–16.30 Uhr.

Städtisches Vonderau-Museum in der Schloßstr. 1 mit Sammlungen zur Vorgeschichte, Volkskunde, Technik und Naturwissenschaft.

Im Museumsbau (Universitätsplatz) ist auch das **Deutsche Feuerwehr-Museum** untergebracht. Es demonstriert die Entwicklung des Feuerlöschwesens an Originalen und Modellen, ferner Brandschutz.

Schloß Fasanerie (Adolphseck), 6 km südlich; auch mit Stadtbuslinie 6 (bis Engelsheim) oder Linie 8 (bis Bronnzell) ab Busbahnhof zu erreichen. Das ehemalige Jagdschloß der Fürst- und Reichsabtei Fulda ist Hessens schönstes Barockschloß. Es liegt in einem 75 ha großen Park.

Nach schweren Kriegsschäden 1944 durch die Kurhessische Hausstiftung 1949 renoviert, ist es seither als **Museum** im Rahmen einer Führung zugänglich: Kaisertreppe mit Deckenbild der vier Erdteile von Johann Karl Wohlhaupter aus Brünn; ehemals bischöfliche Wohnräume mit prächtiger Barockausstattung und Mobiliar; die sog. vier hohen Säle.

Das **Schloßmuseum** bewahrt erlesene Gemälde, kostbares Porzellan, Gläser, Gobelins sowie eine berühmte Antikensammlung mit Vasen, Skulpturen und Bronzen. Geöffnet täglich außer Mo vom 1. April–30. September 10–12 und 14–17 Uhr, im Winterhalbjahr nur bis 16 Uhr.

Münnerstadt

Kr. Bad Kissingen, 235 m, 8500 Einw. Das geschichtlich und kunstgeschichtlich reiche Frankenstädtchen, halbwegs zwischen Bad Kissingen und Bad Neustadt a. d. Saale, liegt schön im Tal der Lauer, im landschaftlich reizvollen Grabfeld, unweit östlich des Naturparks Bayerische Rhön.

Auskunft: Fremdenverkehrsamt, Marktplatz 1, 8732 Münnerstadt, Tel. 09733/9031.

Verkehr: B 19 Schweinfurt – Bad Neustadt a. d. Saale.

Sehenswert:
Deutschordenschloß. An der Stelle eines Wasserschlosses aus dem 13. Jh. entstand durch Umbau im 16. und 17. Jh. der heutige Vierungsbau im Renaissancestil, tpyisch für die deutschherrliche Ordensarchitektur. Im Innenhof reich gegliedertes Renaissanceportal von 1611 und seltener Kastenerker von 1621.

In 20 Räumen ist das sehenswerte **Stadtmuseum,** zugleich Heimat- und Landschaftsmuseum der Vorrhön, untergebracht. Die Sammlungen umfassen Vor- und Frühgeschichte, bäuerliches und städtisches Handwerk, Zunftwesen, Möbel, fränkische Volkskunst und religiöse Kunst (Salvator Mundi von Veit Stoß).

Geöffnet Mai–Oktober täglich außer Mo 10–11 und 15–17 Uhr. Gelegentlich Sonderausstellungen sowie Veranstaltungen.

Schlüchtern

Main-Kinzig-Kreis, 204–260 m, 6400 Einw. Die hessische Stadt im oberen Kinzigtal ist staatlich anerkannter Luftkurort im Naturpark Hessischer Spessart. Sie liegt reizvoll im sog. Bergwinkel, einer bis 500 m ansteigenden Mittelgebirgslandschaft zwischen Spessart, Vogelsberg und Rhön. Die lebhafte Stadt verfügt heute über eine umfangreiche Industrie (Möbel, Stoffe, Bekleidung) und ist sehr um die Förderung des Fremdenverkehrs bemüht. Gastronomie, Freizeiteinrichtungen und markierte Wanderwege in eine reizvolle Landschaft bieten dem Gast alle Annehmlichkeiten für einen erholsamen Urlaub.

Auskunft: Städt. Verkehrsbüro, 6490 Schlüchtern 1, Rathaus, Tel. 06661/850.

Verkehr: B 40 Frankfurt – Fulda; Autobahnanschlußstelle Fulda-Süd zur A 7 (23 km).

Sehenswert:
Im Stadtgarten an der *Schloßstraße* das **Lautersche Schlößchen,** 1440 erbaut, im 16. und 17. Jh. umgebaut. In ihm befindet sich das **Bergwinkel-Museum,** ein Heimatmuseum mit Hütten-, Brüder-Grimm-, Kloster-, Stadt- und Bauernstube.

Im Ortsteil Elm auf Burg Brandenstein **Holzgerätemuseum.**

Schweinfurt

Kreisfreie Stadt, 218 m, 53000 Einw. Die ehemals Freie Reichsstadt am Beginn des Maindreiecks, im Fränkischen Weinland, zwischen den Naturparken Haßberge, Rhön und Steigerwald, ist heute wirtschaftliches und kulturelles Zentrum in Franken. Weltbekannte Industriewerke wie Kugelfischer Georg Schäfer & Co., SKF Kugellagerfabriken GmbH, Fichtel & Sachs AG begründen Schweinfurts Ruf als Industriestadt. Die Tradition als Schulstadt mit vielfältigen zeitgemäßen Bildungsstätten geht auf die alte Lateinschule zurück, die 1634 zum Gymnasium erhoben wurde. Das kulturelle Leben der Stadt beleben Konzert- und Theatergastspiele. Auch als Sportstadt, mit ausgezeichneten Einrichtungen, hat Schweinfurt Bedeutung. Das Stadtbild ist modern; dem Industriegeist im 19. Jh. und den Bomben im letzten Weltkrieg fiel wertvolle Bausubstanz der historischen Stadt zum Opfer. Als Zeugnisse großer Vergangenheit blieben der weiträumige Markt mit dem prächtigen Rathaus, die Johanneskirche und das Alte Gymnasium erhalten.

Auskunft: Städt. Verkehrsamt, Verkehrsverein, Rathaus, Markt 1, 8720 Schweinfurt, Tel. 09721/512497.
Verkehr: Autobahnanschlußstellen Schweinfurt/Werneck und Schweinfurt/Niederwerm zur A 7 »Rhönlinie«; Schweinfurt-Süd/Wiesentheid zur A 3 Nürnberg – Würzburg. Kreuzungspunkt der B 19 Würzburg – Münnerstadt, B 26 Bamberg – Karlstadt, 26 a, 286, 303.

Sehenswert:
Altes Gymasium von 1583 mit schönem Renaissancegiebel. Es beherbergt das **Städtische Museum** mit Vogelsammlung und Rückertzimmer.

Tann/Rhön

Kr. Fulda, 400–700 m, 2000 Einw. Der staatlich anerkannte Luftkurort im Naturpark Hessische Rhön, in einem in DDR-Gebiet vorgeschobenen Zipfel, liegt schön im idyllischen Tal der Ulster, eingerahmt von Habelberg, 695 m, Engelsberg, 725 m, und Roßberg, 694 m, auf thüringischer Seite.

Es wird vor allem als Ferienort für herrliche Wanderungen in die Hohe und Kuppige Rhön besucht. Tann, das auf eine fast achthundertjährige Geschichte zurückblicken kann, bewahrt außer einem mittelalterlich-malerischen Stadtbild beachtliche Baudenkmäler wie den Schloßkomplex, das Renaissance-Stadttor, das Elf-Apostel-Haus sowie das Rhöner Museumsdorf.

Auskunft: Verkehrsamt, 6413 Tann, Rathaus, Tel. 06682/8011.
Verkehr: B 278 Bischofsheim –

DDR-Grenze; Autobahnanschlußstelle Hünfeld/Schlitz zur A 7 »Rhönlinie« (35 km).

Sehenswert:
Im Süden der Stadt entstand seit Mitte der siebziger Jahre an der Stelle zweier abgebrannter Höfe das **Rhöner Museumsdorf.** Die aufgestellten Zwei- und Dreiseithöfe aus dem Anfang des 19. Jh. wurden stilvoll eingerichtet; Kultur und Brauchtum der letzten 200 Jahre werden lebendig dargestellt.

Wasserkuppe

950 m, höchste Erhebung der Rhön, im Naturpark Hessische Rhön; im Gebiet der Gemeinden ***Ehrenberg, Gersfeld, Poppenhausen,*** *Kr. Fulda. Der »Berg der Flieger« ist die Geburtsstätte des Segelfluges. Seit 1924 gibt es auf der Wasserkuppe eine* ***Segelflugschule.*** *Seitdem hat der Segelflug einen ungeahnten Aufschwung genommen (jährlich über 20000 Starts). Immer stärker ist in den letzten Jahren auch der Drachenflug heimisch geworden, ebenso nützen Modellflieger das für sie ideale Gelände.*

Sehenswert:
Touristisch interessant ist das **Segelflugmuseum.** Es zeigt die Entwicklung des Segelflugzeugbaus von den ersten Anfängen bis zur Gegenwart.

Gesindehaus im Rhöner Museumsdorf Tann

Museumsreise in die Welt der Edelsteine

Dank seiner günstigen Lage war das Land an der **Mosel** schon von alters her besiedelt. Vor allem drei Völkerstämme haben die Bewohner des Moselgebiets geprägt. Da finden wir einmal die *keltischen* Züge bei Menschen mit strohblondem Haar und tiefblauen Augen. Diejenigen mit schwarzen Haaren und braunen Augen können durchaus Nachkommen eines *römischen* Legionärs aus dem Mittelmeerraum sein, während schließlich der *fränkische* Einschlag bei hochgewachsenen Leuten mit länglich-schmalen Gesichtszügen unverkennbar ist. Im Laufe der Zeit haben sich natürlich neben diesen drei gut erkennbaren Grundtypen zahlreiche Mischformen herausgebildet. Auch der Hunsrück ist uralter Siedlungsraum und Berührungsgebiet von Kelten, Galliern, Germanen und Römern.

Auf kulturellem Gebiet haben vor allem die Römer Land und Leute gezeichnet. Besonders vom stark römisch gefärbten Trier, das im 2. Jahrhundert nach Rom und Capua die größte Stadt des lateinischen Europa war, gingen starke Impulse aus.

Früher gepflegtes Brauchtum, das besonders mit dem Weinbau zusammenhing, findet bei der jungen Generation wenig Anklang. Nicht zuletzt des Fremdenverkehrs wegen zeigt man heute noch Folklore. Bräuche und Tänze in alten Trachten werden bei den zahlreichen Volks- und Weinfesten gezeigt, die sich großer Beliebtheit erfreuen.

Die Römerzeit bildet erwartungsgemäß einen der musealen Schwerpunkte, so in Trier, Bingen oder Birkenfeld. Auch dem Weinbau sind manche Sammlungen gewidmet, allen voran diejenige von Bernkastel-Kues. Eine Domäne des Hunsrücks ist aber auch noch die Edelsteinschleiferei und alles, was mit ihr zusammenhängt. Umfassend informieren kann man sich in den Museen von Idar-Oberstein oder in Herrstein und in Gemünden.

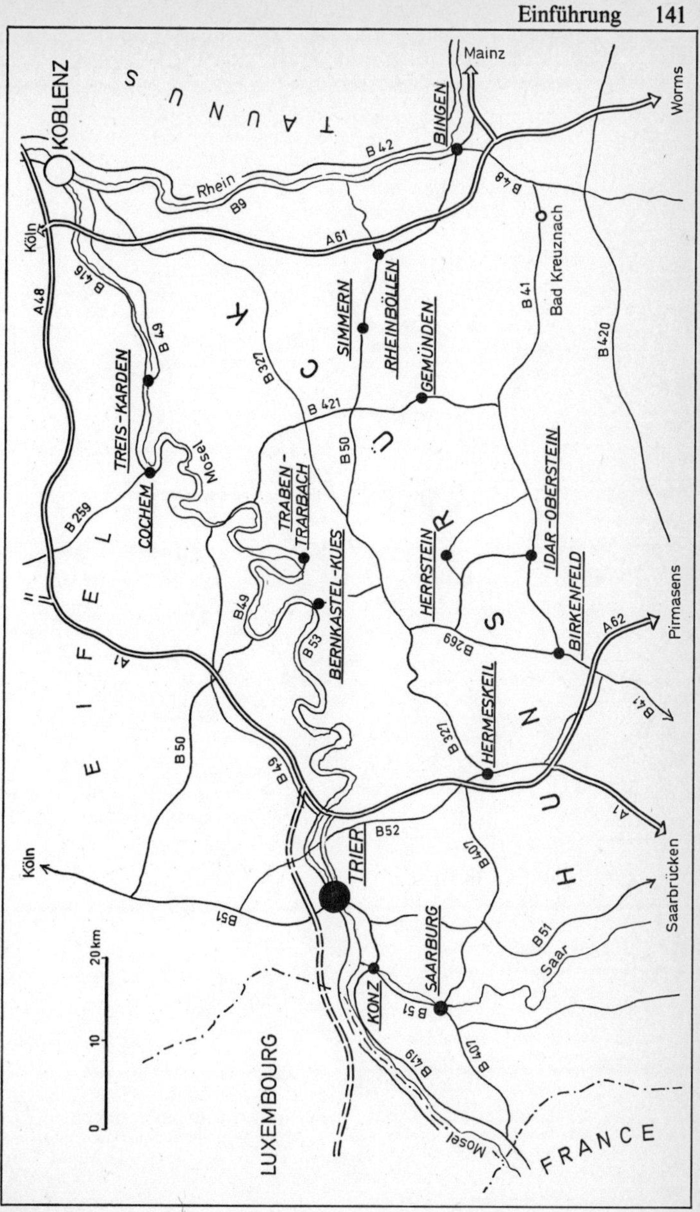
KOBLENZ
TAUNUS
Mainz
Worms
BINGEN
B 42
Rhein
B9
B 48
Bad Kreuznach
Köln
A61
A48
B 416
B 49
RHEINBÖLLEN
SIMMERN
GEMÜNDEN
B 41
B 420
TREIS-KARDEN
B 327
HUNSRÜCK
B 421
B 50
Mosel
COCHEM
TRABEN-TRARBACH
IDAR-OBERSTEIN
B 259
EIFEL
BERNKASTEL-KUES
HERRSTEIN
BIRKENFELD
A1
B49
B 53
B269
A62
Pirmasens
B 327
HERMESKEIL
B 41
B 50
B 49
TRIER
B52
B 407
Köln
Saarbrücken
B51
SAARBURG
B 51
Saar
20 km
KONZ
10
B 419
0
LUXEMBOURG
FRANCE

Bernkastel-Kues

Kr. Bernkastel-Wittlich, 110 m, 7500 Einw. Vielbesuchte, altertümliche und sehr malerische Stadt inmitten einer der reichsten Weinberglandschaften der Mittelmosel. An der Einmündung des romantischen Tiefenbachtals, überragt von der Ruine der **Burg Landshut.** *Bernkastel ist seit 1905 mit dem auf dem linken Ufer liegenden Kues vereinigt und durch eine 219 m lange Brücke verbunden. An den Rebhängen beider Ufer reifen die köstlichsten Kreszenzen, deren berühmteste der »Bernkasteler Doktor« ist.*

Auskunft: Tourist-Information, Gestade 5, 5550 Bernkastel-Kues, Tel. 06531/4023.
Verkehr: Autobahn A 1, Anschlußstelle Wittlich (15 km); Kreuzungspunkt B 50 von Wittlich, B 53 von Trier.

Sehenswert:
In *Kues* das von Kardinal Nikolaus Cusanus (1401–1464), einem der wesentlichen Denker der Philosophiegeschichte, und seinen Verwandten gestiftete **St.-Nikolaus-Hospital.**

In der **Bibliothek** werden wertvolle Handschriften, Inkunabeln, teils aus der Feder Cusanus' selbst stammend, und seine astronomischen Geräte, darunter der älteste deutsche Himmelsglobus, aufbewahrt. Cusanus hielt sich oft längere oder kürzere Zeit in seinem Heimatort auf und hat wahrscheinlich auch hier im Februar 1440 sein berühmtes Werk »Docta ignorantia« geschrieben. Führungen: Mai–Okt. Di–Fr 10 Uhr, vorherige Vereinbarung erforderlich.

Am Nicolausufer 49/50, in der Nähe des neuen Moselhafens, ist, an die Ortsbefestigung angebaut, das **Geburtshaus von Nikolaus Cusanus** noch erhalten. Geöffnet 16. Apr.–Okt. Di–Sa 10–12, 14.30–17 Uhr; So 10–12 Uhr. Sonst Di–Sa 14.30–17, So 10–12 Uhr.

Mosel-Weinmuseum in der Cusanusstr. 2. Geöffnet im Sommer 10–17 Uhr, im Winter 14.30–17 Uhr.

Bingen

Kr. Mainz-Bingen, 80 m, 26700 Einw. »Tor zum Mittelrhein«, linksrheinische Fremdenverkehrs-, Wein- und Kongreßstadt in schöner Lage an der Nahemündung gegenüber dem Niederwald, mit ausgedehntem Weinbau und Weinhandel, mit hübschen Promenaden zwischen dem Rheinufer und der langen Stadtfront sowie regem Hafenverkehr.

Auskunft: Verkehrsamt, Rheinkai 21 und Außenstelle Bingen–Bingerbrück, Am Venarey-les-Laumes-Platz, 6530 Bingen, Tel. 06721/14269.
Verkehr: Kreuzungspunkt der B 9 und B 48; Autobahnanschlußstellen.

Sehenswert:
Burg Klopp, auf den Fundamenten eines römischen Kastells im rheinischen Burgstil des 15. Jh. aufgeführt, seit 1896 Rathaus der Stadt Bingen. Im Burgturm sehenswertes **Heimatmuseum** mit interessanten Funden aus römischer und fränkischer Zeit, darunter komplettes Instrumentarium eines römischen

Arztes. Im Burghof 52 m tiefer Brunnen. In der Burg noch Rheingoldsaal und Burgrestaurant. (Schöne Rheinaussicht.)

Birkenfeld

Kreisstadt, 380 m, 7000 Einw. Anerkannter Fremdenverkehrs- und Erholungsort an der alten Heerstraße Mainz – Metz, in dem weiten Talkessel eines kleinen nördlichen Nahezuflusses, am Südrand des Schwarzwälder Hochwalds.

Auskunft: Verkehrsamt der Verbandsgemeinde, Schneewiesenstr. 21, 6588 Birkenfeld, Tel. 06782/170.
Verkehr: Kreuzungspunkt B 41 von Idar-Oberstein, B 269 von Morbach.

Sehenswert:
Das **Museum** wurde 1910 im Stil eines römischen Landhauses erbaut und präsentiert bedeutende Funde keltischer und römischer Herkunft aus dem Hunsrück und Nahe-Gebiet. Zu den wertvollsten Stücken gehören Schnabelkannen und Bronzeschmuck aus vorrömischer Zeit, römische Keramiken, Skulpturen, gläserne Uhren, Kultsteine und ein Mithrasdenkmal. Geöffnet So und Fei 10–12 Uhr.

Die 1973 eröffnete **Emailkunst-Ausstellung** zeigt eine breite Palette an Kunstwerken vieler Stilrichtungen. Geöffnet Mo–Fr 8–12 Uhr, 13–17 Uhr, Eintritt frei.

Cochem

Kreisstadt des Kreises Cochem-Zell, 93 m, 7100 Einw. Stadt am linken Moselufer. In der Mitte der letzten, groß und kühn angelegten Schleife, welche die Mosel auf ihrem Weg von Trier nach Koblenz zieht, dem Cochemer Krampen, und an der Einmündung des Endertbachtals in das Moseltal gelegen. Seiner schönen Umgebung wegen sowohl als Standquartier für Ausflüge ins Gebiet der Mittelmosel, in die Eifel und den Hunsrück, als auch für Wochenend- und längeren Erholungsaufenthalt gleich vorzüglich geeignet.

Auskunft: Cochem-Mosel-Tourist, 5590 Cochem, Tel. 02671/3971.
Verkehr: Autobahn A 48, Anschlußstelle Kaisersesch (15 km). Kreuzungspunkt B 49 Wittlich – Koblenz, B 259 von Ulmen.

Sehenswert:
Der Aufstieg zur ehemaligen **Reichsburg Cochem,** von der Stadt aus etwa 15 Min., ist sehr lohnend. Führungen durch die Burg mit ihrem mächtigen Bergfried und Palas, Erkern und Türmen finden täglich von 9–18 Uhr statt; interessante alte Innenausstattung.

Gemünden

Rhein-Hunsrück-Kreis, 280 bis 300 m, 1300 Einw. Sitz der Amtsverwaltung Kirchberg (Verbandsgemeinde). Luftkurort im Hunsrück am Fuß des Soonwaldes, beim Zusammenfluß von Simmerbach und Lametbach. Fast senkrecht stehende, wildromantische Felsgruppen verleihen der Landschaft, die zudem eine seltene Flora zeigt, einen eigenarti-

gen Reiz. Rund um den Ort führen gut ausgebaute Spazierwege.

Auskunft: Verkehrsamt, 6544 Kirchberg, Tel. 06763/2014.

Sehenswert:
Fossilienausstellung mit etwa 1500 Funden aus den Gruben des Hunsrück-Schiefers. Gemünden und das 20 km südwestlich gelegene *Bundenbach* sind bekannt wegen ihrer Ablagerungen und Versteinerungen. Von 250 bisher bekannten Lebewesen der Devonzeit kennt man den größten Teil aus diesen beiden Hunsrückorten. Ausstellung im Heimatmuseum Simmern. – Fossiliensammlung in Bundenbach.

Hermeskeil

Kr. Trier-Saarburg, 550 m, 6000 Einw. Verbandsgemeindezentrum und Fremdenverkehrsgemeinde im Naturpark Saar-Hunsrück, zwischen dem Osburger und dem Schwarzwälder Hochwald. Zusammenhängende Waldgebiete, gesundes Reizklima, abwechslungsreiche Mittelgebirgslandschaft.

Auskunft: Verkehrsamt, Verbandsgemeindeverwaltung, 5508 Hermeskeil, Tel. 06503/1088; Touristinformation, Tel. 06503/7288.
Verkehr: Autobahn A 1, Anschlußstelle Hermeskeil (2 km). Kreuzungspunkt B 52 von Trier, B 327 Hunsrück-Höhenstraße Morbach – Primstal.

Sehenswert:
Hochwaldmuseum.

Einzige **Flugausstellung** der Bundesrepublik, 3 km. Geöffnet Apr.–Nov. tägl. 9–18 Uhr.

Herrstein

7 km nw Fischbach. Kr. Birkenfeld, 320 m, 900 Einw. Fremdenverkehrsort im Fischbachtal mit idyllischem mittelalterlichen Ortskern. Die Gemeinde wurde urkundlich erstmals 1279 als »Heresteyn« erwähnt. Herrstein liegt an der Deutschen Edelsteinstraße, im Ort Besichtigungsmöglichkeit mehrerer Edelsteinbetriebe.

Auskunft: Verbandsgemeindeverwaltung, Brühlstr., 6581 Herrstein, Tel. 06785/841.
Verkehr: B 41 Bad Kreuznach – Idar-Oberstein, Abzweigung bei Fischbach (8 km).

Sehenswert:
Edelsteinausstellung in der Verbandsgemeindeverwaltung, Brühlstr.

Heimatkundemuseum.

Idar-Oberstein

Kr. Birkenfeld, 220–560 m, 37000 Einw. Die Stadt der Edelsteine, Diamanten und des Schmucks liegt malerisch zwischen felsigen Steilhängen im engen romantischen Nahetal an der Mündung des Idarbachs in die Nahe, umgeben von den bewaldeten Höhen des südlichen Hunsrücks, zwischen Idarwald und Nordpfälzer

Bergland. Im Stadtteil **Oberstein** *drängen sich die Häuser zwischen dem Flußbett und den Steilhängen neben- und übereinander, bekrönt von der Felsenkirche und den beiden Schloßruinen. Im Idarbachtal schließt sich der Stadtteil* **Idar** *an, der zusammen mit Oberstein,* **Tiefenstein, Algenrodt** *und 9 weiteren Stadtteilen die Stadt Idar-Oberstein bildet.*

Auskunft: Städt. Verkehrsamt (auch Kreisfremdenverkehrsamt Birkenfeld), Postfach 1480, Bahnhofstr. 13, 6580 Idar-Oberstein, Tel. 06781/27025.
Verkehr: B 41 Birkenfed – Kirn; Ausgangspunkt der B 422 nach Allenbach.

Sehenswert:
Am Fuß der Felsenkirche steht das **Museum Idar-Oberstein** (Heimatmuseum), Hauptstr. 436. Geöffnet 9–17.30 Uhr. In 10 Räumen und in der naturgetreuen Nachbildung einer alten Achatschleife, die besichtigt werden kann, sind Edelsteine, Mineralien, eine alte Goldschmiedewerkstatt, Gegenstände aus der Stadtgeschichte und eine biologische Abteilung der heimischen Tier- und Vogelwelt zu sehen.

Von Oberstein aus erreicht man auf der B 41 oder mit dem Bus den Stadtteil *Idar.* Der Weg führt an zahlreichen Edelsteinschleifereien und Juweliergeschäften vorbei. An der Straße zwischen den Stadtteilen Idar und Tiefenstein liegt die **Weiherschleife,** die einzige, noch durch Wasserkraft betriebene Achatschleife am Idarbach.

Geöffnet 1. 11. bis Ostern 8–12 und 14–17 Uhr, Sa und So geschlossen; Ostern bis 31. 10. 8–12 und 14–17 Uhr, Sa und So 10–12 und 14–16 Uhr.
Edelsteinindustrie und -handel haben hauptsächlich im Stadtteil Idar ihren Sitz. Hier befindet sich auch in der Diamant- und Edelsteinbörse, Am Schleiferplatz, das **Deutsche Edelsteinmuseum,** die größte Schau dieser Art in Europa mit Edelsteinen aus allen Ländern in rohem und geschliffenem Zustand. Geöffnet 1. 5.–30. 9. 9–18 Uhr, 1. 10– 30. 4. 9–17 Uhr.

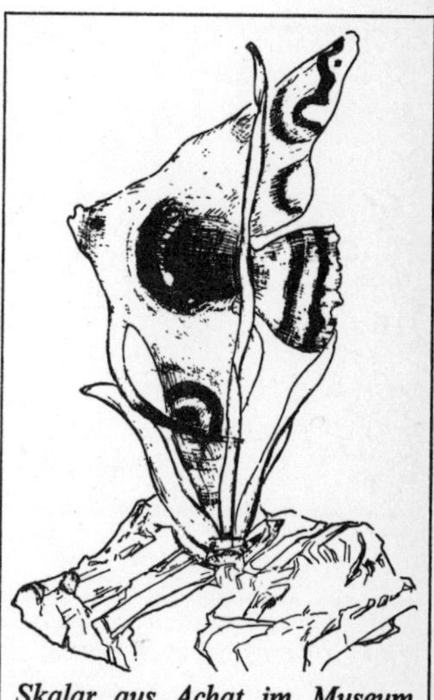

Skalar aus Achat im Museum Idar-Oberstein

Besichtigung von **Edelsteinbetrieben** (Auskunft: Städt. Verkehrsamt, gegenüber dem Bahnhof, Tel. 27025).

In der Umgebung: Auf der B 41 10 km nordöstlich nach **Fischbach,** 225 m, an der Einmündung des Fischbachs in die Nahe gelegen. Historisches Kupferbergwerk mit täglichen Führungen.

Klassenzimmer im Konzer Freilichtmuseum

Konz

Kr. Trier-Saarburg, 136 m, 15 400 Einw. Schön gelegener Industrie- und Winzerort am rechten Ufer der Mosel und der hier einmündenden Saar. Seine schon von Ausonius geschilderte Brücke, ruhend auf sechs Pfeilern, die die Saar kurz vor ihrer Mündung überspannt, entwickelte sich zu einem entscheidenden Ein- und Ausfallweg in der deutschen Geschichte. Durch den Bau der weiträumigen Eisenbahnanlagen zwischen Merzlich und Konz wuchsen die beiden Gemeinden zu einem bedeutenden Verkehrsknotenpunkt zusammen, der 1959 zur Stadt Konz erhoben wurde.

Auskunft: Verkehrsamt der Verbandsgemeindeverwaltung Konz, 5503 Konz, Tel. 06501/2031.
Verkehr: Kreuzungspunkt B 51 von Saarburg, B 49 (Moselweinstraße).

Sehenswert:
Freilichtmuseum Roscheider Hof mit kunstgeschichtlich wertvollen Bauernhäusern u. a. Geöffnet April–Nov. Mo–Fr 8–16, Sa, So 10–17 Uhr.

Rheinböllen

Rhein-Hunsrück-Kreis, 420 m, 2700 Einw. Fremdenverkehrs- und Erholungsort mit Ortsteil **Kleinweidelbach** *am Eingang des Guldenbachtals, zwischen Soonwald, Binger Wald (Hochsteinchen, 648 m) und Kandrich. 637 m, mit herrlichen wildreichen Hochwäldern. Ein touristischer Anziehungspunkt ist der große* **Hochwildschutzpark Hunsrück,** *um den Volkenbacher Waldsee gelegen. Der Park gilt als eines der größten Wildfreigehege im Bundesgebiet.*

Auskunft: Verbandsgemeindeverwaltung, 6542 Rheinböllen, Tel. 06764/2051–3.
Verkehr: Autobahn A 61, Anschlußstelle Rheinböllen (1 km), B 50 Simmern – Stromberg.

Sehenswert:
Waisenhauskapelle (1887 bis 1897) mit reichem Kirchenschatz. – **Rheinböllerhütte** im Guldenbachtal, seit 1598 bezeugt, vor allem in der ersten Hälfte des 19. Jh. blühende Eisenhütte, die damals 5000 bis

6000 Arbeiter beschäftigte und Herde, Ofenplatten und Schranköfen herstellte. **Ausstellung auf Burg Reichenstein.**

Saarburg

Kr. Trier-Saarburg, 148–342 m, 6500 Einw. Am Unterlauf der Saar gelegen. Saarburg ist Mittelpunkt des Erholungsgebiets Saartal und Metropole des bekannten Saarweinanbaugebiets. Zwischen bunten Fachwerkhäusern und Barockbauten, unterhalb der Burganlage, 20 m hoher Wasserfall des Leukbachs inmitten der Stadt sowie die alten kurfürstlichen Mühlen.

Auskunft: Verkehrsamt-Information, 5510 Saarburg, Tel. 06581/81215.
Verkehr: Kreuzungspunkt B 51 Merzig – Konz, B 407 Reinsfeld – luxemburgische Grenze.

Sehenswert:
In der Altstadt die weltbekannte **Glockengießerei Mabilon,** deren Werke in Übersee und fast allen Ländern Europas verbreitet sind.

Simmern

Kreisstadt des Rhein-Hunsrück-Kreises, 400 m, 6200 Einw. Luftkur- und Erholungsort am Simmerbach, auf der Hochfläche des mittleren Hunsbrück, der natürliche Mittelpunkt dieses Gebiets und daher eine Stadt mit reicher Vergangenheit.

Auskunft: Verkehrsverein, Brühlstr. 2–4, 6540 Simmern, Tel. 06761/6880.
Verkehr: Autobahn A 61, Anschlußstelle Rheinböllen (13 km), B 50 Kirchberg – Rheinböllen.

Sehenswert:
Das jetzige **Schloß** wurde 1747 von Kurfürst Karl Theodor errichtet. Es enthält das interessante **Hunsrückmuseum** mit berühmten Versteinerungen von Pflanzen und Tieren. Geöffnet Mai–Okt. Di–Fr 10–12, 15–17 Uhr, Nov.–April nur Di, Do.

Traben-Trarbach

Kr. Bernkastel-Wittlich, 110 m, 6900 Einw. Wegen seiner Lage an beiden Ufern einer der schönsten Moselschleifen bevorzugter Erholungs- und Urlaubsort sowie durch heilkräftige Thermalquellen ausgezeichneter Kurort. Seit dem späten Mittelalter bilden Weinbau und -handel sowie mittelständische Gewerbe die wirtschaftliche Grundlage der Stadt, die auch heute noch ein Hauptplatz des Weinhandels ist und eine der größten Weinbaugemarkungen an der Mosel besitzt.

Auskunft: Verkehrsamt, Bahnstr. 22, 5580 Traben-Trarbach, Tel. 06541/9011 und 9012.
Verkehr: Autobahn A 1, Anschlußstelle Wittlich (23 km). B 53 Zell – Bernkastel-Kues.

Sehenswert:
Das **Mittelmoselmuseum** (Heimatmuseum) birgt geschichtliche und kulturgeschichtliche Sammlun-

gen aus der Umgebung. Auf Wunsch werden von der Direktion des Museums Führungen zur Ruine der Grevenburg und zu den Ausgrabungen »Mont-Royal« veranstaltet. Geöffnet Di–Fr 11–13, 15–17 Uhr, So 10–13 Uhr.

Treis-Karden

Kr. Cochem-Zell, 80–420 m, 2800 Einw. An beiden Ufern der Mosel gelegener Ferienort. Ausgrabungsfunde in Treis wie in Karden deuten auf römische Besiedlung hin.

Auskunft: Verbandsgemeindeverwaltung, 5402 Treis-Karden, Tel. 02672/1228 und 1229. Vereinigte Verkehrsvereine, Tel. 02672/2651 und 2425.
Verkehr: Autobahn A 48, Anschlußstelle Kaifenheim (13 km); A 61, Anschlußstelle Boppard (25 km). B 49 (Moselweinstraße) Koblenz – Cochem.

Sehenswert:
Die ehemalige **Stiftskirche St. Castor** ist bau- und kunstgeschichtlich gesehen die bedeutendste Kirche zwischen Trier und Koblenz. Hier sind romanische, frühgotische und barocke Stilelemente sehr harmonisch vereint. Intensive Restaurierungen in den letzten Jahren haben im Innern der Kirche nach Beseitigung alter, grauer Schichten eine hervorragende Farbkomposition bewirkt. Über dem Kreuzgang gotischer Kapitelsaal mit dem **Stiftsmuseum an St. Castor,** darin Dokumente der 2000jährigen Ortsgeschichte, vorgeschichtliche römische und fränkische Funde sowie Kunstschätze und Handschriften aus der Zeit des Kollegiatsstifts St. Castor. Geöffnet Mi, Sa 15–17 Uhr, So 10–12 Uhr.

Trier

Kreisfreie Stadt, 125–390 m, 100 000 Einw. Älteste Stadt Deutschlands, im 4. Jh. römische Kaiserresidenz, frühchristlicher Bischofssitz und später Sitz der Trierer Erzbischöfe und nachmaligen Kurfürsten. Seit Anfang des 19. Jh. Verwaltungssitz des Regierungsbezirks Trier, Universitätsstadt.

Auskunft: Verkehrsamt Trier, Simeonstift an der Porta Nigra, 5500 Trier, Tel. 0651/48071.
Verkehr: Kreuzungspunkt der B 49 von Wittlich, der B 51 Bitburg – Merzig, der B 53 von Bernkastel-Kues und der B 268 von Saarbrükken. Autobahnanschlußstelle (vorläufiger Endpunkt der A 1/A 602 Koblenz – Trier).

Sehenswert:
Rheinisches Landesmuseum, Ostallee 44; mit Ausgrabungsfunden aus vorgeschichtlicher, römischer und fränkischer Zeit, mittelalterliche Kunstwerke. Geöffnet Mo–Fr 9.30–16, Sa 9.30–14, So und Fei 9–13 Uhr.

Bischöfliches Museum, Windstraße; mit Bodenfunden aus frühchristlicher Zeit, kirchliche Kunstwerke. Geöffnet Mo–Fr 10–12, 14–17 Uhr, Sa, So und Fei 10–13 Uhr.

Städtisches Museum im Simeonstift; Geschichte des Stadtbildes, Kunstwerke von der Gotik bis zur Romantik und zum Realismus, Wechselausstellungen zeitgenössischer Kunst. Geöffnet täglich 9–17 Uhr, im Winter Mo geschlossen.

Römisches Weinschiff des Rheinischen Landesmuseums

Karl-Marx-Haus, im Geburtshaus von Karl Marx, Brückenstr. 10. Geöffnet täglich außer Mo 10–13 Uhr, 15–18 Uhr; Mo 15–18 Uhr.

Stadtbibliothek mit Schatzkammer, Weberbach 25. Geöffnet Mo–Fr 9–12 und 15–18 Uhr, Sa 9–12 Uhr.

Die *Öffnungszeiten* werden gelegentlich geändert; Auskunft erteilt die Tourist-Information.

Dom. An seinem Mauerwerk sind noch heute deutlich die einzelnen Phasen seiner Baugeschichte sichtbar, die vom 4. bis zum 18. Jh. reicht und am besten an der langgestreckten Nordseite abzulesen ist.

Domschatz im »Badischen Bau«. Der Domschatz erlitt im Gefolge der Französischen Revolution empfindliche Einbußen, ist aber dennoch von bedeutendem kunsthistorischen Interesse. Die wichtigsten noch oder wieder vorhandenen Stücke des Domschatzes sind u. a. eine römische Trinkschale aus dem 3. Jh., der Egbert-Schrein oder Andreas-Tragaltar aus dem 10. Jh., ein hervorragendes Erzeugnis der berühmten Trierer Goldschmiede-Werkstätte der ottonischen Zeit (wohl mit das wertvollste Stück des Domschatzes, da einzigartig aus dieser Zeit in Deutschland), und eine orientalische Truhe aus dem 12. Jh. Auch die Buchmalerei des Mittelalters ist mit hervorragenden Beispielen vertreten: prachtvolle Bücher und Miniaturen, meist aus sächsischen Malerschulen; eine der ältesten Notenschriften; mit wertvollen Steinen, Elfenbein, Silber- und Kupferschmuck besetzte Buchdeckel aus dem 11.–15. Jh.

Von den Kannenbäckern zur Museumsstadt am Main

Bevölkerung und Lebensart sind gemäß den Unterschieden der Landschaften und ihrer vielgestaltigen gewerblichen Durchdringung abwechslungsreich. Zwei Bögen spannen sich diagonal über das Land zwischen Rhein, Sieg, Wetter und Main. Setzen wir mit der einen Linie den weinfrohen und kulturgeschichtlich trächtigen Rheingau mit dem Raum um Marburg, mit der anderen die handelspolitisch und industriell bedeutende alte Kaiserstadt Frankfurt mit dem Mündungsgebiet der Sieg in der Nähe Bonns in Verbindung, haben wir die beiden bedeutendsten und fruchtbarsten Spannungen, die sich an der Mittellahn überschneiden, erfaßt. Die Lahn von Gießen bis zum Rhein trennt die impulsivere und verkehrsdichtere südliche Hälfte von der behäbigeren und wirtschaftlich schwächeren nördlichen Hälfte. Östlich der Dill lag schon für das ehemalige Herzogtum Nassau das »Hinterland«, und in nordöstlicher Richtung über unsere Gebietsgrenze hinaus finden wir, je weiter wir nach Waldeck und Kur-Kassel kommen, um so mehr den Volksschlag der alteingesessenen Chatten (Hessen). Auf dem westlichen Westerwald macht sich vom Siebengebirge bis Limburg zunehmend der Einfluß der Rhein- und Moselfranken bemerkbar, wie im Main- und Rheingau (Mainzer Becken) der mainfränkische Einschlag und die oberrheinisch-westfälische Zuwanderung spürbar sind. Wie in anderen Landschaften haben sich auch hier als Folge des Zweiten Weltkriegs, der Vertreibung und Umsiedlung, einschneidende Veränderungen ergeben, so daß man immer weniger einen bestimmten Typus antrifft. An den alten Völkerstraßen Rhein und Main vollzog sich zuvor schon über viele Jahrhunderte hinweg die Verschmelzung der eingesessenen Bevölkerung mit Franzosen, Spaniern, Niederländern und Österreichern, die vielfach der Krieg ins Land gebracht hatte. Industriewirtschaft, Handelsniederlassungen an Wasser- und Landstraßen, besonders aber der Fremdenverkehr der Heilbäder und der landschaftlich wie kulturgeschichtlich begehrten Reisegebiete, schufen im Rhein-Main-Gebiet und am Mittelrhein eine kosmopolitische Bevölkerung mit unterschiedlichen Merkmalen. Gastlichkeit und Toleranz würden auch ohne die gewerbliche Grundlage aus der geschichtlichen Entwicklung, aus dem kulturellen Reichtum und der landschaftlichen Schönheit dieser Wohngebiete hervorgegangen sein.

Die Museumsstadt in diesem Raum ist Frankfurt am Main mit seinen zahlreichen, z.T. weltberühmten Sammlungen, deren breites Themenspektrum für nahezu jeden etwas zu bieten hat. Sehr sehenswert sind außerdem das Keramikmuseum in Höhr-Grenzhausen, die römische Saalburg und der Domschatz in Limburg an der Lahn.

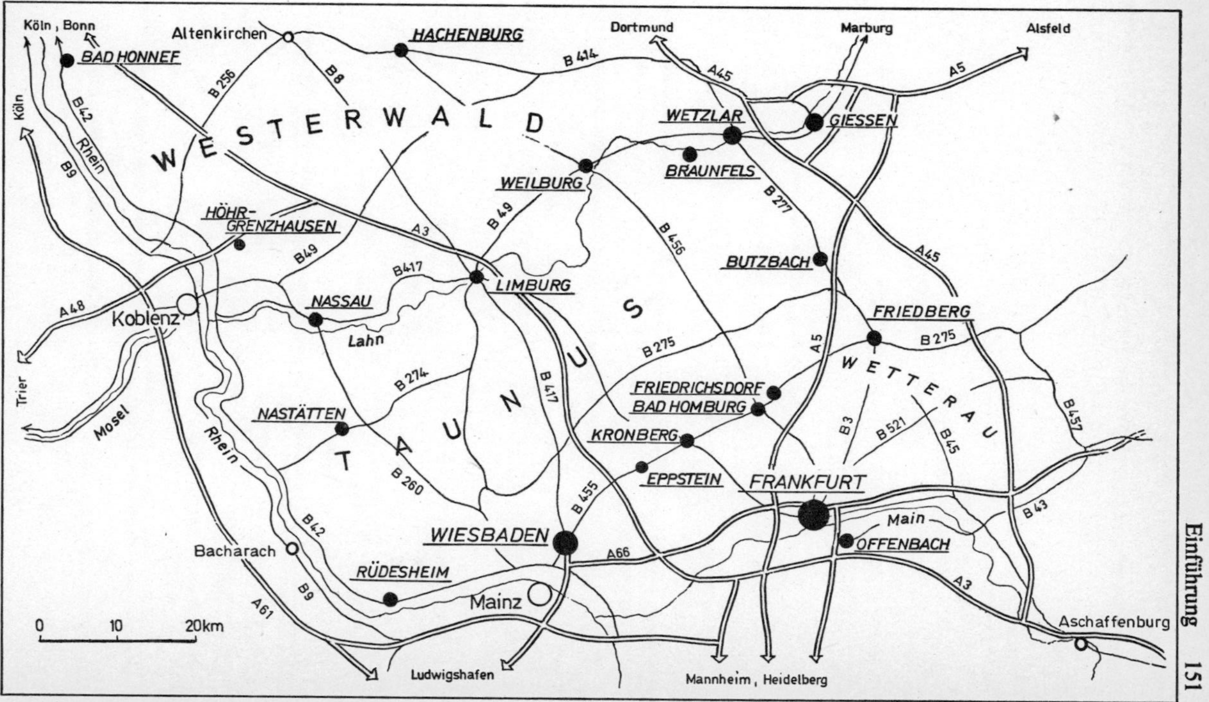
WESTERWALD
TAUNUS
WETTERAU
Köln, Bonn
Köln
Trier
Altenkirchen
Dortmund
Marburg
Alsfeld
Aschaffenburg
Mannheim, Heidelberg
Ludwigshafen
Bacharach
BAD HONNEF
HACHENBURG
WETZLAR
GIESSEN
BRAUNFELS
WEILBURG
BUTZBACH
FRIEDBERG
HÖHR-GRENZHAUSEN
LIMBURG
NASSAU
Koblenz
Lahn
Mosel
Rhein
NASTÄTTEN
FRIEDRICHSDORF
BAD HOMBURG
KRONBERG
EPPSTEIN
FRANKFURT
Main
OFFENBACH
WIESBADEN
RÜDESHEIM
Mainz
A3
A5
A45
A48
A61
A66
B3
B8
B9
B42
B43
B45
B49
B256
B260
B274
B275
B277
B414
B417
B455
B456
B457
B521
0
10
20km

Bad Honnef

Rhein-Sieg-Kreis, 54–450 m, 20 000 Einw. Heilbad am rechten Ufer des Rheins in geschützter Lage am Fuße des Siebengebirges mit starker Mineralquelle. ***Rhöndorf,*** *schön gelegener, rechtsrheinischer Erholungs- und Weinort am Fuß des Drachenfels zwischen Bad Honnef und Königswinter, langjähriger Wohnsitz des ersten deutschen Bundeskanzlers Dr. Adenauer, ist Ortsteil von Bad Honnef.*

Auskunft: Verkehrsamt am Kurgarten, 5340 Bad Honnef, Tel. 0 22 24/1 71 48.
Verkehr: B 42 Bonn – Neuwied; Autobahnanschlußstellen. – Anlegestelle der »Köln-Düsseldorfer«.

Sehenswert:
Im Stadtteil Rhöndorf:
Adenauer-Haus, das zur Gedenkstätte erklärte frühere Wohnhaus des ersten deutschen Bundeskanzlers. Besichtigung Di–So 10–16.30 Uhr, Mo geschlossen.

Bad Homburg vor der Höhe

Hochtaunuskreis, 200 m, 52 000 Einw. Heilbad am waldreichen Südostabhang des Taunus, gegen Nordwinde geschützt und in schöner landschaftlicher Lage. Hier gaben sich um die Jahrhundertwende die gekrönten Häupter der Welt ihr Stelldichein. Auch heute hat Bad Homburg seinen Namen als wirkungsvolles Heilbad beibehalten, in neuer Zeit erfreut es sich auch als Kongreßort größter Beliebtheit.

Auskunft: Verkehrsamt im Kurhaus, 6380 Bad Homburg, Tel. 0 61 72/2 20 87.
Verkehr: Autobahn A 5 Anschlußstelle Bad Homburg (2 km) und Bad Homburger Kreuz (4 km). B 455 Wiesbaden – Rosbach.

Sehenswert:
Heimatmuseum im ehemaligen Bürgermeisterhaus an der Promenade mit Hutsammlung zur Geschichte des »Homburger«.

In der Umgebung:
Saalburg, 422 m, ein aus dem 2. Jh. n. Chr. stammendes, zum Schutz des Pfahlgrabens (Limes) errichtetes römisches Kastell.

Die Saalburg liegt auf dem Kamm des Taunus inmitten herrlicher Waldungen an der Paßhöhe der von Homburg nach Usingen führenden Straße. Die Besichtigung ist außerordentlich interessant (etwa 2 Std.).

Seit den siebziger Jahren des vorigen Jahrhunderts wurden an den noch erhaltenen Resten systematische Ausgrabungen und Wiederherstellungsarbeiten von Oberst A. v. Cohausen, Wiesbaden, und Geh. Baurat Prof. L. Jacobi, Homburg, vorgenommen. Auf Anregung Kaiser Wilhelms II. wurde seit 1899 mit Unterstützung durch staatliche und private Mittel an dem Wiederaufbau des Kastells gearbeitet. Im Sommer 1907 waren die ganze Umfassung mit sämtlichen massiven Innenbauten und das Mithras-Heiligtum nach Plänen des Prof. Jacobi wiederaufgebaut. Seit 1907 befindet sich im Kastell das **Museum der Saalburgaltertümer** mit einer großen Anzahl von Funden aus anderen Limeskastellen.

Braunfels

Lahn-Dill-Kreis, 250 m, 9600 Einw. Altes, von Mischwald umgebenes Städtchen, anerkannter Luftkurort, südlich über dem Lahntal im Naturpark Hochtaunus mit seltener Flora. Der Ort wird vom vieltürmigen fürstlichen Schloß beherrscht, das auf einem Basaltkegel liegt.

Auskunft: Braunfelser Kur GmbH, 6333 Braunfels, Tel. 06442/5061.
Verkehr: Autobahn A 45 Anschlußstelle Wetzlar-Ost (17 km). B 49 Weilburg – Wetzlar.

Sehenswert:
Das **Schloß** der Fürsten Solms-Braunfels, 273 m, dessen ältester Teil aus dem 13. Jh. stammt (urkundlich 1246 erstmals erwähnt); das übrige wurde nach den durch den 30jährigen Krieg verursachten Schäden und einem großen Brand 1679 neu aufgebaut und 1846–1891 im neugotischen Stil erweitert. Vom Bergfried schöne Aussicht bis in die Gegend von Gießen und Limburg.

Im Innern bemerkenswert der Rittersaal mit Waffen und Rüstungen. Im Treppenzimmer Schnitzereien, Möbel, alt-kölnische Tafelbilder aus der 2. Hälfte des 14. Jh. Im Gotischen Zimmer Madonna aus Altenberg, Flügel eines Altenberger Altars mit Legende des hl. Severus, die Altenberger Dreikönigstafel und andere sakrale Kunstwerke. Andere Räume enthalten Münz-, Siegel- und Ordenssammlungen, Fayencen, Gewänder und Uniformen.

Blick auf Schloß Braunfels

Frankfurt am Main

Metropole im Rhein-Main-Becken, 188 bis 212 m, 613 000 Einw. Größte Stadt des Bundeslandes Hessen, Sitz einer Universität und zahlreicher wissenschaftlicher Institute sowie Industrie-, Wirtschafts-, Handels- und Finanzzentrum, internationale Messestadt und europäischer Verkehrsknotenpunkt mit dem wichtigsten Flughafen der Bundesrepublik Deutschland, dem Rhein-Main-Flughafen. Im Zweiten Weltkrieg erlebte Frankfurt zahlreiche schwere Fliegerangriffe, die vor allem die malerische und verwinkelte Altstadt fast völlig zerstörten, wobei vor allem die zahlreichen Fachwerkbauten dem Brand zum Opfer fielen. Die wichtigsten historischen Bauten wurden inzwischen wieder errichtet. Das Frankfurt der achtziger Jahre mit seinen Bankhochhäusern, Verwaltungs- und Industriebauten, breiten Straßen und neu entstandenen Wohnsiedlungen trägt die Züge einer jungen, modernen, pulsierenden Großstadt.

Auskunft: Frankfurter Verkehrsamt, Direktion: Gutleutstr. 7–9, Tel. 2 12 88 00. Informationszentren: Hauptbahnhof gegenüber Gleis 23, Tel. 2 12 88 49–51.

Hauptwache B-Ebene, Tel. 2 12 87 08, geöffnet werktags 9–18.30 Uhr, Sa 9–14 Uhr, So geschlossen; Flughafen, Informationszentrum Terminal. Mitte, Halle B, Ebene 1, Tel. 6 90-25 95, geöffnet täglich von 8–21 Uhr.

Sehenswert:
Historisches Museum und Münzkabinett, Saalgasse 19. Besichtigungszeiten Di–S0 10–17, Mi 10–20 Uhr (die Bestände sind magaziniert). Es enthält eine Gemäldegalerie, eine graphische Sammlung, Insignien, Steindenkmäler, Zunftaltertümer, Möbel, Waffen, Keramik; vor allem Frankfurter Fayencen und Höchster Porzellan, Musikinstrumente, Kostüme.

Bundespostmuseum, *Schaumainkai 53.* Geöffnet täglich außer Mo 10–16 Uhr. Gegenstände aus der Geschichte des Post- und Fernmeldewesen, Postwertzeichen-Sonderschau

Städelsches Kunstinstitut und Städtische Galerie, *Schaumainkai 63.* Geöffnet täglich außer Mo 10–17 Uhr, Mi bis 20 Uhr. Sammlungen bedeutender Gemälde aller Epochen.

Goethehaus und Goethemuseum, *Großer Hirschgraben 23.* 1730 erwarb hier Goethes Großmutter zwei Fachwerkhäuser, die 1754 Goethes Vater, der Kaiserliche Rat Johann Caspar Goethe, in das stattliche – im Äußeren gotische, innen ganz barocke – Wohnhaus der Familie umbaute. Nach seinem Tod veräußerte seine Witwe das Anwesen, das ihr nun zu groß war. 1863 erwarb es Dr. Otto Volger für das Freie Deutsche Hochstift und richtete es als Gedenkstätte ein. 1944 wurde es zum größten Teil zerstört und nach dem Krieg unter Benutzung der Ruinen auf Grund genauester Pläne und zahlreicher Fotografien wiederaufgebaut.

Die Einrichtung (Bilder, Bibliothek des Vaters, Küchengeschirr) war rechtzeitig ausgelagert worden und ist erhalten geblieben. So bietet das Haus heute eine genaue Vorstellung von der Umwelt, in der der Dichter heranwuchs.

Museum für Kunsthandwerk, *Schaumainkai 17.* Geöffnet täglich außer Mo 10–17 Uhr, Mi bis 20 Uhr. Möbel, Porzellan, Fayencen, Silber des 18. Jh.

Museum für Völkerkunde, *Schaumainkai 29* (seit 1973). Wertvolle Sammlungen aus allen Erdteilen, besonders aus Indonesien, Ozeanien und Australien. – Wechselausstellungen. Geöffnet Di–So 10–17 Uhr; Mi 10–20 Uhr.

Museum für Vor- und Frühgeschichte, *Justinianstr. 5* (im Holzhausen-Schlößchen). Geöffnet täglich außer Mo 10–17 Uhr, Mi bis 20 Uhr. Funde aus dem Frankfurter Raum, antike Kleinkunst.

Städtische Skulpturensammlung Liebighaus, *Schaumainkai 71* (in der ehemaligen Villa des Barons Liebig, 1904 der Stadt Frankfurt überlassen). Geöffnet täglich außer Mo 10–17 Uhr, Mi bis 20 Uhr. Sammlungen von Plastiken fast aller Völker. Geöffnet Di–So 10–17 Uhr; Mi 10–20 Uhr.

Schopenhauer-Archiv, *Bockenheimer Landstr. 134–138* (in der Stadt- und Universitäts-Bibliothek). Geöffnet Mo–Fr 9–16.30 Uhr.

Naturmuseum Senckenberg, *Senckenberg-Anlage 25.* Geöffnet täglich 9–16 Uhr, Mi bis 20 Uhr. Stiftung der 1817 von der Frankfurter Bürgerschaft ins Leben gerufenen »Senckenbergischen Naturforschenden Gesellschaft«, die bis heute besteht und großangelegte Forschungsunternehmen, u. a. eine eigene meeresbiologische Station in Wilhelmshaven, unterhält, Herausgeberin der Zeitschrift »Natur und Volk« und anderer wissenschaftlicher Publikationen. Eines der bedeutendsten naturwissenschaftlichen Museen in Europa. – Vor dem Haus das *Denkmal* für den Stifter.

Saurierskelette bilden die Attraktion des Senckenbergmuseums

Besonders sehenswert sind die Lebensgruppen, die jeweils das Biotop mehrerer Arten veranschaulichen. Großartige Sammlung von prähistorischen Tieren, insbesondere das 20 m lange Skelett der Donnerechse (Diplodocus) und die Versteinerungen aus dem Jurameer (Solnhofen). Beispielhaft für die moderne Museumstechnik ist der Walsaal. Außerdem besitzt das Museum die Ausbeute vieler Forschungsreisen.

Saalhofkapelle, *Saalgasse 31.* Geöffnet täglich außer Mo 10–16 Uhr, So 10–13 Uhr. Dompläne, Krönungsaltertümer. – Außenstelle im *Rothschild-Palais,* Untermainkai 14. Öffnungszeiten wie Saalhofkapelle. Originalräume von um 1850, Porzellan, Fayencen, Möbel, Gemälde.

Friedberg

Wetteraukreis, 159 m, 25 000 Einw. Mit den Stadtteilen Bauernheim, Bruchenbrücken, Dorheim, Ockstadt und Ossenheim ehemals Freie Reichsstadt, heute Verwaltungs- und kulturelles Zentrum in der Wetterau.

Auskunft: Stadtverwaltung, Bismarckstr. 2, 6360 Friedberg, Tel. 06031/88205.
Verkehr: Autobahn A 5 Anschlußstelle Friedberg (10 km). B 275 Idstein – Lauterbach; Endpunkt der B 3 von Frankfurt.

Sehenswert:
Wetterau-Museum (Di–Fr 9–12 und 14–17 Uhr, Sa 9–12, So 10–17 Uhr), *Haagstr. 16,* Schätze aus der Geschichte der Stadt und ihrer Umgebung.

Friedrichsdorf

Hochtaunuskreis, 220 m, 4500 Einw. (Gesamtgemeinde 18 000 Einw.). Mit den Stadtteilen ***Burgholzhausen, Köppern*** *und* ***Seulberg*** *Stadt am Südostrand des Hochtaunus, von Hugenotten 1687 gegründete Siedlung. Herstellungsort des bekannten Friedrichsdorfer Zwiebacks.*

Auskunft: Stadtverwaltung, 6382 Friedrichsdorf, Tel. 06172/50615.
Verkehr: Autobahn A 5 Anschlußstelle Friedberg (4 km). B 455 Bad Homburg – Friedberg.

Sehenswert:
Philipp-Reis-Sammlung im Wohnhaus des Telefonerfinders. Sein Grab befindet sich auf dem Friedrichsdorfer Friedhof.

Heimatmuseum im Rathaus.

Gießen

Kreisfreie Stadt, 159 m, 61 000 Einw. Alte Universitätsstadt in einer großen Talweitung, dem Gießener Becken. Im wesentlichen am linken Ufer der Lahn. Die äußerst günstige Verkehrslage am Schnittpunkt mehrerer wichtiger Straßen und Eisenbahnstrecken hat Gießen zu einer aufstrebenden Industrie-, Handels- und Kongreßstadt gemacht. Die Stadt ist das kulturelle und wirtschaftliche Zentrum Mittelhessens.

Auskunft: Stadtverwaltung Gießen, Amt für Fremdenverkehrsförderung, 6300 Gießen, Tel. 0641/32021.
Verkehr: Autobahn A 49 zwei Anschlußstellen im Stadtbereich und Autobahn A 480 Verbindung zwi-

schen Gießen und Wetzlar. B 49 Alsfeld – Weilburg; Ausgangspunkt der B 3 nach Marburg und der B 457 nach Lich.

Sehenswert:
Liebigmuseum, Liebigstraße, mit altem Labor und Hörsaal, 1200 Handschreiben Justus von Liebig. Geöffnet Di–So 10–16 Uhr.

Oberhessisches Museum mit den Abteilungen »Gemäldegalerie und Kunsthandwerk« im Alten Schloß, »Stadtgeschichte und Volkskunde« (Georg-Schlosser-Str. 2) sowie »Vor- und Frühgeschichte, Völkerkunde« im Wallenfels'schen Haus (Georg-Schlosser-Str.). Geöffnet Di–Sa 10–16 Uhr, So 10–13 Uhr.

Hachenburg

Westerwaldkreis, 358 m, 5300 Einw. Luftkurort und Kneippbad in romantischer, waldreicher Landschaft des Westerwaldes. Der südwestliche Ortsteil heißt ***Altstadt.***

Auskunft: Städtisches Verkehrsamt, 5238 Hachenburg, Tel. 02662/6383.
Verkehr: Autobahn A 3 Anschlußstelle Dierdorf (26 km). B 414 Altenkirchen – Herborn; Endpunkt der B 413 von Bendorf.

Sehenswert:
Schloß aus dem 13. Jh., im 16. Jh. erneuert, im 17. Jh. barock erweitert. Terrasse und Park, **Heimatmuseum.**

Höhr-Grenzhausen

Westerwaldkreis, 250–300 m, 9000 Einw. (Gesamtgemeinde 13200 Einw.). Die Stadt, 1936 durch den Zusammenschluß der früheren Gemeinden Höhr, Grenzhausen und Grenzau entstanden, bildet den Mittelpunkt des unter dem Namen Kannenbäckerland weit über die Grenzen Deutschlands hinaus bekannt gewordenen Tonwarenindustriegebietes. Einzige Fachhochschule des Landes Rheinland-Pfalz, Abteilung Koblenz, Fachrichtung Keramik, im Bundesgebiet.

Auskunft: Verkehrsamt der Verbandsgemeinde, 5410 Höhr-Grenzhausen, Tel. 02624/1040.
Verkehr: Autobahn A 48 Anschlußstelle Höhr-Grenzhausen (2 km). B 49 Koblenz – Limburg; Abzweigung bei Neuhäusel (13 km).

Sehenswert:
Keramikwerkstätten, Besichtigung jeweils 9–11 Uhr und 14–18 Uhr.

Keramikmuseum Westerwald (geöffnet Di–So 10–17 Uhr; Mo geschlossen).

Privates **Keramikmuseum** der Familie Peltner, Besichtigung Mo–Sa 9–12, 14–17 Uhr. So u. Fei 13–17 Uhr.

Burgruine Grenzau, Heimatmuseum (geöffnet Sa und So 14–18 Uhr).

Kronberg

Hochtaunuskreis, 400 m, 8000 Einw. (Gesamtgemeinde 18000 Einw.). Mit den Ortsteilen ***Schönberg*** *und* ***Oberhöchstadt*** *staatlich anerkannter Luftkurort, beliebter Erholungs- und Ausflugsort. Eine weithin aus der Mainebene sichtbare, alte malerische Stadt, überragt von der*

Ritterburg Kronberg. Viele schöne, mittelalterliche Häuser im Stadtkern und in den Außenvierteln Landhäuser der Frankfurter Geschäftswelt, die sich auf einem schmalen Bergrükken am Südhang des Hochtaunus aneinanderreihen. Mildes Klima, schöne Edelkastanienhaine, ausgedehnte Erdbeerkulturen und Obstanlagen.

Auskunft: Verkehrsamt und Verkehrsverein, 6242 Kronberg, Tel. 06173/703223.
Verkehr: Autobahn A 66 Anschlußstelle Nordwestkreuz Frankfurt (10 km). B 455 Mainz–Oberursel.

Sehenswert:
Burg, 285 m, auf einem Felsen über der Stadt mit Bergfried von 1230, Oberburg vom Ende des 15. Jh., Mittelburg von 1505 mit **Schloßmuseum** und Unterburg mit Burgkapelle, deren 1943 wiederaufgebauter Chor Epitaphien der Eschborner-Kronberger des 14. bis 16. Jh. birgt. In einem Nebengebäude **Kunstgalerie Hellhof.** Die Burg kann täglich außer Mo von 9–12 und 14–16.30 Uhr besichtigt werden.

Limburg an der Lahn

Kr. Limburg-Weilburg, 15000 Einw. (Gesamtgemeinde 30000 Einw.). Stadt beiderseits der Lahn gelegen, teils noch mittelalterliches Stadtbild, beherrscht vom imposanten Dom. Verkehrs- und Wirtschaftszentrum.

Auskunft: Touristik-Service, Hospitalstr. 2, 6250 Limburg, Tel. 06431/93221.
Verkehr: Autobahn A 3, Anschlußstellen Limburg-Süd und Limburg-Nord. Kreuzungspunkt der B 8 Altenkirchen – Königstein, der B 49 Koblenz – Weilburg, der B 54 Bad Schwalbach – Siegen und der B 417 Wiesbaden – Nassau.

Sehenswert:
Siebentürmiger **St.-Georgs-Dom** (unbekannter Baumeister), 1235 geweiht, anstelle der alten Stiftskirche St. Georg von 910, in der Grundanlage spätromanisch, in den jüngeren Bauelementen schon teilweise frühgotisch. Er wächst gewissermaßen aus dem mächtigen Kalkfelsen steil über der Lahn empor. (Schöne Ansicht von der alten Brücke aus.)

Im Schloß neben dem Dom der **Domschatz,** einer der kostbarsten in Deutschland, u. a. das Kreuzreliquiar, byzantinische Arbeit aus der 2. Hälfte des 10. Jh.

Nassau an der Lahn

Rhein-Lahn-Kreis, 90 m, 6000 Einw. im weiten Talkessel der Lahn gelegener Luftkurort, überragt von den Lahnhöhen mit den Stammburgruinen derer von Nassau und vom Stein.

Auskunft: Verkehrsamt, Postfach 107, 5408 Nassau, Tel. 02604/8660.
Verkehr: Autobahn A 3 Anschlußstelle Diez (28 km). B 260 (Bäderstraße) Bad Ems – Bad Schwalbach; Ausgangspunkt der B 417 nach Diez.

Sehenswert:
Im Ort das 1621 neben Burgresten des 12. Jh. erbaute **Schloß Stein** (Steinscher Hof). Geburtsstätte des Reichsfreiherrn vom und zum Stein; wappengeschmücktes Steintor, schöner Park. Links der gotische Turm, der 1817 von Stein zur Erinnerung an die Freiheitskriege angebaut wurde. Besichtigung des Innern mit Geburts- und Arbeitszimmer vom Steins (So geschlossen).

Nastätten

Rhein-Lahn-Kreis, 250–380 m, 3500 Einw. Altes Taunusstädtchen, inmitten des waldreichen Hügelplateaus des westlichen Taunus (Rheingaugebirge), unweit des Rheins. Ende des 18. Jh. arbeitete hier der »Schinderhannes« als Schinderknecht bei der Familie Busch.

Auskunft: Bürgermeisteramt, 5428 Nastätten, Tel. 06772/1071.
Verkehr: Autobahn A 61 Anschlußstelle Emmelshausen (27 km). B 274 St. Goarshausen – Katzenelnbogen.

In der Umgebung:
Holzhausen auf der Haide.

Hier befindet sich das Geburtshaus von Nikolaus August Otto, dem Erfinder des Otto-Motors; im Erdgeschoß des Hauses ist ein Museum eingerichtet.

Offenbach am Main

Kreisfreie Stadt, 110 m, 117000 Einw. Weltbekannte Lederwarenstadt am Main, zugleich Sitz bedeutender Eisen-, Textil-, technischer, chemischer Industrien, der Bundesmonopolverwaltung für Branntwein, des Deutschen Wetterdienstes und des Beschaffungsamtes der Bundeszollverwaltung. Außerdem befindet sich in dieser Stadt mit den vielen Anlagen die alkalireichste Naturquelle Deutschlands.

Auskunft: Verkehrsamt, Frankfurter Straße, 6050 Offenbach, Tel. 0611/80652946 und 80652946.
Verkehr: Autobahn A 3 Anschlußstelle (4 km) und Autobahn A 49, zwei Anschlußstellen am Stadtrand. Kreuzungspunkt der B 43 Frankfurt – Hanau, der B 46 Frankfurt – Neu-Isenburg und der B 484 von Hausen.

Sehenswert:
Deutsches Ledermuseum mit Deutschem Schuhmuseum, Frankfurter Str. 88. Geöffnet Mo–So 10–17 Uhr.

Klingsportmuseum, moderne Buch- und Schriftkunst, Herrnstr. 80.

Rüdesheim

10600 Einw. Bekannter Weinort rechtsrheinisch im Rheingau gegenüber der Nahemündung, mit mittelalterlichem Stadtkern.

Auskunft: Städt. Verkehrsamt, Rheinstr. 16, 6220 Rüdesheim, Tel. 06722/2962 und 1012.

Sehenswert:
Brömserburg (früher Niederburg), vermutlich römisches Kastell, in der heutigen Gestalt um etwa 800 erbaut, älteste rheinische Burg, Stammburg der Ritter von Rüdesheim. Heute Eigentum der Stadt mit sehenswertem **Heimatmuseum** (u. a. Sammlung wertvoller Wein- und Trinkgefäße von der Urzeit bis zur Gegenwart).

Mechanisches Musikkabinett, mit 160 Instrumenten, die z. T. vorgeführt werden. Geöffnet April–Okt. tägl. 10–22 Uhr.

Weilburg

Kr. Limburg-Weilburg, 130–250 m, 5900 Einw. (Gesamtgemeinde 13 700 Einw.). Ehemalige Residenzstadt an der Lahn, zwischen Taunus und Westerwald inmitten eines waldreichen Wandergebiets, staatlich anerkannter Luftkurort. Der Kern der Stadt schart sich um das auf einem steilen, an drei Seiten von der Lahn umflossenen Felsen liegende Weilburger Schloß.

Auskunft: Städtische Fremdenverkehrswerbung, Mauerstr. 8, 6290 Weilburg, Tel. 06271/2011 und Kur- und Verkehrsverein, Tel. 06271/7671.
Verkehr: Autobahn A 3 Anschlußstelle Limburg-Süd (13 km). B 49 Wetzlar – Limburg; Ausgangspunkt der B 429 nach Wetzlar. – S-Bahn-Verbindung.

Sehenswert:
Schloß (im Besitz des hessischen Staates; geöffnet 1. 3.–31. 10. 10–17 Uhr, 1. 1.–28. 2. 10–16 Uhr täglich außer Mo. Führungen zu jeder vollen und halben Stunde. Beginn der letzten Führung eine Stunde vor der Schließung). Der heutige Bau stammt im wesentlichen aus zwei Bauperioden. Der höher gelegene, ältere Teil wurde von Graf Philipp (1529–1559) 1535 begonnen, unter Graf Albrecht (1559–1593) bis 1585 weiter ausgebaut. Vier Flügel legen sich um einen großen, unregelmäßig viereckigen Hof.

An diesen älteren Schloßteil schließen sich im Norden und Süden Erweiterungsbauten des Grafen Johann Ernst an, die von J. L. Rothweil 1703–1717 ausgeführt wurden. Im Nordteil das **Heimatmuseum** (10–12 und 14–17 Uhr) mit einzigartigen Sammlungen. Im Schloß findet man in 35 Räumen die Originalausstattung aus der Residenzzeit, darunter eine vollständig eingerichtete Küche aus der frühen Barockzeit, ein Bad und Kamine aus heimischem Marmor, wertvolle Vasen aus der Berliner Porzellan-Manufaktur, schöne Einzelmöbel und Bilder.

Im ehemaligen Regierungsgebäude am Schloßplatz ist heute das **Heimat- und Bergbaumuseum** eingerichtet (Schaustollenanlage, viele wertvolle Sammlungen aus der Stadtgeschichte und der Geschichte des Herzogtums Nassau). Geöffnet Apr.-Okt. Di–So 10–12, 14–17 Uhr; 1.11.–31.3. Mo–Fr 10–12, 14–17 Uhr.

Wetzlar

Kreisfreie Stadt, 160 m, 35 000 Einw. Frühere Reichsstadt und ehemaliger Sitz des Reichskammergerichts. Die bekannte Industriestadt zu beiden Seiten der Lahn, an der Mündung des Dilltales, hat in der

Nachkriegszeit einen großen Aufschwung erlebt und dehnt sich nach allen Seiten aus. Die romantischen, engen und steilen Gassen in der Altstadt üben einen Reiz auf jeden Fremden aus; allenthalben stößt er auf Erinnerungsstätten an die Zeit des jungen Goethe, der einige Monate lang am Wetzlarer Reichskammergericht tätig war.

Auskunft: Städtisches Verkehrsamt, Domplatz 8, 6330 Wetzlar, Tel. 06441/405338.
Verkehr: Autobahn A 45, vier Anschlußstellen im Stadtbereich. Kreuzungspunkt der B 49 Gießen – Weilburg und der B 277 Herborn – Butzbach.

Sehenswert:
Domschatz; 2 Dommuseen (katholisch und evangelisch).

Im »Fürstlichen Haus« **Museum für Wohnkultur** mit rund 300 Möbeln aus drei Jahrhunderten, vor allem aus der Renaissance, aber auch aus der Zeit des Barocks und des Rokokos.

Wiesbaden

Landeshauptsadt von Hessen (267000 Einw.). Altbewährtes Rheumaheilbad, internationale Kongreßstadt, landschaftlich reizvoll gelegen mit Rheinufer im Süden und Ausläufern des Taunus im Norden. Die zentrale Verkehrslage im Rhein-Main-Gebiet und die Landschaft begünstigen seit alters her seine Entwicklung und Bedeutung. Seine Glanzzeit erlebte Wiesbaden als Weltkurstadt im 19. Jh. bis zum Ende des Ersten Weltkrieges. Architektonisch dominieren im Stadtbild die Grünanlagen und Parks einerseits, die Bauten der wilhelminischen Epoche andererseits. Eigenwillige Hochhäuser setzen hier und da moderne Akzente. Mittelpunkt der Stadt ist das der Klassik nachempfundene vornehme und anmutige Kur- und Theaterviertel. Das alte Quellengebiet wandelte sich zum vielseitigen Einkaufsareal (Fußgängerzone).

Auskunft: Kurbetriebe der Landeshauptstadt Wiesbaden, Verkehrsbüro Wilhelm-/Rheinstr., 6200 Wiesbaden, Tel. 06121/312847 und 374353 oder Verkehrsbüro im Hauptbahnhof, 6200 Wiesbaden, Tel. 06121/312848.

Sehenswert:
Dem Eingang der Rhein-Main-Halle gegenüber das **Museum,** 1912 bis 1915 von Prof. Theodor Fischer erbaut. Vor dem Eingang ein Goethe-Denkmal von Hermann Hahn. Das Museum zeigt: **Gemäldegalerie** mit Gemälden und Plastiken 15. bis 20. Jh., hervorzuheben eine Sammlung mit Werken von Alexej Jawlensky, des expressionistischen Malers, der von 1921 bis 1941 in Wiesbaden lebte, hier verstarb und auf dem Russischen Friedhof auf dem Neroberg seine letzte Ruhe fand. Außerdem: **Naturwissenschaftliche Sammlung** mit einer geologischen und einer zoologischen Abteilung sowie der **Sammlung Nassauischer Altertümer.** Geöffnet täglich außer Mo 10–16 Uhr, Di bis 21 Uhr.

In der Umgebung: Sonnenberg, nordöstlich gelegener Vorort, reizender Villenvorort mir reicher historischer Vergangenheit. – **Ruine** der um 1200 errichteten Burganlage, im Dreißigjährigen Krieg zerstört, gut erhaltener romanischer Bergfried mit **Museumsstube,** Kapelle von 1384, im Ringmauerturm Restaurant.

Wo Heimatkunde besonders groß geschrieben wird

Die Bewohner des Spessarts sind fränkischen Ursprungs, hervorgegangen aus der Verschmelzung der vom Rhein nach Osten mainaufwärts vordringenden Franken mit den Alemannen, die zuvor im Maingebiet ansässig waren. Eingewanderte Slawen gingen ganz im fränkischen Volkstum auf. Der Hochspessart, etwa auf der Linie Biebertal (Nordspessart), Schwarzkopf über Rothenbuch, Hohe Warte zum Main im Süden, bietet eine mundartliche Sprachgrenze; ostwärts des Schwarzkopfs in Richtung Lohr spricht man den mainfränkischen, westlich hingegen den rheinhessischen Dialekt.

Im gesamten fränkischen Raum wird das Kirchweihfest nach althergebrachtem Brauch noch heute mit üppiger Speisenfolge gefeiert, mit Umzügen, Ständchen vor den Häusern der dörflichen Prominenz und der heiratsfähigen Mädchen. In dem verschiedentlich gepflegten Plantanz haben sich überkommene Formen der Kirchweih erhalten, die einmal im Jahr in der Zeit von Ende August bis November an drei Tagen begangen wird. Auf wagenradgroßen Blechen wird der typische fränkische Käse- und Streuselkuchen gebacken. In den Weingegenden des Maintales finden im Sommer die Winzerfeste mit Trachtenumzügen und anderen folkloristischen Darbietungen statt. Der auf Muschelkalk und Buntsandstein gewachsene Frankenwein verdient wegen seines erdigen Geschmackscharakters besondere Beachtung. Die Bocksbeutelflasche, die für den fränkischen Weinbau geschützt ist, wird auf alte keltische Flaschenformen zurückgeführt, wovon ein Original im Mainfränkischen Museum in Würzburg steht.

Museumsschwerpunkt ist Aschaffenburg mit seinen überregional bedeutsamen Sammlungen zu Kunst und Geschichte. Fast überall im Spessart gibt es interessante Heimatmuseen, und auch den Römern, deren Grenzfeste einst hier verlief, sind mehrere Museen gewidmet.

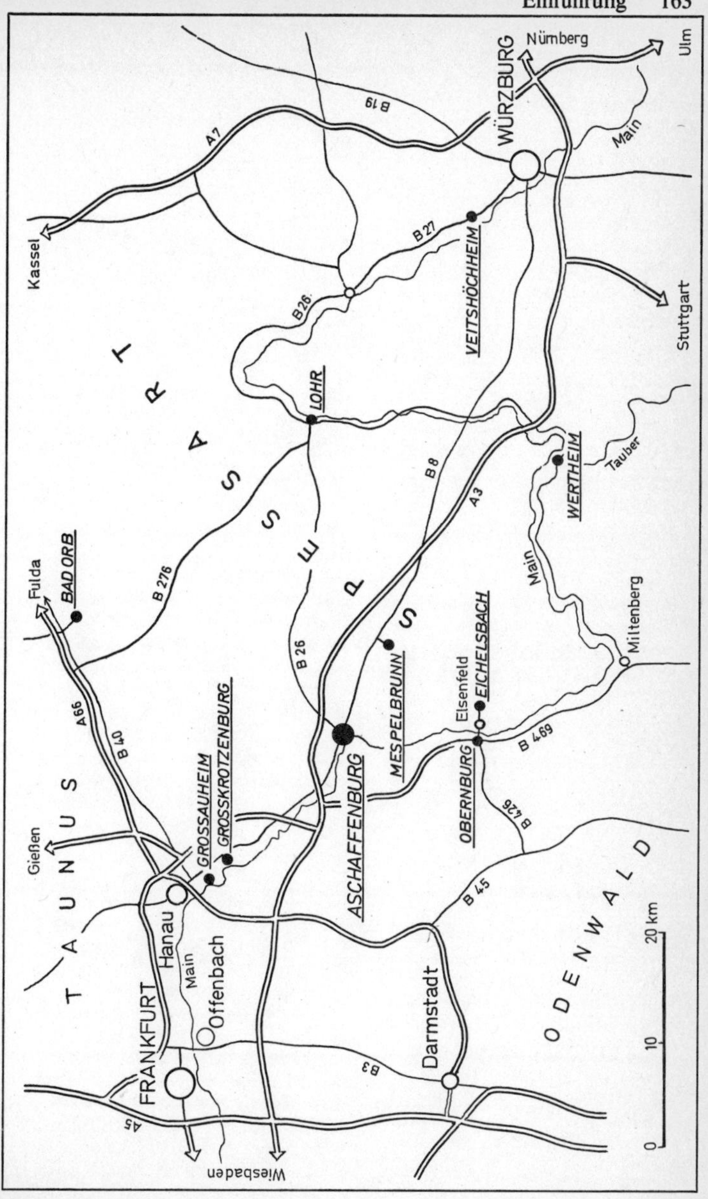
Kassel
Fulda
BAD ORB
Gießen
Wiesbaden
TAUNUS
SPESSART
ODENWALD
FRANKFURT
Offenbach
Hanau
Main
Darmstadt
A5
B3
A66
B40
B276
B26
GROSSAUHEIM
GROSSKROTZENBURG
ASCHAFFENBURG
MESPELBRUNN
OBERNBURG
Elsenfeld
EICHELSBACH
B469
B426
B45
Miltenberg
Main
WERTHEIM
Tauber
A3
B8
LOHR
B26
VEITSHÖCHHEIM
B27
A7
B19
WÜRZBURG
Nürnberg
Ulm
Main
Stuttgart
0
10
20 km

Aschaffenburg

Kreisstadt, 138 m, 56000 Einw. Der größte Teil der Stadt liegt auf dem rechten Ufer des Mains. Aschaffenburg ist Bindeglied zwischen dem fränkischen und dem rheinmainischen Wirtschafts- und Kulturkreis, »Pforte zum Spessart«. Beliebter Ausflugs- und Tagungsort.

Auskunft: Verkehrsverein, Dalbergstr. 6, 8750 Schaffenburg, Tel. 06021/30426.
Verkehr: Autobahn A 3 Anschlußstellen Aschaffenburg-West und Aschaffenburg-Ost. Kreuzungspunkt der B 8 Würzburg – Frankfurt und der B 26 Schweinfurt – Darmstadt.

Sehenswert:
Malerischer *Stiftsplatz* mit hochgelegener **Stiftskirche St. Peter und Alexander**; kreuzförmige Basilika mit Langhaus aus dem 12. Jh. Der Schatz der Stiftskirche enthält wertvolle Goldschmiedearbeiten und Kleinodien. Geöffnet 15. Apr.–15. Okt. tägl. außer Di 10–13, 15–17 Uhr.

Museum der Stadt Aschaffenburg im alten Gebäude des Stiftskapitels. Im *Erdgeschoß* u. a. vor- und frühgeschichtliche Funde, vor allem aus der Hallstatt- und Reihengräberzeit; Keramik und Metallgeräte aus den ehemaligen Kastellen Stockstadt, Obernburg und Niedernberg; großer Münzfund von Stockstadt; Meßgewänder der Gotik und Barockzeit. – Im *Obergeschoß* alter Stiftskarzer mit Aschaffenburger Richtschwertern.

Gotischer Saal mit frühen Truhen, Renaissanceschränken, mittelalterlichen Spessartgläsern und Zinn-Trageflaschen. – *Schatzkammer* mit dem ältesten Schachbrett Deutschlands; liturgische Handschriften aus dem Stift, darunter das Statutenbuch des Mainzer Peterstifts (1487) und das mit Miniaturen verzierte Meßbuch des Kardinals Albrecht von Brandenburg (1533); Josefsrelief von Riemenschneider; Steinkamin mit den ältesten Spessarter Ofenplatten. – Im *Kapitelsaal* Renaissance-Stuckdecke und Einrichtung aus der Zeit um 1620. – Das *Porzellankabinett* enthält Porzellane des 18. Jh., insbesondere Arbeiten aus den ersten Jahrzehnten der Meißener Manufaktur. – *Lautenschlägersaal* mit deutschen Fayencen und Zinngerät; – *Dammer-Raum* mit Porträts und Erinnerungsstücken der Kurfürsten; Figuren und Geschirr der Steingutmanufaktur Damm (Vorort) aus dem 19. Jh. – *Altdeutscher Saal* mit Altarbildern und Holzfiguren der Zeit um 1500 sowie zwei romanische Holzkruzifixe. Geöffnet Mai–Okt. täglich außer Mo 10–13 und 14–17 Uhr, Tel. 30446.

Das **Schloß Johannisburg** liegt hoch über dem rechten Mainufer. Es wurde 1605–1614 durch Georg Ridinger von Straßburg erbaut. Es besteht aus vier dreigeschossigen Flügeln um einen quadratischen Innenhof mit kräftigen Türmen an den Ecken. Vom mittelalterlichen Schloß wurde der mächtige Bergfried übernommen. Nach der Zerstörung im letzten Krieg wurde das Schloß in jahrelanger Arbeit wiederaufgebaut. Das Äußere ist vollständig wiederhergestellt. Inneres: Im *Nordwestflügel* liegt die Schloßkapelle mit Renaissanceportal und Relief der Taufe Christi von Hans Juncker. Im Inneren neugezogenes Netzgewölbe, Kanzel und Altar restauriert. Im *Erdgeschoß des Mainflügels* die Hof- und Stiftsbibliothek mit etwa 63000 Bänden, darunter kostbare Bilderhandschriften und Inkunabeln. Im *1. und 2. Geschoß* befindet sich die **Staatsgemäldesammlung** (Schloßgalerie) mit über 300 Bildern, vor allem Werken holländischer und flämischer Maler des 17. Jh. sowie altdeutscher Meister. Paramentenkammer mit Kirchengerät und kostbaren Ornaten. Im *Obergeschoß* die Stilräume mit den Gegenständen der Schloßeinrichtung vom Ende des 18. Jh. Eine Kuriosität ist die große Korkmodellsammlung mit Nachbildungen antiker Bauten.

Direkt am Mainufer steht das imposante Schloß Johannisburg

Im *Ostturm* wurde ein Glockenspiel eingebaut. *Öffnungszeiten:* Staatsgemäldesammlung und Stilräume: Im Sommer (1. 4.–30. 9.) täglich außer Mo 9–12 und 13–17 Uhr, im Winter (1. 10.–31. 3.) täglich außer Mo 10–12 und 13–16 Uhr.

Im **Schönborner Hof** (Barockanlage; originalgetreu wiederaufgebaut), *Wermbachstraße,* befindet sich das **Naturwissenschaftliche Museum** mit botanischer, zoologischer und geologisch-mineralogischer Abteilung sowie umfassender Sammlung der örtlichen Fauna. Geöffnet tägl. außer Mi 10–12; Sa, So auch 14–16 Uhr.

Bad Orb

Main-Kinzig-Kreis, 170–540 m, 8400 Einw. Herzheilbad in dem windgeschützten nach Nordwesten auslaufenden Spessarttal des Orbbachs, einem Nebenfluß der Kinzig (Schonklima). Zur Badekur werden die Philipps- und Ludwigsquelle, eisenhaltige Natrium-Chlorid-Säuerlinge mit starkem Gehalt an freier Kohlensäure, verwandt. Zur Trinkkur dient die Martinsquelle, ein eisenhaltiger Kalziumchlorid-Säuerling von besonderer Struktur.

Auskunft: Kurverwaltung, 6482 Bad Orb, Tel. 06052/2002; Verkehrsverein, Tel. 06052/1015.
Verkehr: B 40 Schlüchtern – Gelnhausen; Abzweigung bei Aufenau (5 km).

Sehenswert:
Städtisches **Heimatmuseum** im Rathaus. Geöffnet Mo, Do 15.30–17 Uhr. **Spessart-Museum,**

private Sammlung für die Natur- und Heimatkunde (Besichtigung nach Vereinbarung.

Eichelsbach

Ortsteil von Elsenfeld, Kr. Miltenberg, 329 m, 2200 Einw. Obstbau-Beispielgemeinde und beliebter Ferienort. An drei Seiten umrahmt von herrlichem Hochwald, bietet sich nach Süden ein weitreichender Fernblick ins Elsavatal, zu Geishöhe und Eselshöhe.

Auskunft: Fremdenverkehrsverein Elsenfeld, 8751 Elsenfeld-Eichelsbach, Tel. 06022/8418.
Verkehr: »Deutsche Ferienstraße« Elsenfeld – Weibersbrunn; Abzweigung bei Sommerau (5 km).

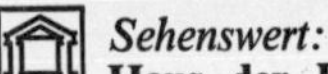

Sehenswert:
Haus der Bäuerin, Musterbauernhof mit allen technischen Einrichtungen, die zu einem Bauernhof gehören.

Großauheim

Stadtteil von Hanau, Main-Kinzig-Kreis, 107 m, 15000 Einw. Industriestadt am rechten Ufer des Mains. Ausflugsmöglichkeiten in den nahegelegenen Spessart.

Auskunft: Magistrat der Stadt Hanau, Rathaus, 6450 Großauheim, Tel. 06181/295-333.
Verkehr: Autobahn A 3 Anschlußstelle Hanau (13 km). B 8 Hanau – Aschaffenburg.

Sehenswert:
Heimatmuseum im Alten Rathaus.

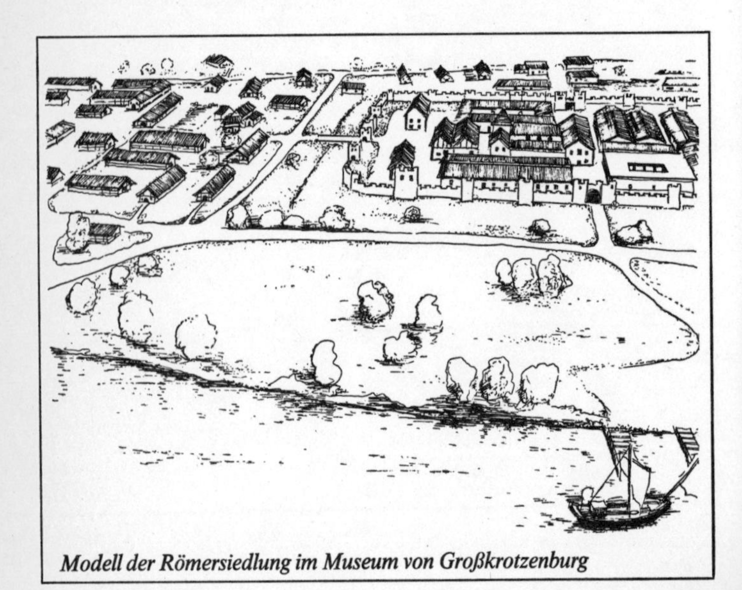

Modell der Römersiedlung im Museum von Großkrotzenburg

Geburtsort des Tierbildhauers Prof. August Gaul (1869–1921); **»August-Gaul-Stuben«** mit Zeichnungen, Graphiken und Plastiken.

Großkrotzenburg

Main-Kinzig-Kreis, 107 m, 6700 Einw. Industriegemeinde nahe der B 8 am Main. Im Sommer viel besucht wegen seiner Lage an der Kahler Seenplatte.

Auskunft: Gemeindeverwaltung, Bahnhofstr., 6451 Großkrotzenburg, Tel. 06186/822.
Verkehr: Autobahn A 3 Anschlußstelle Hanau (7 km). B 8 Aschaffenburg – Hanau.

Sehenswert:
Heimatmuseum mit Römerfunden. Geöffnet jeden 2. So im Monat.

Römerkastell.

Lohr

Main-Spessart-Kreis, 162–350 m, 17000 Einw. Fränkische Stadt und Erholungsort am Einfluß der Lohr und des Rechtenbaches in den Main, im Kranz grüner Berge; nordöstliches Tor zum Naturpark Spessart.

Auskunft: Verkehrsverein – Tourist Information, Ludwigstr. 10, 8770 Lohr, Tel. 09352/3600 und 2537; Städtisches Verkehrsamt, Rathaus, 8770 Lohr, Tel. 09352/1001 und 9011.
Verkehr: Autobahn A 3 Anschlußstellen Marktheidenfeld (23 km) und Rohrbrunn (24 km). B 26 Aschaffenburg – Gemünden; Ausgangspunkt der B 276 nach Partenstein.

Sehenswert:
Das ehemalige kurmainzische **Schloß** (jetzt Landratsamt und Museum) war Amtshaus der Grafen von Rieneck, später der Kurfürsten von Mainz (in die Zeit der Spätgotik zurückreichend, etwa 1561, und zu Anfang des 17. Jh. umgebaut). Malerische Gruppierung, auffallend durch die beiden hohen, den Mittelbau flankierenden Rundtürme. Im Fürstenzimmer schöner Renaissanceofen (1595) mit Aufsatz aus der Mitte des 17. Jh.
Das **Heimat- und Spessartmuseum** im Schloß enthält mit altem Hausrat ausgestattete Räume und eine beachtliche Sammlung Spessarter Gläser.

Mespelbrunn

Kr. Aschaffenburg, 285–400 m, 2200 Einw. Mit dem Ortsteil ***Hessenthal*** *Fremdenverkehrsort und staatlich anerkannter Erholungsort im oberen Elsavatal, umgeben von dichten Wäldern des Naturparks Spessart, mit gut markierten Spazier- und Wanderwegen. Bekanntes Wasserschloß in einem Seitental am Südausgang des Ortes, etwa 300 m entfernt.*

Auskunft: Fremdenverkehrsverein e. V., Hauptstr. 55, 8751 Mespelbrunn, Tel. 06092/319.
Verkehr: Autobahn A 3 Anschlußstelle Weibersbrunn (10 km). B 8 Marktheidenfeld – Aschaffenburg; Abzweigung bei Hessenthal (3 km).

Sehenswert:
Das **Wasserschloß Mespelbrunn** gibt mit seinen ursprünglichen Einrichtungsgegenständen und beachtlichen Sammlungen ein eindrucksvolles Bild vom Leben einer Familie im Laufe der Jahrhunderte.

Der Nordtrakt mit den Festsälen ist ganzjährig Mo–Sa 9–12 Uhr und 13–17 Uhr, So 10–18 Uhr) zu besichtigen.

Mespelbrunns berühmtes Wasserschloß

Im Erdgeschoß **Rittersaal** mit streng gemustertem Ziegelboden und farbig gefaßter Kassettendecke. Schöne Steinmetzarbeiten am Brunnen »Mespelborn« und reich ornamentierte Portale. – **Kapelle** mit Sterngewölbe und Spitzbogenfenstern, Glasgemälden des hl. Valentin (Schutzpatron der Echter) und Anbetung der Hl. Drei Könige (15. Jh.). Altar mit hohem Alabasteraufbau vom fränkischen Bildhauer Michael Kern. Wand- und Deckenbemalung, die 12 Apostel und 4 Evangelisten darstellend (1729). – **Treppenturm** mit Wendeltreppe und Jagdtrophähen aus dem Spessart. – Im Obergeschoß **Speisesaal** mit altem Kamin (1566), Jagdgemälden des Flamen Snyders, Jagd-, Wehr- und Zierwaffen, darunter das Vertragsschwert von Franken. – **Ahnensaal** mit Porträts aus dem 17. und 18. Jh., prachtvolle Schränke aus der gleichen Zeit, Betschemel mit Alabasteraufsatz (das Abendmahl darstellend). – **Rundzimmer,** in dem der berühmteste Sohn, Fürstbischof Julius Echter von Würzburg, Gründer der Universität und des Juliusspitals, 1545 geboren wurde, mit zahlreichen Erinnerungsstücken. – Im **Chinesischen Salon** vorzügliche Sammlung ostasiatischen Porzellans, Lackmöbel und Samurai-Rüstungen. – Im **Fürstenzimmer** reichgeschnitztes Renaissance-Himmelbett, Barockkommoden, Holzschnitte aus Albrecht Dürers Großer und Kleiner Passion sowie Bilder der Vorfahren bis zur heutigen Zeit. (Brustbild der Gräfin Antonia, von Tischbein gemalt.)

Obernburg a. Main

Kr. Miltenberg, 124 m, 4800 Einw. Mittelalterliche Stadt an der Mündung der Mümling in den Main; durch ihre Obsthaine bietet die Gegend zur Zeit der Apfelblüte einen besonders reizvollen Anblick. Ferienort sowie Ausgangspunkt für Wanderungen in den Spessart und Odenwald. Sitz bedeutender Industrien.

Auskunft: Stadtverwaltung, 8753 Obernburg, Tel. 06022/9034.
Verkehr: B 469 Miltenberg – Aschaffenburg.

Sehenswert:
Museum Römerhaus mit Funden des Römerkastells Nemaninga. Geöffnet Während der Dienststunden.

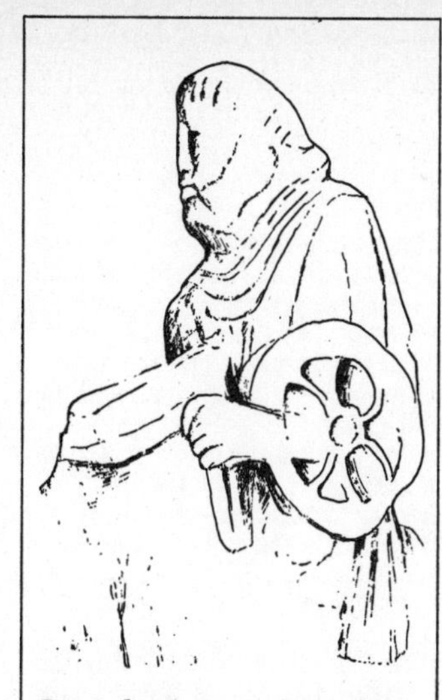

Römischer Jupiter im Römerhaus

Veitshöchheim

Kr. Würzburg, 178 m, 8000 Einw. Mit dem Ortsteil ***Gadheim*** *am rechten Ufer des Mains, unweit von Würzburg gelegen, in reizvoller Weinbau- und Gartenlandschaft. Staatliche Lehranstalt für Wein-, Obst- und Gartenbau. Weitbekannt durch das Schloß mit seinem Rokokogarten, einer der schönsten Anlagen Europas.*

Auskunft: Fremdenverkehrsamt, Rathaus, 8707 Veitshöchheim, Tel. 0931/91051.
Verkehr: B 27 Würzburg – Karlstadt.

Sehenswert:
Lustschloß aus der Hochblüte des deutschen Barock. Im 18. Jh. nach den Plänen des berühmten Baumeisters Balthasar Neumann entstanden. Das Innere ist heute als **Raumkunstmuseum** eingerichtet. – Der **Schloßgarten,** eine der wenigen noch gut erhaltenen »französischen« Anlagen, mit Teppichbeeten, Heckenmauern, lauschigen Tempelchen, Plastiken von Ferdinand Tietz und Peter Wagner, dem Muschelhaus des Stukkateurs Materno Bossi und mit Wasserspielen in den Seen (geöffnet April–September täglich 9–12 Uhr, 13–17.30 Uhr; Mo und im Winterhalbjahr geschlossen).

Wertheim

Main-Tauber-Kreis, 141–282 m, 21300 Einw. Schöne alte Frankenstadt und Luftkurort an Main und Tauber mit mittelalterlichen Gassen und Bauten, ehemalige Residenz der Grafen von Wertheim, malerisch überragt von der Burgruine.

Auskunft: FV-Gesellschaft Romantisches Wertheim GmbH, 6980 Wertheim, Tel. 09342/1066.
Verkehr: Autobahn A 3 Anschlußstelle Wertheim (10 km). »Nibelungenstraße« Würzburg – Miltenberg.

Sehenswert:
Fachwerkbau der **Vier Gekrönten,** das Haus des Historischen Vereins »Alt Wertheim« mit **Trachtensammlung.**

Im Innern der Kilianskapelle **Heimatmuseum** (im Sommerhalbjahr täglich 14–16Uhr geöffnet) Untergeschoß mit prächtigem Netzgewölbe.

Von der Römerzeit zur Schwarzen Kunst

Die Bevölkerung der Pfalz und des Saarlandes ist in ihrer Stammesart vorwiegend fränkisch; die Rheinfranken bilden dabei den Hauptbestandteil. Vor allem nach Südosten zu sind sie mit alemannischem Blut vermischt. Im äußersten Nordwesten geht der rheinfränkische Volksschlag dagegen in den moselfränkischen über. Die früher sehr ausgeprägte Abgrenzung ist jedoch in den letzten Jahrzehnten stark verwischt worden.

Die Menschen im Gebiet der Deutschen Weinstraße, also am Gebirgsrand der Haardt, sind trotz der schweren Arbeit, die der Winzer leisten muß, vorwiegend heiter und gesellig. Der Westpfälzer und Saarländer ist ruhiger und bedächtiger, zurückhaltender und schwerblütiger. Was sie alle jedoch verbindet ist die Ablehnung jeder Förmlichkeit, die den Menschen nach Äußerlichkeiten wertet.

Die Bevölkerung Rheinhessens ist aus einer ähnlichen Vermischung wie der des benachbarten Hunsrücks hervorgegangen, wo Kelten, Gallier, Germanen und Römer ihre Wohnstätten fanden und sogar Sarmaten, Teile eines skythischen Nomadenvolkes, durch Konstantin den Großen (um 330) angesiedelt wurden.

Die einheimische keltisch-römisch-germanische Mischbevölkerung wurde aber etwa seit dem Jahr 500 durch das Erscheinen germanischer Franken in sprachlicher und kultureller Beziehung völlig umgestaltet und geprägt. Das offene, verkehrsmäßig sehr günstig gelegene und dazu reiche Land erhielt in den folgenden Jahrhunderten immer wieder fremden Zustrom. Trotz vielfacher Blutmischung blieb jedoch das fränkische Element der Grundstock. Die Sprache des Landes zeigt heute noch viele fremde Elemente, besonders französische und jüdische Wörter und Wendungen wurden aufgenommen und teilweise auch eingedeutscht.

Das Themenspektrum der hiesigen Museen ist sehr breit gefächert: angefangen bei Heimatkunde und Geschichte über Keramik- und Porzellanherstellung bis hin zur Kirchenkunst und zum Weinbau. Besondere Beachtung verdienen die zahlreichen Museen zum Thema »Römerzeit« und vor allem auch das Mainzer Gutenbergmuseum, das in aller Welt bekannt ist.

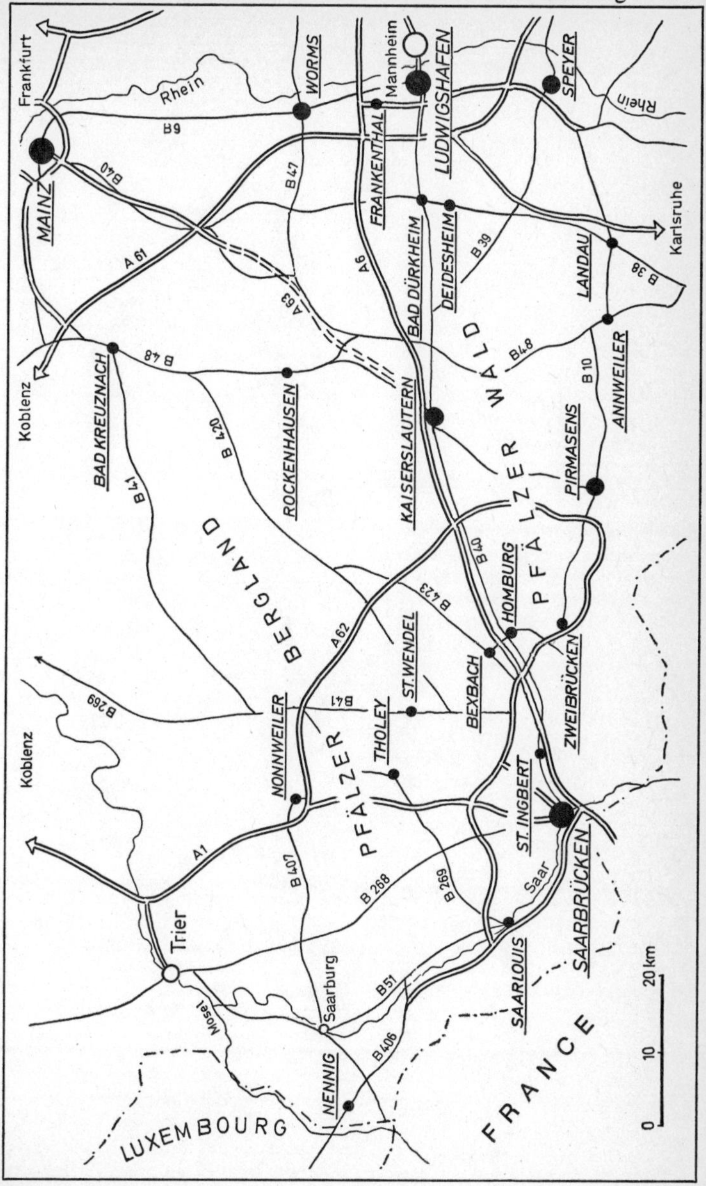
Frankfurt
MAINZ
Rhein
WORMS
Mannheim
LUDWIGSHAFEN
FRANKENTHAL
SPEYER
Rhein
B9
B40
B47
A61
A63
A6
BAD DÜRKHEIM
DEIDESHEIM
B39
Karlsruhe
LANDAU
B38
ANNWEILER
B48
B10
Koblenz
BAD KREUZNACH
B48
ROCKENHAUSEN
B420
B41
KAISERSLAUTERN
PFÄLZER WALD
PIRMASENS
BERGLAND
B423
B40
HOMBURG
ST. WENDEL
BEXBACH
ZWEIBRÜCKEN
A62
NONNWEILER
B41
B269
THOLEY
Koblenz
PFÄLZER
ST. INGBERT
SAARBRÜCKEN
A1
B407
B268
B269
Saar
Trier
SAARLOUIS
Saarburg
B51
Mosel
NENNIG
B406
LUXEMBOURG
FRANCE
0
10
20 km

Annweiler am Trifels

Kr. Südliche Weinstraße, 180 bis 260 m, 7700 Einw. Ehemalige alte Reichsstadt zu Füßen des Trifels und vielbesuchter staatlich anerkannter Luftkurort im romantischen Quelchtal zwischen den Höhenzügen der Haardt und den bizarren Felsgebilden des Wasgaus.

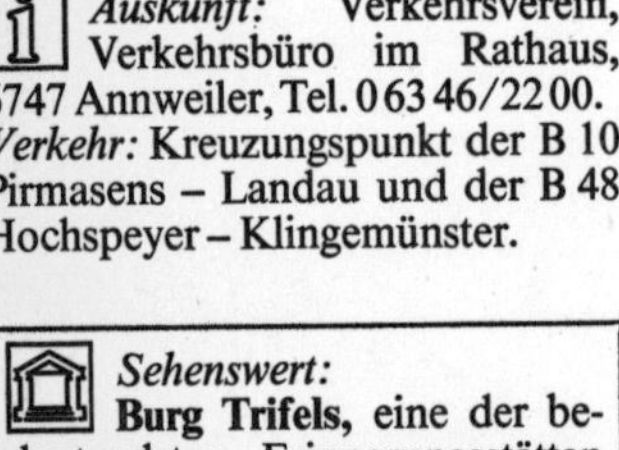

Auskunft: Verkehrsverein, Verkehrsbüro im Rathaus, 6747 Annweiler, Tel. 06346/2200.
Verkehr: Kreuzungspunkt der B 10 Pirmasens – Landau und der B 48 Hochspeyer – Klingemünster.

Sehenswert:
Burg Trifels, eine der bedeutendsten Erinnerungsstätten an die Zeit der salischen und staufischen Kaiser, Reichsfeste auf vorgeschobener felsiger Höhe, Lieblingsburg Barbarossas, 1193/94 Gefängnis des Königs Richard Löwenherz von England. Erhalten ist der starke Bergfried, darin die Doppelkapelle, wo von 1126 bis 1273 die Reichskleinodien aufbewahrt wurden. Geöffnet 1. 4.–30. 9. 9–13 und 14–18 Uhr, 1. 10.–31. 3. 9–13 und 14–17 Uhr, 1. 12.–20. 1. geschlossen. Montags geschlossen. Fällt ein Feiertag auf einen Montag, so ist Di geschlossen. – Anstieg zur Burg 20 Min.

Großartige **Freskomalereien** von Adolf Kessler in der katholischen Kirche, im Hohenstaufensaal und im Rathaussaal. Besichtigung der Reichsinsignien im *Rathaussaal:* Werktags 8–12 Uhr, 14–17 Uhr, im Sommer auch Sa 9–12 Uhr, So und Fei nach Anmeldung beim Verkehrsverein.

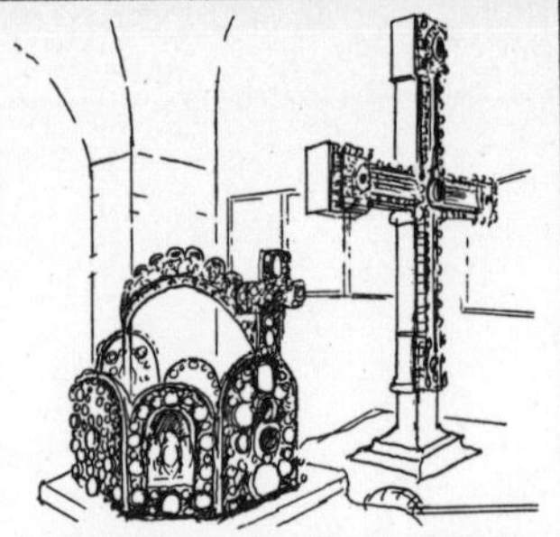

Nachbildung der Reichsinsignien am Trifels

Bad Kreuznach

Kreisstadt, 104 m, 43000 Einw. Malerisch gelegene Stadt südlich von Bingen. Mittelpunkt eines berühmten Edelweinbaugebietes im romantischen, burgenreichen Tal der Nahe mit vielen Zeugen uralter Kultur, ältestes Radonsolbad Deutschlands. Ein südlich mildes Klima zeichnet Bad Kreuznach und seine Umgebung aus.

Auskunft: Kur- und Salinenbetriebe, 6550 Bad Kreuznach, Tel. 0671/92325.
Verkehr: Kreuzungspunkt der B 48 Rockenhausen – Bingen und der B 41 Kirn – Ingelheim. Autobahnanschlußstellen Gau-Bickelheim (13 km) und Bingen (20 km).

Sehenswert:
Am *Eiermarkt* die **Nikolauskirche,** erbaut um 1260. 1281 von den Karmelitern frühgotisch erweitert, Chor im 14. Jh. vollendet, mit Grabsteinen der Sponheimer Grafen und sehenswertem **Kirchenschatz** u. a. mit einem Kreuzreliquiar aus dem 15. Jh.

In der *Kreuzstraße* befindet sich das mit reichen Funden ausgestattete Karl-Geib-Heimatmuseum mit wertvollen Versteinerungen. Geöffnet Mo–Fr 9–12, 15–17 Uhr.

In der **Römerhalle** das **Gladiatorenmosaik** um 250 n. Chr., von Ausgrabungen einer römischen Villa, eines der schönsten Werke dieser Art nördlich der Alpen: 12 Szenen um ein Rundbild bedekken etwa 50 qm Fläche, dargestellt sind Tier- und Gladiatorenkämpfe. Sehenswert auch das Okeanosmosaik. Geöffnet Di–So 9–12.30 und 14.30–18 Uhr.

Bexbach

Saar-Pfalz-Kreis, 20 000 Einw. Beliebtes Ausflugsziel im südöstlichen Teil der saarländischen Wald- und Industrielandschaft.

Auskunft: Stadtverwaltung im Rathaus, 6652 Bexbach, Tel. 06826/4444.
Verkehr: B 423 Homburg – Glan – Münchweiler; Abzweigung bei Kleinottweiler (3 km). Autobahnanschlußstelle Homburg/Saar (4 km).

Sehenswert:
Grubenmuseum, einzigartig im Saarland; im 40 m hohen Aussichtsturm geologische, technische und heimatkundliche Abteilung. Geöffnet April–Sept. tägl. 9–19 Uhr.

Deidesheim

Kr. Bad Dürkheim, 117 m, 10 000 Einw. Bekannte Weinstadt und staatlich anerkannter Luftkurort der Mittelhaardt zwischen Bad Dürkheim und Neustadt. Die »Heidenlöcher« auf dem 1½ Std. nordwestlich der Stadt gelegenen Kirchberg sind wohl die einzige in so merklichen Resten erhaltene befestigte Bergsiedlung (etwa 80 Häuser, von einer 450 m langen Ringmauer umschlossen) aus der Karolingerzeit in Deutschland. Allerdings wurden sie wahrscheinlich nur in Notzeiten als Zufluchtsort aufgesucht, eine ständige Besiedlung ist nicht anzunehmen.

Auskunft: Amt für Fremdenverkehr, 6705 Deidesheim, Tel. 06326/5021, u. 5022.
Verkehr: B 271 Bad Dürkheim – Neustadt; Autobahnkreuz Mutterstadt, 13 km.

Sehenswert:
Keramik-Museum mit Werkstätte und Verkauf. Geöffnet Fr, Sa, So 10–12, 14–17 Uhr, Mi 18–20 Uhr, Febr. und Juli geschlossen.

Frankenthal

Kreisfreie Stadt, 96 m, 46 500 Einw. Industriestadt in der fruchtbaren Rheinebene an der Isenach nördlich von Ludwigshafen, mit den Stadtteilen ***Eppstein, Flomersheim, Mörsch*** *und* ***Studernheim.***

Auskunft: Stadtverwaltung, 6710 Frankenthal, Rathaus, Tel. 06233/89420.
Verkehr: B 9 Ludwigshafen – Worms. Autobahnanschlußstellen.

Sehenswert: **Erkenbert-(Heimat-)Museum** in der Neumayerschule. – Eine Sammlung auserlesener Stücke **Frankenthaler Porzellans** im Rathaus und Erkenbertmuseum.

Schäferin mit Dudelsackbläser der Porzellansammlung in Frankenthal

Homburg

Kreisstadt des Saar-Pfalz-Kreises, 250 m, 43 000 Einw. Homburg liegt an den Ausläufern der Sickinger Höhe zu Füßen des Schloßberges. Die Stadt bildet die Eingangspforte von der Pfalz zu den Wald- und Industriegebieten der Saar und besitzt selbst eine vielseitige Industrie. Sie ist Sitz der Medizinischen Fakultät der Universität des Saarlandes mit zahlreichen Kliniken, modernen Instituten und einem Landeskrankenhaus.

Auskunft: Stadtverwaltung, Am Forum, 6650 Homburg, Tel. 0 68 41/20 66 und 10 11 66.
Verkehr: Kreuzungspunkt der B 40 von Landstuhl und der B 423 von Blieskastel. Autobahnanschlußstellen.

Sehenswert: **Freilichtmuseum Schwarzenacker,** sehenswerte Ausgrabungen einer römischen Stadt (um 200 n. Chr.), »Römerhaus«, Rekonstruktion eines römischen Landhauses auf den Originalfundamenten, als Museum eingerichtet. Geöffnet April–Nov. Di–So 9–12 und 14–17 Uhr. Dez–März Mi 9–16.30 Uhr, Sa, So 12–16.30 Uhr.

Kaiserslautern

Kreisfreie Stadt, 235 m, 104 000 Einw. »Barbarossastadt« im Herzen des Pfälzer Waldes, zweitgrößte Stadt der Pfalz und Industriezentrum, in klimatisch begünstigter Lage. Wichtiger Verkehrsknotenpunkt und günstiger Tourenstützpunkt, Universität (Naturwissenschaftliche Fakultät). Die Stadt hat eine reiche Geschichte.

Auskunft: Stadtverwaltung, Verkehrs- und Informationsamt, Rathaus, 6750 Kaiserslautern, Tel. 06 31/8 52 23 16.
Verkehr: Kreuzungspunkt B 270 Wolfstein – Waldfischbach – Burgalben, B 40 Mehlingen — Kindsbach; Ausgangspunkt der B 37 nach Bad Dürkheim. Autobahnanschlußstelle.

Sehenswert:
Im Norden der Stadt, am Museumsplatz 1, die **Pfälzische Landesgewerbeanstalt,** ein ausgedehnter Bau in italienischem Renaissancestil mit den sehenswerten **Sammlungen der Pfalzgalerie,** die Werke bedeutender Maler des 19. und 20. Jh. enthält, u. a. von Slevogt, Weißgerber und Purrmann (wochentags, außer Mo 10–17 Uhr).

Theodor-Zink-Museum, Neubau an der Steinstraße, kulturhistorische Sammlung mit Exponaten von der Jungsteinzeit bis zur Gegenwart aus dem Gebiet von Kaiserslautern und der Pfalz (geöffnet Di, Do und Frei 9–17 Uhr, Mi 9–21 Uhr, Sa und So 10–17 Uhr, Mo geschlossen).

Heimatmuseum mit Fund- und Ausstellungsstücken aus vorgeschichtlicher Zeit bis zur Gegenwart. Gedenkzimmer für den Kammersänger Fritz Wunderlich.

Landau

Kreisfreie Stadt, 144 m, 38 000 Einw. Gartenstadt und alte Festungsstadt der Pfalz, in der vorderpfälzischen Rheinebene unweit der Deutschen Weinstraße. Hauptumschlagplatz für Pfälzer Konsumweine der Oberhaardt, Tabak- und Holzindustrie. Sitz eines Amtsgerichts und Landgerichts, einer Pädagogischen Hochschule und eines naturwissenschaftlichen Technikums. Ausgedehnte Parkanlagen auf den früheren Stadtwällen und Gräben der Befestigung.

Auskunft: Städtisches Kultur- und Verkehrsamt, Marktstr. 50, 6740 Landau, Tel. 06341/133 00.
Verkehr: Kreuzungspunkt der B 10 Karlsruhe – Annweiler und B 38 Neustadt – Bad Bergzabern, Endpunkt der B 272 von Speyer.

Sehenswert:
Museum mit vorgeschichtlichen, römischen, mittelalterlichen und anderen Sammlungen zur Stadtgeschichte in der *Villa Mahla,* Marienring 8. Geöffnet Di–Fr 9–12 Uhr und 14–16 Uhr, So 10–12.30 Uhr, Mo und Sa geschlossen.

Städtische Galerie mit wechselnden Ausstellungen in der *Villa Streccius,* Südring 20 (geöffnet Di–Sa 15–18, Mi auch 10–12, So 11–16 Uhr).

Ludwigshafen

Kreisfreie Stadt, 94 m, 161 000 Einw. Lebhafte Industriestadt am Oberrhein, mit der rechtsrheinisch gelegenen Stadt ***Mannheim*** *fest zusammengewachsen, »Stadt der Chemie« und einzige Großstadt der Pfalz. Für Ludwigshafen sind die zahlreichen Großbauten des Stadtzentrums charakteristisch, in den Außenbezirken die großzügigen Wohn- und Siedlungsbauten.*

Auskunft: Verkehrsverein, Pavillon am Hauptbahnhof, 6700 Ludwigshafen, Tel. 0621/512035.
Verkehr: Kreuzungspunkt der B 9 Speyer –Worms, B 37 von Bad Dürkheim, B 38 von Neustadt a. d. Weinstraße und B 44 von Lampertheim. Autobahnanschlußstellen.

Sehenswert:
Schiller-Gedenkstätte in *Oggersheim,* Schillerstraße 6, Wohnung Schillers im Jahre 1782 nach seiner Flucht aus Stuttgart, hier entwarf er das Trauerspiel »Kabale und Liebe« und arbeitete seinen »Fiesco« um. Geöffnet Di 17–20, Mi–Fr 14–17, Sa–So 10–12 Uhr.

Stadtarchiv, Rottstraße 17, mit umfangreicher Bibliothek zur Stadt- und Landesgeschichte, die der allgemeinen Benutzung offensteht. Ferner dort eine ständige Ausstellung zur Stadtgeschichte sowie Prähistorische Abteilung. Zeitweise Sonderausstellungen (geöffnet Mo–Fr 8.30–12 Uhr, 13.30–17 Uhr).

Wilhelm-Hack-Museum (Städt. Kunstsammlung), Berliner Str. 23, mit Funden aus spätrömischer und fränkischer Zeit, vor allem europäische Malerei des 20. Jh. An der Südwand des Gebäudes eine 55 × 10 m große Verkleidung aus Keramikplatten von Joan Miró (geöffnet täglich außer Mo 9.30–17 Uhr, Do 9.30–21 Uhr).

Stadtmuseum, im Rathaus, Rathausplatz 20 (geöffnet täglich außer Mo 10–13 Uhr, 14–17 Uhr).

K.-O.-Braun-Museum, im Rathaus *Oppau,* mit einer wertvollen frühgeschichtlichen Sammlung, Ausstellungsräume zur Heimatgeschichte, alte Möbel und bäuerliches Gebrauchsgut, Waffensammlung (geöffnet So 10–13 Uhr, 14–17 Uhr).

Mainz

Hauptstadt des Bundeslandes Rheinland-Pfalz, 88 m, 185 000 Einw. Mainz liegt gegenüber der Mündung des Mains an der großen Rheinschleife in einer der fruchtbarsten und reizvollsten Landschaften der Bundesrepublik und ist Mittelpunkt des rheinischen Weinhandels sowie einer der wichtigsten Verkehrsplätze und Industriezentren am Mittelrhein. Das zweitausendjährige »Goldene Mainz«, Geburtsstätte der »Schwarzen Kunst«(Buchdruck), die das Geistesleben des Abendlandes revolutionierte, war früher Residenz der Erzbischöfe und Kurfürsten von Mainz und ist wieder Bischofssitz und Universitätsstadt. Mitten durch die Stadt verläuft der 50. Breitengrad. Berühmt ist die Mainzer Fastnacht mit ihren traditionellen prunkvollen Rosenmontagsumzügen.

Auskunft: Verkehrsverein, Bahnhofstr. 15, 6500 Mainz, Tel. 0 61 31/23 37 41.

Verkehr: Kreuzungspunkt der B 9 (Oppenheim), B 40 Alzey – Weilbach und B 455 Wiesbaden – Erbenheim; Autobahnanschlußstellen.

Sehenswert:

Dom St. Martin und St. Stephan (geöffnet 8–18 Uhr; So vormittags keine Besichtigung), eine dreischiffige gewölbte Pfeilerbasilika mit zwei Querschiffen, zwei Chören, zwei Vierungstürmen, zwei weiteren kleinen Türmen und einem Kranz von Kapellen. Er ist eine der interessantesten und zugleich ältesten romanischen rheinischen Kirchen und einer der drei berühmten Kaiserdome des Mittelrheins.

Der zweigeschossige gotische **Kreuzgang** (14. Jh.), der den Garten der alten Stiftsgebäude umschließt, dient mit den anschließenden Kapitelsälen als **Diözesan-Museum** mit reichen und überaus wertvollen Sammlungen mittelalterlicher Holz- und Steinplastiken (Jüngstes Gericht, Reste des Westlettners u. a., Frühwerke des Naumburger Meisters, um 1240; berühmte Madonna aus der Fuststraße, Werk eines mittelrheinischen Meisters von um 1250; Gobelins, Psaltarien u. a. m. Geöffnet Mo–Sa 9–12, 14–17 Uhr. Do, Sa, nachmittags u. So geschlossen.

Ehemalige Stiftskirche St. Stefan (geöffnet 10–12 und 14–17 Uhr, So vormittags keine Besichtigung), um 990 durch Erzbischof Willigis in Holz erbaut und im frühen 14. Jh. durch Massivbau ersetzt, nach dem Dom der bedeutendste mittelalterliche Kirchenbau in Mainz. Eine kreuzförmige Hallenkirche (erstes Beispiel eines gotischen Hallenbaues am Mittelrhein) mit achteckigem Mittelturm. An die Kirche schließt sich ein bemerkenswerter spätgotischer Kreuzgang mit feinem Netzgewölbe von um 1499 an, beachtenswerte Grabdenksteine. Reicher **Kirchenschatz** (sehenswert!) mit kostbaren Einzelteilen aus der Zeit des Erzbischofs Willigis von um 1000. Im Ostchor drei Fenster von Marc Chagall (1978/79).

Römisch-Germanisches Zentralmuseum (geöffnet täglich 10–18 Uhr, Mo geschlossen), Ernst-Ludwig-Platz 2, mit Originalfunden und Nachbildungen aus der Frühgeschichte und aus römischer Zeit sowie einem Überblick über die mediterranen Ursprünge der römischen Kultur. Archiv.

Weltmuseum der Druckkunst – Gutenbergmuseum (geöffnet Di–Sa 10–18 Uhr, So 10–13 Uhr, Mo und Jan. geschlossen) im wiedererrichteten Haus »Zum römischen Kaiser« (1664) am *Liebfrauenplatz,* gegründet als Gedenkstätte für Johannes Gutenberg. Hier befinden sich Verwaltung und Archive. Die Ausstellungsräume sind in einem modernen Bau untergebracht, der durch einen geschmackvoll gestalteten Innenhof mit dem »Römischen Kaiser« verbunden ist.

Außer über das Werk Gutenbergs gibt das Museum einen Überblick über das Wesen von Schrifttum und Buch, Druck und Buchillustration in Vergangenheit und Gegenwart; gezeigt werden u. a. Gutenberg-Werkstatt, 42zeilige Gutenberg-Bibel, Handschriften, Frühdrucke, Schriftgeschichte, Buchkunst der Gegenwart, Papiergeschichte, Bucheinband, graphische Techniken, Druckmaschinen; ferner werden Sonderausstellungen veranstaltet.

Mittelrheinisches Landesmuseum (vormals Altertumsmuseum und Gemäldegalerie; geöffnet Di–So 10–17 Uhr, Mo geschlossen) in der ehemaligen Golden-Roß-Kaserne (kurfürstlicher Marstall), *Große Bleiche 49/51.* In der Neuaufstellung von 1962 sind die beiden 1814 getrennt gegründeten Sammlungen vereinigt. 1979 wurde sie nach Renovierung und Erweiterung wiedereröffnet.

Das Museum gibt einen Überblick über die Kunst- und Kulturgeschichte des Mittelrheinisch-Mainzer Raums mit Werken von der Eiszeit bis zur Gegenwart: eiszeitliche Statuetten; Schmuck, Waffen und Geräte der vorgeschichtlichen Kulturen; römische Steindenkmäler und Plastiken (Augustuskopf); römische und völkerwanderungszeitliche Keramiken, Gläser, Waffen und Werkzeuge; mittelalterliche Gemälde, Plastiken und Schmuckstücke (Adlerfibel); barocke Möbel, Statuetten und Bilder; Porzellane der kurfürstlichen Mainzer Manufaktur Höchst; niederländische und französische Gemälde des 17. und 18. Jh.: Gemälde des 19. und 20. Jh.

Elfenbeinmadonna des Landesmuseums

Prinz-Johann-Georg-Sammlung (geöffnet Mo–Fr 10–12 Uhr, 14–16 Uhr) im Haus des Kunstgeschichtlichen Instituts, *Binger Straße 26,* Ekke Saarstraße, Wechselausstellungen.

Naturhistorisches Museum (geöffnet Di–So 10–17 Uhr), *Reichklarastr. 1.*

Stadtbibliothek mit **Stadtarchiv** und **Münzkabinett,** *Rheinallee 33/10.* Die Stadtbibliothek ist die durch die Klosterbüchereien ergänzte ehemalige Universitätsbibliothek mit etwa 350000 Bänden, 3000 Inkunabeln, mehr als 4000 Bildern und Plänen sowie 1120 Handschriften. Das Stadtarchiv besitzt 6500 Pergamenturkunden seit 1106, alte Stadt- und Klosterakten, Karten, Bilder und Pläne zur Stadtgeschichte. In der Münzsammlung befinden sich 6500 römische und 5600 Mainzer Münzen von den Merowingern bis zum Untergang des Kurstaats, ferner 3000 Münzen und Medaillen neuerer Zeit.

Nennig

Ortsteil der Gemeinde Perl, Kreis. Merzig-Wadern, 155 m, 1000 Einw. Marktort an der Mosel gegenüber dem luxemburgischen Städtchen Remich in der Nordspitze der obstreichen saarländischen Dreiländerecke mit rebentragenden Kalkhängen und waldbedeckten Bergkuppen. Nennig ist vor allem bekannt wegen des wohlerhaltenen Mosaikfußbodens einer römischen Prunkvilla.

Auskunft: Fremdenverkehrsverein, Bergerweg 21, 6643 Perl-Nennig, Tel. 06866/442330.
Verkehr: Kreuzungspunkt der B 406 Orscholz – luxemburgische Grenze und B 419 Konz – französische Grenze.

Sehenswert:
Römische Villenanlage mit bekanntem Mosaikfußboden (3. Jh., 10 × 16 m, Fläche, behandelt Kampf- und Tierspiele), wurde 1852 von einem Bauern entdeckt und gilt als eines der bedeutendsten Denkmäler römischer Wohnkultur nördlich der Alpen. Geöffnet April–Sept. Di–So 8.30–12 und 13–18 Uhr, Okt.–März Di–So 9–12, 13–16.30 Uhr.

Nonnweiler

Kr. St. Wendel, 375 m, 9000 Einw. Bekannter Luftkurort des nördlichen Saarlandes im Tal der Prims, umgeben von ausgedehnten Laub- und Na-

delwäldern des Schwarzwälder Hochwaldes (der seinen Namen wegen der Ähnlichkeit mit dem Schwarzwald erhalten hat und zum Hunsrück gehört).

Auskunft: Verkehrsverein 6696 Nonnweiler, Tel. 06873/833.
Verkehr: B 52 Nohfelden – Hermeskeil. Autobahndreieck Nonnweiler, Autobahnanschlußstellen.

In der Umgebung: Auf dem *Dollberg,* 695 m, 45 Min. nördlich von Otzenhausen, liegt der sogenannte **Hunnenring,** eine der mächtigsten und besterhaltenen Befestigungsanlagen aus vorgeschichtlicher Zeit; zwei Wälle mit dreieckigem Steinring von 41,5 m Basisbreite, 2,5 m Spitzenbreite und stellenweise mehr als 10 m Höhe auf einer Fläche von fast 20 ha gehören der La-Tène-Zeit an. Ausgrabungen erbrachten Siedlungsspuren der jüngeren Eifel-Hunsrück-Kultur bis fast 300 n. Chr., deren Träger Kelten und germanische Treverer waren, ferner Reste römischer Bauwerke, eines Dianatempels mit zwei Wohnhäusern und einem Torbau.

Pirmasens

Kreisfreie Stadt, 436 m, 58000 Einw. »Deutsche Schuhmetropole«, internationale Messestadt. Sie liegt im Grenzbereich zweier Naturräume: Im Osten der Pfälzer Wald, ein bewaldetes Buntsandstein-Bergland, und im Westen der Westrich, eine offene Landterrasse. Das hügelige Gelände bedingt einen unregelmäßigen Stadtgrundriß. Charakteristisch für Pirmasens sind die zahlreichen Straßentreppen zur Überwindung der oft beträchtlichen Höhenunterschiede. Auffällig ist die unregelmäßig oval verlaufende Straße um die Stadtmitte; sie markiert eine erst 1763 errichtete Stadtmauer, die Deserteuren die Flucht verwehren sollte. Baulich bemerkenswert sind auch die großen Talbrücken. Etwa ein Drittel der westdeutschen Schuhproduktion stammt aus Pirmasens. Sitz der Deutschen Schuhfachschule und des Europäischen Bildungsforums des Schuhhandels.

Auskunft: Städtisches Verkehrsamt, Dankelsbachstr. 19, Messehaus, 6780 Pirmasens, Tel. 06331/84444 u. 84445.
Verkehr: B 10 Annweiler – Zweibrücken; Ausgangspunkt der B 270 nach Kaiserslautern.

Sehenswert:
Städt. Heimatmuseum mit vielen Bildern des in Pirmasens geborenen Malers Heinrich Bürkel.

Deutsches Schuhmuseum mit der umfangreichsten Schuhsammlung in Deutschland. Geöffnet Do 15–18 Uhr, So 10–13 Uhr.

Rockenhausen

Donnersbergkreis, 200 m, 5600 Einw. Stadt mit schönen Fachwerkhäusern im Alsenztal und am Westfuß des Donnersberges, kultureller und wirtschaftlicher Mittelpunkt der Nordpfalz. Die ursprünglich römische Siedlung soll im 9. Jh. von König Arnulf von Kärnten neu gegründet worden sein.

Auskunft: Verbandsgemeindeverwaltung, 6760 Rockenhausen, Tel. 06361/601.
Verkehr: B 48 Alsenz – Winnweiler.

Sehenswert:
Römerbrunnenanlage, aufgefunden 1910 beim Bau der Wasserleitung in der Gemarkung Katzenbach, heute vor dem Museumsgebäude des Nordpfälzer Geschichtsvereins in Rockenhausen aufgestellt. – **Heimatmuseum.**

Saarbrücken

Landeshauptstadt des Saarlandes, 220 m, 184 000 Einw. Sitz der Landesregierung, politisches und kulturelles Zentrum des Saarlandes, bedeutendes Wirtschafts- und Industriezentrum an der deutsch-französischen Grenze, Mittelpunkt und Drehscheibe des Verkehrs im Saarraum. Die Stadt liegt im weiten grünen Tal der Saar und an der Einmündung ihrer Nebentäler; sie wird von bewaldeten Höhenzügen (im Süden von Wackenberg, Winterberg, Triller und Engenberg, nördlich des Flusses von Halberg, Kaninchenberg, Eschberg, Schwarzenberg, Ludwigsberg und Matzenberg) umschlossen. So wird der Besucher, der eine Industriestadt, ein Kohlenrevier erwartet, durch ein bewegtes Stadtbild inmitten waldbedeckter Hügel und Berge überrascht.

Saarbrücken ist Sitz der 1949 gegründeten Landesuniversität und weiterer Bildungsanstalten wie einer Katholischen und einer Evangelischen Pädagogischen Hochschule, einer Staatlichen Hochschule für Musik, Staatlichen Werkkunstschule, Staatlichen Ingenieurschule, Bergingenieurschule und Landessportschule. Die Stadt hat nach den umfangreichen Zerstörungen des Zweiten Weltkrieges und der Eingliederung des Saarlandes als jüngstes Bundesland der Bundesrepublik durch großzügiges Planen und Bauen ein neues Gesicht gewonnen; davon legen die Industrie-, Verwaltungs- und Kulturbauten, die modernen Wohnviertel, die Saarufer-Gestaltung, die Anlage des Geschäftsviertels in der City, die Wiederherstellung alter Bauwerke u. a. Zeugnis ab. Durch Arkadenbauten erhält das Stadtzentrum eine besondere Note.

Auskunft: Verkehrsamt der Stadt Saarbrücken, Trierer Straße 2, nahe dem Hauptbahnhof, Tel. 0681/3001-209.
Verkehr: Kreuzungspunkt B 268 Heusweiler, B 41 Friedrichsthal – französische Grenze, B 406 Hostenbach – französische Grenze, B 51 Bübingen – Bous. Autobahnanschlußstellen.

Sehenswert:
Museum für Vor- und Frühgeschichte, *Ludwigsplatz 15;* u. a. enthält es den Reinheimer Goldschmuck einer Fürstin aus der Keltenzeit (geöffnet Di–Fr 10–16 Uhr, Sa 10–13 Uhr, So 10–18 Uhr, Mo geschlossen).
Saarland-Museum, Bismarckstr. 11–15, mit Kunst und Kunstgewerbe. Im Innenhof sind Zeugnisse der Garten- und Architekturplastik Saarbrückens aus dem 18. Jh. ausgestellt (geöffnet täglich von 10–18 Uhr, Mo geschlossen. Eintritt frei).
Moderne Galerie, mit Gemälden berühmter Impressionisten und Expressionisten bis zur abstrakten Kunst der Gegenwart (geöffnet täglich 10–18 Uhr, Mo geschlossen).

Geologische Sammlung der Bergingenieurschule in Von der Heydt, eine der bedeutendsten Fossiliensammlungen im südwestdeutschen Raum.

Saarlouis

Kreisstadt, 185 m, 40 000 Einw. Alte Festungsstadt an der windungsreichen mittleren Saar, mit großzügig aufgebautem modernem Zentrum, kultureller und wirtschaftlicher Mittelpunkt des südwestlichen Saarlandes.

Auskunft: Kultur-, Presse- und Verkehrsamt, Rathaus, 6630 Saarlouis, Tel. 06831/443263.
Verkehr: Kreuzungspunkt B 269 Schmelz – französische Grenze, B 51 Merzig – Völklingen und B 405 u. 406. Autobahnanschluß an die A 8.

Sehenswert:
Empfehlenswert ist ein Besuch des **Städtischen Heimatmuseums** in den restaurierten Gewölben der ehemaligen Kaserne 6 (geöffnet Di und Do 9–12, 15–18 Uhr, So 15–18 Uhr).

St. Ingbert

Saar-Pfalz-Kreis, 220 m, 44 000 Einw. Bedeutende Industriestadt des Saarlandes mit vielseitigen kulturellen Einrichtungen, Erholungsort mit gepflegten Grünanlagen inmitten einer waldreichen Hügellandschaft. Kneipp-Ambulatorium. Im Jahr 888 wurde der Ort erstmals urkundlich erwähnt. Den alten Stadtkern umgeben moderne Wohnsiedlungen.

Auskunft: Stadtverwaltung, 6670 St. Ingbert, Tel. 06894/289.
Verkehr: B 40 Homburg – Saarbrükken. Autobahnanschlußstellen.

Sehenswert:
Albert-Weisgerber-Sammlung im Dr.-Karl-Martin-Haus (Kulturhaus) mit Dauerausstellung von Gemälden des 1878 hier geborenen Malers Albert Weisgerber.

Privatsammlung Kohl-Weigand mit Teilen des graphischen Werkes von Max Slevogt, Arbeiten von Weisgerber, Purrmann, Renoir, Liebermann, Corinth, Zille, Kubin und Kollwitz (nunmehr Bestandteil der *Stiftung Saarländischer Kulturbesitz).*

St. Wendel

Kreisstadt, 280 m, 28 000 Einw. Kultureller und wirtschaftlicher Mittelpunkt (sechs bedeutende Märkte) des nördlichen Saarlandes, an der Blies. St. Wendel liegt in einer dem Hunsrück vorgelagerten Vulkan- und Hügellandschaft mit bewaldeten Höhen und geschützten Tälern. Der Name geht auf den hl. Wendelin (gest. 617) zurück, der als Eremit im Bliestal lebte; die Stadt verdankt ihm ihren Ruf als Wallfahrtsort. St. Wendel erhielt 1332 Stadtrechte.

Auskunft: Städt. Kultur- und Verkehrsamt, Schloßstr. 7, 6690 St. Wendel, Tel. 06851/809132.
Verkehr: B 41 Saarbrücken – Mainz.

Sehenswert:
Missionshaus der Steyler Missionsgesellschaft mit *Museum für Mission und Völkerkunde.* Geöffnet Mo–Fr 8–12, 14–18, Sa 8–12, So 14–18 Uhr.

Heimatmuseum im alten Rathaus.

Speyer

Kreisfreie Stadt, 104 m, 44 500 Einw. Alte Kaiserstadt und ehemalige Freie Reichsstadt am linken Ufer des Rheins, eine der ältesten Ansiedlungen des Oberrheins mit vielen sehenswerten Bauten. Sitz eines bischöflichen Ordinariats, des evangelischen Landeskirchenrats der Pfalz und der Hochschule für Verwaltungswissenschaften. Speyer besitzt zwei Rheinhäfen sowie Groß- und Mittelindustrie. Im reizvollen Althrein-Ufergebiet verlaufen angenehme Spazierwege.

Auskunft: Kultur- und Werbeamt, 6720 Speyer, Tel. 06232/14395.
Verkehr: Kreuzungspunkt B 9 Ludwigshafen – Wörth und B 39 Neustadt – Walldorf. Autobahnkreuz Speyer.

Sehenswert:
In den Anlagen hinter dem Dom das sogenannte **Heidentürmchen,** ein Rest der alten Stadtmauer.

Durch die Anlagen gelangt man zum nahen **Historischen Museum der Pfalz,** *Große Pfaffengasse.* Es bietet einen umfassenden Überblick über die gesamte Geschichte der Pfalz von der Urzeit bis in unsere Tage und enthält außerdem das **Diözesanmuseum** mit den Funden aus den Kaisergräbern. Das Gebäude wurde 1907 bis 1909 nach Plänen von Gabriel v. Seidl (München) im Stil süddeutscher Renaissanceschlösser errichtet. Zu beiden Seiten des Eingangs stehen zwei römische Reiterstandbilder.

Im Untergeschoß befindet sich in sieben Sälen das einzigartige **Weinmuseum** mit einem Winzermesser des 3. Jh., aus gleicher Zeit eine Glasflasche mit flüssig erhaltenem Wein, Holzfässer des 1. Jh. aus dem Kastell Rheingönheim, ein romanischer Keltertrog vom Kloster Disibodenberg u. a.

Historisches Museum und Weinmuseum täglich (auch an So) von 9–12 und 14–17 Uhr göffnet.

Goldener Hut im historischen Museum der Pfalz

Tholey

Kr. St. Wendel, 425 m, 12 200 Einw. Reizvoller Luftkurort und Großgemeinde am Fuß des 571 m hohen Schaumberges im St. Wendeler Land, einer waldreichen Hügellandschaft mit zahlreichen schönen Wanderwegen im nördlichen Saarland. Der Ort war bereits eine römische Siedlung.

Auskunft: Verkehrsamt, 6695 Tholey, Tel. 06853/2041.
Verkehr: B 269 Lebach – Tholey. Autobahnanschlußstelle Sotzweiler (5 km).

Sehenswert:
Bedeutende **Benediktinerabtei,** ursprünglich aus merowingischer Zeit, erbaut über römischen Badeanlagen, Bauteile aus verschiedenen Jahrhunderten. Die Abteikirche ist 700 Jahre alt, sie besitzt in ihrem frühgotischen Figurenportal eine kunstgeschichtliche Seltenheit; die überlebensgroße Figur des Erzengels Gabriel, 13. Jh., ist jetzt in der Abtei aufgestellt. – **Abteimuseum.**

Worms

Kreisfreie Stadt, 100 m, 78 000 Einw. Berühmte Nibelungenstadt am Rhein, Mittelpunkt des Wonnegaus und Eingangspforte zum rheinhessischen und rheinpfälzischen Weinland, eine der ältesten und geschichtlich interessantesten Städte Süddeutschlands.

Auskunft: Verkehrsverein, 6520 Worms, Tel. 06241/25045.
Verkehr: Kreuzungspunkt der B 9 Ludwigshafen – Guntersblum und B 47 Bürstadt – Monsheim. Autobahnkreuz Worms A 61.

Sehenswert:
Andreaskirche, *Weckerlingplatz 7,* 1020 von Bischof Burkhard als Stiftskirche begonnen, um 1200 erneuert, dreischiffige romanische Pfeilerbasilika mit Scheinvierung und quadratischen Chortürmen, ursprünglich flachgedeckt. Fenster und Schaftringsäulen stammen von einer frühgotischen Erneuerung nach dem Stadtbrand von 1242. Am Nordportal Zickzackfries. Vom *Kreuzgang* ist der ursprüngliche Westflügel mit schönen Kapitellen erhalten, der Südflügel entstand 1612, der Ostflügel 1786. Kirche und Stift dienen als **Museum der Stadt Worms** (geöffnet 9–12 und 14–17 Uhr, im Winter 10–12 und 14–16 Uhr), große Sammlung von Altertümern aus dem Stadtgebiet und dem Landkreis Worms, Urgeschichte, Vorgeschichte, Frühgeschichte der Römer und Franken, mittelalterliche und neuzeitliche Geschichte, bedeutende Schausammlung mit Hinweisen auf die weltgeschichtlichen Verbindungen des Wormser Stadtschicksals.

Zweibrücken

Kreisfreie Stadt, 226 m, 38 800 Einw. Die »Stadt der Rosen und Rosse« ist nach den beiden Brücken benannt, die ehemals über zwei Arme des Schwarzbachs in die Stadt führten. Zweibrücken liegt im sanften Hügelland des pfälzischen Westrich am Übergang in das Saarland und nach Lothringen mit schönem Rosengarten und bedeutender Pferdezucht mit Maschinen- und Schuhindustrie. Die alte Residenzstadt des Wittelsbachschen Fürstenhauses Pfalz-Zweibrücken besaß zahlreiche Barock- und Rokokobauten, von denen ein Teil im Zweiten Weltkrieg zerstört wurde. Der Neuaufbau schuf eine reizvolle Stadt, die noch immer viele historische Sehenswürdigkeiten aufweist.

Auskunft: Stadtverwaltung, Herzogplatz 5, 6660 Zweibrücken, Tel 06332/88248.
Verkehr: Ausgangspunkt der B 10 nach Pirmasens und B 424 zur deutsch-französischen Grenze. Autobahnanschlußstelle an die A 8 (bis AB-Kreuz Saarbrücken fertiggestellt, nach Pirmasens im Bau/in Planung).

Sehenswert:
Stadtmuseum mit Gemälden, Porzellan und Mozart-Klavier. Geöffnet So 10–12 Uhr.

Technik, Salz und Elfenbein . . .

Die Deutung des Namens Odenwald ist umstritten. Sebastian Münster, der bekannte Geograph des 16. Jh., hielt es für möglich, daß der Name Odenwald von dem Namen eines Fürsten Otto oder Odo abzuleiten sei oder aber ein »öd und rauh Land« bezeichnen sollte, was mit der bis ins frühe Mittelalter dünnen Besiedelung weiter Teile des Gebirges in Verbindung gebracht werden könnte. Andere Deutungen knüpfen an den Namen der Burgunderkönigin Ute an oder an den Namen des germanischen Gottes Odin oder, wie er im südgermanischen Bereich heißt, Wotan. Eine weitere Version bringt den Namen mit dem althochdeutschen »odan« (verleihen) zusammen und erinnert daran, daß im Jahr 628 das Gebiet vom Merowingerkönig Dagobert an das Bistum Worms verliehen wurde. Auch mit dem Otzberg, dem von einer mittelalterlichen Veste gekrönten Basaltkegel im Norden des Gebirges, und der nicht weit davon bei Dieburg entdeckten römischen Civitas Auderiensis hat man den Namen in Verbindung gebracht. Eine eindeutige Klärung scheint nicht möglich zu sein.

Der Name Bergstraße bezeichnete ursprünglich eine Straße, die am Gebirgsrand entlangführt. Diese Straße, die die Römer als Verkehrsweg ausbauten und »Strata montana« nannten, ist wahrscheinlich ein uralter Handelsweg. Heute nennt man den gesamten Westabfall des Odenwaldes und des Kraichgaus nach der Rheinebene zu Bergstraße.

Ganz besonders beliebte Museen gibt es in Bad Friedrichshall (Salzbergwerk), Erbach (Elfenbeinmuseum), Heidelberg (Apothekenmuseum), Knittlingen (Faustmuseum), Neckarsulm (Zweiradmuseum) und Sinsheim (Auto- und Technikmuseum). Die Museumsstadt schlechthin ist Darmstadt, was nur wenige Museumsbesucher wissen. Die dortigen Sammlungen sind thematisch außergewöhnlich reichhaltig, so daß hier jeder auf seine Kosten kommen kann.

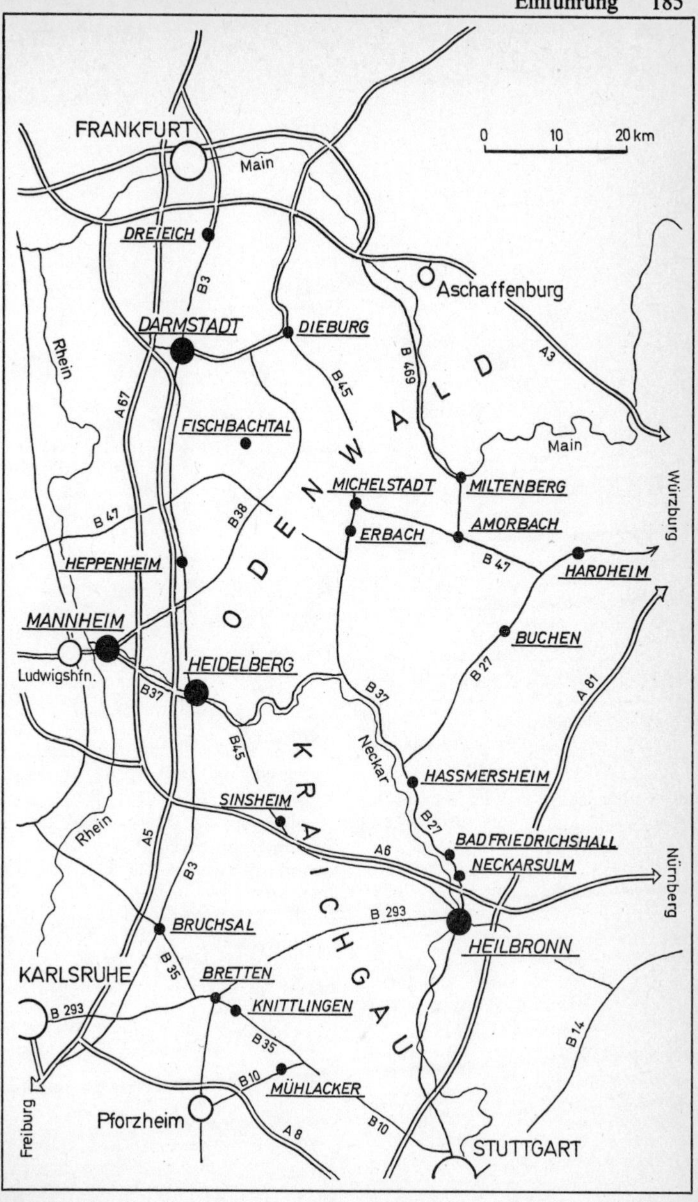

FRANKFURT
Main
0 10 20 km
DREIEICH
B3
Aschaffenburg
DARMSTADT
DIEBURG
Rhein
B 469
A3
B45
A67
ODENWALD
FISCHBACHTAL
Main
MICHELSTADT
MILTENBERG
Würzburg
B 47
B38
ERBACH
AMORBACH
B 47
HEPPENHEIM
HARDHEIM
MANNHEIM
BUCHEN
Ludwigshfn.
HEIDELBERG
B 27
B37
B 37
A 81
B45
Neckar
KRAICHGAU
HASSMERSHEIM
SINSHEIM
B27
Rhein
A5
A6
BAD FRIEDRICHSHALL
NECKARSULM
Nürnberg
B3
B 293
BRUCHSAL
HEILBRONN
KARLSRUHE
B 35
BRETTEN
B 293
KNITTLINGEN
B 35
B14
B10
MÜHLACKER
Freiburg
Pforzheim
B10
A 8
STUTTGART

Amorbach

Kr. Miltenberg, 158 m, 5000 Einw. Staatlich anerkannter Luftkurort im östlichen Odenwald inmitten dicht bewaldeter Berge an der Vereinigung von fünf Tälern gelegen. Amorbach ist ein altfränkisches Barockstädtchen und ein vielbesuchter Ferienort mit mildem Klima, geeignet auch als Stützpunkt für Wanderungen im östlichen Odenwald und im Maintal.

Auskunft: Städtisches Verkehrsamt, Rathaus, 8762 Amorbach, Tel. 09373/778.
Verkehr: Kreuzungspunkt B 47 Michelstadt – Walldürn, B 469 Miltenberg.

Sehenswert:
Kurmainzische **Amtskellerei** von 1488, heute **Heimatmuseum** mit Funden aus der Römerzeit und der Burg Wildenberg, mit Sammlungen zur Odenwälder Volkskunst und heimatlichem Handwerk.

Bad Friedrichshall

Kr. Heilbronn, 155 m, 12000 Einw., an der Mündung der Flüsse Kocher und Jagst in den Neckar gelegen.

Auskunft: Bürgermeisteramt, 7107 Bad Friedrichshall, Tel. 07136/6021.
Verkehr: B 27 Mosbach – Neckarsulm; Autobahnanschlußstelle Heilbronn/Neckarsulm (7 km).

Sehenswert:
Steinsalzbergwerk im Stadtteil Kochendorf mit seinen über 100 km langen ausgesprengten Strecken und Fristen und dem 25 m hohen Kuppelsaal. Reliefs in Salz stellen die Arbeit des Bergmanns und die damit verbundenen Gefahren dar. Schachteinfahrten von Mai–Okt.

Bretten

Kr. Karlsruhe, 179 m, 23000 Einw. Große Kreisstadt im südlichen Kraichgau, zu der neun Nachbarorte gehören. 767 bereits in der berühmten Chronik des Klosters Lorsch erwähnt, erlangte der Ort schon 1282 Stadtrechte. – Geburtsstadt des Reformators Philipp Melanchthon, 1497–1560 (das Geburtshaus wurde 1689 zerstört, Neubau um 1900).

Auskunft: Stadtverwaltung, 7518 Bretten, Tel. 07252/520.
Verkehr: Kreuzungspunkt B 35 Bruchsal – Vaihingen, B 293 Karlsruhe – Heilbronn. Endpunkt B 294 von Pforzheim. Autobahnanschlußstelle Pforzheim-Ost (15 km).

Sehenswert:
Melanchthonhaus mit der größten Sammlung von Schriftzeugnissen aus der Reformationszeit (Erstdrucke, Kunstwerke).

Bruchsal

Kr. Karlsruhe, 114–258 m, 38000 Einw. Große Kreisstadt und ehemalige Residenz der Fürstbischöfe von Speyer, am Übergang des Kraichgau-Hügellandes in die Rheinebene gelegen.

Auskunft: Städt. Verkehrsamt, Bahnhofsplatz 1, 7520 Bruchsal, Tel. 07251/79301.
Verkehr: Kreuzungspunkt **B 3** Karlsruhe – Heidelberg, B 35 Germersheim – Bretten. Autobahnanschlußstellen.

Sehenswert:
Schloß Bruchsal. Die Gesamtanlage besticht durch ihre streng

Wirkteppich im Schloß Bruchsal

axiale Gliederung, innerhalb derer die 50 voneinander getrennten Einzelbauten baulich in lockerer Verbindung zueinander stehen. Die Fassade des Hauptschlosses, natürlich gegliedert durch die Verwendung des roten »Miltenberger Sandstein«, wurde von dem römischen Maler Giovanni Francesco Marchini gestaltet, der auch die Schönborn-Schlösser in Pommersfelden, Wiesentheid und Bamberg bemalt hatte. Einen lebendigen Eindruck von der einst prachtvollen Ausstattung des Schlosses vermitteln heute, nach der Wiederherstellung der im Krieg fast völlig zerstörten Anlage, außer den wiederhergestellten Prunkräumen vor allem die zahlreichen Wandteppiche, Gemälde und Möbel, die vor den Zerstörungen des Kriegs bewahrt blieben. Sie bilden den Grundstock der Schausammlungen, die das Badische Landesmuseum im Corps de Logis als Zweigmuseum eingerichtet hat. Hinzu kommen kostbare Porzellane und Fayencen, Jagdwaffen, Goldschmiedearbeiten, Skulpturen, Möbel und Gläser aus Karlsruher Beständen. Geöffnet Di–So 9–13, 14–17 Uhr, Mo geschlossen.

Buchen/Odenwald

Neckar-Odenwald-Kreis, 342 m, 15 000 Einw. Staatlich anerkannter Erholungsort im sogenannten »Madonnenländchen« einer bewaldeten Hügellandschaft im östlichen Odenwald.

Auskunft: Verkehrsamt, Am Bild, 6967 Buchen, Tel. 06281/2780.
Verkehr: B 27 Mosbach – Walldürn.

Sehenswert:
Im »Steinernen Bau« **Heimatmuseum** mit volkskundlichen Sammlungen, Volkslieder-Sammlung (30 000 Volkslieder), wissensch. Heimatbücherei und musikhistorischer Sammlung.

Darmstadt

Kreisstadt des Kreises Darmstadt-Dieburg und kreisfreie Stadt, 146 m, 134 000 Einw. Moderne Großstadt am nördlichen Ende der Bergstraße. Dank seiner landschaftlichen Reize von jeher ein beliebter Wohnort, die Großstadt am Walde, ehemals Hauptstadt des Großherzogtums, später des Volksstaates Hessen, heute Sitz eines der zwei hessischen Regierungspräsidien. Darmstadt beherbergt u. a. das europäische Operationszentrum für Weltraumforschung und ist Sitz der Deutschen Akademie für Sprache und Dichtung und des PEN-Zentrums.

Auskunft: Städtisches Verkehrsamt, Luisenplatz 5, 6100 Darmstadt, Tel. 06151/132780/2; Tourist-Information, Hauptbahnhof, Tel. 132782 u. 132783; Information Stadtmitte, Tel. 20228.
Verkehr: Kreuzungspunkt B 3 Bensheim – Neu-Isenburg, B 26 Aschaffenburg – Griesheim; Ausgangspunkt B 42 nach Groß-Gerau und B 449 nach Nieder-Ramstadt. Autobahnanschluß.

Sehenswert:
Hessisches Landesmuseum, Friedensplatz 1, Tel. 125434; geöffnet Di–So 10–17 Uhr, Mi bis 21 Uhr. Das Hessische Landesmuseum vereinigt in dem 1897 bis 1902 von Alfred Messel errichteten Gebäude die Abteilungen Kunst- und Kulturgeschichtliche Sammlungen, Geologisch-Paläontologische und Mineralogische sowie Zoologische Sammlungen.

In die *Kulturhistorische Sammlung* mit ihren mittelalterlichen Altarwerken, von denen insbesondere Stefan Lochners »Darstellung im Tempel« und das wohl am Mittelrhein geschaffene Ortenberger Retabel hervorzuheben sind, gelangten im Verlauf des vorigen Jahrhunderts Gemälde aus den verschiedenen Epochen der Neuzeit in die Sammlung. Als Geschenk König Maximilian Josephs I. von Bayern ist das prächtige Barockgemälde von Peter Paul Rubens »Heimkehr der Diana von der Jagd« eingereiht worden. Bilder wie »Die Elster auf dem Galgen« von Pieter Breughel d. Ä. und Anselm Feuerbachs »Iphigenie« kamen als eigene Akzente hinzu. Eine kostbare Böcklin-Sammlung, der Stadt Darmstadt 1924 geschenkt, wurde dem Landesmuseum als Leihgabe überlassen. Nach 1945 wurden vor allem Gemälde des 20. Jh. angekauft: Gemälde von Beckmann, Corinth, Dix, Feininger, Kirchner, Moholy-Nagy, Pechstein u. a. Die Gegenwartskunst gruppiert sich um einen aus 300 Werken bestehenden Komplex von Joseph Beuys; die Richtungen des Informel (Sonderborg, Winter, Schultze), der Pop Art (Hamilton), des Nouveau Realisme (Hains, Villeglé) und Werke von Arnulf Rainer sind vorzuweisen. – Die einzigartige *Glasgemäldesammlung,* mit dem frühgotischen Zyklus aus der Ritterstiftskirche zu Wimpfen im Tal, gewährt einen Überblick vom 9. Jh. bis zur Gegenwart. – In der *Plastiksammlung,* die bedeutende Beispiele der Bildnerei vom frühen Mittelalter an umfaßt, ist neben mittelrheinischer Plastik des 15. Jh. eine Arbeit von Tilman Riemenschneiders Kreuzigungs-Gruppe hervorzuheben. – Der Bereich des *Kunsthandwerks* enthält u. a. Prunkpokale aus der fürstlichen Kunstkammer, Zeugnisse mittelalterlicher Elfenbein- und Emaillekunst und v. a. Arbeiten der internationalen Stilbewegung um 1900 (»Jugendstil«), für die Darmstadt mit der Künstlerkolonie auf der Mathildenhöhe anerkanntes Zentrum war. – Reiches Anschauungsmaterial bietet die *Vor- und Frühgeschichtliche Sammlung* mit Fundstücken aus der Jungsteinzeit bis zur merowingisch-fränkischen Zeit, darunter zahlreiche provinzialrömische Werke. – Die *Graphische Sammlung* vermittelt einen Eindruck von der Druckgraphik und Zeichenkunst in Deutschland vom späten Mittelalter bis heute. Überdies sind die Graphikbestände reich an Arbeiten italienischer, französischer und niederländischer Künstler des 17. und 18. Jh. Erwähnenswert ist auch die mit der Zeit um 1900 einsetzende *Plakatsammlung.* – Die *Zoologische Schausammlung* gibt einen systematischen Überblick über das gesamte Tierreich. Als besondere Sehenswürdigkeit sind ein Quagga, eine 1873 ausgerottete Zebra-Art, die Galapagos-Tiergruppe und das Korallenriff aus dem Roten Meer anzuführen. – Die Schausammlung der Geologisch-Paläontologischen und Mineralogischen Abteilung unterrichtet anhand seltener Fossilien (z. B. ein amerikanisches Mastodon) und ausgewählter Mineralien über die Erd- und Lebensgeschichte. Die Verhältnisse in Hessen werden dabei besonders berücksichtigt. – Sonderausstellungen, Führungen, Vorträge und Filmvorführungen vervollständigen das reichhaltige Angebot.

Schloßmuseum, im Glockenbau des Schlosses, Tel. 24035. Geöffnet Mo–Do 10–13 und 14–17 Uhr, Sa und So 10–13 Uhr. In über 20, nach genealogischen Gesichtspunkten eingerichteten Schauräumen präsentieren sich dem Besucher neben fürstlichen Porträts und Stadt- und Landschaftsansichten von Darmstadt und Umgebung auch Möbel, Kunstgewerbe und andere kulturgeschichtliche Sehenswürdigkeiten. Der Schwerpunkt der Malerei liegt auf den hessen-darmstädtischen Künstlern des 18. und 19. Jh. Bedeutendstes Stück der Sammlung ist die »Madonna des Bürgermeisters Jacob Meyer von Basel«, 1526 von Hans Holbein d. J. gemalt. Dieses Bild gehört zu den größten Zeugnissen deutscher Malerei an der Schwelle von der Gotik zur Renaissance.

Porzellan-Sammlung, Prinz Georg Palais, Im Schloßgarten 7, Tel. 291216. Geöffnet Mo–Do 10–13 und 14–17 Uhr, Sa und So 10–13 Uhr. Neben einigen Schwerpunkten, wie die seltenen Erzeugnisse der hessen-darmstädtischen Manufaktur Kelsterbach und der kaiserlich-russischen Porzellanmanufaktur St. Petersburg, zeigt diese Sammlung einen breitgestreuten, repräsentativen Querschnitt durch die unzähligen Porzellanmanufakturen Europas im 18. Jh. Ergänzt wird dieser Bestand durch einige ausgewählte Ausformungen der Ursprungsländer des Porzellans, aus China und Japan. In einem kleinen Raum präsentiert sich die Manufaktur Meißen, angefangen bei einigen roten und weißen Erzeugnissen aus der frühen Epoche unter Bötger bis hin zu den Höhepunkten unter Höroldt und Kändler. Für die Genese englischer Keramikerzeugnisse sprechen im englischen Zimmer vor allem Davenport und Wedgewood. In einem eigenen Ausstellungsraum sind Fayencen der hessen-darmstädtischen Manufaktur Kelsterbach ausgestellt, in einem Material, das in Europa schon lange vor dem Porzellan bekannt war und von diesem niemals gänzlich verdrängt werden konnte.

Wella-Museum, Berliner Allee 65, Tel. 342459, Besichtigung Mo–Fr 9–12, 14–17 Uhr. Nahezu 2500 Objekte der Schönheitspflege sind hier zusammengetragen: Kämme, Spiegel, Puderdosen, Parfümflakons, antike Salbgefäße und Make-up-Utensilien, Frisiergarnituren, Haararbeiten und figürliches Porzellan zur Illustration des Frisierens und Rasierens, diverses Mobiliar und Waschgeschirr. Aber auch Aderlaßschnepper, Schröpfgläser und Zahnzangen sind hier ausgestellt, obwohl solche Instrumente mit Schönheitspflege nicht unmittelbar zu tun haben. Daneben gibt es alte und seltene Bücher, dekorative Urkunden für Bader, Barbiere und Perückenmacher. Die meisten Exponate stammen aus Europa, die ältesten jedoch und einige bemerkenswert schöne und kunstvoll gearbeitete Stücke gehören unverkennbar außereuropäischen Kulturen an. Das 20. Jh. ist mit Jugendstil, Art Deco, mit Ondulier-Eisen und Sicherheits-Rasierapparaten u. ä. vertreten.

Bronzeguß um 1875 im Wella-Museum

Jagdmuseum, Jagdschloß Kranichstein, Tel. 78613; geöffnet Di–So 10–12 und 14–17 Uhr. Das Jagdschloß Kranichstein wurde 1578 für Landgraf Georg II. von Hessen-Darmstadt als Jagdsitz erbaut. Seinen jagdgeschichtlichen Höhepunkt erlebte es unter Landgraf Ludwig VIII. von Hessen-Darmstadt, als dieser zwischen 1739 und 1768 hier seinen bevorzugten Wohnsitz nahm. Im Mittelpunkt seiner Jagdleidenschaft stand die 1709 durch seinen Vater Landgraf Ernst-Ludwig in Hessen-Darmstadt eingeführte Parforcejagd, die 1769 durch Ludwig IX. von Hessen-Darmstadt wieder verboten wurde. Jagdwaffen und Jagdgeräte aus dieser Epoche bilden den Hauptbestand des Jagdmuseums. In welchem Maße die Lebensführung der barocken Fürsten von der Jagd durchdrungen war, geben zahlreiche Gemälde Darmstädter aber auch auswärtiger Künstler wieder. Neben Jagddarstellungen, mittels derer der barocke Fürst seinen gesellschaftlichen Anspruch exemplifizierte, geben andere Kunde vom Außergewöhnlichen des Jagdglücks. Die sehr breite Palette der ausgestellten Jagdwaffen des 17., 18. und 19. Jh. wird durch eine in der Welt einzigartige Windbüchsensammlung bereichert. Einige dieser Büchsen, gefertigt durch die Darmstädter Büchsenmacher Albrecht und Boßler, unterscheiden sich im Äußeren kaum von den damals gebräuchlichen Batterieschloßgewehren, aus anderen konnte man jedoch sowohl mit Luft als auch mit Pulver schießen. Die enorme Durchschlagskraft der Windbüchsen erlaubte es Ludwig VIII., sogar Rotwilddubletten auf 60 Schritt zu erlegen. Eine andere Kuriosität der Jagdgeschichte unter Ludwig VIII. war die nächtliche Fasanenjagd mit Hilfe von Blendlaternen. Eine solche Laterne und ein diesbezügliches Gemälde von Seekatz sind ebenfalls zu besichtigen.

Wixhäuser Dorfmuseum, evang. Pfarramt, Römergasse 17, Tel. 06150/7731; Besichtigung an dörflichen Festtagen oder nach Vereinbarung. Für Darmstadts nördlichsten Stadtteil hat die Evang. Kirchengemeinde 1980 ein eigenes Heimatmuseum eingerichtet. Es ist untergebracht in dem fränkischen

Fachwerkbauernhaus in der Untergasse 1, das im Kern ins 16. Jh. zurückgeht und im 17. Jh. seine endgültige Gestaltung gefunden hat – eingebunden in die historische Pfarrhofraithe mit dem Pfarrhaus von 1765, der barocken Kirche von 1775 und dem romanischen Turm aus der Mitte des 12. Jh., Rest einer mittelalterlichen Wehranlage, der in seinem Innern eine handgeschmiedete Uhr von 1517 beherbergt. Die Bestände des Museums geben einen Einblick in die Kultur- und Sozialgeschichte des früheren Dorfes Wixhausen. Sie zeigen anschaulich das Wohnen und Wirtschaften auf dem bäuerlichen Hof im 18. und 19. Jh.: mit Flachsbreche, Spinnrad und Haspel, mit Reff, Dreschflegel und Windfege, mit Schnitzesel, Backtrog und Butterfaß. Die bäuerlichen Geräte sind in der noch rußgeschwärzten Küche untergebracht. Die gute Stube zeigt neben alten Möbeln und Hausrat eine Familie im Sonntagsstaat. In zwei Kammern sind neben Federzeichnungen von Alt-Wixhausen Feierabendziegel, Wäschestücke und Gebrauchskeramik wie Schlachtschüsseln und Milchtöpfe ausgestellt, außerdem Urkunden aus dem Pfarrarchiv, die bis in die Reformationszeit zurückgehen. Zur Sammlung gehört auch ein Fotoarchiv, das seit 1880 das Leben und Treiben im Dorf dokumentiert. Seit Sommer 1981 ist der letzte erhaltene Privatbackofen ans Museum umgesetzt und wieder in Betrieb genommen worden.

Landesarchäologisches Museum, Abteilung Vor- und Frühgeschichte. Im Glockenbau des Schlosses, Tel. 125644; Besichtigung nach Vereinbarung. Die »beweglichen Altertümer«, zufällig durch Erdarbeiten oder bei archäologischen Grabungen planmäßig zutage gebracht, werden ausnahmslos in Darmstadt registriert und inventarisiert und, wenn nötig, auch restauriert. Diese Fundstücke kommen aus den unterschiedlichen Landschaften zwischen Fulda, Lahn, Main, Rhein und Neckar sowie aus den Regionen Mittelhessen, Untermain und Starkenburg. Sie bieten so, als Bodenurkunden archiviert, ausgezeichnete Informationen über die Vielfalt der Kulturentwicklung während der Stein-, Bronze- und Eisenzeit sowie den römisch-germanisch und frühmittelalterlichen Epochen. Diese Altertumsfunde aus Stein, gebranntem Ton, Metall, Glas oder Bein stellen überdies eine Ergänzung zur Schausammlung im Hessischen Landesmuseum (s. o.) dar. Eine kleine Fachbücherei ergänzt Archive und Sammlungen.

Eisenbahnmuseum, Bahngelände Kranichstein, Eingang Steinstr., Tel. 84317. Geöff. So 10–16 Uhr.

Kunsthalle, Steubenplatz, Tel. 81961; wechselnde Ausstellungen.

Mathildenhöhe, Tel. 132778; wechselnde, international bedeutende Ausstellungen. Laufend Sonderausstellungen im Hessischen Landesmuseum, in der Hessischen Landes- und Hochschulbibliothek, im Institut für Neue Technische Form, im Justus-Liebig-Haus sowie in verschiedenen Privatgalerien.

Dieburg

Kr. Darmstadt-Dieburg, 145 m, 14000 Einw. Stadt im nördlichen Odenwald, an der Gersprenz gelegen. Der Ort steht auf dem Platz einer ehemaligen Römersiedlung, von der viele Bodenfunde zeugen. Heute hat sich Dieburg zu einer Schulstadt ent-

wickelt, deren größte Einrichtung die Fachhochschule der Deutschen Bundespost für Nachrichtentechnik und Verwaltung ist.

Auskunft: Stadtverwaltung, Postfach 1207, 6110 Dieburg, Tel. 06071/20020.
Verkehr: Kreuzungspunkt B 26 Darmstadt – Aschaffenburg, B 45 Oberroden – Michelstadt.

Sehenswert:
Schloß Fechenbach, 1841–61 erbaut, mit schönen Parkanlagen; heute **Heimatmuseum** mit Sammlungen zur Frühgeschichte und Römerzeit, u. a. Altarbild des persischen Sonnengottes Mithras aus dem 2. Jh. v. Chr.; darüber hinaus volkskundliche Abteilung und Blaudruckerwerkstatt.

Kultbild aus dem Mithrastempel (Dieburg)

Dreieich

Kr. Offenbach, 165 m, 42000 Einw. Zusammenschluß der Städte Sprendlingen und Dreieichenhain sowie der Gemeinden Buchschlag, Götzenhain und Offenthal, zwischen Frankfurt und Darmstadt im Dreieichenwald-Revier gelegen. Die Unterschiedlichkeit der zu Stadtteilen gewordenen, einst selbständigen Städte und Gemeinden gibt Dreieich seine charakteristische Vielfältigkeit: das städtische Gepräge Sprendlingens mit seiner Metall-, Textil- und chemischen Industrie, die schönen Fachwerkhäuser im Ortskern von Dreieichenhain, Götzenhain mit seinem noch dörflich anmutenden Charakter, daneben die Villen-Kolonie Buchschlag und schließlich das z. T. noch von der Landwirtschaft geprägte Offenthal.

Auskunft: Stadtverwaltung, 6072 Dreieich, Tel. 06103/6511.
Verkehr: B 3 Darmstadt – Neu-Isenburg. A 5 Heidelberg – Frankfurt, Anschlußstelle Langen/Mörfelden.

Sehenswert:
Im Stadtteil Dreieichenhain:

Modernes **Kreismuseum** der Landschaft Dreieich, 1952–1956 im Burggarten errichtet. Geöffnet Di–Fr 9–12.30, 14–18 Uhr; Sa 14–18, So 10.30–12.30, 14–18 Uhr.

Erbach

Kreisstadt des Odenwaldkreises, 223 m, 11300 Einw. Staatlich anerkannter Luftkurort im mittleren Odenwald. Das hübsche Städtchen war Residenz der Grafen von Erbach. Der Name wird vom Erdbach abgeleitet, der bei Dorf-Erbach im Kalksandstein verschwindet und im benachbarten Stockheim wieder zutage tritt.

Auskunft: Stadtverwaltung, Neckarstr. 3, 6120 Erbach, Tel. 06062/640/6439.
Verkehr: B 45 Dieburg – Eberbach.

B 47 Worms – Würzburg. B 460 Heppenheim – Erbach.

Sehenswert: **Deutsches Elfenbeinmuseum** im neuen Bürgerhaus Erbacher Festhalle. Geöffnet Di–So 10–12.30 Uhr und 14–17 Uhr. Betriebe der Elfenbeinschnitzereien, Töpfereien und der Bernsteinverarbeitung (Besichtigung unentgeltlich). Das **Schloß,** Hauptbau von 1736 in maßvollem Barock. Renaissancegebäude aus dem 16. Jh.: Archivbau mit Tor (rechts vom Hauptbau), Alter Bau (Fachwerk) und Kanzleibau. Der hohe, schlanke Bergfried aus dem Anfang des 13. Jh. stammt noch von der alten Burg; der Spitzhelm wurde 1497 aufgesetzt.

Sammlungen im Schloß: u. a. antike Bildwerke, mittelalterliche Waffen und Rüstungen, Glasmalereien, gotische Bildschnitzereien, Kleinkunstwerke und Hirschgeweihe. Geöffnet Apr.–Nov. So und Fei 14–18 Uhr. Im Treppenhaus über 500 Rehbock-Gehörne, darunter die seltensten und eigenartigsten Stücke; im Obergeschoß Hirschgalerie mit reich geschnitzter und eingelegter Holzdecke aus dem schwäbischen Kloster Rot (17. Jh.), geschnitzten Schränken, kunstvollen Jagdwaffen und 72 kolossalen Hirschgeweihen, die bedeutendste Geweihsammlung in Westdeutschland; Antikensammlung u. a. mit 18 Marmorbüsten von römischen Kaisern, besonders lebensvoll charakterisiert die des Claudius, Scipio(?), Tiberius, Germanicus und Sertorius; ferner sitzende Grabstatue des Trajan aus der 2. Hälfte des 1. Jh., Herme des Cicero(?), überlebensgroßes Standbild Hadrians (Arme und Beine ergänzt); auf dem Sockel hervorragende antike Mosaiken.

Fischbachtal

Kr. Darmstadt-Dieburg, 278 m, 2300 Einw. Gemeinde in gleichnamiger Landschaft im Nordwesten des Landschaftsschutzgebiets Naturpark Bergstraße – Odenwald, staatlich anerkannter Erholungsort mit den Ortsteilen Lichtenberg, Niedernhausen, Obernhausen, Billings, Steinau, Meßbach, Nonrod.

Auskunft: Gemeindeverwaltung, 6101 Fischbachtal, Tel. 061 66/3 66.
Verkehr: B 38 Rheinheim – Beerfurth, Abzweigung bei Groß-Bieberau.

Sehenswert: Im Ortsteil Lichtenberg **Renaissanceschloß,** 1570–1581 im Auftrag des hessischen Landgrafen Georg I. nach Plänen von Jakob Kesselhut an Stelle einer früheren Burg der Grafen von Katzelnbogen errichtet (Vorbild für andere südhessische Bauten); im Dreißigjährigen Krieg war Schloß Lichtenberg oft Zufluchtsstätte der Bevölkerung.

Das **»Museum Schloß Lichtenberg«** beherbergt ein Landschaftsmuseum sowie eine Zinnfiguren- und Bleisoldatensammlung. Außerdem befindet sich hier eine Sommergalerie moderner Kunst mit Wechselausstellungen. Geöffnet Mi und Fr 14–17 Uhr, Sa, So und Fei 10–12 und 14–17 Uhr.

Hardheim

Neckar-Odenwald-Kreis, 271 m, 6500 Einw. Städtchen mit historischen Bauten im Erftal, einem Seitental des Mains. Hardheim liegt in der äußersten Ecke des Naturparks Bergstraße–Odenwald im östlichen Odenwald.

Auskunft: Bürgermeisteramt, 6969 Hardheim, Tel. 06283/954.
Verkehr: B 27 Walldürn – Tauberbischofsheim.

Sehenswert: Romantisches **Wasserschloß** aus dem 16. Jh., umgeben von einem Garten. – Riesige **Zehntscheuer** von 1683, heute Festhalle, mit **Heimat- und Landschaftsmuseum** Erftal mit ständiger **Weltraumfahrtausstellung** und Modell-Europa-Rakete.

Haßmersheim

Neckar-Odenwald-Kreis, 150–297 m, 6200 Einw. Ausflugs- und Erholungsort, umgeben von den bewaldeten Höhen des Neckartales, günstiger Stützpunkt für Wanderungen zu den alten Schlössern und historischen Burgen. Größte Schiffergemeinde am Neckar.

Auskunft: Bürgermeisteramt, 6954 Haßmersheim, Tel. 06266/306.
Verkehr: B 27 Mosbach – Neckarsulm.

Sehenswert: **Burg Guttenberg,** neckaraufwärts über *Neckarmühlbach;* eine der ältesten Burgen im Neckartal, wahrscheinlich schon von den Staufern gegründet, 1449 an das Geschlecht derer von Gemmingen übergegangen; vom Altan des ehemaligen Brunnenhauses, jetzt Burgschenke, schöner Blick ins Neckartal. Da die Burg in den kriegerischen Verwicklungen der Jahrhunderte fast unbeschädigt blieb, gibt sie ein Bild früherer Befestigungskunst und zeigt die Entwicklung von der Wehrburg zur Wohnung (Schloß). Durch ein stark befestigtes Tor kommt man in den inneren Schloßhof mit alter Ringmauer, Wehrgang, Turm und neuen Wohngebäuden. Im Schloß **Museum** mit einer Ausstellung über die Gerichtsbarkeit früherer Jahrhunderte, Zinnfiguren- und Waffensammlung, Folianten und Inkunabeln aus der 2000 Bände umfassenden Burgbibliothek, mit den gotischen Schnitzaltären aus der Burgkapelle sowie einer einzigartigen Holzbibliothek. – Führungen: 1. 3.–30. 10. täglich 10–13, 14–18 Uhr. Auskunft: Burgmuseum, 6954 Neckarmühlbach, Tel. 06266/359.

Heidelberg

Kreisstadt und kreisfreie Stadt, 110 m, 130000 Einw. Eine der ältesten deutschen Universitätsstädte, am Austritt des Neckars aus einem engen und tiefeingeschnittenen Odenwaldtal in die Rheinebene gelegen. Eingezwängt zwischen Fluß und steilem Nordhang des 566 m hohen Königstuhls, präsentiert sich die Stadt am eindrucksvollsten im morgendlichen Gegenlicht. Die schönsten Ausblicke auf Heidelberg hat man von der nördlichen Neckarseite und vom Philosophenweg. Erst in den Nachmittagsstunden treten die Konturen klarer

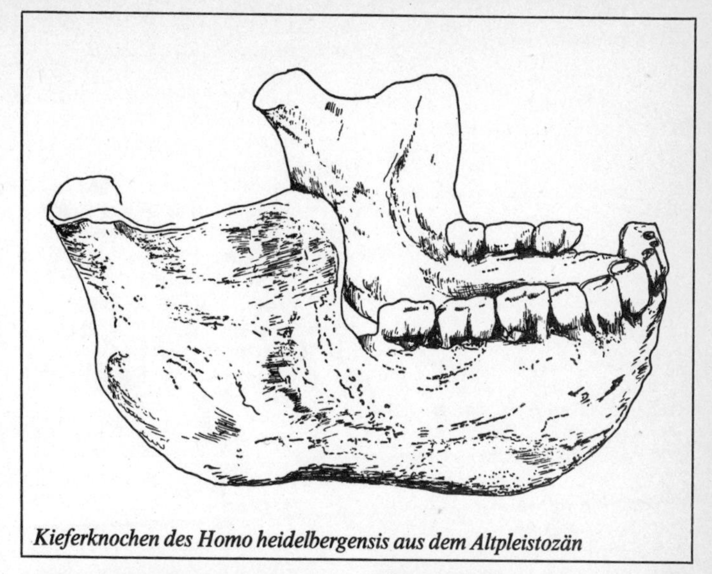

Kieferknochen des Homo heidelbergensis aus dem Altpleistozän

hervor. Dem Königstuhl gegenüber steht auf der Nordseite der etwa 440 m hohe Heiligenberg. Das Klima (10 Grad C im Jahresdurchschnitt) ist ungewöhnlich mild.

Wegen des reizvollen Zusammenklangs von herrlicher Landschaft und Bauwerken, wie der Alten Brücke, der Heiliggeistkirche und dem Schloß, wird die seit Jahrhunderten mit der deutschen Geistesgeschichte eng verbundene, von Dichtern aller Völker besungene Stadt viel besucht.

Auskunft: Verkehrsverein, Friedrich-Ebert-Anlage 2, 6900 Heidelberg, Tel. 06221/ 10821; Tourist-Information am Schloß.

Verkehr: Kreuzungspunkt B 3 – B 37; Autobahnanschlußstellen.

Sehenswert:
Völkerkundliche Sammlungen der Von-Portheim-Stiftung, Hauptstraße 235.

Universitätsbibliothek mit Manessischer Handschrift.

Geologisch-Paläontologisches Institut mit dem weltberühmten Kieferknochen des Homo heidelbergensis.

Deutsches Apothekenmuseum im Ottheinrichsbau des »Heidelberger Schlosses«.

Kurpfälzisches Museum (geöffnet täglich 10–17 Uhr, Mo geschlossen); es enthält wertvolle Sammlungen über Kunst und Kultur in der Kurpfalz mit besonderer Berücksichtigung der Geschichte Heidelbergs.

Hervorzuheben sind: Zwölfbotenaltar von Tilman Riemenschneider, Bilder der Kurfürsten, Porzellane, Barockmöbel, Gemälde der Romantiker. Im Erdgeschoß wechselnde Ausstellungen.

Heilbronn

Stadtkreis und Kreisstadt, 157 m, 112 000 Einw. Regsame Weinbau-, Industrie- und Handelsstadt, wichtiger Verkehrsknotenpunkt und großer Umschlaghafen am Rhein-Neckar-Kanal sowie an der reizvollen Burgenstraße von Mannheim/Heidelberg über Rothenburg o. d. T. nach Nürnberg. Bedeutendster kultureller und wirtschaftlicher Mittelpunkt des württembergischen Unterlandes, »Württemberger Tor zur Welt«. Heilbronn ist alte Reichsstadt, eingebettet in ein heiteres Tal, dessen Lebensader der Neckar ist, umgeben von Weinbergen, Gärten und Wäldern.

Der Arzt und Physiker Robert Mayer (1815–1878) ist hier geboren und begraben. Er hat in Heilbronn sein umwälzendes Gesetz der Erhaltung der Energie entdeckt. Theodor Heuss (1884–1963), der erste Bundespräsident, wuchs in Heilbronn auf und besuchte hier das Gymnasium. Er widmete in seinen Lebenserinnerungen der Stadt viele schöne und dankbare Worte. Götz von Berlichingen saß hier gefangen. Durch das »Käthchen von Heilbronn« hat Kleist in einem stimmungsvollen Schauspiel die Stadt bekannt gemacht.

Auskunft: Städtisches Verkehrsamt und Verkehrsverein, Rathaus, Marktplatz, 7100 Heilbronn, Tel. 07131/562270.

Verkehr: Kreuzungspunkt B 27 Bad Friedrichshall – Bietigheim, B 39 Weinsberg – Sinsheim; Ausgangspunkt B 293 nach Karlsruhe. Autobahnanschlußstellen.

Sehenswert:
Naturhistorisches Museum, früheres Fleisch- und Gerichtshaus aus dem 16. Jh. Sehenswerte Sammlungen und Ausstellungen der Erd-, Vor- und Frühgeschichte.

Der **Deutschordenshof** wurde im 13. Jh. an Stelle einer kaiserlichen Pfalz errichtet. Heute beherbergt er u. a. ein Museum zur Stadtgeschichte und für Kunstausstellungen.

Heppenheim a. d. Bergstraße

Kr. Bergstraße, 105–515 m, 24 000 Einw. Anerkannter Luftkurort, alte Stadt mit schönen Fachwerkhäusern am Fuß der weithin sichtbaren **Starkenburg.** *Heppenheim ist Zentrum des ausgedehnten Wein- und Obstanbaugebietes Bergstraße.*

Auskunft: Verkehrsamt, 6148 Heppenheim, Tel. 06252/13170.

Verkehr: Kreuzungspunkt B 3 Darmstadt – Heidelberg, B 460 Bürstadt – Fürth/Odw.; Autobahnanschlußstelle.

Sehenswert:
Der **Kurmainzer Amtshof,** ehemals Sommeraufenthalt der Mainzer Kurfürsten, mit Wandmalereien von 1385 und 1578; das hier eingerichtete **Heimatmuseum** zeigt das Odenwälder Jahresbrauchtum.

Starkenburg-Sternwarte, Führungen und Vorträge.

Knittlingen

Enzkreis, 195 m, 6400 Einw. Stattliche Gemeinde im Kraichgau, Geburtsort des historischen Dr. Faustus (1480–1548).

Auskunft: Bürgermeisteramt, 7134 Knittlingen, Tel. 07043/3027.
Verkehr: B 35 Bruchsal – Vaihingen a. d. Enz.

Sehenswert:
Im Innern des Alten Rathauses **Faust-Museum,** das einzige in Deutschland; es zeigt, wie sich der Faust-Stoff vom Mittelalter bis heute auf das Denken und Kunstschaffen ausgewirkt hat. Geöffnet Di–Fr 9.30–12 und 13.30–17 Uhr, Sa, So 10–18 Uhr, Mo geschlossen. Geburtshaus des Dr. Faust.

Mannheim

Kreisfreie Stadt, 95 m, 310000 Einw. Kultur- und Wirtschaftszentrum an Rhein und Neckar, ehemalige Residenz der Kurpfalz, zweitgrößte Stadt des Landes Baden-Württemberg.

Auskunft: Verkehrsverein, Postfach 2560, 6800 Mannheim, Tel. 0621/101011.
Verkehr: Kreuzungspunkt B 36, 37, 38 und 44; Autobahnanschlußstellen.

Sehenswert:
Sternwarte, nach Plänen von Lacher 1742–1774 von Rabaliatti erbaut; in der Sternwarte sind Ateliers für bildende Künstler eingerichtet.

Zeughaus, 1777 bis 1779 nach Plänen von Verschaffelt errichtet, letzter Monumentalbau der Mannheimer Kurfürstenzeit; heute **Reiß-Museum** mit vielfältigen Sammlungen. **Städt. Kunsthalle,** erbaut von Hermann Billing, 1907 eröffnet, Sammlung europäischer Malerei und Plastik des 19. und 20. Jh. Im Okt. 83 Eröffnung eines Erweiterungsbaus für die mit 280 Objekten größte Sammlung moderner Plastiken in Deutschland sowie für die »Malerei nach 1945« und Wechselausstellung.

Rheinschiffahrtssammlung im Collini-Center.

Michelstadt

Odenwaldkreis (Kreisstadt ist Erbach), 201–540 m, 14000 Einw. Luftkurort im mittleren Odenwald, mit dem nahen Erbach fast zusammengewachsen. Michelstadt wird im Jahr 741 erstmals erwähnt, gehörte ab 840 zum Kloster Lorsch, seit dem 12. Jh. den Grafen zu Erbach; die Stadt wurde um 1400 mit Mauern, Wällen und Gräben umgeben, die teilweise noch erhalten sind. Mit seinen malerischen Winkeln und schönen Fachwerkbauten – das Rathaus ist markanter Mittelpunkt des Städtchens – bietet Michelstadt eines der am besten erhaltenen hessisch-fränkischen Städtebilder. Der Fernverkehr führt über eine Umgehungsstraße am Stadtkern vorbei.

Auskunft: Verkehrsamt, 6120 Michelstadt, Tel. 06061/74146.
Verkehr: Kreuzungspunkt B 45 Dieburg – Eberbach, B 47 Bensheim – Amorbach.

Sehenswert:
Odenwald-Museum, neben der Kellerei, mit Funden aus der Kelten- und Römerzeit, ferner Hausgerät und volkskundliches Gut.

Puppenmuseum mit historischen Sammlungen.

Miltenberg

Kreisstadt, 128 bis 434 m, 10000 Einw. Vielbesuchter Luftkurort (die »Perle des Maintals« genannt) zwischen den bewaldeten Odenwald- und Spessarthängen an der Südwestspitze des Mainvierecks. Hier trafen früher die alten Verkehrsstraße vom Neckar, von Worms (Nibelungenstraße), von Regensburg-Nürnberg und der Eselsweg, die Salzstraße von Bad Orb, auf den Main. Bedeutende Industriebetriebe.

Auskunft: Städtisches Verkehrsbüro – Tourist Information, Engelplatz 69, 8760 Miltenberg, Tel. 09371/67272.
Verkehr: B 469 Amorbach – Obernburg.

Sehenswert:
Die Fachwerkhäuser rund um den **Marktplatz** sind weltbekannt: das ehemalige Gasthaus »Zur gülden cron« von 1623 besitzt einen Polygonerker, der erst im 2. Stock hervortritt; Alte Amtskellerei, 1541 als spätgotisches Haus errichtet, 1611 im Renaissancestil mit zwei verzierten Erkern umgebaut, seit 1967 **Städt. Museum** mit Exponaten von der Vor- und Frühgeschichte bis zur Neuzeit.

Mühlacker

Enzkreis, 225 m, 24000 Einw. Große Kreisstadt im Tal der Enz, Verkehrsknotenpunkt und Industrieort. Kennzeichen der Stadt ist der Sendemast des Süddeutschen Rundfunks.

Auskunft: Stadtverwaltung, 7130 Mühlacker, Tel. 07041/181.
Verkehr: B 10 Pforzheim – Vaihingen a. d. Enz. Autobahnanschlußstelle Pforzheim-Ost (7 km).

Sehenswert:
Städtisches **Heimatmuseum** in den Räumen der ehemaligen Kelter und Zehntscheune des Klosters Maulbronn von 1596. Verschiedene Sammlungen zu Weinbau und Landwirtschaft, Handwerksgeräte sowie Möbel und Geräte des 16. bis 19. Jh. und Maße und Gewichte aus dem 18. und 19. Jh.

In der Umgebung:
Schönenberg, 3 km nördlich, **Waldensermuseum** im Haus des Henri Arnaud, der die wegen ihres Glaubens vertriebenen Waldenser 1699 von Frankreich hierher führte. Henri Arnaud starb 1721 in Schönenberg.

Neckarsulm

Kr. Heilbronn, 157 m, 22000 Einw. Große Kreisstadt, Industrieort mit architektonischen Überlieferungen aus dem Barock; an der Mündung der Sulm in den Neckar gelegen. Bis 1806 im Besitz des Deutschritterordens. Seit Jahrhunderten wird an den Hängen des Scheuerberges und des Stiftsberges Weinbau betrieben.

Auskunft: Stadtverwaltung, 7107 Neckarsulm, Tel. 07132/352 08.
Verkehr: B 27 Mosbach – Heilbronn; Autobahnanschlußstelle Heilbronn-Neckarsulm.

Sehenswert:
Ehemaliges **Deutschordensschloß,** ein spätgotischer Steinbau mit Erker und Staffelgiebel, Schloßkapelle von 1487.

Im Schloß seit 1956 das **Deutsche Zweiradmuseum** (geöffnet täglich 9–12 und 13.30–17 Uhr) mit Sammlungen über die Entwicklungsgeschichte des Zweirads; u. a. Urkunden, alte Stiche, das Laufrad des Erfinders Drais (1819) und das Fischer-Tretkurbelrad (1854), Niederräder um 1900, Ausstellung von Motorrädern aus der Frühzeit der Motorisierung bis in die Gegenwart.

Sinsheim

Rhein-Neckar-Kreis, Große Kreisstadt, 158–279 m, 27000 Einw. Alte Reichsstadt im Kraichgau mit den Ortsteilen Adersbach, Dühren, Ehrstädt, Eschelbach, Hasselbach, Hilsbach, Hoffenheim, Reihen, Rohrbach, Steinsfurt, Waldangelloch und Weiler. Unter dem Namen »Sunnisheim« wurde der Ort 774 erstmals im Lorscher Codex erwähnt. Um das Jahr 1067 bekam der Flecken Münz- und Marktrecht; 1108 wurde er Kaiserliche Reichsstadt. 1674 fand die Schlacht bei Sinsheim zwischen den kaiserlichen und den französischen Truppen unter Turenne statt. Der Ort wurde 1689 von den Franzosen unter Mélac völlig niedergebrannt. Seit 1806 befand sich hier der Sitz des großherzoglichen Bezirksamtes.

Auskunft: Stadtverwaltung, 6920 Sinsheim, Tel. 07261/404109.
Verkehr: B 292 Bad Schönborn – Obrigheim; Ausgangspunkt der B 39 nach Heilbronn und der B 45 nach Neckargemünd. Autobahnanschlußstelle.

Sehenswert:
Auto- und Technik-Museum, Oldtimer, Motorräder, Dampflokomotiven, Dampfwalzen, Flugzeuge und Motoren.

Altes Fluggerät im Auto- und Technik-Museum

Heimatmuseum und Sammlung von Karl Wilhelmi, 1786–1857, Dekan in Sinsheim, Begründer der Vorgeschichtsforschung in Süddeutschland.

Zur eisernen Hand des Götz von Berlichingen

Der Raum zwischen Neckar und Aisch, Main und Wörnitz ist (wie auch das östlich anschließende Gebiet) seit dem 1. Jahrtausend Siedlungsgebiet der Franken. Vor allem in der bäuerlichen Volksgruppe hat sich manches eigenständige Brauchtum bewahrt. Seit Beginn des 19. Jahrhunderts gehört das Hohenloher Land zu Württemberg, und so beeinflußten schwäbische Sprache und Sitte die hohenlohischen Franken; im wesentlichen jedoch blieb infolge der konservativen Haltung der Bevölkerung die fränkische Herkunft erhalten.

Der Franke vereinigt in seinem Wesen Aufgeschlossenheit für das Neue mit der Beharrlichkeit, das Überkommene zu pflegen und zu erhalten. Diese Veranlagung hat, in Verbindung mit einer ausgesprochenen Gastfreundlichkeit, das Frankenland zu einem stets gerne besuchten Reisegebiet gemacht. Dabei ist der Franke unternehmungslustig und liebt friedliche, frohe Feste. Die fränkische Kirchweih ist berühmt, wie sich überhaupt fränkische Beständigkeit im Festhalten an Bräuchen ausdrückt. Gelegentlich, meistens nur noch an hohen Festtagen, wird die Tracht getragen, wie beispielsweise im sogenannten Gau um Ochsenfurt. In Rothenburg o. d. T. und Dinkelsbühl drückt sich der Stolz auf die Vergangenheit in den jährlich wiederkehrenden Aufführungen und Heimatfestspielen aus, die von vielen Gästen aus dem In- und Ausland besucht werden.

Die beliebtesten Museen dieser Gegend sind in den Schlössern von Bad Mergentheim, Langenburg, Schillingsfürst und Würzburg untergebracht. Weitere Höhepunkte sind die Jagsthausener Götzburg und das Fränkische Freilandmuseum in Bad Windsheim sowie die mittelalterlichen Sammlungen zu Rothenburg ob der Tauber.

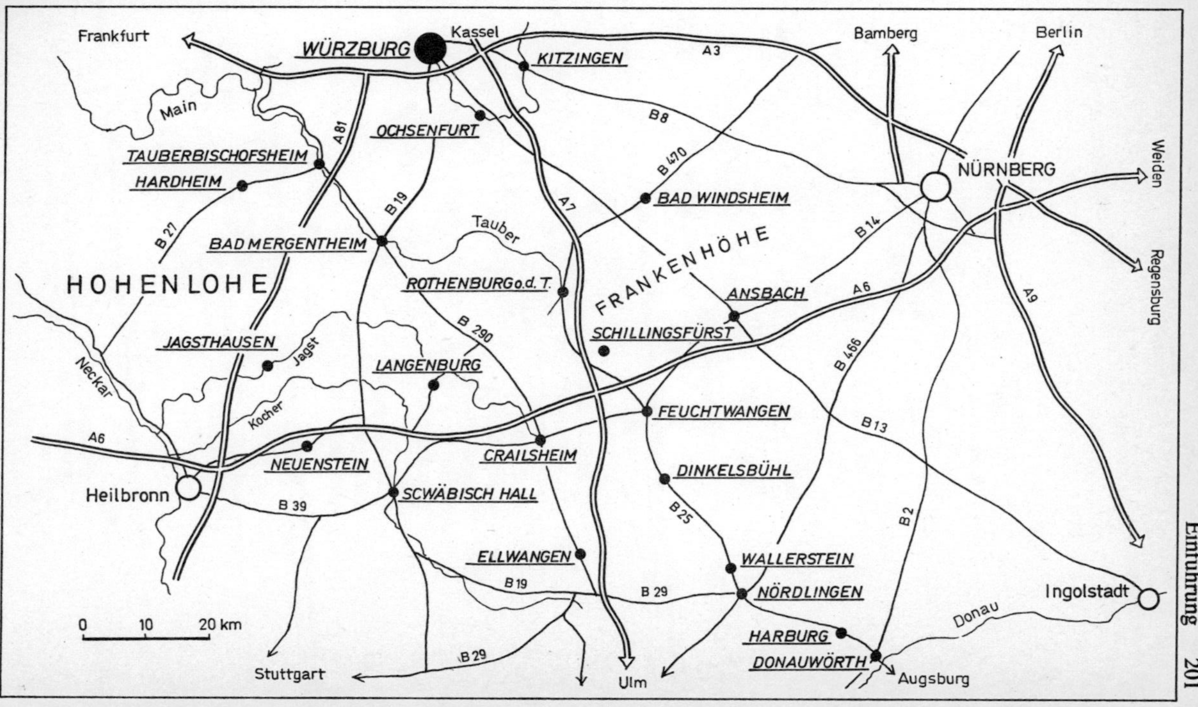

Frankfurt
WÜRZBURG
Kassel
KITZINGEN
A3
Bamberg
Berlin
Main
B8
OCHSENFURT
A81
TAUBERBISCHOFSHEIM
HARDHEIM
B470
NÜRNBERG
Weiden
B19
A7
BAD WINDSHEIM
B27
Tauber
B14
BAD MERGENTHEIM
FRANKENHÖHE
Regensburg
HOHENLOHE
ROTHENBURG o.d.T.
A6
ANSBACH
A9
B290
SCHILLINGSFÜRST
JAGSTHAUSEN
Jagst
B466
LANGENBURG
Neckar
Kocher
FEUCHTWANGEN
A6
B13
NEUENSTEIN
CRAILSHEIM
DINKELSBÜHL
Heilbronn
SCWÄBISCH HALL
B39
B25
B2
ELLWANGEN
WALLERSTEIN
B19
B29
NÖRDLINGEN
Ingolstadt
Donau
0
10
20 km
HARBURG
B29
DONAUWÖRTH
Stuttgart
Ulm
Augsburg

Ansbach

Hauptstadt des Regierungsbezirks Mittelfranken, kreisfreie Stadt und Sitz des gleichnamigen Kreises, 402 m, 40000 Einw. Bedeutender Verkehrsknotenpunkt im Rezattal, Stadt des fränkischen Rokoko mit zahlreichen Sehenswürdigkeiten und ehemalige Markgräfliche Residenz.

Auskunft: Städtisches Reise- und Verkehrsamt, 8800 Ansbach, Tel. 0981/512 43/47.
Verkehr: Kreuzungspunkt der B 13 Uffenheim – Gunzenhausen, B 14 Feuchtwangen – Heilsbronn; Autobahnanschlußstelle Ansbach Ost/ Lichtenau (10 km).

Sehenswert:
Markgrafenschloß, 1705–49 im italienischen Barockstil von Gabrieli, Zocha und Retty geschaffen, jetzt Sitz der Regierung. Prachtvolle Wirkung der Hauptfassade am Schloßplatz. Vornehmer Binnenhof, von Gabrieli gestaltet. Die Innenräume mit Prunksaal, Spiegelkabinett, Wohnräume der markgräflichen Familie, »Kachelsaal« und viele andere Meisterwerke der Rokoko-Innenarchitektur sind unverändert erhalten. Wertvolle Sammlungen, Ansbacher Fayence und Porzellan, Stukkaturen, Möbel. Geöffnet täglich Sommer 9–12 und 14–17 Uhr; Winter 10–12 und 14–16 Uhr. Mo geschlossen.

Kreis- und Stadtmuseum. Geöffnet 10–12 und 14–17 Uhr, So und Fei 10–12.30 Uhr.

Bad Mergentheim

Main-Tauber-Kreis, 205–354 m, 19000 Einw. Weltberühmtes Heilbad gegen Magen- und Darmleiden, im Taubertal an der »Romantischen Straße« gelegen. Die Stadt war von 1525 bis 1809 Residenz der Hoch- und Deutschmeister des Deutschen Ritterordens.

Auskunft: Städtisches Kultur- und Verkehrsamt, Rathaus, 6990 Bad Mergentheim, Tel. 07931/57232.
Verkehr: Kreuzungspunkt der B 290 Blaufelden – Tauberbischofsheim und B 19 Würzburg – Künzelsau.

Sehenswert:
Residenzschloß der Hoch- und Deutschmeister des Deutschen Ritterordens mit Bläserturm, der die großartigste Wendeltreppe Deutschlands, ein Werk der Renaissance, zeigt (1574). Schloßkirche, eine Perle der Barockbaukunst (1730–35), von Balth. Neumann. Sehenswerter Kapitelsaal.

In der Pfarrkirche von Stuppach, 7 km südlich, die sog. **»Stuppacher Madonna«** von Mathias Grünewald (richtiger: Meister Amthis Gothardt Neithardt), 1519, früher in der Stiftskirche von Aschaffenburg aufbewahrt. Das Marienbildnis ist eines der größten Werke der altdeutschen Malerei.

Bad Windsheim

Kr. Neustadt/Aisch, 321 m, 10800 Einw. Heilbad mit Deutschlands stärkster Solequelle, ehemalige Reichsstadt an der oberen Aisch und am Südhang des Steigerwaldes, mit neuen Industriesiedlungen.

Auskunft: Verkehrsamt, Rathaus, 8532 Bad Windsheim, Tel. 09841/90440.
Verkehr: B 470 Burgbernheim – Neustadt an der Aisch.

Alte Kücheneinrichtung im Freilandmuseum

Sehenswert:
Das Fränkische Freilandmuseum wurde nach Bad Windhseim gelegt, weil dieser Ort nach seiner annähernden Mittellage in Franken zum Aufbau von Gebäudegruppen aus allen Teilen des Landes besonders geeignet erschien. Und so findet man auch in dem 40 Hektar großen Komplex am Südrand der Altstadt – zwischen Aisch und Alter Aisch – bereits in den ersten Baugruppen ein »Dorf Rangau«, ein »Dorf Nürnberger Land« und ein »Dorf Altmühl«, das sogar dank seiner Anordnung beiderseits der Alten Aisch heimatgetreu von einem Wasser durchflossen wird. Die hier wiederaufgebauten Häuser zeigen interessante bauliche Details und umfassen nicht nur Bauernhöfe, sondern auch – um nur einige Beispiele zu nennen – ein Taglöhnerhaus, ein ehemaliges Straßenwirtshaus, einen Schweinestall sowie Mühl- und Wasserschöpfräder. Alle Häuser wurden an ihrem neuen Platz in der ursprünglichen Art mit bemalten Möbeln und Öfen oder alten Werkstatteinrichtungen ausgestattet. Öffnungszeiten Freilandmuseum 15. März–15. Oktober 9–18 Uhr, 16. Oktober–6. Januar 10–16 Uhr, Mo geschlossen.

Crailsheim

Kr. Schwäb. Hall, 409 m, 25 000 Einw. Wirtschaftsmittelpunkt im Ostteil des Hohenloher Landes, mitten zwischen den Großstädten Stuttgart, Würzburg, Nürnberg und Ulm gelegen. Touristenstandquartier in der anmutigen Landschaft des oberen Jagsttals, unter dem Westabfall der Frankenhöhe, mit Erholung bietendem, geruhsamem Hinterland. Ausgangspunkt für den Besuch der mittelalterlichen Städte Rothenburg o. d. T., Dinkelsbühl, Schwäbisch Hall und Ellwangen.

Auskunft: Städtisches Verkehrsamt, Neues Rathaus, 7180 Crailsheim, Tel. 07951/403125.
Verkehr: Kreuzungspunkt B 290 Blaufelden – Ellwangen, B 14 Ilshofen – Feuchtwangen.

Sehenswert:
Heimatmuseum mit wertvoller Fayencensammlung in der **Spitalkapelle zum Heiligen Geist** von 1516, hier Originalfresken der Erbauungszeit.

Dinkelsbühl

Kr. Ansbach, 445 m, 10500 Einw. Ehemals freie Reichsstadt am Ufer der Wörnitz. Die in ihrer baulichen Geschlossenheit seit dem 15. und 16. Jh. unverändert gebliebene Stadt ist breit und geräumig angelegt und bietet Straßenbilder von ungewöhnlichem mittelaterlichem Reiz. Charakteristisch sind die der Stadt vorgelagerten großen Weiher.

Auskunft: Tourist-Information, Marktplatz, 8804 Dinkelsbühl, Tel. 09851/3013; Reise- und Verkehrsbüro (Zimmernachweis), Am Ledermarkt, Tel. 09851/420.
Verkehr: Kreuzungspunkt der B 25 »Romantische Straße« (Feuchtwangen – Nördlingen) und der »Deutschen Ferienstraße« (Ellwangen – Wassertrüdingen).

Sehenswert:
Der alte Renaissance-Giebelbau rechts vom Portal der Spitalkirche enthält das historische **Heimatmuseum** (März–Nov. tägl. 9–12 und 13–17 Uhr, Dez.–Febr. Di–So 10–12, 14–17 Uhr; Eintrittsgeld) und eine Gemäldesammlung.

Donauwörth

Kreisstadt des Kreises Donau-Ries, 403 m, 17000 Einw. Ehemals Freie Reichsstadt, bedeutender alter Straßen- und Bahnknotenpunkt mit historischen Bauwerken an der Mündung der Wörnitz in die Donau.

Auskunft: Fremdenverkehrsstelle, Rathaus, 8850 Donauwörth, Tel. 0906/5021.
Verkehr: Kreuzungspunkt der B 25 Nördlingen, B 2 Augsburg – Treuchtlingen, B 16 Rain – Höchstädt.

In der Umgebung:
Schloß Leitheim, 10 km östlich an der Donautalstraße, Sommerresidenz der freien Reichsabtei der Zisterzienser, die 1751 in bezauberndem Rokoko mit Fresken von Godefried Bernhard Göz, dem Maler der bekannten Klosterkirche von Birnau am Bodensee und mit erstklassigen Wessobrunner Stukkaturen ausgestattet wurde. Der Festsaal ist eine der bedeutendsten Raumgestaltungen des bayerischen Rokoko. Hier finden in den Sommermonaten bei Kerzenbeleuchtung die Leitheimer Schloßkonzerte mit Kammermusik des Barock und der Romantik statt. Die Ahnengalerie der Nebenräume enthält ausgezeichnete Pastell- und Ölportraits bedeutender Meister des 18. Jh. Im Porzellankabinett mit einer reichhaltigen Chinateller-Sammlung ist auch das »Sterbekreuz von Maria Stuart« ausgestellt, ferner eine bezaubernde Seidenstickerei, die sogenannte »Taufdecke« der Wilhelmine, Markgräfin von Bayreuth. Geöffnet 1. 4.–31. 10. täglich 8–18 Uhr, Führungen auch für Einzelpersonen jederzeit.

Ellwangen an der Jagst

Ostalb-Kreis, 432 m, 23000 Einw. Alte Propsteiresidenz- und Verwaltungsstadt im idyllischen Jagsttal. Ausflugs- und Wallfahrtsort mit kunstgeschichtlich wertvollen Denkmälern.

Auskunft: Städtisches Verkehrsamt, Fremdenverkehrsverein, Schmiedstr. 1, 7090 Ellwangen, Tel. 07961/2463.

Verkehr: B 290 Crailsheim – Aalen.

Sehenswert:
Schloß, 1726, über der Stadt, Heimatmuseum, ursprünglich feste Burg zum Schutz des Klosters und der Stadt. Zugleich Abtwohnung und Festung des Klosters. 1815 hielt sich hier Napoleons Bruder Jerôme mit seiner Gemahlin Katharina von Württemberg auf.

Feuchtwangen

Kr. Ansbach, 450 m, 11 500 Einw. Anerkannter Erholungsort mit mittelalterlichen Bauten am Schnittpunkt zweier wichtiger, seit dem Mittelalter bestehender Verkehrswege; der Straßen Würzburg – Augsburg und Schwäbisch Hall – Nürnberg. Im Zuge der bayerischen Gebietsreform wurde Feuchtwangen zur zweitgrößten Gemeinde Mittelfrankens und verdoppelte seine Einwohnerzahl.

Auskunft: Verkehrsbüro, Am Marktplatz, 8805 Feuchtwangen, Tel. 098 52/21 88.
Verkehr: Kreuzungspunkt der B 25 Dinkelsbühl – Rothenburg ob der Tauber, B 14 Ansbach – Crailsheim.

Sehenswert:
Vom Kloster ist der romanische **Kreuzgang** mitsamt dem ehemaligen Schlafsaal der Benediktiner erhalten. Mit seinen schlanken Säulen gilt er als Kostbarkeit mittelalterlicher Baukunst. Hier finden alljährlich die Kreuzgangfestspiele statt. Im Oberbau des westlichen Teils, der noch vollständig erhalten ist, befanden sich einst die Sommerschlafsäle der Benediktiner.

Heute sind dort die sechs **Handwerkerstuben** untergebracht, die Einblick in die frühere Arbeitsweise der Zuckerbäcker, Zinngießer, Schuhmacher, Hafner, Färber und Weber geben.

Heimatmuseum mit Kulturgut vergangener Jahrhunderte (Fayencen-, Zinn-, Emaillesammlungen, Zunftstube, Trachten, Flachsbrechhaus).

Bauernstube des Heimatmuseums

Harburg

Kr. Donau-Ries, 490 m, 3300 Einw. Romantisch gelegenes mittelalterliches Städtchen und Fremdenverkehrsort an der engsten Durchbruchstelle der Wörnitz durch den Jura zwischen Donauwörth und Nördlingen. Die »Romantische Straße« (B 25) führt hier durch einen 300 m langen Tunnel unter dem gewaltigen Sperriegel der Burg Harburg hindurch.

Auskunft: Stadtverwaltung, 8856 Harburg, Tel. 090 03/10 11.
Verkehr: B 25 Nördlingen – Donauwörth.

Sehenswert:
Harburg (Führungen), völlig erhaltene riesige Burganlage mit Wehrgängen über dem Städtchen auf steilem Berge. Die Burg ist seit 1291 im Besitz der Fürsten zu Oettingen-Wallerstein. Im Laufe der Jahrhunderte nie zerstört, vielmehr oft erweitert und ausgebaut. Bergfried aus dem 13. Jh.; Rittersaal von 1721; **Museum** (Führungen täglich von 9–11.30 und 13.30–16.30; im Sommer bis 17.30 Uhr) in der Burg, 1949 neu geordnet, mit Riemenschneider-Plastiken, Graphiksammlungen, wertvollen Glasgemälden, Gobelins; in der Bibliothek 140000 Bände; fürstliche Burgschenke.

Jagsthausen

Kr. Heilbronn, 212 m, 1500 Einw., mit dem Ortsteil ***Olnhausen,*** *Erholungs- und Ausflugsort im Jagsttal. Der Ort ist erbaut auf einem römischen Limeskastell und war einst wichtiger Punkt dieses römischen Grenzwalls. Seit 1300 im Besitz der heute noch blühenden ritterschaftlichen Familie Berlichingen, deren drei Burgen am Ort noch bestehen.*

Auskunft: Heimat- u. Verkehrsverein, Schloßstr. 12, 7109 Jagsthausen, Tel. 07943/2295 und 2595.
Verkehr: »Jagsttalstraße« Möckmühl – Dörzbach.

Sehenswert:
Götzenburg, Geburtsstätte des Götz von Berlichingen (1480) mit reichhaltiger Sammlung von Altertümern aller Art, u. a. Bronzestatuette des Gottes Herkules und vor allem die berühmte eiserne Hand des Ritters.

Kitzingen

200 m, 19400 Einw. Große Kreisstadt des gleichnamigen Kreises, mit den Ortsteilen ***Hoheim*** *und* ***Sickershausen,*** *günstiger Ausgangspunkt für den Steigerwald. Die schöne Weinstadt am Main mit dem »Schiefen Turm« ist eine der ältesten Städte Frankens, eine ursprünglich alemannische Siedlung »Chizzinga«, deren Entwicklung durch ein von St. Bonifatius im 8. Jh. gegründetes Frauenkloster sehr gefördert wurde. Kitzingen ist der größte Wein- und Gemüsehandelsplatz Mainfrankens. Die Stadt besitzt eine Rebenveredelungsanstalt und Rebschule sowie eine Lehr- und Versuchsanstalt für Kleintierzucht. – Bekannte Weine: »Sulzfelder Graben«, »Mainleite«, »Winterleite«, »Wilhelmsberg«.*

Auskunft: Verkehrsbüro der Stadt, Marktstr. 28, 8710 Kitzingen, Tel. 09321/20205.
Verkehr: B 8 Würzburg – Iphofen; Autobahnanschlußstelle.

Sehenswert:
Städtisches Museum und im Falterturm das **Deutsche Fastnachtsmuseum** des Bundes Deutscher Karneval, das in 7 Zwischengeschossen die historische Entwicklung der Fastnacht in Deutschland vor Augen führt.

Langenburg ob der Jagst

Kr. Schwäb. Hall, 439 m, 2100 Einw. Historisches Städtchen mit vielen Fachwerkhäusern und malerischer Torpartie in prächtiger Lage und waldreicher Umgebung über dem Jagsttal. Mit dem Ortsteil ***Bächlingen*** *ist Langenburg ein bevorzugter Erholungs- und Ausflugsort im Herzen des Hohenloher Landes. Das milde Reizklima wirkt besonders günstig auf Herz und Nerven. In Ortsnähe wurde eine Mineralquelle entdeckt, deren Wasser den Mergentheimer Kurtrinkbrunnen ähnelt; es enthält 14 g Mineralien pro Liter.*

Die landschaftlich einzigartige Lage Langenburgs bietet gemütliche Spazierwege an; immer wieder locken reizvolle Ausblicke, und zahlreiche Bänke laden zum Ausruhen ein. Die Stadt ist durch Agnes Günthers Roman »Die Heilige und ihr Narr« bekannt geworden. Hier und auf den Burgen der Umgebung spielt die Handlung.

Auskunft: Verkehrsamt, 7183 Langenburg, Tel. 07905/5311.
Verkehr: »Burgenstraße« Blaufelden – Braunsbach.

Sehenswert:
Schloß Langenburg mit Bastionen, Türmen, Wehranlagen und wundervollem Renaissance-Innenhof mit Galerien und Treppen inmitten eines weiten, großartigen Naturparks, der bis zur Jagst hinunterreicht. Viele Bauepochen (besonders 16. und 17. Jh.) haben zur Ausgestaltung beigetragen; eines der schönsten, vor allem eines der schönstgelegenen Burgenschlösser Deutschlands. Seit 1960 kann das Schloß, das nach wie vor Wohnsitz der Fürstlichen Familie Hohenlohe-Langenburg ist, teilweise besichtigt werden. (Der Ostflügel brannte 1963 vollständig aus, ist aber in ursprünglicher Gestalt wieder aufgebaut; nur ein geringer Teil der dort verwahrten Kunstwerke konnte gerettet werden.) Ausstellungsartig sind eine kostbare Waffensammlung, Gemälde, Möbel und Bildwerke, Gobelins und weitere Kunstschätze, ferner schöne, repräsentative Schloßräume zu sehen. Gemäldeausstellung des Hohenloher Kunstvereins. **Auto-Museum** im Marstall des Schlosses.

Neuenstein

Hohenlohe-Kreis, 298 m, 3000 Einw. Ehemalige Hohenlohe-Residenz und Landstädtchen in der Öhringer Ebene am Fuß der Waldenburger Berge, Ausflugsort an der »Burgenstraße«.

Auskunft: Bürgermeisteramt, 7123 Neuenstein, Tel. 07942/507.
Verkehr: »Burgenstraße« Öhringen – Kupferzell.

Sehenswert:
Residenzschloß der Fürsten Hohenlohe-Öhringen, eine der mächtigsten Wasserburgen Deutschlands mit Türmen, Toren und schönem Innenhof. Die Anlage stammt teils aus dem 12. Jh. Sie weist Bauperioden der Romanik und Gotik, Renaissance und des Barock auf. In den prachtvollen Innenräumen sind reichhaltige Sammlungen und Kunstwerke aufgestellt,

keltische und römische Ausgrabungen, Waffensammlungen, Kunstkammern des 16. und 17. Jh., Möbel, Bilder, Gobelins, Fayencen, Porzellane und eine mittelalterliche Kücheneinrichtung im alten gotischen Raum. Terrasse mit Blick auf Blumengarten, Park und See.

Nördlingen

Große Kreisstadt, Kreis Donau-Ries, 433 m, 17500 Einw. Wirtschaftlicher Mittelpunkt des geologisch interessanten fruchtbaren Ries-Kessels, ehemals Freie Reichsstadt. Nördlingen konnte das alte Stadtbild rein erhalten und gibt daher einen guten Eindruck einer blühenden mittelalterlichen Stadt. Um die Georgskirche ordnet sich ringförmig der Stadtkern, dessen alte Umgrenzung im Grundriß noch deutlich zu erkennen ist. Den zweiten konzentrischen Ring bildet die imposante, erhaltene Stadtmauer mit 5 Toren und 11 Türmen.

Auskunft: Städtisches Verkehrsamt, Marktplatz 15, 8860 Nördlingen, Tel. 09081/84116 u. 4380.
Verkehr: Kreuzungspunkt B 466 Neresheim – Gunzenhausen, B 25 Harburg – Dinkelsbühl, B 29 Bopfingen.

Sehenswert:
Im Spital das **Reichsstadtmuseum** mit Gemälden der altschwäbischen Schule u. a. Gerätschaften, Gegenständen zur Stadtgeschichte und dem Reliefbild der Schlacht von Nördlingen 1634 mit 6000 Zinnsoldaten; das **vor-** und **frühgeschichtliche Museum** zeigt Funde aus dem Rieskessel und von seinen Siedlungen.

Rothenburg ob der Tauber

12500 Einw. Ehemalige Freie Reichsstadt am Westrand Bayerns, nahe der württembergischen Grenze. Sie erstreckt sich mauerbewehrt und turmüberhöht am Steilrand des 60 m tiefen Tales der Tauber und gilt als Inbegriff der mittelalterlichen deutschen Stadt. Man nannte sie ihrer imponierenden Lage wegen auch »fränkisches Jerusalem«.

Auskunft: Fremdenverkehrsamt, 8803 Rothenburg o. d. T., Tel. 09861/40492.

Sehenswert:
Das **Rathaus** besteht aus zwei zusammenhängenden Bauten, dem alten gotischen und dem späteren Renaissancebau. Der vordere Gebäudeteil an der Marktseite ist das Neue Rathaus, einer der schönsten und imposantesten Rathausbauten. Es wurde 1572–78 von den Rothenburger Baumeistern Leonhard Weidmann und Nikolaus Hofmann an Stelle des abgebrannten Teils des alten Rathauses erbaut.

Hieran schließt sich in der Herrngasse die Giebelfront des nach 1250 erbauten Teiles des Alten Rathauses in gotischen Bauformen an. Aus der Mitte des Giebels wächst ohne Fundamente der 55 Meter hohe Rathausturm empor, der bestiegen werden kann und von dem aus sich ein unvergeßlicher Blick über die gesamte Stadt bietet (Aufgang durch den Treppenturm des Rathauses).

In den Gewölben des Rathauses wurde das **Historiengewölbe** untergebracht, das die Situation Rothenburgs 1631 darstellt und die Waffentechnik während des Dreißigjährigen Krieges illustriert.

Das 1258 gestiftete ehemalige **Dominikanerinnenkloster** ist zu einem sehenswerten **Museum** ausgestaltet worden, in welchem die ausgestellten Gegenstände organisch in die Umgebung eingefügt wurden. Die Räume – flachgedeckter Kreuzgang, uralte mittelalterliche Klosterküche, vollständig eingerichtet, Speise- und Konventsaal, Reste der ehemaligen Klosterkirche – zeigen in unverfälschter Weise die Anlage eines mittelalterlichen Nonnenklosters. – Führungen.

Die Klingengasse führt unter der Jakobskirche hindurch rechts am Pfarrhaus von St. Jakob vorbei.

Rechts geht es zur sogenannten **Folterkammer**, einer Sammlung mittelalterlicher Rechtspflegemittel.

Rothenburg ob der Tauber

Schillingsfürst

Kr. Ansbach, 543 m, 2500 Einw. Ehemalige Residenz der Fürsten zu Hohenlohe-Schillingsfürst, höchstgelegener Ort der Frankenhöhe. Schillingsfürst und die am Fuße des Schloßberges liegenden Orte ***Stilzendorf*** *und* ***Frankenheim*** *sind im Laufe der Jahrhunderte zu der heutigen Stadtgemeinde Schillingsfürst zusammengewachsen. Der höher gelegene Stadtteil zeigt das typische Bild einer wohlerhaltenen Duodezresidenz. Staatlich anerkannter Erholungsort. – Bei Schillingsfürst verläuft die Wasserscheide zwischen Rhein (Nordsee) und Donau (Schwarzes Meer).*

Auskunft: Verkehrsamt, 8801 Schillingsfürst, Tel. 09868/232.

Verkehr: »Romantische Straße« Rothenburg o. d. Tauber – Feuchtwangen; Abzweigung bei Wörnitz (4 km).

Sehenswert:
Residenzschloß der Fürsten von Hohenlohe-Schillingsfürst, spätbarocke Dreiflügelanlage mit Mitteltrakten, über denen sich das Hauptgesims in elegantem Halbrund aufwölbt. Prächtig ausgestattete Innenräume mit Sammlungen von Möbeln, Porzellan, Jagdtrophäen, Bildern, Waffen usw. Die Besichtigung des Schlosses und seiner Repräsentationsräume ist lohnend, sie bietet eine kompakte Zusammenfassung der Geschichte des zweiten Kaiserreichs. Großartig der Rundblick aus den Schloßräumen.

Schwäbisch Hall

Kreisstadt, 270 m, 32000 Einw. Ehemalige Freie Reichsstadt, Fremdenverkehrsort und bekannter Freilichtspielort im Kochertal. Schwäbisch Hall zieht sich von der Kocheraue den Berg hinauf, gekrönt von der Michaelskirche und dem Neuen Bau. Die mittelalterliche Baukunst schuf sich hier in großartigen Gebäuden vielfältigen Ausdruck. Charakteristisch sind die vielen Treppen und Gäßchen, die strahlenförmig von allen Seiten zu dem hochgelegenen Marktplatz führen. »Halla Regia« (das königliche Hall) ist gleichermaßen reizvoll für Kunstkenner und Freunde der alten Vergangenheit wie für Erholungssuchende.

Auskunft: Städtisches Fremdenverkehrsamt, 7170 Schwäbisch Hall, Tel. 0791/751246.
Verkehr: Kreuzungspunkt B 14 Backnang – Crailsheim, B 19 Künzelsau – Gaildorf.

Sehenswert:
Keckenburgmuseum des Historischen Vereins für Württembergisch-Franken. Stadtarchiv mit Ratsbibliothek.

Tauberbischofsheim

Kreisstadt und Sitz des Main-Tauber-Kreises, 178 m, 12500 Einw. Altertümliches Städtchen im Bauland, das auch unter dem hübschen Namen »Madonnenländchen« bekannt ist. Einrichtungen für alle Kneippanwendungen, für Bäder und Massagen. Rund um die Stadt gibt es schöne Spazierwege (Waldparkplätze, Waldlehrpfad).

Auskunft: Verkehrsamt im Rathaus, 6972 Tauberbischofsheim, Tel. 09341/5041.
Verkehr: Kreuzungspunkt B 27 Walldürn – Würzburg (Romantische Straße), B 290 Bad Mergentheim; Autobahnanschlußstelle.

Altarflügel aus der Riemenschneider-Werkstatt (Landschaftsmuseum)

Sehenswert:
Schloß, 16. Jh., kurmainzisch, später leiningisch, mit feinem Erkervorbau, Bergfried aus dem 13. Jh. Im Schloß **Landschaftsmuseum** mit prähistorischer Sammlung.

Würzburg

Kreisfreie Stadt und Sitz des gleichnamigen Landkreises, 182 m, 120000 Einw. Hauptstadt des bayerischen Regierungsbezirks Unterfranken, alte Bischofs- und Universitätsstadt mit Hochschule für Musik, Hauptort des fränkischen Weinbaus und Weinhandels im fruchtbaren Maindreieck. Die festliche Barockstadt mit ihren bedeutenden Kunstdenkmälern ist geistiger und kultureller Mittelpunkt Frankens.

Auskunft: Tourist Information Würzburg; Pavillon vor dem Hauptbahnhof und im Haus zum Falken, 8700 Würzburg, Tel. 0931/54100.
Verkehr: Kreuzungspunkt der B 8, 13, 19a, 27, 19 und 22. Autobahnanschlußstellen.

Sehenswert:
Festung Marienberg, 266 m, auf der Höhe am linken Mainufer, ursprünglich keltische Fliehburg. Die 706 geweihte Marienkirche und spätere **Burgkirche,** ein Rundbau mit Tambourkuppel und spätromanischem Rundbogenfries, hat Berg und Festung den Namen gegeben. Seit dem 13. Jh. weiterer Ausbau zur mittelalterlichen Burg mit **Bergfried** (seit 1201). Aus dieser Zeit stammt auch der 104 m tiefe, später mit einem Renaissancetempelchen überbaute **Brunnen.** 1253–1719 war die Burg Residenz der Fürstbischöfe. Nach dem Bau der neuen Residenz in der Stadt wurde die Festung Kaserne und Arsenal.

Mainfränkisches Museum im ehemaligen Zeughaus der Festung Marienberg. Hervorragende Sammlung fränkischer Kunstwerke (bedeutende Plastiken von Tilman Riemenschneider); fränkisches Kunstgewerbe; Zeugnisse fränkischer Weinkultur; vorgeschichtliche Sammlung. Geöffnet April–Oktober täglich 10–17 Uhr; November–März täglich 10–16 Uhr.

Residenz, Residenzplatz, ein Hauptwerk des süddeutschen Barock und eines der bedeutendsten Schlösser Europas. Erbaut 1719–1744 nach Plänen von Balthasar Neumann unter Mitwirkung von L. v. Hildebrandt aus Wien und M. v. Welsch aus Mainz.

Erhalten blieben das großartige **Treppenhaus** mit freitragendem Gewölbe von Balthasar Neumann und Deckengemälden des Venezianers G. B. Tiepolo. – **Weißer Saal** mit reicher Stuckzier von A. Bossi. – **Kaisersaal** mit Fresken von Tiepolo. – **Prunkräume** der Gartenfront, in den letzten Jahren wiederhergestellt. – **Gartensaal** mit Deckengemälde von Joh. Zick. – Die **Hofkirche** im Südflügel mit Fresken von Byß und Altargemälde von Tiepolo. – Im Haupt- und Obergeschoß des Südflügels das **Martin-von-Wagner-Museum** (Antikensammlung, Gemäldegalerie, Graphische Sammlung). Antikensammlung geöffnet Di–Sa 14–17 Uhr, So 9.30–12.30 Uhr. – Gemäldegalerie (Gemälde, Plastik), geöffnet Di–Sa 8.30–13 Uhr, So 10–13 Uhr. – Graphische Sammlung, geöffnet Di und Do 16–18 Uhr.

Städtische Galerie, Paradeplatz/Hofstraße 3. Malerei, Plastik und Graphik fränkischer Künstler des 19. und 20. Jh. (bemerkenswert die Werke Emy Roeders und des Expressionismus); ständige Wechselausstellungen. Geöffnet Di–Fr 10–17 Uhr, Sa, So und Fei 10–13 Uhr.

Otto-Richter-Halle, Martinstr. 5, im Hof Emmeringen. Ausstellung zeitgenössischer Künstler. Geöffnet Mai–Oktober Di, Mi, Do 10–17 Uhr; November–April Di, Mi, Do 10–16 Uhr, Fr 13–18 Uhr, Sa, So und Fei 10–13 Uhr.

Historischer Saal der Fischerzunft, Saalgasse 6, Zunft- und fischereigeschichtliche Sammlungen. Geöffnet Mai–Oktober am 1. und 3. So im Monat 10–12 Uhr.

Zur Wiege der deutschen Eisenbahnen

Ausgenommen die Großstädte Nürnberg – Fürth – Erlangen mit ihren Vororten und die wenigen übrigen Städte, ist das Gebiet ländlich strukturiert. Intakte Dorfgemeinschaften blieben erhalten und somit auch die fränkische Mundart. Das Ostfränkische hat schon manches Arteigene des Oberpfälzischen, und dieses wiederum steht in stammesmäßiger Beziehung zum Altbayerischen, das in der südlichen Alb – um Ingolstadt, Kelheim und Eichstätt – gesprochen wird.

Charakteristisch für Franken sind die oft kunstvollen Fachwerkhäuser und -gehöfte, vielfach auch die Bauten aus rötlichem Sandstein. Im Altmühljura sind es geschwungene Giebel und Legschieferdächer, im Oberpfälzer Jura blieb wenig von der alten Bauweise, schlichtes Gemäuer mit Zinnengiebeln und breit hingelagerten walmgedeckten Kuben, erhalten.

In Nürnberg wird seit den Zeiten des Hans Sachs und der Meistersinger sowie Georg Philipp Harsdörffers »Nürnberger Trichter« großer Wert auf die Mundartdichtung gelegt, deren Tradition bis in die Gegenwart lebendig ist. Auch das literarische Oberpfälzisch hat zeitgenössische Vertreter. Waren es einst die Sagen, die im angestammten Idiom Verbreitung fanden, so erweist es sich heute gerade als Ausdruck lapidaren Humors vortrefflich. Das Altbayerisch im hier besprochenen Gebiet bezieht seine Schlagfertigkeit und Hintergründigkeit unzweifelhaft mehr aus dem Oberland. Die drei Stämme Franken, Oberpfälzer und Altbayern (genannt nach dem alten Herzogtum Baiern, das sich mit der Reichsstadt Nürnberg abwechselnd befehdete und gemeinsam schlug, wofür die Festungsenklave Rothenberg ein beredtes Beispiel bietet), die zwischen »Pengertz« (Pegnitz), »No« (Naab) und »Oidmui« (Altmühl) zusammentreffen, haben jeweils ihre eigene kulturelle Orientierung, in das eigene »Gäu« hin.

Unbestritten ist Nürnberg die Museumshochburg dieser Region. Die Sammlungen sind so reichhaltig und vielgestaltig, daß wirklich jeder Museumsfreund etwas nach seinem Geschmack finden kann. Weitere Höhepunkte warten in Amberg, Feucht, Ingolstadt, Mörnsheim, Solnhofen und in Sulzbach-Rosenberg.

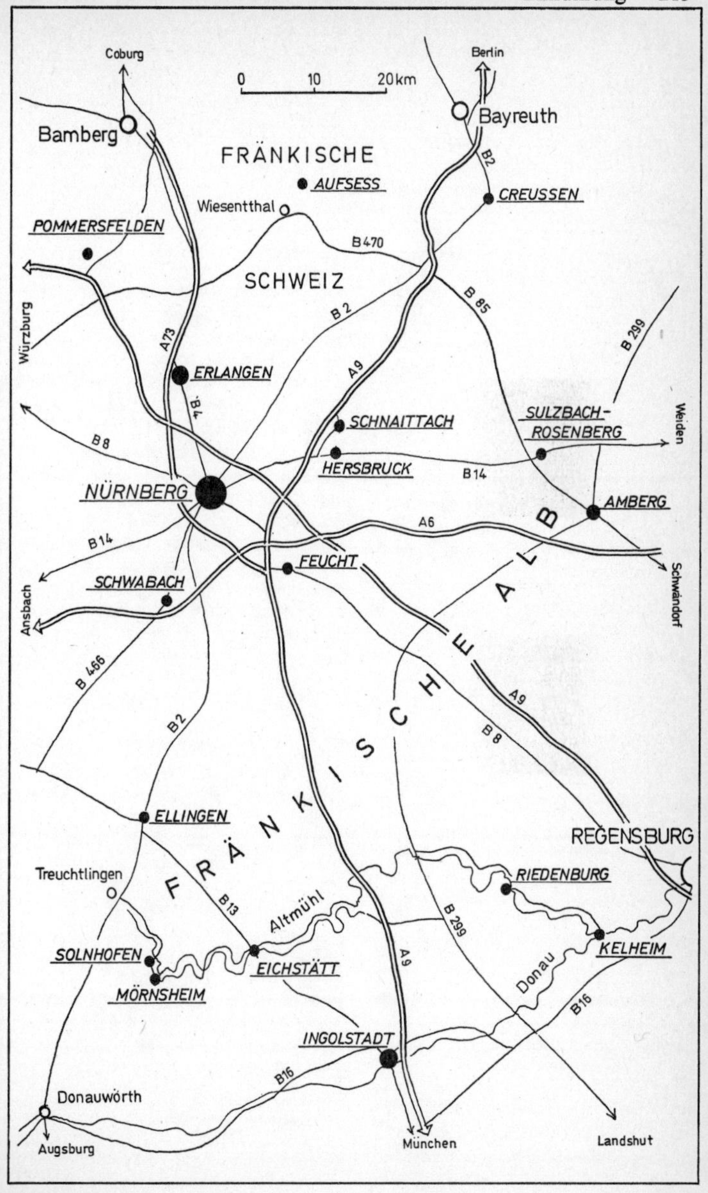
Coburg
Berlin
0 10 20km
Bamberg
Bayreuth
FRÄNKISCHE
AUFSESS
B2
CREUSSEN
Wiesentthal
POMMERSFELDEN
B 470
SCHWEIZ
B 85
B 2
B 299
Würzburg
A73
ERLANGEN
A9
B4
SCHNAITTACH
SULZBACH-
ROSENBERG
Weiden
B 8
HERSBRUCK
B14
NÜRNBERG
AMBERG
A6
B14
FEUCHT
Schwandorf
SCHWABACH
Ansbach
B 466
A9
B2
B 8
FRÄNKISCHE ALB
ELLINGEN
REGENSBURG
Treuchtlingen
RIEDENBURG
B13
Altmühl
B 299
KELHEIM
SOLNHOFEN
EICHSTÄTT
A9
Donau
MÖRNSHEIM
B16
INGOLSTADT
B16
Donauwörth
Augsburg
München
Landshut

Amberg

Kreisfreie Stadt und Sitz des Landkreises Amberg-Sulzbach, 374 m, 47000 Einw. Ehemalige Haupt- und Residenzstadt der Oberpfalz, die ihren mittelalterlich-wehrhaften und stattlich bürgerlichen Charakter im Stadtkern erhalten hat und auch vom Krieg unversehrt blieb. Landschaftlich schön im Tal der Vils, an den Ausläufern des Oberpfälzer Waldes (Naabbergland) gelegen. Behörden-, Schul- und Industriestadt mit staatlichen und städtischen Bibliotheken und Archiven.

Auskunft: Städtisches Kulturamt, Salzgasse, 8450 Amberg, Tel. 09621/10231.
Verkehr: Kreuzungspunkt der B 85 und 299; Autobahnanschlußstelle zur A 6 Nürnberg – Amberg.

Sehenswert:
Am rechten Vilsufer das **alte kurfürstliche Schloß,** die »Alte Veste« aus dem 15. Jh. mit Treppengiebel; hier ist das sehenswerte **Museum der Stadt** untergebracht. Gezeigt werden Amberger Steingut, Objekte aus der Amberger Gewehrfabrik, religiöse Volkskunst, Bilder und Möbel aus Renaissance und Barock; Schloßkapelle mit Glasmalereien des frühen 15. Jh.

In der Umgebung:
Das **Vilstal** im südlich von Amberg gelegenen Abschnitt ist überaus reizvoll. Dem windungsreichen Flußlauf folgen Straße und Schiene, unterbrochen von oft sehenswerten Orten:

Theuern, 5 km südöstlich, mit ehem. Hammerschloß aus dem 18. Jh. besitzt das sehenswerte **Oberpfälzer Industrie- und Bergbaumuseum.** Wahrzeichen ist ein 16 m hoher Förderturm aus der ehem. Grube »Bayerland« bei Waldsassen.

Aufseß

Kr. Bayreuth, 416 m, 1400 Einw. mit den Ortsteilen **Hochstahl, Neuhaus** *und* **Sachsendorf.** *Der von der malerischen Burg überragte Ferienort im Nordteil des Naturparks Fränkische Schweiz, halbwegs zwischen Bayreuth und Bamberg, ist Hauptort des landschaftlich reizvollen Aufseßtales. Auf seinem etwa 25 km langen Lauf, von der Quelle bei Königstein bis zur Mündung in die Wiesent bei Doos, windet sich das Flüßchen durch sonnige Wiesen und schattige Wälder, vorbei an verträumten Mühlen, stolzen Burgen und bizarren Felsen; stille Dörfer bieten behagliche Gastlichkeit.*

Auskunft: Gemeindeverwaltung, Haus Nr. 52a, 8551 Aufseß, Tel. 09198/287.
Verkehr: B 22 Bamberg – Bayreuth, Abzweigung bei Hollfeld (8 km); B 470 Pegnitz – Forchheim, Abzweigung bei Streitberg (8 km). – Nächste Bahnstation Ebermannstadt (13 km) sowie Bamberg. – Jeweils Busverbindung.

Sehenswert:
Schloß Unteraufseß, auf einem von der Aufseß umflossenen Felssporn, ist seit 1114 Stammsitz der Herren von Aufseß. Eine wehrhafte Burg, mit mehreren Vorwerken, im 12. Jh. begründet, bestand bis zum Dreißigjährigen Krieg; der viereckige Bergfried geht auf diese frühe Burg zurück, aber auch Qua-

dermauern und teilweise die Ringmauer. Nach Verwüstungen im 16. und 17. Jh. wurde die Anlage erneuert, so der mit Rundtürmen bewehrte Flügel; in ihm eine im 19. Jh. eingerichtete Kapelle mit guten Plastiken und Schreinaltar von 1520. Im Schloß sehenswerte Einrichtung und Sammlungen; Besichtigungsmöglichkeit. An der Stelle der Burgkapelle im Schloßhof entstand 1742 die barocke evang. Pfarrkirche; sie bewahrt u. a. das Grabmal des Gründers des Germanischen Nationalmuseums in Nürnberg, des Freiherrn Hans von und zu Aufseß (1801–1872), ferner Epitaph des Albrecht v. Aufseß mit schönem Wappen.

Creußen

Kr. Bayreuth, 444 m, 5000 Einw. mit Ortsteilen. Das ehem. Markgrafenstädtchen mit historischem Stadtkern, an der Nordostgrenze des Naturparks Fränkische Schweiz – Veldensteiner Forst, im Keuperhügelland zwischen Jura und Fichtelgebirge, liegt reizvoll auf einem abfallenden Sandsteinfelsen am Roten Main.

Auskunft: Stadtverwaltung, 8581 Creußen, Tel. 09270/607 und 608.
Verkehr: Autobahnanschlußstelle Trockau zur A 9 Nürnberg – Berlin (10 km); B 2 Bayreuth – Pegnitz.

Sehenswert:
Die im Kern noch mittelalterliche Altstadt ist noch von der alten **Stadtmauer** mit **Türmen** und **Toren** umgeben; im Hinteren Tor, in der ehemaligen Wächterstube, ist das sehenswerte **Krügemuseum** untergebracht. Ausgestellt bunte Apostel-, Planeten- und Jagdkrüge sowie braunes Apothekergeschirr der bereits im 16. und 17. Jh. in Creußen blühenden Handwerkskunst zur Herstellung von Steinzeug.

Eichstätt

Große Kreisstadt, 388 m, 14000 Einw. Hauptort des Altmühltales, alte Bischofsstadt, im nördlichsten Teil Oberbayerns. Sitz der einzigen Katholischen Universität im deutschsprachigen Raum sowie mehrerer höherer Schulen und klösterlicher Niederlassungen. Seit der Mitte des 8. Jh. ununterbrochen Bischofssitz, bis 1802 fürstbischöfliche Residenzstadt. Noch heute durch ihren unverfälscht erhaltenen, auch im letzten Krieg nicht zerstörten Residenzcharakter eine der sehenswertesten Städte Bayerns mit zahlreichen Denkmälern großartiger Architektur und Plastik. Prächtig gelegen im mittleren Altmühltal, unterhalb der Willibaldsburg, umgeben von reizvoller, typischer Juralandschaft mit Felsformationen, Mischwäldern und Wacholderheiden. Mittelpunkt des Naturparks Altmühltal. Ausgangspunkt für Touren in das gesamte Altmühltal und in die südliche Frankenalb.

Auskunft: Städtisches Fremdenverkehrsbüro, Domplatz 18, 8078 Eichstätt, Tel. 08421/7977.
Verkehr: Kreuzungspunkt der B 13 Ingolstadt – Weißenburg und der »Deutschen Ferienstraße Alpen–Ostsee« Treuchtlingen – Beilngries; Autobahnanschlußstellen Altmühltal (21 km) und Ingolstadt-Nord (28 km).

Sehenswert:
Dom, dessen Anfänge auf den hl. Willibald zurückgehen (700–787). Im 11. Jh. wurde er zur dreischiffigen Pfeilerbasilika umgestaltet. Die Untergeschosse der Türme gehen auf die romanische Zeit zurück. Spätgotischer Umbau zur Hallenkirche gegen 1410 vollendet, Anbau der Kapitelsakristei zwischen Ostchor und Nordturm (mit Chörlein) in der 2. Hälfte des 15. Jh. Schließlich erhielt der Dom noch eine Barockfassade an der Westseite durch den bedeutendsten Eichstätter Hofbaudirektor Gabriel de Gabrieli, vollendet 1718.

Durch das Mortuarium gelangt man in das **Diözesanmuseum.** 1982 eröffnet, zwölf Ausstellungsräume in einem alten Kornspeicher und in Sälen, in denen früher die Verwaltung des Domkapitels untergebracht war. Darunter der historische Kapitelsaal. Vorbildlich präsentiert es in einem geglückten architektonischen Rahmen (im zeitlichen Anschluß an die Sammlungen auf der Willibaldsburg) Werke der christlichen Kunst von der Karolingerzeit bis zur Säkularisation (Terrakotta-Figuren vom Hauptportal des Doms von um 1410; ein byzantinisches Meßgewand aus dem 12. Jh.) sowie Fundgut aus den archäologischen Grabungen im Dom.

Ellingen

Kr. Weißenburg-Gunzenhausen, 398 m, 3200 Einw. Die ehem. Deutschordensstadt im Nordteil des Naturparks Altmühltal, in reizvoller Jura-Landschaft an der Schwäbischen Rezat gelegen, verdankt ihr einheitliches barockes Stadtbild der Hofhaltung des Deutschen Ordens, der von 1216 bis 1806 in Ellingen residierte.

Auskunft: Stadtverwaltung im Rathaus, 8836 Ellingen, Tel. 09141/4059.

Verkehr: B 2 Weißenburg – Roth; Kreuzung der B 13 Gunzenhausen – Eichstätt.

Sehenswert:
Deutschordensschloß, am Nordwestrand der eigentlichen Stadt, eine eigenwillige Dreiflügelanlage, deren Hof nach rückwärts verlegt ist und von der Kirche geschlossen wird. 1718–1725 unter Landkomtur Karl Heinrich von Hornstein von Franz Keller im sog. Ellinger Barock neu erbaut. Schauseite ist die nach Süden gerichtete Fassade des Hauptflügels, mit Portal, durch drei mächtige Risalite mit Giebeln gegliedert. Im Inneren das bis zum dritten Stockwerk reichende Treppenhaus sowie zahlreiche prachtvolle Räume im Stil des Rokoko, überwiegend aber im Stil des frühen Klassizismus. An der Ausstattung mit Stuck und Plastiken sowie der erlesenen Einrichtung war außer dem Baumeister Franz Keller und später Franz Josef Roth ab Ende des 18. Jh. auch noch der französische Architekt Michel d'Ixnard beteiligt. Im Schloß ist das **Deutschordens-Museum** untergebracht, das mit seiner Sammlung die Erinnerung an die Ballei Franken des Deutschen Ordens bewahrt. Darüber hinaus beherbergt es das Kulturzentrum Ostpreußen mit Archiv und Museum.

Besichtigung: 1. 4.–30. 9. täglich außer Mo 9–12 und 13–17 Uhr; 1. 10.–31. 3. 10–12 und 14–16 Uhr.

Die prachtvolle Fassade von Schloß Ellingen

Erlangen

278 m, 103 000 Einw. Kreisfreie Stadt im Regierungsbezirk Mittelfranken. Die ehemalige Residenzstadt der Markgrafen von Brandenburg-Bayreuth und markgräfliche Hugenottenstadt an der Mündung der Schwabach in die Regnitz ist seit der letzten Eingemeindung umliegender Dörfer 1974 Großstadt und sechstgrößte Stadt Bayerns. Erlangen ist Sitz der Friedrich-Alexander-Universität Erlangen-Nürnberg mit Schwerpunkt Technik und Medizin, mit zahlreichen wissenschaftlichen Instituten und Kliniken sowie einer Landesanstalt für Bienenzucht und der für ihre Kunst- und Literaturschätze berühmten Universitätsbibliothek. Ihren guten Ruf als Industriestadt – elektronische, chemische und pharmazeutische Industrie sowie Textil- und Maschinenbauindustrie, einschließlich Kommunikations-, Kraftwerks- und Kerntechnik – verdankt Erlangen namhaften Industrieunternehmen wie KWU und der Siemens AG.

Auskunft: Verkehrsbüro am Rathausplatz 1 und Pavillon am Hugenottenplatz, 8520 Erlangen, Tel. 09131/25074.

Sehenswert:
An der Schwabachanlage 10 das **Zoologische Museum,** mit Sammlung der heimischen Tierwelt und Evolution der Tiere. Geöffnet Mo–Fr 8–16 Uhr, zweimal monatlich auch So. – Durch die Hauptstraße zum

Palais Stutterheim, *Marktplatz 1,* als Adelspalais 1728 erbaut, von 1836–1971 diente es als Rathaus, heute beherbergt es die Städt. Galerie, geöffnet Mo–Fr 10–18.30 Uhr, Sa, So 10–17 Uhr sowie andere kulturelle Einrichtungen wie die Stadtbücherei.

Feucht

Kr. Nürnberger Land, 369 m, 10 300 Einw. Marktgemeinde und Nürnberger Ausflugsziel in waldreicher Umgebung im Süden des Lorenzer Waldes; verkehrsgünstig gelegener Ausgangspunkt für Wanderungen ins Schwarzachtal.

Auskunft: Marktgemeindeverwaltung, 8511 Feucht, Tel. 09128/3041.
Verkehr: B 8 Nürnberg – Neumarkt; Autobahnanschlußstelle zur A 9 Nürnberg – München.

Sehenswert:
Im Pfinzingschloß **»Hermann-Oberth-Museum«** mit reichhaltiger Dokumentation der Raumfahrtentwicklung, zurückgehend bis ins Jahr 1929.

Hersbruck

Kr. Nürnberger Land, 340 m, 11 000 Einw. Der staatlich anerkannte Erholungsort an der Pegnitz ist Hauptort der Frankenalb und Mittelpunkt der »Hersbrucker Schweiz«, einer abwechslungsreichen Mittelgebirgslandschaft mit bizarr aufragenden Felswänden, burgengekrönten Kuppen und reizvollen Tälern. Das Pegnitztal zwischen Hersbruck und Neuhaus a. d. Pegnitz ist das landschaftlich eindrucksvollste; Bahnlinie und die Straße verlaufen in ihm.

Hersbruck ist ein altertümliches Frankenstädtchen mit idyllischen Winkeln, reizvollen Straßenzügen und schönen Fachwerkhäusern. Es erhielt schon im 11. Jh. die Markt-, Münz- und Zollrechte und 1353 von Kaiser Karl IV. die Stadtrechte verliehen.

Auskunft: Verkehrsbüro Hersbruck, Haus des Gastes, 8562 Hersbruck, Tel. 09151/4755.
Verkehr: B 14 Nürnberg – Sulzbach-Rosenberg; Autobahnanschlußstelle Lauf (9 km).

Sehenswert:
Deutsches Hirtenmuseum, in einem Fachwerkhaus untergebracht, eine einzigartige Sammlung alter Hirtenkultur aus aller Welt; ferner **Heimat- und Handwerksmuseum.** Geöffnet täglich außer Mo von 9–11 Uhr und 14–16 Uhr.

Ingolstadt

Kreisfreie Stadt, 374 m, 90 000 Einw. Bedeutende Industriestadt und zweitgrößte Oberbayerns, an der Donau; ehemals Residenz wittelsbachischer Herzöge, Universitätssitz und Festungsstadt. Die 1945 stark in Mitleidenschaft gezogene und in den folgenden Jahren weithin wiederhergestellte Altstadt ist noch großenteils von der spätmittelalterlichen Stadtmauer und dem Grünanlagenring des Glacis der ehemaligen Festungsanlagen umgeben. In den Außenbezirken große Fabriken (Auto-Union), Erdölraffinerien und ein Großkraftwerk. Ingolstadt besitzt mehrere Fachschulen, Stadttheater, Kongreßsaal, Bibliotheken und Museen.

Auskunft: Städtisches Verkehrsamt, Hallstr. 5, 8070 Ingolstadt, Tel. 0841/305415.
Verkehr: Kreuzungspunkt B 13 und 16/16 a. Autobahnanschlußstellen.

Sehenswert:
Ehemalige Anatomie, 1723–1735, nach Plänen Gabriel de Gabrielis erbaut, heute **Deutsches Medizinhistorisches Museum,** einziges dieser Art in der Bundesrepublik Deutschland, mit 1000 Exponaten von der antiken Medizin bis zur Gegenwart, anschaulich auch für den Laien präsentiert. Auf der Gartenseite, an der das Gebäude mit den reizvollen Arkaden einem barocken Lustschlößchen gleicht, ein Arzneipflanzen-Garten. Den Mittelteil des Obergeschosses nimmt der frühere anatomische Demonstrationssaal ein mit einem Deckenfresko zum Thema Medizin und Naturwissenschaften.

Geöffnet täglich außer Mo 10–12 und 14–17 Uhr.

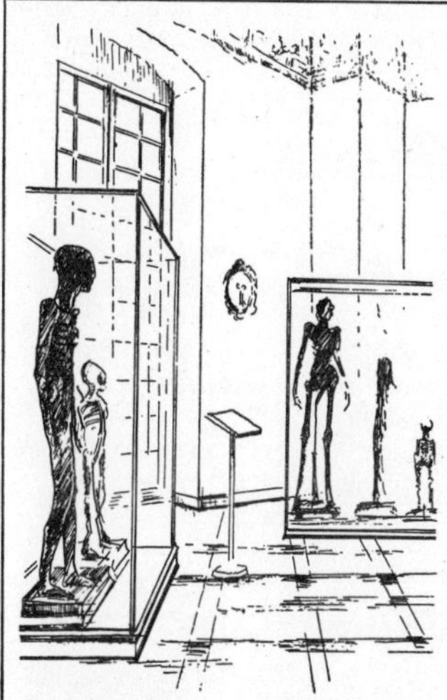

Im Deutschen Medizinhistorischen Museum

Neues Schloß, eindrucksvoller gotischer Bau, der das Stadtbild von der Donau her maßgeblich bestimmt. 1418 unter Herzog Ludwig dem Bärtigen erbaut. Nach Aussterben der Ingolstädter Linie kam es an das Herzogtum Bayern-Landshut. Herzog Georg der Reiche baute das Schloß ab 1484 zur fürstlichen Residenz der Spätgotik aus. Im Zentrum der dreigeschossige Wohnbau mit Satteldach, flankiert von unterschiedlich großen Türmen; hoch und wuchtig die der Donau zugewandten Türme. Das Neue Schloß wurde im Zweiten Weltkrieg schwer beschädigt, ist aber mit Ausnahme des Zeughauses und der den Schloßhof umgebenden Kavalierbauten wiederhergestellt. Die einst prächtigen gewölbten Räume mit Skulpturenschmuck wie der Schöne Saal und der Tanzsaal blieben erhalten.

Im Neuen Schloß befindet sich heute das **Bayerische Armeemuseum** mit Waffen, Fahnen, Uniformen, Schlachtenbildern, Zinnfiguren, Erinnerungen an die alte Garnison Ingolstadt. Geöffnet täglich außer Mo (und an bestimmten Tagen des Jahres wie z. B. 17. Juni etc.) 9.30–16.30 Uhr.

Stadtmuseum im **Kavalier Hepp,** Auf der Schanz 45, einem großflächigen Festungswerk von1838–1843. Ein historisches Museum mit ur- und frühgeschichtlicher Abteilung und den Schwerpunkten Stadt- und Universitätsgeschichte (Mo geschlossen). **Stadtarchiv** und **Wissenschaftliche Bibliothek** ebenfalls im Kavalier Hepp.

Kelheim

Kreisstadt, 354 m, 15000 Einw. Die ehemalige Wittelsbacher Herzogstadt an der Mündung der Altmühl in die Donau, überragt von der Befreiungshalle, ist vielbesuchter Fremdenverkehrsort und Ausgangspunkt für den Besuch des Unteren Altmühltals sowie für das Donautal mit dem Donaudurchbruch und dem berühmten Kloster Weltenburg.

i *Auskunft:* Städt. Fremdenverkehrsamt, 8420 Kelheim, Tel. 09441/3012.

Verkehr: B 16 Regensburg – Ingolstadt, Abzweigung bei Saal a. d. Donau.

Sehenswert:
Archäologisches Museum im spätgotischen Herzogskasten, Ledergasse 11; die Ausstellungsstücke reichen vom Neandertaler des Altmühltales bis zur Herzogsresidenz der Wittelsbacher in Kelheim. Geöffnet 1.4.–31.10. Di–So 10–16 Uhr, Mo geschlossen (sonst nach Vereinbarung).

Befreiungshalle auf dem 100 m hohen *Michelsberg* zwischen Donau und Altmühl nach einer Idee König Ludwigs I. von Bayern zur Erinnerung an die Befreiungskriege 1813–1815 und nach Plänen der Baumeister Friedrich Gärtner und Leo von Klenze als 45 m hoher Kuppel-Rundbau (Achtzehneck) im römisch-klassizistischen Stil 1842–1863 erbaut. Außen herum auf Streben, in halber Höhe des Baus, 18 kolossale weibliche Figuren mit Schildern, auf denen die Namen der deutschen Stämme verzeichnet sind, die an den Befreiungskriegen beteiligt waren; darüber ein offener Säulengang (54 Säulen). Innen, im Kreis 34 Siegesgöttinnen (Zahl der deutschen Staaten) aus weißem Marmor (nach Schwanthaler), zwischen je 2 Viktorien, 17 aus eroberten Geschützen gegossene Schilder mit den Namen der Schlachten der Befreiungskriege. Auf 18 Marmortafeln über den Säulenbögen die Namen deutscher Heerführer, und weiter oben 18 Namen eroberter Festungen. In der Mitte auf dem Marmorboden die Inschrift »Möchten die Teutschen nie vergessen...«. Das Tageslicht tritt durch die Kuppel-Laterne ein. Eine eiserne Wendeltreppe führt zur inneren Säulengalerie, und auf einer weiteren Treppe gelangt man hinauf zur äußersten Galerie mit schöner Fernsicht auf Donau und Altmühltal. Geöffnet 1.4–30.9. täglich 8–18 Uhr; Oktober–März 9–12 Uhr und 13–16 Uhr.

Anstieg zu Fuß 25 Minuten, sonst 2 km auf guter Fahrstraße.

Mörnsheim

Kr. Eichstätt, 412 m, 1700 Einw. Der fast tausendjährige Marktflekken im Naturpark Altmühltal, reizend im Gailachtal, einem Nebental der mittleren Altmühl zwischen Pappenheim und Eichstätt gelegen, ist ein beschaulicher Ferienort mit ausgezeichneten Wandermöglichkeiten und ein Dorado für Fossiliensammler im Gebiet Maxberg – Solnhofen.

Auskunft: Marktgemeindeverwaltung, 8831 Mörnsheim, Tel. 09145/7148.
Verkehr: Deutsche Ferienstraße Alpen–Ostsee, Treuchtlingen – Eichstätt, Abzweigung bei Altendorf.

Sehenswert:
Museum für Versteinerungen und Lithographiesteindruck beim Solnhofer Aktien-Verein am Maxberg, 1 km nördlich. Das Museum bietet einen Blick in das sog. Erdmittelalter mit hervorragend erhaltenen Versteinerungen von Tieren und Pflanzen, darunter ebenso seltene wie interessante Stücke von Meeres- und Landbewohnern, wie Flugsaurier, die vor 150 Millionen Jahren unsere Erde bevölkerten. Ferner eine Abteilung Lithographie; Zeugnisse der Steingravur und Steinätzung seit dem 15. Jh. sowie ein römisches Kastellbad »Iciniacum« am Limes. Geöffnet täglich 8.30–12 und 13–16.45 Uhr.

Nürnberg

468 000 Einw. Die zweitgrößte Stadt Bayerns mit historischer Altstadt beiderseits der Pegnitz, in der waldreichen Ebene des Mittelfränkischen Beckens, expandiert seit Ende des Zweiten Weltkrieges unaufhaltsam auch in den die Stadt auf drei Seiten umgebenden Reichswald. Im Mittelalter entwickelte sich die Freie Reichsstadt am Schnittpunkt wichtiger europäischer Verkehrswege zur berühmten Kunst- und Handelsmetropole. In ihrer 900jährigen Geschichte fehlen aber auch die Perioden des Niedergangs nicht.

Heute ist Nürnberg ein wirtschaftlicher Schwerpunkt der Bundesrepublik und Zentrum im mittelfränkischen Ballungsraum mit Sitz von Behörden und namhaften Industrien. Die moderne, dynamische Halbmillionen-Metropole ist auch das kulturelle Zentrum Frankens. Neben der Akademie für bildende Künste entstand die wirtschafts- und sozialwissenschaftliche Fakultät der Universität Erlangen-Nürnberg; Bildungsstätten verschiedenster Art und berühmte Museen stehen zur Verfügung. Dem Wiederaufbau der im Krieg weitgehend zerstörten, von Mauern mit Türmen und Toren umgebenen und von der Kaiserburg überragten Altstadt mit hervorragenden Baudenkmälern folgte seit den siebziger Jahren eine sorgfältige Sanierung der noch erhaltenen alten Bausubstanz, so daß das überlieferte Stadtbild des 15. bis 17. Jh. weitgehend wiederhergestellt werden konnte.

Auskunft: Verkehrsverein Nürnberg, Eilgutstr. 5, 8500 Nürnberg, Tel. 09 11/20 42 56.

Sehenswert:
Germanisches Nationalmuseum, *Kornmarkt/Kartäusergasse,* in den modernen Museumsbauten sowie unter den Dächern des ehem. Kartäuserklosters. Das 1852 »zur Rettung der Dokumente deutscher Vergangenheit« gegründete Museum, dessen Grundstück ursprünglich die Stiftung des Freiherrn von und zu Aufseß bildete, entwickelte sich zur größten kunst- und kulturhistorischen Sammlung Deutschlands. Die Sammlungen in 12 Gebäuden umfassen eine bedeutende **Gemäldegalerie,** ein reiches **Kupferstichkabinett,** eine weltberühmte **Musikinstrumentensammlung, Glasgemälde** (kniender Ritter Melchior Gmer, 1472, von Andlau in Straßburg), **Skulpturen, kunsthandwerkliche Sammlungen,** Dokumente der **Vor- und Frühgeschichte** sowie der **Volkskunde** (mit 24 000 Exponaten die umfangreichste des deutschsprachigen Kulturraumes), ein **Münzkabinett,** ein **Kunstarchiv** mit Autographensammlung, eine **Kunstbibliothek** mit derzeit rund 480 000 Bänden (Lesesaal). Geöffnet täglich, außer Mo, 9–16 Uhr, Do auch 20–21.30 Uhr. An Feiertagen Sonderregelung.

Fembo-Haus mit **Stadtmuseum,** *Burgstraße 15.* Der 1591–1605 errichtete prächtige Spätrenaissance-Bau ist das einzige im Krieg unzerstört gebliebene bedeutende Patrizierhaus Alt-Nürnbergs. Das in ihm eingerichtete Stadtmuseum demonstriert Alt-Nürnberger Entwicklungsgeschichte und Wohnkultur. Im Hinterhaus befindet sich die frühere Ausstattung des Hirschvogelsaals von Peter Flötner (1534). Geöffnet 1. 3.–31. 10. täglich 10–17,

Mi bis 21 Uhr; 1. 11.–28. 2. täglich 13–17 Uhr, Sa So 10–17, Mi bis 21 Uhr.

Albrecht-Dürer-Haus, *Albrecht-Dürer-Str. 39,* (Tel. 162271). Das Fachwerkhaus der Nürnberger Spätgotik aus dem 15. Jh., das Dürer 1509 erwarb und bis zu seinem Tod im Jahr 1528 bewohnte, wurde nach schwerer Kriegszerstörung wiederhergestellt. Es ist als Museum gestaltet und zeigt anschaulich, wie Dürer seinerzeit lebte und arbeitete. Eine kunstgeschichtliche Kostbarkeit ersten Ranges, die 4. Ausgabe der Ehrenpforte, Dürers Monumentalwerk für Kaiser Maximilian, wird hier aufbewahrt. Geöffnet 1. 3.–31. 10. Di–So 10–17 Uhr, Mi 10–21 Uhr; übrige Zeit Di–Fr 13–17 Uhr, Sa So 10–17 Uhr, Mi 10–21 Uhr. Im neuen Anbau Kunstausstellungen verschiedenster Art.

Spielzeugmuseum der Stadt Nürnberg, *Karlstr. 13,* in einem alten Patrizierhaus mit Chörlein und Stufengiebel. Verschiedenes Spielzeug vom Mittelalter bis zur Gegenwart, aus Europa und Übersee, kann aus Platzmangel nur zum Teil, meist unter Themenkreisen, ausgestellt werden; Erweiterungsbau im Entstehen. Geöffnet täglich außer Mo 10–17 Uhr, Mi bis 21 Uhr.

Planetarium, *am Plärrer* neben dem Hochhaus. Planetariumsschau: Mi 16 und 20 Uhr, Do 20 Uhr; im August zusätzlich Do 16 Uhr, dritter So im Monat 10 und 11.15 Uhr. – In geringer Entfernung.

Gewerbemuseum in der Landesgewerbeanstalt Bayern, *Gewerbemuseumsplatz 2.* Deutsches und außereuropäisches Kunsthandwerk (Glas, Keramik, Möbel, Metalle). Geöffnet Apr.–Okt. Di–Fr 10–17 Uhr, Sa und So 10–13 Uhr. Übrige Zeit Mo–Fr 10–17 Uhr; Sa, So geschlossen.

Naturhistorisches Museum »Natur und Mensch« der Naturhistorischen Gesellschaft Nürnberg e. V., *Gewerbemuseumsplatz 4.* Das 1801 gegründete Museum demonstriert einheimische Vor- und Frühgeschichte, Geologie, Paläontologie, präkolumbische Archäologie, Völkerkunde, Höhlen- und Karstkunde; Sonderausstellungen. Geöffnet Mo, Di, Do, Fr 10–17 Uhr, Sa 9–12 Uhr.

Verkehrsmuseum, *Lessingstr. 6.* Auf die erste bayerische Landes-Gewerbeausstellung 1882 in Nürnberg zurückgehend, die u. a. einen Einblick in die technischen Einrichtungen der Eisenbahn gab, wurde 1899 ein Eisenbahnmuseum eröffnet, das 1901 in Königlich Bayerisches Verkehrsmuseum umbenannt wurde. Das heutige »Verkehrsmuseum Nürnberg« ist der Eisenbahn und der Post gewidmet. Ausgestellt Originalfahrzeuge (u. a. der erste deutsche Eisenbahnzug) und Modelle; Modellbahnanlagen, Briefmarkensammlung; Bücherei und Archiv. Geöffnet 1. 4.–30. 9. Mo–Sa 10–17 Uhr, So 10–16 Uhr; Winterhalbjahr täglich 10–16 Uhr.

Pommersfelden

Kr. Bamberg, 269 m, 600 Einw. Vielbesuchter Ausflugsort im Süden Bambergs, im Tal der Reichen Ebrach, zwischen den Naturparks Steigerwald und Fränkische Schweiz, bekannt durch das ***Schönbornsche Barockschloß Weißenstein,*** *meist Schloß Pommersfelden genannt.*

Auskunft: Schloßverwaltung, 8602 Pommersfelden, Tel. 09548/203.
Verkehr: Autobahnanschlußstelle Bamberg zur A 3 Nürnberg – Würzburg (6 km); unmittelbar westlich der B 505 Bamberg – Höchstadt a. d. Aisch.

Sehenswert:
Schloß Weißenstein, ein mächtiges Bauwerk auf einer sanft ansteigenden Höhe, durch einen schönen Park mit dem Ort verbunden. 1711–1718 von Joh. Dientzenhofer in Gemeinschaft mit dem Wiener Johann L. v. Hildebrandt und dem Mainzer Hofarchitekten Maximilian v. Welsch als Sommerresidenz des Mainzer Kurfürsten und Bamberger Fürstbischofs Lothar Franz von Schönborn erbaut. Heute noch im Besitz der Grafen von Schönborn-Wiesentheid.

Der Hauptbau ist eine symmetrisch gestaltete dreiflügelige Anlage mit reich gegliedertem Mittelbau, die als Prunkstück das durch alle Stockwerke reichende Treppenhaus birgt, eine der gewaltigsten Leistungen des deutschen Barocks. Stukkaturen von Daniel Schenk, Deckenfresko von Joh. Rudolf Byss mit von Giov. Francesco Marchini gemalter perspektivischer Scheinarchitektur. Zweigeschossiger Marmorsaal, durch Marmorpilaster und -säulen gegliedert, Decke mit einem Fresko des altbayerischen Malers Joh. Franz Michael Rottmayr von Rosenbrunn. An den Wänden die Porträts bedeutender Schönborns des 17. und 18. Jh. Anschließend die Kurfürstenzimmer mit kostbaren Möbeln und das von Ferdinand Plitzner geschaffene Spiegelkabinett mit reich eingelegtem Boden. Die **Gemäldegalerie,** eine der bedeutendsten Privatgalerien Deutschlands, enthält hauptsächlich niederländische und italienische Maler des 17. und 18. Jh. Unter dem Marmorsaal liegt die von Georg Hennikke ausgestattete Muschelgrotte mit zwei von Marchini in perspektivischer Scheinarchitektur ausgemalten Gartensälen. Im ovalen Saal des Marstallgebäudes, dem Ehrenhof gegenüber, befinden sich ebenfalls graziöse Fresken von J. R. Byss und G. F. Marchini. Der ehedem geometrisch gestaltete Garten wurde im frühen 19. Jh. zu einem englischen Park umgestaltet und von Damwild belebt. – Führungen durch Schloß und Gemäldegalerie: 1. 4.–31. 10. täglich, außer Mo, um 9, 10, 11, 14, 15, 16 Uhr, zusätzlich kleine Führung um 11.30 und 16.30 Uhr; Mo geschlossen.

Riedenburg

Kr. Kelheim, 350–510 m, 5000 Einw. Das schmucke Städtchen im Tal der unteren Altmühl, von drei Burgen auf dem felsigen Hochufer überragt, ist staatlich anerkannter Luftkurort. Die Ortsteile ***Oberegggersberg, Meihern*** *und* ***Flügelsberg*** *im Westen und* ***Prunn*** *im Südosten werden ebenfalls von Ferien- und Ausflugsgästen besucht.*

Auskunft: Verkehrsamt, Haus des Gastes, Marktplatz, 8422 Riedenburg, Tel. 09442/818.
Verkehr: Deutsche Ferienstraße Alpen–Ostsee Beilngries – Kelheim.

Sehenswert:
Rosenburg, mächtige Burg auf einem Bergvorsprung über der Stadt, die nach dem Aussterben der Burggrafen von Riedenburg in den Besitz der Herzöge von Bayern kam. Sie errichteten ein herzogliches

Pflegamt. Obgleich Burg und Stadt wiederholt als Lehen vergeben wurden, verblieben sie im Besitz der Wittelsbacher. Die Burg geht in ihrem Kern auf das 13. Jh. zurück. Bergfried und innere Umfassungsmauer stammen aus dieser Zeit. Der heutige repräsentative Renaissance-Bau entstand nach wiederholten Zerstörungen und Wiederaufbau in den Jahren 1556 bis 1558. In der Burgkapelle wurden Fresken aus dem 16. Jh. freigelegt. Außer einer Gaststätte befindet sich in der Rosenburg der **Bayer. Landesjagdfalkenhof** (Flugvorführung der Vögel täglich außer Mo um 15 Uhr) sowie das **Heimat- und Naturkundliche Museum Unteres Altmühltal** in Verbindung mit dem **Historischen Falknereimuseum.**

In der Umgebung:
Schloß Prunn. Die im 13. Jh. erbaute und im 16./17. Jh. erneuerte gewaltige Burg, im Besitz mehrerer Adelsgeschlechter, auf senkrecht abfallendem Felsvorsprung fast 100 m über dem Tal, ist nie zerstört worden. Sie hat sich durch glückliche Umstände bis auf unsere Zeit nahezu unverändert erhalten und bildet auch wegen ihrer einzigartigen landschaftlichen Lage eine erstrangige Sehenswürdigkeit des Altmühltals. 1575 fand der Humanist Wiguläus Hundt von der Universität Ingolstadt auf der Burg eine prachtvolle Handschrift des Nibelungenliedes aus dem 10. Jh., die in der Bayer. Staatsbibliothek in München als »Prunner Codex« aufbewahrt wird. Romanisch ist der südlich des hohen Bergfried sich erstreckende schmale Wohntrakt, im Inneren historische Räume mit alten Ausstattungsstücken, Waffen, Folterwerkzeugen und dergleichen; die Schloßkapelle ist barock verändert. Besichtigung: 1. 4.–30. 9. täglich 9–18 Uhr, im Winterhalbjahr täglich außer Mo von 9–16 Uhr.

Solnhofen

Kr. Weißenburg-Gunzenhausen, 406 m, 1800 Einw. Ferienort im Naturpark Altmühltal, im reivzollsten Abschnitt der mittleren Altmühl zwischen Pappenheim und Eichstätt, umgeben von bewaldeten Höhen. Solnhofen ist weltbekannt durch seine Plattenkalke sowie als Wiege der Lithographie. In den ausgedehnten Lithosteinbrüchen wird Schiefer in seltener Reinheit, Dichte und Mächtigkeit gebrochen. Ihren eigentlichen Aufschwung erlebten die Brüche seit der Erfindung der Lithographie durch Aloys Senefelder 1797–1799. Heute werden die Solnhofer Plattenkalke vor allem als Wand- und Bodenbelag, für Fensterbänke und Tischplatten verwendet.

Auskunft: Gemeindeverwaltung, 8838 Solnhofen, Tel. 09145/477.
Verkehr: Deutsche Ferienstraße Alpen–Ostsee Treuchtlingen – Eichstätt.

Sehenswert:
Bürgermeister-Müller-Museum im Rathaus, eine Attraktion Solnhofens. Diese umfangreiche Fossiliensammlung entstand aus der Privatsammlung des Bürgermeisters Friedrich Müller in den Plattenkalksteinbrüchen Solnhofens und seiner näheren und weiteren Umgebung. Die Versteinerungen stammen aus dem Erdmittelalter, während der Jurazeit vor etwa 110 bis 160 Millionen Jahren, als diese Gebiete am Rande eines Meeres lagen. Zu sehen sind u. a. vielgestaltete Fische, Echsen, Saurier, Amoniten, Tintenfische, Schildkröten, Seelilien, Libellen.

Ferner Gipsabdrücke des Archaeopteryx: »Archaeopteryx lithographica«, 1861 gefunden, Original im Britischen Museum in London; »Archaeopteryx ab simensi«, 1877 gefunden, Original in der Humboldt-Universität in Ostberlin. Geöffnet 1. 4.–31. 10. täglich 9–12 Uhr und 13–17 Uhr; 1. 11.–31. 3. Mo–Do 9–12 und 13–17 Uhr, Fr 9–12 Uhr.

Lithosteinbrüche auf den Höhen der Umgebung; Führung (Auskunft Museum) durch die Steinbrüche und Verarbeitungsbetriebe. Eine Fundgrube für Fossiliensammler und Hobby-Geologen; Schichtenabbau in extra vorbereiteten Steinbrüchen möglich (Berechtigungsschein).

Sulzbach-Rosenberg

Kr. Amberg-Sulzbach, 426 m, 18 000 Einw. Der Bergwerks- und Doppelort in anmutiger Hügellandschaft des Oberpfälzer Jura, unweit nordwestlich von Amberg, entstand 1934 durch Zusammenschluß der ehemaligen Pfalzgrafen- und Herzogsresidenz Sulzbach mit dem unmittelbar nordwestlich gelegenen Eisenhüttenort Rosenberg. Seit dem 14. Jh. sind Privilegien mit dem Recht des Bergbaus der Eisenerzlager bestätigt. Bis heute ist die Maximilianshütte das größte eisenschaffende Werk Süddeutschlands.

Auskunft: Stadtverwaltung, Bühlgasse 5, 8458 Sulzbach-Rosenberg, Tel. 09661/510110.
Verkehr: Kreuzungspunkt der B 14 Nürnberg – Waidhaus/ČSSR und B 85 Amberg – Auerbach; Autobahnanschlußstelle zur A 6 Nürnberg – Amberg.

Sehenswert: Ehemaliges pfalzgräfliches und herzogliches **Schloß,** ab 1589 als Neubau an der Stelle des im 11. Jh. gegründeten errichtet, im 18. Jh. umgebaut, seit dem 19. Jh. dient es Verwaltungszwecken. Tore führen in den Schloßhof mit Löwenbrunnen; im Südosten das Saalgebäude mit Treppenturm; die Schloßkapelle wurde profaniert; im Norden der Fürsten- und Gästetrakt, anschließend das ehem. Kanzleigebäude. Im Inneren befindet sich das Heimatmuseum. Es demonstriert bürgerliches und bäuerliches Wohnen, bäuerliche Geräte, Kleidung, Apothekerwesen, Bürgerwehr, Zunftwesen; angeschlossen eine Abteilung über Bergbauwesen.

Erstes Bayerisches Schulmuseum, Schloßbergweg 10a, seit 1981, zeigt in elf Räumen eines vor 1900 erbauten Schulhauses verschiedene Bereiche der Schulentwicklung, u. a. drei Schulzimmer aus verschiedenen Epochen.

Klassenzimmer im Bayerischen Schulmuseum

Museen in Hülle und Fülle

Die Bevölkerung Oberfrankens teilte sich vor dem Zweiten Weltkrieg in Franken und Altbayern (Steinwald, südliches Fichtelgebirge). Der Strom der Vertriebenen brachte dann vor allem Egerländer, Sachsen, Thüringer, Ostpreußen und Schlesier in diese Nordostecke Bayerns; sie wurde ihnen zur neuen Heimat. Immer gab es in den Randgebieten Einflüsse der Nachbarn (Slawen, Sachsen), doch läßt sich eine ethnologische Spur nach der im Verlauf der Jahrhunderte erfolgten Festigung eines bayerisch-ostfränkischen Stammes nicht mehr nachweisen. Ähnlich der Vielfalt seiner Landschaften und Städte unterscheidet sich der an sich einheitliche Volksstamm der Franken. Nuanciert ist auch der Dialekt, z. B. Mädchen: nordbairisch Moidl; ostfränkisch Mädl oder fränkisch Madla bzw. Madle. Ein Charakteristikum der Franken ist ihre Freude an Gesang und Musik sowie am Feste feiern, was sich im noch umfangreich erhaltenen Brauchtum und dem lebendigen Liedgut immer wieder zeigt.

Interessante Museen gibt es hier geradezu in Hülle und Fülle, insbesondere solche mit ungewöhnlichen Themen: Knopfmuseum Bärnau, Karl-May-Museum Bamberg, Freimaurer-, Brauerei- und Büttnermuseum sowie ein Schreibmaschinenmuseum in Bayreuth, Porzellanmuseum Hohenberg/Eger, Zinnfigurenmuseum Kulmbach, Flößermuseum Unterrodach, Korbmuseum Michelau, Trachtenpuppenmuseum Neustadt, Webermuseum Thurnau und viele andere.

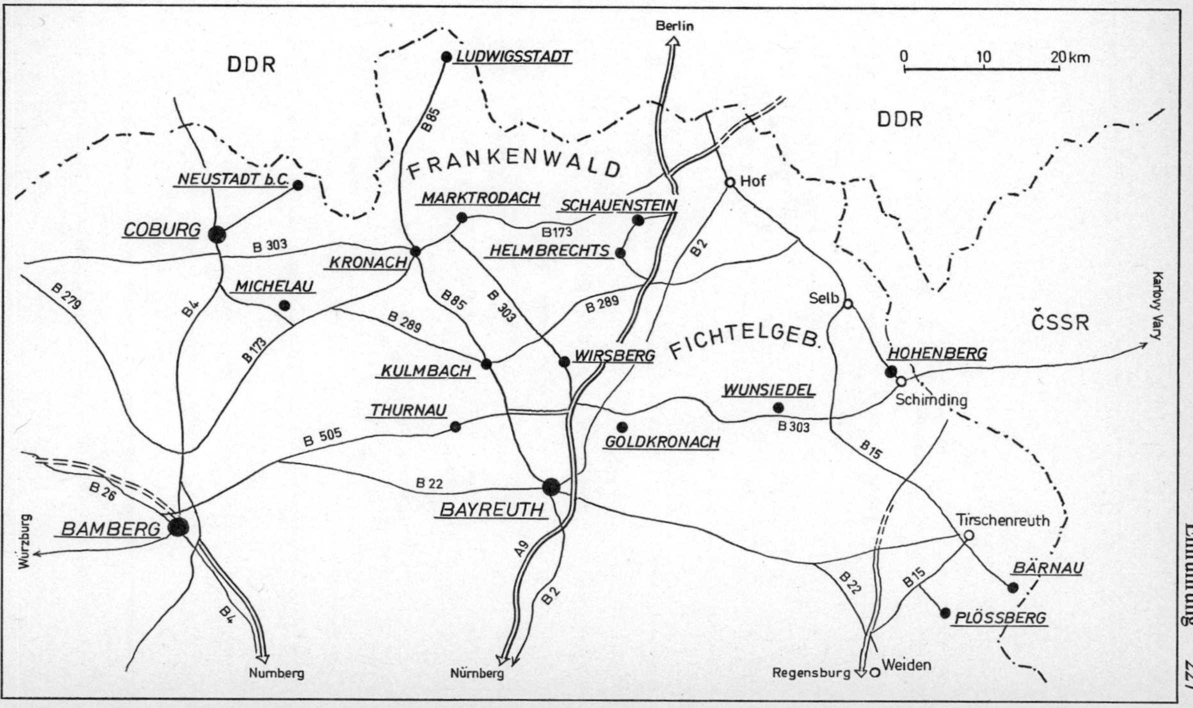

DDR
LUDWIGSSTADT
Berlin
0
10
20 km
DDR
FRANKENWALD
NEUSTADT b.C.
Hof
MARKTRODACH
SCHAUENSTEIN
COBURG
B173
B 303
HELMBRECHTS
B2
KRONACH
MICHELAU
B 279
B4
B 289
B85
B 303
Selb
ČSSR
Karlovy Vary
B 289
B 173
FICHTELGEB.
HOHENBERG
WIRSBERG
KULMBACH
Schirnding
WUNSIEDEL
THURNAU
B 303
GOLDKRONACH
B 505
B15
B 26
B 22
BAYREUTH
Tirschenreuth
BAMBERG
Würzburg
A9
BÄRNAU
B15
B22
B4
B2
PLÖSSBERG
Numberg
Nürnberg
Regensburg
Weiden

Bärnau

Kr. Tirschenreuth, 615 m, 3700 Einw. Das durch seine Knopfindustrie bekannte Städtchen an der Oberen Waldnaab, in reizvoller Landschaft am Nordrand des Naturparks Nördlicher Oberpfälzer Wald, nahe der Grenze zur ČSSR, ist mit den Ortsteilen **Altglashütte, Silberhütte, Hohenthan, Hermannsreuth** *und* **Schwarzenbach** *ein besuchtes Feriengebiet.*

Auskunft: Städtisches Verkehrsamt, 8591 Bärnau, Tel. 09635/201.
Verkehr: B 15 Weiden – Tirschenreuth; Abzw. bei Schönficht bzw. Tirschenreuth (12 km).

Sehenswert:
Manchmal auch eckig, jedenfalls vielfältig sind die Exponate im einzigen **Deutschen Knopfmuseum** an der Tachauer Str. 45. Es zeigt in Wechselausstellungen Knöpfe aller Art aus verschiedenen Jahrhunderten und den unterschiedlichsten Materialien, z. B. Perlmutt, Elfenbein, Glas, außerdem Maschinen zur Knopfherstellung. Geöffnet von April–Oktober, Di und So 14–17 Uhr.

Bamberg

Kreisfreie Stadt und Verwaltungssitz des gleichnamigen Landkreises, 231–386 m, 70500 Einw. Die größte Stadt Oberfrankens liegt auf sieben Hügeln am Eintritt der Regnitz in das Maintal. Die über tausendjährige Kaiser- und Bischofsstadt gilt wegen ihrer vielen gut erhaltenen historischen Bauwerke und Kunstschätze als eine Sehenswürdigkeit europäischen Ranges.

Auskunft: Städtisches Fremdenverkehrsamt, Hauptwachstr. 16, 8600 Bamberg, Tel. 0951/26401 und 87370.
Verkehr: Bundesbahnknotenpunkt. – Autobahnanschluß zur A 73, – Schiffsanlegestelle (Hafenrund- und Tagesfahrten).

Sehenswert:
Diözesanmuseum, mit dem berühmten Domschatz, im ehem. Kapitelhaus, unmittelbar südlich des Doms. Hier befinden sich neben den Skulpturen der Adamspforte u. a. Gegenstände aus der Zeit Heinrichs II. und wertvolle Prunk- und Kirchengewänder (wie der »Sternenmantel« des Kaisers). Geöffnet Di–Fr 10–17 Uhr, an Wochenenden und Fei 10–15 Uhr. (Vom 1. Nov.–Ostern geschlossen, außer Krippenausstellung, die von Dezember bis Anfang Januar am Wochenende zugänglich ist.)

Neue Residenz, östlich des Domplatzes. Der imposanteste barocke Profanbau der Altstadt wurde 1695 bis 1704 unter Lothar Franz von Schönborn, Fürstbischof von Bamberg und Kurfürst von Mainz, durch Joh. Leonhard von Dientzenhofer errichtet. 40 Räume sind reich im Stil des 17. bis späten 18. Jh. ausgestattet. Hervorzuheben sind die Stuckarbeiten von Joh. Jakob Vogel. Man kann u. a. die Kurfürstenzimmer, das fürstbischöfliche Appartement sowie Kaiserzimmer und *Kaisersaal* (Konzerte der Bamberger Symphoniker) besichtigen. Im Rosengarten an der Rückseite des Hauptbaues ein elegantes Rokoko-

Gartenhaus (1757) von Joh. Michael Küchel. Die Neue Residenz beherbergt heute die *Staatsbibliothek* (u. a. mit 4500 Handschriften ab 5. Jh.) und eine Gemäldegalerie mit Bildern altdeutscher und barocker Meister, Tafeln des Meisters des Marienlebens, Hans Baldung Grien, und Werke von Lucas Cranach d. Ä. Außerdem gibt es wechselnde Kunstausstellungen. Geöffnet 1. 4.–30. 9. täglich 9–12 Uhr und 13.30–17 Uhr, 1. 10–31. 3. nachmittags nur bis 16 Uhr.

E.-T.-A.-Hoffmann-Wohnhaus, am Schillerplatz. Hier lebte der romantische Dichter von 1809 bis 1813. Im Inneren Sammlung von Erinnerungsstücken. Gegenüber das *E.-T.-A.-Hoffmann-Theater.*

Karl-May-Museum, Hainstraße 11. Geöffnet Mi 15–17, Fr und Sa 10–12 und 15–17 Uhr, So nur 10–12 Uhr.

Naturkundemuseum, Fleischstraße 2. Naturwissenschaftliche Sammlungen zur Zoologie, Paläontologie, Mineralogie sowie Herbarien. Geöffnet Mo–Fr 8–12 und 13–17 Uhr. Außerdem an jedem 1. So im Monat 9–17 Uhr.

Bayreuth

Kreisstadt und Sitz der Regierung von Oberfranken, 345 m, 72 000 Einw. Die Stadt, zwischen den Ausläufern des Fichtelgebirges im Nordosten und der Fränkischen Schweiz im Südwesten gelegen, ist vor allem wegen ihrer Richard-Wagner-Festspiele bekannt. Doch neben Richard Wagner lebten und arbeiteten hier auch der Literat Jean Paul und Richard Wagners Schwiegervater, der Komponist Franz Liszt. Große Bedeutung für die Stadt hatte auch die »Muse von Bayreuth« genannte Markgräfin Wilhelmine, geistreiche und kunstliebende Schwester Friedrichs des Großen. Mit dem Bayreuther Markgrafen Friedrich verheiratet, gab sie der Stadt als Bauherrin und Gartengestalterin einen glanzvollen architektonischen Akzent.

Auskunft: Fremdenverkehrsverein, Gästedienst, Luitpoldplatz 9, 8580 Bayreuth, Tel. 09 21/2 20 11, Gästedienst 2 20 15.

Sehenswert:
Stadtmuseum im »Moll'schen Haus«, Ecke Kanzlei-/Maximilianstraße, mit Dokumentationen zur Stadtgeschichte, Fayencen, Gläsern, Waffen, handwerklichen Geräten und Hausrat. Geöffnet täglich außer Mo 10–17 Uhr (nur Juli und August auch am Mo). Im Schloß befindet sich eine *Gemäldegalerie* mit Werken vorwiegend des 17. und 18. Jh. Im reizvollen *Hofgarten* mehrere Plastiken, teilweise von J. D. und L. W. Räntz. Geöffnet täglich außer Mo 10–11.30 und 13.30–16.30 Uhr, im Winter nur bis 15 Uhr.

Am Rande des Hofgartens liegt **Haus Wahnfried.** Im ehemaligen Wohnhaus des Komponisten ist heute das *Richard-Wagner-Museum* untergebracht. Es zeigt auf drei Etagen eine Sammlung zu seinem Leben und Werk sowie zur Geschichte der Festspiele. Im »Klingenden Museum« im Erdgeschoß sind historische Aufnahmen zu bekannten Wagner-Interpreten zu hören. Im Garten von Haus Wahnfried befinden sich die Gräber von Richard und Cosima Wagner. Das Museum ist täglich von 9–17 Uhr geöffnet, die Musikvorführungen finden jeweils um 10, 12 und 14 Uhr statt.

Links neben dem Haus Wahnfried zeigt das **Jean-Paul-Museum** Auszüge aus dem Werk des Dichters und Dokumentationen zu seinem Leben. Geöffnet täglich 9–12 und 14–17 Uhr, im Winter Sa und an Fei 10–13 Uhr, So geschlossen. In der Wahnfriedstraße steht auch das Sterbehaus desKomponisten Franz Liszt (Nr. 9).

Die Sammlung des **Deutschen Freimaurermuseums** (Eingang durch den Hofgarten) umfaßt Literatur, Mitgliederverzeichnisse, Zunftsymbole der Steinmetzen, Siegel, Familienwappen, Orden und andere Exponate zur Geschichte des Freimaurertums. Geöffnet Di–Fr 10–12 und 14–16 Uhr, Sa nur 10–12 Uhr.

Porzellanfigur des Freimaurermuseums

Rollwenzlei; östlich des alten Stadtkerns liegt an der Königsallee, etwa auf halbem Weg zur Eremitage, ein ehemaliges Gasthaus, das der Dichter Jean Paul oft und gerne aufsuchte. Das Dichterstübchen, in dem er auch gearbeitet hat, ist im ursprünglichen Zustand erhalten. Zu dem kleinen *Museum* gehört auch eine Mineralien- und Fossiliensammlung. (Besichtigungstermin unter Tel. 9 24 13 vereinbaren.)

Im **Brauerei- und Büttnermuseum** in der Kulmbacher Straße 40 (westlich der Altstadt) werden bei einem Rundgang (Mo–Do um 10 Uhr; Anmeldung Tel. 40 12) Maschinen-, Sudhaus-, Gär- und Lagerkeller und eine alte Büttnerwerkstatt gezeigt sowie der Brauvorgang demonstriert.

Deutsches Schreibmaschinen-Museum mit rund 200 historischen Schreibmaschinen aus aller Welt. Geöffnet Mo–Fr 14–17 Uhr.

Coburg

Kreisfreie Stadt und Sitz des gleichnamigen Landkreises, 300 m, 45 000 Einw. Sie ist Mittelpunkt des reizvollen Coburger Landes in der Vorhügelzone des Thüringer- und Frankenwaldes und liegt eingebettet ins liebliche Tal der Itz. Die trutzige Veste Coburg erhebt sich über der ehemaligen Residenzstadt (bis 1918) mit ihrer sehenswerten Renaissance-Architektur. Die Stadt an der Grenze zur DDR lag früher im geographischen Zentrum Deutschlands. Zur Industrie gehören u. a. Holzverarbeitung (Polstermöbel), Elektrotechnik, Maschinenbau, Kunststoffverarbeitung und Spielwaren. Zu den kulturellen Einrichtungen zählen das Landestheater (Oper, Operette, Schauspiel), die Landesbibliothek und verschiedene bedeutende Museen.

Auskunft: Fremdenverkehrsamt Stadt und Land Coburg, Herrngasse 4, 8630 Coburg, Tel. 09561/95071/72.
Verkehr: Kreuzungspunkt B 4 Bamberg – DDR-Grenze Rottenbach/Eisfeld und B 303.

Sehenswert:
Schloß Ehrenburg, an der Steingasse. 1250 als Franziskanerkloster erbaut, 1542 bis 1547 nach der Aufhebung durch die Reformation unter Herzog Johann Ernst zum Stadtschloß (als Geviert) umgebaut; aus dieser Zeit ist fast nichts mehr erhalten. Unter Herzog Johann Casimir (Regierungszeit 1586–1633) begann eine neue Bauphase mit Um- und Erweiterungsbauten, hauptsächlich durch den aus Straßburg stammenden Baumeister Michael Frey. Schloß Ehrenburg war bis 1918 Stadtresidenz der Coburger Herzöge. Heute ist ein Teil des Schlosses (Prunkräume, Gemäldegalerie, Schloßkirche) als **Museum** zugänglich (Führungen 1. 4.–31. 10. 10, 11, 13.30, 14.30, 15.30, 16.30 Uhr; 1. 11.–31. 3. 10, 11, 13.30, 14.30, 15.30 Uhr).

Naturmuseum (Darstellung sämtlicher Tiergruppen, bedeutende Vogelsammlung, reiche Pflanzensammlung, völkerkundliche Abteilung, Erdgeschichte, Mineralien, Bodenschätze der Erde; geöffnet 1. 4.–30. 9. täglich 9–18 Uhr, 1. 10.–31. 3. täglich 9–17 Uhr).

Veste Coburg, 167 m über der Stadt gelegen und weithin sichtbar, im Volksmund »Fränkische Krone« genannt. Die mächtige Anlage (135 × 260 m) ist mit ihrer dreifachen Ringmauer, ihren zwei Höfen und vier Basteien eine der größten und schönsten Burgen Deutschlands. Zur Völkerwanderungszeit wird hier bereits eine Fliehburg angenommen.

Die **Kunstsammlungen der Veste Coburg** (geöffnet April–Oktober täglich 9.30–13 und 14–17 Uhr; November–März täglich außer Mo 14–16 Uhr) umfassen: Mittelalterlicher Rittersaal, Lutherstube, Intarsien-Jagdzimmer, Rüstkammer und Marstall; Meisterwerke mittelalterlicher Plastik (Vesperbild von 1320), der Malerei (Lucas Cranach d. Ä.) und des Kunsthandwerks (Möbel, Gläser von 1500 bis zur Gegenwart), Jagdwaffen (16.–20. Jh.), Kunstgewerbe.

Das **Kupferstichkabinett** (300 000 Blätter) umfaßt 5000 Meister aller Schulen Europas vom 15. Jh. an. – Im **Fürstenbau** (geöffnet 1. 4.–31. 10. täglich außer Mo 9.30–12 Uhr, 14–16 Uhr; 1. 11.–31. 3. täglich außer Mo 14 Uhr, 14.45 und 15.30 Uhr) sind zu besichtigen: Herzogliche Wohnräume, Lutherkapelle, Lucas-Cranach-Zimmer, Speisesaal, Fahnensaal, kostbare Möbel, Uhren, Porzellan, silbernes Tafelgerät.

Goldkronach

Kr. Bayreuth, 440–550 m, 3000 Einw. Der staatl. anerkannte Erholungsort, früher ein wichtiges Bergbaustädtchen liegt in reizvoller Landschaft am Westrand des Fichtelgebirges nordöstlich von Bayreuth.

Auskunft: Stadtverwaltung, 8581 Goldkronach, Tel. 09273/406.
Verkehr: B 303 (Fichtelgebirgsstraße) Bad Berneck – Bischofsgrün, Abzw. bei Frankenhammer (4 km).

Sehenswert:
Bereits um 1400 wurde hier ein Goldbergwerk angelegt. Die Ergiebigkeit des Gesteins (Quarz mit goldhaltigem Pyrit) war so groß, daß die wöchentliche Ausbeute zwischen 1200 und 2500 rheinischen Gulden betragen haben soll. Damit übertraf Goldkronach alle anderen Zechen in Deutschland.

Ca. 35 m tief ist der begehbare Stollen der **Schmutzlerzeche** für Besucher, der 1981 unter hohem finanziellen Aufwand neu eingefaßt wurde. Öffnungszeiten Mai–September Sa 13–16 und So 10–16 Uhr. Gruppen auch außerhalb dieser Zeiten nach Voranmeldung.

Helmbrechts

Kr. Hof, 620–726 m, 10300 Einw. Die Stadt im östlichen Frankenwald ist durch ihre Textilindustrie bekannt. Schon im 13. Jh. wurde Leinenweberei und im 15. Jh. auch Barchentweberei betrieben. Nach der Einführung mechanischer Webstühle im 19. Jh. exportierte Helmbrechts in mehr als 140 Länder.

Auskunft: Städt. Verkehrsamt, Luitpoldstr. 21, 8662 Helmbrechts, Tel. 09252/6145.
Verkehr: B 2 Hof – Bayreuth, Abzw. bei Münchberg. Autobahn A 9, Anschluß Münchberg-Nord (6 km).

Sehenswert:
Oberfränkisches Textilmuseum. Das einzige Museum dieser Art in Bayern demonstriert die Entwicklung der einheimischen Textilindustrie anhand von Webgeräten, Trachten, Stoffen und Musterbüchern. Daneben enthält es Dokumentationen zur Stadtgeschichte und eine geologische Abteilung. Geöffnet am 1. und 3. So des Monats 10.30–12 Uhr (auch Führungen, Tel. 09252/8741).

Hohenberg a. d. Eger

Kr. Wunsiedel, 525 m, 1800 Einw. Ferienort und Städtchen am Osthang des Fichtelgebirges, unmittelbar an der Grenze zur Tschechoslowakei. Mit seiner mehr als 900 Jahre alten Burg erstreckt es sich weithin sichtbar über dem Egertal. 1814 gründete C. M. Hutschenreuther die erste nordbayerische Porzellanfabrik.

Auskunft: Fremdenverkehrsverein, 8591 Hohenberg a. d. Eger, Tel. 09233/1604.
Verkehr: Verbindungsstraße Selb (B 15) – Schirnding (B 303).

Sehenswert:
Das »Weiße Gold« des Fichtelgebirges zeigt das **Museum der deutschen Porzellanindustrie.** Es demonstriert anschaulich anhand von Beispielen die Entwicklung und Geschichte der Porzellanherstellung im Fichtelgebirge und im übrigen Deutschland und zeigt wechselnde Ausstellungen. Auch Porzellanmalkurse werden durchgeführt. Geöffnet Di–So 10–17 Uhr. – Im Garten des Museums ist ein über 100 Jahre alter Kollergang aufgestellt worden. Das sechs Tonnen schwere technische Kulturdenkmal diente in früheren Zeiten zur Zerkleinerung von Quarz und Feldspat bei der Porzellanherstellung.

Kronach

Kreisstadt in Oberfranken, 307–550 m, 18 000 Einw. Schöne mittelalterliche Stadt am Westrand des Frankenwaldes, landschaftlich reizvoll am Zusammenfluß von Haßlach, Kronach und Rodach gelegen, gekrönt von der Festung Rosenberg.

Auskunft: Städt. Verkehrsamt, Marktplatz 5, 8640 Kronach, Tel. 09261/97236.
Verkehr: Kreuzungspunkt der B 85 Kulmbach – Ludwigsstadt, B 173 Hof – Lichtenfels und B 303 Coburg – Marktredwitz.

Sehenswert:
Feste Rosenberg, 378 m, eine der großartigsten Festungsanlagen mit fünf Bastionen. Ihr Erbauer, Bischof Otto der Heilige von Bamberg, ließ ursprünglich (1102) ein »steinern Haus mit einem Turm« errichten, das Räume für Gesinde und den Berghauptmann nebst Amtsschreiber hatte. Führungen täglich 11 und 14 Uhr oder nach Anmeldung beim Burgwart (Tel. 97312). – Eingang durch das 1662 entstandene frühbarocke **Tor** mit Rustikaquadern und links durch das Zeughaustor; der massive **»Dicke Turm«** von 1570, ursprünglich aus dem 13. Jh. Am schmalen Zeughaushof rechts das im 16. Jh. entstandene **Zeughaus;** hier befindet sich das *Frankenwaldmuseum* (Gottfried-Neukam-Kunstsammlung), stilvoll eingerichtete Sammlungen bringen dem Benutzer einiges über Flößerei, Weberei und Haushalt der Vergangenheit nahe. Schützenscheibenausstellung.

Rechts der Südflügel der Hauptburg (Kommandantenhaus), 1730–1733 nach Umbauentwürfen von Balthasar Neumann. Er beherbergt die *Fränkische Galerie,* ein Zweigmuseum des Bayerischen Nationalmuseums, mit Werken von Adam Krafft, Veit Stoß, Tilman Riemenschneider, Hans von Kulmbach, Lucas Cranach d. Ä., Wolf Katzheimer u. a.

Kulmbach

*Große Kreisstadt in Oberfranken, 306 m, 29 000 Einw. Die ehemalige Markgrafen-Residenz und weltbekannte Bierstadt liegt am Fuß des Reh- und Buchbergs im Tal des Weißen Mains, der sich im Stadtteil Melkendorf mit dem Roten Main vereinigt. Die Stadt wird von der gewaltigen **Plassenburg** überragt.*

Auskunft: Verkehrsamt im Rathaus, 8650 Kulmbach, Tel. 09221/802216.
Verkehr: Kreuzungspunkt der B 85 Kronach – Bayreuth und B 289 Münchberg – Lichtenfels. Autobahn A 70, Anschluß Kulmbach/Bayreuth (8 km).

Sehenswert:
Plassenburg, über 100 m, hoch über der Stadt thronend, zu Fuß in 20 Min. zu erreichen. Geöffnet April–Sept. täglich 10–16.40 Uhr, Okt.–März 10–15.30 Uhr, Mo geschlossen. Eintrittskarten bis 30 Min. vor Schließung; *Burgschänke.*

Sie ist eine der bedeutendsten Schöpfungen der deutschen Renaissance, erbaut 1559 bis 1569 durch Caspar Vischer, den Mitschöpfer des Heidelberger Schlosses. Die

Schauräume werden in Führungen gezeigt. Außerdem beherbergt die Burg Zweigmuseen des Bayerischen Nationalmuseums (Jagdwaffen) und der Bayerischen Staatsgemäldesammlung (Jagd- und Schlachtgemälde). Eine besondere Sehenswürdigkeit ist das

Deutsche Zinnfigurenmuseum, mit 300 000 Exponaten die größte Zinnfigurensammlung der Welt. Es bietet geschichtliche und kulturgeschichtliche Darstellungen. Eine Zinnfigurenbörse wird alle zwei Jahre mit ungeraden Jahreszahlen (1989) abgehalten.

Naturwissenschaftliche und Kunstsammlungen (Landschaftsgeschichte, Ebstorfer Weltkarte von 1230, Galerie, Wechselausstellungen fränkischer Künstler). Vom Westrondell der Burg gute Stadtübersicht und Ausblick.

Ludwigsstadt

Kr. Kronach, 444 m, 4200 Einw. Die von ausgedehnten Wäldern umgebene Kleinstadt im äußersten Zipfel des nördlichen Frankenwaldes liegt im Tal der Loquitz, die für wenige Kilometer das Gebiet der Bundesrepublik berührt. Sie wird von einer 28 m hohen Eisenbahnbrücke überragt. Mit den Ortsteilen Ebersdorf, Lauenstein, Steinbach an der Haide und Lauenhain ist Ludwigsstadt staatl. anerkannter Erholungsort.

Auskunft: Stadtverwaltung, Marktplatz 1, 8642 Ludwigsstadt, Tel. 09263/636.
Verkehr: B 85 Kronach – Grenze zur DDR (kein Grenzübergang).

In der Umgebung:
Lauenstein: Der staatl. anerkannte Erholungsort liegt zu Füßen der *Burg Lauenstein* (auch Mantelburg). Im Inneren der Burg sind u. a. zu sehen Waffen-, Lampen-, Schlösser- und Beschläge-Sammlungen, eine Folterkammer, Rüstungen aus dem 16. und 17. Jh., schmiedeeiserne Grabkreuze, gußeiserne Ofenplatten, Musikinstrumente aus dem 19. Jh., handwerkliche Gerätschaften und Handwerksstuben. Das Mobiliar stammt vorwiegend aus Franken und demonstriert bürgerliche Wohnkultur mehrerer Jahrhunderte. Besonders erwähnenswert sind auch Holzschnitte von Lucas Cranach d. Ä.

Marktrodach

Kr. Kronach, 327–680 m, 3700 Einw. Ein durch Zusammenschluß mehrerer Gemeinden entstandener Maktort östlich von Kronach, am Westrand des Frankenwaldes. Unterrodach und Zeyern liegen an der Rodach und sind ehemalige Flößerorte; über Jahrhunderte hinweg wurde von hier aus das Holz bis zu den Niederlanden transportiert.

Auskunft: Gemeindeverwaltung, Kirchplatz 3, 8641 Martkrodach-Unterrodach, Tel. 09261/885.
Verkehr: Kreuzungspunkt der B 173 Hof – Naila und B 303 Kronach – Bad Berneck.

Sehenswert:
Flößermuseum in Unterrodach: Etwa acht Jahrhunderte lang war die Flößerei einer der wichtigsten Wirtschaftszweige im Frankenwald. Über Rodach,

Main und Rhein wurde bis in die Niederlande Holz geflößt. Wie sehr dieses Gewerbe das tägliche Leben der Bewohner, ihre Kultur und das Sozialgefüge beeinflußte, zeigt anschaulich das Museum in einem alten Floßknechtshaus am Fluß.

Es enthält Modelle verschiedener Floße, Schneidmühlen und Wehre, Arbeitsgeräte und Kleidung.

Anmeldung im Rathaus Unterrodach, Tel. 09261/885. Das Museum ist geöffnet Mo–Fr 8–12 und 14–17 Uhr; am Wochenende 14–18 Uhr.

Michelau i. Ofr.

Kr. Lichtenfels, 268 m, 6400 Einw. Großes Pfarrdorf am Obermain auf dem rechten Flußufer, oberhalb Lichtenfels, umrahmt vom Lichtenfelser Forst und dem Langheimer Wald, den Ausläufern des Thüringer Waldes und des Fränkischen Jura. Die einst in Heimarbeit betriebene feinere Korbmacherei wurde von der industriellen Fertigung abgelöst.

Auskunft: Gemeindeverwaltung, 8626 Michelau i. Ofr., Tel. 09571/8046.
Verkehr: B 173 Kronach – Bamberg.

Sehenswert:
Deutsches Korbmuseum, 1928 gegründet, im Stölzelhaus (Bismarckstr. 4). Das in Deutschland einzigartige Museum enthält sämtliche Artikel der Korbmacherei und eine internationale Abteilung zur Anregung für Korbmacher. Eine Werkstatt ist angeschlossen.

Neustadt b. Coburg

Große Kreisstadt im Landkreis Coburg, 344 m, 17000 Einw. Die Stadt liegt im Coburger Land, unmittelbar an der Grenze zur DDR, in einem weiten, waldgesäumten Talbecken am Fuß des unmittelbar aus der Ebene sich erhebenden Muppbergs. Neustadt ist Hauptsitz der bayerischen Puppenindustrie.

Auskunft: Stadtverwaltung, Georg-Langbein-Str. 1, 8631 Neustadt b. Coburg, Tel. 09568/81236.
Verkehr: B 4 Bamberg – Grenze zur DDR (Rottenbach/Eisfeld), Abzw. bei Coburg (13 km).

Sehenswert:
Trachtenpuppen-Museum, am Hindenburgplatz: die für die Bundesrepublik einmalige Sammlung besitzt Trachtenpuppen aus dem In- und Ausland, repräsentiert die Geschichte der Spielwarenindustrie und zeigt eine liebevoll aufgebaute Spielzeugschau. Geöffnet 15. 3.–15. 10. täglich außer Mo 10–17 Uhr.

Plößberg

Kr. Tirschenreuth, 620 m, 3300 Einw. Die großflächige Marktgemeinde mit den Ortsteilen Reidl, Schönkirch, Wildenau und Odschönlind am Nordrand des Naturparks Nördlicher Oberpfälzer Wald in freier Höhenlage zwischen Wäldern und Seen ist vielbesuchter staatlich anerkannter Erholungsort.

Auskunft: Verkehrsamt, Rathaus, 8591 Plößberg, Tel. 09636/280.
Verkehr: B 15 Weiden – Tirschenreuth, Abzw. bei Schönficht (6 km).

Sehenswert:
Heimatstube und *Krippensammlung* im Rathaus. Plößberg blickt auf eine bedeutende Krippentradition zurück. Alle vier Jahre findet im Kultursaal eine Ausstellung der schönsten Krippenlandschaften statt (1989).

Schauenstein

Kr. Hof, 608 m, 2400 Einw. Altes Bergstädtchen und Ferienort im östlichen Frankenwald, südlich von Naila, in landschaftlich reizvoller Höhenlage über dem oberen Tal der Selbitz, überragt von der weithin sichtbaren Burg.

Auskunft: Fremdenverkehrsverein, Rathausplatz 1, 8685 Schauenstein, Tel. 09252/1036.
Verkehr: B 173 Hof – Kronach, Abzw. bei Selbitz (4 km). Autobahn A 8, Anschluß Hof (5 km).

In der Umgebung:
Neudorf, 30 Min. östlich, hochgelegenes Dorf mit restauriertem altfränkischem *Weberhaus.*

Das Webermuseum vermittelt sehr nachdrücklich einen Einblick in das damals harte Tagewerk der Hausweber im Frankenwald. Von früh bis tief in die Nacht wurde an den Webstühlen gearbeitet. Kinderarbeit war völlig normal. Es ist ein besonderer Glücksfall, daß die Dokumentation in einem originalen Weberhaus gezeigt werden kann. So entsteht kein musealer Charakter, sondern ein eindrucksvolles Zeugnis vom vergangenen Leben in diesem Raum.
Informationen zu Spinn- und Webkursen für Interessenten erhält man beim Verkehrsverein am Rathausplatz.
Das Weberhaus ist geöffnet von April bis November. Den Schlüssel bekommt man bei Wolfgang Reif in Neudorf, Hausnr. 83.

Thurnau

Kr. Kulmbach, 365 m, 4200 Einw. Alter fränkischer Markt, 1060 erstmals urkundlich erwähnt, am Nordrand des Fränkischen Jura, südwestlich von Kulmbach, von Wäldern und Juralandschaft umgeben. Seit Jahrhunderten ist hier die Töpferei beheimatet, die auch heute noch eine bedeutende wirtschaftliche Rolle spielt.

Auskunft: Marktgemeinde, Rathausplatz 2, 8656 Thurnau, Tel. 09228/636.
Verkehr: B 505 Bamberg – Scheßlitz; Autobahnanschluß A 70 Kulmbach – Bayreuth (B 85).

Sehenswert:
Töpfermuseum in der ehem. Lateinschule, einem Renaissancebau aus dem 16. Jh., Kirchplatz 12. Gezeigt werden die für Thurnau typischen Krüge und Schlickerwaren, aber auch Arbeitstechniken und Material. Aus dem 16. Jh. stammt die bei Umbauarbeiten entdeckte sog. »Schwarze Küche«. Besondere Kostbarkeiten sind zwei Thurnauer Kachelöfen. Geöffnet April–Okt. Di–Sa 13–17 Uhr, So 10–12 und 14–17 Uhr. Im Winter Do und Sa 14–17 Uhr, So s. o.

Wirsberg

Kr. Kulmbach, 370–550 m. 2000 Einw. Marktgemeinde und anerkannter Luftkurort am Rand des südwestlichen Steilabfalls des Frankenwaldes in schöner Lage im Talkessel am Zusammenfluß von Schorgast und Koser (Natur- und Landschaftsschutzgebiet). Wirsberg ist Ausgangspunkt für Wanderungen im Frankenwald und im Fichtelgebirge.

Wirsberg war zunächst im Besitz der Burggrafen von Nürnberg. Im Jahr 1807 wurde es zusammen mit der Markgrafschaft französisch und kam 1810 an das Königreich Bayern. Seit Mitte des 19. Jh. entwickelte sich Wirsberg zum Luftkurort.

Auskunft: Kurverwaltung, Rathausplatz 2, 8655 Wirsberg, Tel. 09227/882.
Verkehr: B 303 Kronach – Bad Berneck. Autobahn A 9, Anschluß Bad Berneck (5 km).

Sehenswert:
Deutsches Dampflokomotiven-Museum: Zu sehen sind u. a. bayerische, badische, preußische, sächsische und württembergische Lokomotiven sowie alte Typen von Reichsbahn und Bundesbahn. Auf einem Freigelände vor dem Museum ist eine mit Dampf und Diesel betriebene Feldbahn mit 600 mm Spurweite zu besichtigen. Von Mai–Oktober wird an jedem zweiten Wochenende des Monats sowie an Feiertagen eine Dampflok aufgeheizt und vorgeführt. Das Museum ist geöffnet von Mai–Oktober Di–Fr 9–12, 14–17 Uhr, an den Wochenenden 10–17 Uhr; von November–April Di, Fr, Sa und So 10–12 Uhr, 13–16 Uhr.

Wunsiedel

Kreisstadt, 540 m, 10000 Einw. Hauptort des Fichtelgebirges nordwestlich von Marktredwitz, im Röslautal. Dank seiner zentralen Lage ist Wunsiedel Ausgangspunkt für viele Wanderungen im Fichtelgebirge. Der von den nahen, waldreichen Bergen gewährte Schutz begründet die klimatischen Vorzüge.

Auf der nahen Luisenburg, der ältesten Naturbühne Deutschlands, finden in jedem Sommer die bekannten Luisenburg-Festspiele statt. – Eine Staatliche Fachschule für Steinbearbeitung hat in Wunsiedel ihren Sitz. Zur bedeutenden Industrie gehören Granitbearbeitung, Steinschleiferei, Kalkbrüche und -brennereien, Porzellan-, Farben- und Textilfabriken, Brauereien, Mälzereien und eine Likörfabrik.

Stadtteile von Wunsiedel sind Bernstein, Göpfersgrün, Holenbrunn, Schönbrunn.

In Wunsiedel wurde Jean Paul (eigentlich Jean Paul Friedrich Richter, 1763–1825), Romanschriftsteller, Ästhetiker und Pädagoge, geboren.

Auskunft: Städt. Verkehrsamt, Rathaus, 8592 Wunsiedel, Tel. 09232/602162/602160.
Verkehr: B 303 (Fichtelgebirgsstraße) Marktredwitz – Bad Berneck, Abzw. bei Bad Alexandersbad und bei Tröstau.

Sehenswert:
Fichtelgebirgsmuseum: Geöffnet täglich außer Mo 9–17 Uhr, So und Fei 10–17 Uhr. Es enthält viele Dokumente zur Geschichte des Fichtelgebirges, seiner Bewohner, seiner Trachten sowie zur Entwicklung von Gewerbe und Industrie. Von besonderem Interesse ist die reichhaltige Mineraliensammlung.

Schwarzwaldhöfe, Bollenhüte, Uhrmacher und ... Narren

In ihren Wohnstätten hat die Bevölkerung mit den *Schwarzwaldhäusern* einen eigenen Stil entwickelt. Auf niedrigem Steinunterbau erhebt sich ein umfangreicher Holzbau mit zahlreichen kleinen Fenstern unter einem mächtigen, zum Schutz gegen die Witterung nach allen Seiten weit vorspringenden Dach, das früher mit selbstgefertigten Holzschindeln gedeckt war. (Strohdächer wie im Gutach- und Kinzigtal) gehören fast gänzlich der Vergangenheit an.) Die Dächer zeigen meistens die charakteristische Form des Halbwalmdaches. Wohn- und Wirtschaftsräume, Ställe und Scheune sind unter einem Dach vereinigt. Oft wird das Haus mit der rückwärtigen Schmalseite an den Berghang herangebaut und damit zugleich eine Wageneinfahrt zum Heuboden geschaffen, der über den Ställen liegt. Um das obere Stockwerk läuft meist eine offene Holzgalerie. In den niederen, holzverkleideten Wohnräumen, die sich im Erdgeschoß neben der Küche befinden, nimmt der große Kachelofen die »Kunscht«, einen großen Raum ein, und um ihn steht die Ofenbank. Fast nie fehlt der »Herrgottswinkel«, die Zimmerecke, in der das mit Blumen geschmückte Kruzifix hängt. In alten Höfen gibt es auch noch den Uhrenwinkel mit dem Uhrenkasten oder der frei hängenden Schwarzwalduhr.

Die *Trachten* werden heute nur noch an Sonn- und Festtagen wie Kirchweih, Hochzeit usw. getragen. Sie sind aus kostbaren, farbenreichen Stoffen gefertigt und mit bunten sowie Gold- und Silberstickereien reich geschmückt. Bekannt ist die Gutacher Tracht durch den geradezu berühmten »Bollenhut« der Frauen und Mädchen, wobei die Mädchen die dichten Wollkugeln in Rot und die Frauen in Schwarz tragen. Dazu gehören das »Libli«, ein Mieder aus geblümtem Samt, ein schwarzer Rock und weitbauschige Hemdärmel. Ein perlengestickter Koller, farbige Strümpfe, ein rotgefüttertes Jäckchen und eine Schürze ergänzen die Tracht. In St. Georgen ist die malerische »Schäppelkrone« zu Hause, ein mit bunten Glasperlen und Spiegelchen reich besetzter Kopfputz. Diese Schäppelkronen haben oft ein erhebliches Gewicht. Die Renchtaler Bauern zeigen sich an den Festtagen in schwarzem Rock, roter Weste und breitkrempigem Hut, während ihre Frauen Hauben mit Gazeschleier oder Kapotthütchen tragen. Eine ähnliche Tracht finden wir im Schapbach- oder Wolfachtal, andere wiederum im Glottertal, der Gegend um St. Märgen, im Hochschwarzwald und auf der Baar.

All das kann man besonders eindrucksvoll im Gutacher Vogtsbauernhof besichtigen. Daneben gibt es natürlich noch jede Menge andere Museen, deren Themen für den Schwarzwald besonders typisch sind: das Bonndorfer und Kenzinger Narrenmuseum, die Museumsbahn Wutachtal, das Uhrenmuseum Furtwangen, das Haslacher Trachtenmuseum, das Bienenkundemuseum Münstertal oder das Phonomuseum St. Georgen.

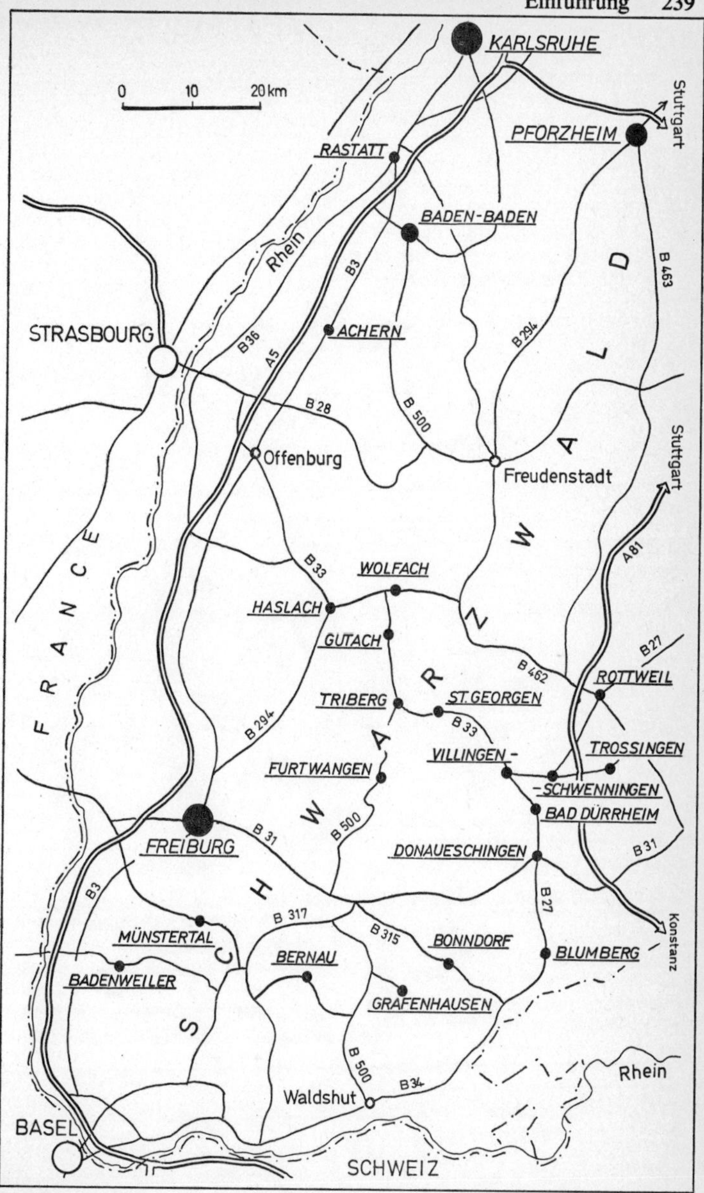
KARLSRUHE
0 10 20 km
Stuttgart
PFORZHEIM
RASTATT
BADEN-BADEN
Rhein
B3
B 463
STRASBOURG
ACHERN
B36
A5
B 294
B 28
B 500
Offenburg
Freudenstadt
Stuttgart
A81
SCHWARZWALD
FRANCE
B 33
WOLFACH
HASLACH
GUTACH
B27
B 462
ROTTWEIL
TRIBERG
ST. GEORGEN
B 294
B 33
VILLINGEN-
TROSSINGEN
FURTWANGEN
-SCHWENNINGEN
BAD DÜRRHEIM
B 31
B 500
FREIBURG
DONAUESCHINGEN
B 31
B3
B 27
B 317
B 315
MÜNSTERTAL
BONNDORF
BLUMBERG
Konstanz
BERNAU
BADENWEILER
GRAFENHAUSEN
B 500
Rhein
B 34
Waldshut
BASEL
SCHWEIZ

Achern

Große Kreisstadt, 143–230 m, 20600 Einw. Stadt im Achertal, an den Ausläufern des Schwarzwaldes, am Fuß der Hornisgrinde. Der Ort, im Mittelalter Achara genannt, wird von der Acher durchflossen. Die Gegend um Achern wurde früher wegen ihrer großen Fruchtbarkeit auch der »Goldene Grund« genannt. Die Landschaft ist ein großer Obst- und Weingarten, der sich an den Hängen des Schwarzwaldes entlangzieht. Achern ist als Platz für Weinhandel und Obstgroßmärkte bekannt, ebenso für Obstbranntweinherstellung.

Auskunft: Verkehrsamt, 7590 Achern, Tel. 07841/641 und 511.
Verkehr: B 3 Rastatt – Offenburg. A 5/E 4 Karlsruhe – Basel, Ausfahrt Achern (4 km).

Sehenswert:
Heimat- und **Sensenmuseum.**

Bad Dürrheim

Schwarzwald-Baar-Kreis, 700 bis 850 m, 10200 Einw. Höchstgelegenes Solbad Europas, Heilklimatischer Kurort im Herzen der Baar, der Hochfläche am östlichen Rand des Schwarzwalds, welche die Wasserscheide zwischen Rhein und Donau bildet. Der staatlich anerkannte Kurort mit dem seltenen Doppelprädikat Heilbad und Heilklimatischer Kurort ist von ausgedehnten Wäldern und schöner Landschaft umgeben und hat ganzjährigen Kurbetrieb.

Auskunft: Kur- und Bäder GmbH, 7737 Bad Dürrheim/Schwarzwald, Luisenstr. 4, Tel. 07726/641.
Verkehr: Kreuzungspunkt B 27 Rottweil – Schaffhausen, B 33 Donaueschingen – Offenburg. Autobahn A 81, Dreieck Bad Dürrheim (Verbindung zur B 27/33).

Sehenswert:
Schwäbisch-alemannisches **Narren-Museum** (Narrenschopf) im Kurpark, in einem ehemaligen Salzspeicher.

Im Narren-Museum

Berta-Kiehn-Tier- und Jagdmuseum mit zahlreichen Exponaten jagdbarer Tiere aus aller Welt im »Haus des Gastes«, das 1823/24 als Siedhaus zur Salzgewinnung errichtet wurde, heute unter Denkmalschutz.

Prof.-Fritz-Behn-Kunstausstellung im Haus des Gastes (1878–1970, Bildhauer und Maler, v. a. Tiermotive) sowie einige Großplastiken aus Bronze im Kurpark.

Baden-Baden

Kreisfreie Stadt, 112–1004 m, 50 000 Einw. Heilbad von internationalem Ruf im Tal der Oos, am Abhang des Battert und des Merkur ansteigend, in herrlicher, waldreicher Umgebung am Westabfall des Nördlichen Schwarzwaldes zur Rheinebene. Das Klima ist infolge der gegen Nord- und Ostwinde geschützten Lage sehr mild; es bewirkt ein vorzeitiges Frühjahr, eine üppige, fast südländische Vegetation (Edelkastanien). Die warmen Tage des Herbstes gestatten bis in den November hinein den Aufenthalt im Freien. Die Stadt Baden-Baden, bekannt auch als Kongreßstadt, ist Treffpunkt der eleganten internationalen Gesellschaft.

Auskunft: Gäste-Information im Haus des Kurgastes, Augustaplatz 8, 7570 Baden-Baden, Tel. 07221/275200201. Nebenstelle, Langestraße, im »Alten Bahnhof«, Tel. 275201 und 275202.
Verkehr: B 3 Rastatt – Offenburg, Abzweigung in Baden-Oos. A 5/E 4 Karlsruhe – Basel, Anschlußstelle Baden-Baden (8 km).

Sehenswert:
Museum für Mechanische Musikinstrumente, Sophienstraße, Meisterwerke aus drei Jahrhunderten, darunter eine Orgel, die für den gesunkenen Luxusdampfer »Titanic« bestimmt war.

Neues Schloß, ein Renaissancebau (1437) aus der Zeit des Markgrafen Jakob I., von den Franzosen 1689 stark beschädigt und seit 1709 im heutigen Zustand; im Besitz des Markgrafen Max von Baden. Von der Terrasse bietet sich eine prachtvolle Rundsicht. Im Innern sind das **Zähringer Museum** und die **Stadtgeschichtlichen Sammlungen** untergebracht. Geöffnet täglich, außer Mo, 10–12.30 und 14–17 Uhr. Nov.–März geschlossen.

Brahms-Haus, am Ausgang der Maximilianstraße, geöffnet Mo, Mi und Fr 15–17 Uhr, So 10–13 Uhr und nach Vereinbarung (Tel. 71172). Archiv und Erinnerungsstücke des Komponisten.

Badenweiler

Kr. Breisgau-Hochschwarzwald, 450–1165 m, 3500 Einw. Weltbekanntes Thermalbad und vornehmer Kurort an den westlichen Ausläufern der Südschwarzwald-Vorberge, am Rand des bewaldeten Blauengebiets.

Auskunft: Kurverwaltung, Postfach 280, 7847 Badenweiler, Tel. 07632/72-110.
Verkehr: B 3 Freiburg – Müllheim, Abzw. bei Müllheim. Autobahn A 5 Freiburg – Basel, Anschluß Müllheim/Neuenburg (9 km).

Sehenswert:
Ruine des **Römerbades,** die besterhaltene römische Badeanlage nördlich der Alpen, Baubeginn 77 n. Chr., vom 3. Jh. ab verfallen, 1784 bei Grabungen zufällig wiederentdeckt und durch ein Dach vor weiterem Verfall geschützt. Der Bau ist 96 m lang und 45 m breit. Er enthält neben Dampfbädern, Duschnischen und Umkleideräumen in der Hauptsache vier große Gemeinschaftsbecken; auffällig ist die Unterteilung in zwei völlig symmetrische Hälften. Besichtigung möglich (Eintrittsgebühr) Di 17 Uhr und So 11.15 Uhr.

Bernau

Kr. Waldshut-Tiengen, 900 bis 1400 m, 1800 Einw. Staatlich anerkannter Luftkurort im Feldberggebiet, am Südabhang des Herzogenhorns. Das Hochtal mit alpinem Charakter wird von der Bernauer Alb durchflossen. Bernau ist Geburtsort des Malers Hans Thoma (1839–1924). Die »Schnefler« (alte Handwerkszunft), Holzschnitzer und Drechsler, stellen Haushaltsgeräte und kunstgewerbliche Holzwaren her.

Bernau, Thoma-Geburtshaus

Auskunft: Kurverwaltung, 7821 Bernau, Tel. 07675/896.
Verkehr: Verbindungsstraße St. Blasien – B 317 (Todtnau – Schönau).

Sehenswert:
Im Ortsteil Innerlehen:

Hans-Thoma-Museum, im Rathaus, mit vielen Gemälden, Erinnerungsstücken und Briefen.

Blumberg

Kr. Schwarzwald-Baar, 550 bis 916 m, 10000 Einw. Luftkurort in der südöstlichen Baar nahe der Schweizer Grenze (Randen). Von hier zieht sich die Straße durch das untere Wutachtal, teilweise entlang der Grenze, nach Waldshut-Tiengen. Früher verlief hier die sog. »strategische Bahn«, die jedoch nie ihre Aufgabe zu erfüllen brauchte und heute zu bestimmten Zeiten als Museumsbahn verkehrt.

Auskunft: Bürgermeisteramt, 7712 Blumberg, Tel. 07702/5127.
Verkehr: B 27 Donaueschingen – Blumberg – Schweizer Grenze. B 317 Blumberg – Randen – Waldshut – Tiengen.

Sehenswert:
Die **Museumsbahn Wutachtal** verkehrt an bestimmten Tagen von Mai bis Oktober zwischen den Bahnhöfen Blumberg und Weizen (Stationen Zollhaus, Wutachblick, Fützen, Grimmelshofen, Lausheim-Blumegg, Weizen) auf einer 26 km langen Strekke mit vielen Viadukten und dem einzigen Kreiskehrtunnel (Stockhalde). Die Dampfbahn überwindet eine Höhendifferenz von 231 m. Gelegentlich fährt sie für Fotofreunde mit entsprechenden Halts. (Auskunft: Verkehrsamt Blumberg, Tel. 07702/5127.)

Bonndorf im Schwarzwald

Kr. Waldshut-Tiengen, 845 m, 5300 Einw. Staatlich anerkannter Luftkurort und Wintersportplatz, altes Städtchen an einem südlichen Hang zwischen den Wäldern des Feldbergmassivs und der Baar. Der Ort ist Ausgangspunkt für Wanderungen in die Naturschutzgebiete der Wutachschlucht, Lothenbachklamm und Gauchachschlucht.

Auskunft: Tourist-Informationszentrum, 7823 Bonndorf im Schwarzwald, Tel. 07703/7607.
Verkehr: B 315 Lenzkirch – Bonndorf.

Sehenswert:
Schloß mit Narrenmuseum mit über 200 Miniatur-Nachbildungen von Masken der schwäbisch-alemannischen Fasnet. Öffnungszeiten: Mi–Sa 10–12 Uhr und 14–17 Uhr, So 14–17 Uhr. Führungen jeden Mi n. V.; Eintritt frei.

Donaueschingen

Schwarzwald-Baar-Kreis, 680 bis 1000 m, 18500 Einw. Höhenluftkurort an den östlichen Ausläufern des Schwarzwalds in der Baar. Die Stadt ist reich an Kunstschätzen aller Art. Sie ist bekannt auch durch die »Donaueschinger Musiktage« und durch die »Donauquelle«.

Auskunft: Städtisches Verkehrsamt, Karlstr. 58, 7710 Donaueschingen, Tel. 0771/87273.
Verkehr: Kreuzungspunkt B 31 Freiburg – Lindau, B 33 Offenburg – Konstanz, B 27 Tübingen – Schaffhausen. Autobahn A 81, Anschluß AB-Dreieck Bad Dürrheim (A 864).

Sehenswert:
Fürstlich Fürstenbergische Sammlungen im *Karlsbau*, naturwissenschaftliche, vor- und frühgeschichtliche, zoologische Sammlung, Exponate zur Heimatkunde und Kupferstichkabinett. Von hervorragender Bedeutung ist die Handschrift C des *Nibelungenliedes* sowie die *Gemäldegalerie mit altdeutschen Tafelbildern des 15. und 16. Jh., darunter der Wildensteiner Altar* des Meisters von Meßkirch, ferner Werke von Hans Holbein d. Ä., des sog. Meisters von Sigmaringen, von Mathias Grünewald, Lucas Cranach, H. L. Schäufelein u. a. Die Sammlung wurde Ende der siebziger Jahre neu geordnet. Geöffnet täglich außer Mo 9–12 und 13.30–17 Uhr, im November geschlossen.

Fürstlich Fürstenbergische Hofbibliothek, 1730 für das Schloß Meßkirch geschaffen, 1750 nach Donaueschingen verbracht, mit 150000 Bänden, 1200 Handschriften, 510 Inkunabeln, etwa 2500 Musikhandschriften. Lesesaal geöffnet Di und Fr 9–12.30 Uhr, 15–19 Uhr. Unter den berühmten *Handschriften* befinden sich u. a. Parzival, Schwabenspiegel, mittelhochdeutsche Miniaturhandschriften aus dem 9. bis 16. Jh. (Besichtigung nach Anmeldung).

Freiburg im Breisgau

Kreisfreie Stadt, 268–1284 m, 180000 Einw. Sitz des gleichnamigen Regierungsbezirks, des Regio-

nalverbandes Südlicher Oberrhein und des Kreises Breisgau-Hochschwarzwald.

Die Stadt liegt in der Freiburger Bucht, einer Ausbuchtung der Rheinebene am Fuß der Schwarzwald-Vorberge. Über der Altstadt erhebt sich der Schloßberg. Das prachtvolle Münster beherrscht das Stadtbild Freiburgs. Um die Altstadt dehnen sich Villenvororte aus, im Weichbild der Stadt sind mehrere Satellitenstädte entstanden. Auch der Schauinsland liegt auf Freiburger Gemarkung.

Die Freiburger Bucht gilt als das klimatisch am meisten begünstigte Gebiet der Bundesrepublik.

Freiburg besitzt seit 1457 seine bekannte Universität, ist seit 1827 Sitz eines Erzbistums und hat heute besonderen Ruf als Messe- und Kongreßstadt.

Auskunft: Freiburg-Information (Städt. Verkehrsamt), Rotteckring 14, Postfach 1549, 7800 Freiburg i. Br., Tel. 0761/216-3289.
Verkehr: Kreuzungspunkt B 3 Karlsruhe – Basel, B 31 Breisach – Donaueschingen, B 294 Freiburg – Haslach/Kinzigtal. Autobahn A 5, drei Anschlüsse.

Sehenswert:
Augustinermuseum im ehem. Augustinerkloster an der Salzstraße. Es enthält u. a. die sehenswerten *Städtischen Sammlungen* zur Kunst- und Kulturgeschichte der Stadt (seit 1987/88 im Wenzingerhaus) und des badischen Oberlandes sowie das *Erzbischöfliche Diözesanmuseum.*

Im Erdgeschoß ältere kirchliche Kunst. An den Fenstern der Kirche Glasmalereien vom Anfang des 16. Jh.; im Chor Bildteppiche des 13. bis 15. Jh.; Skulpturen und Gemälde. Kreuzigungsaltar vom Hausbuchmeister. Unter dem Kirchenchor: Glasmalereien des 13. bis 16. Jh. in künstlicher Beleuchtung. Glasbilder aus dem Münster, Fenster der ehem. Dominikanerkirche im Glasgemäldekeller. Jugendstil-Glassammlung. Originalskulpturen vom Münster, welche nach und nach in mühsamer Restaurierung erhalten und an Ort und Stelle durch Kopien ersetzt werden müssen. In der Sakristei Goldschmiedearbeiten und kirchliches Kunstgewerbe. Im Bildersaal: Mathias Grünewald, Mariä Schneewunder, und Gemälde von Hans Baldung Grien. – Im Obergeschoß Gemälde und Kunstgewerbe, meist 16. bis 18. Jh. – Das Museum beherbergt auch eine interessante *Schwarzwaldsammlung* mit eingerichteten Bauernstuben, Trachten, Volkskunst, »Ex voto« (Votivtafeln), alten Schwarzwalduhren und Gläsern aus den früheren Glashütten. Geöffnet Di–So 10–17 Uhr, Mi 10–20 Uhr, Mo geschlossen. Führungen Mi 18 Uhr, Do 15.30 Uhr.

Museum für neue Kunst, Adelhauser Straße (in der früheren Adelhauser Mädchenschule), Kunst des 20. Jh. Geöffnet wie Augustinermuseum.

Museum für Naturkunde, Gerberau 32. Überblick über Botanik, Zoologie, Geologie und Mineralogie. Edelsteinkabinett. Geöffnet wie Augustinermuseum.

Museum für Völkerkunde, Gerberau 32. Abteilungen Afrika, Amerika, Asien, Südsee mit Australien. Neue Abt. Ostasien. Geöffnet wie Augustinermuseum.

Museum für Ur- und Frühgeschichte, Colombischlößchen. Schwerpunktmuseum der archäologischen Denkmalpflege im Regierungsbezirk Freiburg. Drei Geschosse: Urgeschichte, Römerzeit, frühes Mittelalter. Im Keller reiche Gold- und Silberfunde des Frühmittelalters. Geöffnet täglich 9–19 Uhr. Führungen Mi 18 Uhr, So 11 Uhr.

Richard-Fehrenbach-Planetarium, Friedrichstr. 51 (Gewerbeschule). Vorführungen Di und Fr 19.15 Uhr.

Furtwangen

Kr. Schwarzwald-Baar, 850 bis 1150 m, 10000 Einw. Staatl. anerkannter Erholungsort und Wintersportplatz im oberen Bregtal, von Tannenhöhen umschlossen. Furtwangen ist die höchstgelegene Stadt des südlichen Schwarzwalds, Stützpunkt für Wanderungen und Ausflüge. Sie ist die Heimat der Schwarzwälder Uhr.

Auskunft: Fremdenverkehrsverein Oberes Bregtal, 7743 Furtwangen, Tel. 0773/61400.
Verkehr: B 500 (Schwarzwaldhochstraße) Triberg – Titisee-Neustadt.

Sehenswert:
Deutsches Uhrenmuseum, größte historische Uhrensammlung Deutschlands mit mehr als 1000 Werken aus allen Epochen. Geöffnet April–Oktober täglich 9–17 Uhr, November–März werktags 10–12 Uhr, 14–16 Uhr. Die Ausstellung zeigt die Entwicklung der Schwarzwälder Uhr. Sie besitzt u. a. eine 25 Zentner schwere astronomische Uhr, welche die Stundenzeit einer Reihe von Weltstädten, die Jahreszeiten, Tag, Monat, Jahr, Sonnenstand und Mondphasen wiedergibt; ihr Erbauer war ein Villinger Meister.

Grafenhausen

Kr. Waldshut-Tiengen, 800 bis 1100 m, 1900 Einw. Luftkurort und Wintersportplatz südöstlich des Schluchsees im oberen Schlüchttal.

Auskunft: Kurverwaltung, 7821 Grafenhausen, Tel. 07748/265.
Verkehr: B 500 (Schwarzwaldhochstraße) Titisee-Neustadt – Waldshut, Abzw. in Seebrugg (8 km).

Sehenswert:
Heimatmuseum »Hüsli« im Ortsteil Rothaus. Bedeutende Sammlung von Schwarzwälder Volkskunst, Kachelöfen, Bauernmöbeln, Uhren, Geschirr. Geöffnet Di–Sa 9–12 Uhr, 14–18 Uhr, So 14–18 Uhr.

Gutach

Ortenaukreis, 280–300 m, 2400 Einw. Erholungsort im Gutachtal in reizvoller Umgebung zwischen Hornberg und Hausach. Der Ort ist durch seine besonders schönen Schwarzwaldhöfe bekannt, die früher sämtlich strohgedeckt waren. Doch sind selbst Bauernhäuser mit Schindeldächern nur noch selten zu finden. Gutach ist die Heimat des Schwarzwäl-

der Bollenhuts, dessen dicke Wollkugeln (Pompons) bei Mädchen rot, bei Frauen schwarz sind.

Auskunft: Bürgermeisteramt, 7611 Gutach (Schwarzwaldbahn), Tel. 0 78 33/2 18 und 63 57.
Verkehr: B 33/B 500 Villingen – Hausach.

Sehenswert:
Freilichtmuseum Vogtsbauernhof, an der B 33/500 nördlich, mit mehreren Bauten, die an anderer Stelle abgetragen und hier wiedererrichtet wurden, eine einzigartige Dokumentation der Schwarzwälder Hausgeschichte, aber auch der traditionellen Lebensweise und Arbeitswelt. Da bis in dieses Jahrhundert hinein jeder dieser Schwarzwaldhöfe ein weitgehend autarker Selbstversorgungsbetrieb war, wurde auch eine Anzahl typischer Nebengebäude wieder aufgestellt.

Haslach im Kinzigtal

Ortenaukreis, 220–930 m, 5800 Einw. Staatl. anerkannter Erholungsort, reizvoll im Kinzigtal gelegenes altes Städtchen mit schönen Fachwerkhäusern, von dunklen Waldbergen umgeben.

Haslach ist Geburtsort des Volksschriftstellers und Freiburger Stadtpfarrers Heinrich Hansjakob (1837–1916), dessen selbsterrichtete Grabkapelle sich auf einer Anhöhe beim nahen Hofstetten befindet.

Auskunft: Städt. Verkehrsamt, 7612 Haslach i. K., Tel. 0 78 32/80 80.
Verkehr: B 33/B 294 Offenburg – Triberg.

Sehenswert:
Schwarzwälder Trachtenmuseum, in den Räumen des renovierten ehemaligen *Kapuzinerklosters* (1630– 1632 erbaut); die prächtigen alten Bauerntrachten des Schwarzwalds und seiner Vorlande werden hier lebensnah vorgestellt. Geöffnet im Sommer Di–Sa 9–17 Uhr, So 10–17 Uhr, im Winter Di–Fr 13–17 Uhr.

Karlsruhe

Kreisfreie Stadt, 116 m, 267 000 Einw. Karlsruhe (Carolsruhe) wurde 1715 von Markgraf Karl-Wilhelm von Baden-Durlach gegründet. Bis 1945 war es Landeshauptstadt Badens, seither Verwaltungssitz des Regierungsbezirks Karlsruhe, der Region Mittlerer Oberrhein und des Landkreises Karlsruhe. Die Stadt liegt in der Oberrheinebene und ist Eingangspforte zum Schwarzwald. Ehemals Residenz der Großherzöge, wurde der Stadtgrundriß fächerförmig mit ausgedehnten Parks angelegt. Die neueren Stadtteile sind planvoll und großzügig gebaut. Karlsruhe verfügt über einen bedeutenden Rheinhafen, ist Sitz der beiden höchsten deutschen Gerichte, des Bundesgerichtshofes und des Bundesverfassungsgerichtes und beherbergt sechs Hochschulen: Technische Universität, Akademie der Bildenden Künste, Musikhochschule, Pädagogische Hochschule und Fachhochschule für Ingenieure sowie das Deutsche Kernforschungszentrum.

Auskunft: Verkehrsverein, Bahnhofsplatz 6, 7500 Karlsruhe, Tel. 07 21/38 70 85.
Verkehr: A 5/E 4 Frankfurt – Basel

und A 8 Karlsruhe – Stuttgart mit Anschlußstellen. Kreuzungspunkt der B 10 und B 36.

Sehenswert:
Der Grundbau des **Residenzschlosses** wurde 1715–1719 errichtet. An den mehrfachen Umbauten seit 1752 waren außer Balthasar Neumann auch der Stuttgarter Hofbaumeister La Guepière und sein Schüler A. F. von Keßlau beteiligt. Seit Beseitigung der Kriegsschäden befindet sich im Residenzschloß das **Badische Landesmuseum.** Es umfaßt die Abteilungen Ur- und Frühgeschichte, Kunst der Antike bis zur Gegenwart, Kunstgewerbe, Volkskunst sowie ein Münzkabinett. Geöffnet täglich, außer Mo, 10–17.30 Uhr.

Staatliche Kunsthalle, südlich der Orangerie, eine der größten Gemäldegalerien Süddeutschlands. Europäische Meisterwerke vom 14. bis 19. Jh. (u. a. *Grünewald,* Tauberbischofsheimer Altar, *Cranach, Elsheimer,* niederländische Malerei mit Werken von *Rembrandt,* deutsche Malerei des 18. und 19. Jh. mit *Spitzweg, C. D. Friedrich, Feuerbach*). Geöffnet täglich, außer Mo, 10–17 Uhr, Hauptgebäude von 13–14 Uhr geschlossen.

Prinz-Max-Palais, Karlstraße 10. Ständige Ausstellung zur **Stadtgeschichte** unter verschiedenen Aspekten sowie eine **Städtische Galerie** mit Werken Karlsruher und deutscher Nachkriegskunst. Wechselausstellungen und Vorträge. Ferner sind eine Graphotek und eine Malschule vorhanden. Geöffnet täglich, außer Mo, 10–13 und 14–18 Uhr.

Museum am Friedrichsplatz: Naturkundemuseum und Vivarium. Sammlungen von Fossilien und Mineralien, Vivarium mit Kriechtieren, Fischen und niederen Tieren. Geöffnet Di 10–20 Uhr, Mi–Sa 10–16 Uhr, So 10–17 Uhr.

Verkehrsmuseum, Werderstraße 63. Sammlung von Fahrzeugen aller Art. Geöffnet Mi 15–20, So 10–13 Uhr Uhr.

Prinzessinenbau, Teil des alten Schlosses, im Torgang eine Wappentafel, ferner die Statue des Fürsten (1767) und ein Kruzifix auf dem Friedhof (um 1500). Das Gebäude beherbergt das **Pfinzgau-Heimatmuseum,** mit historischen Dokumenten aus Durlach und Umgebung sowie Fayencen der Durlacher Manufaktur. Geöffnet Sa 14–17, So 10–12 Uhr und 14–17 Uhr.

Kenzingen

Kr. Emmendingen, 177 m, 7100 Einw. Mittelalterliche Stadt im nördlichen Breisgau, nördlich von Emmendingen, am Rand der Rheinebene.

Oberrheinische Narrenschau

Auskunft: Verkehrsamt, 7832 Kenzingen, Tel. 07644/9130.

Verkehr: B 3 Lahr – Emmendingen. Autobahn A 5, Anschluß Riegel (4 km).

Sehenswert:
Heimatmuseum »Oberrheinische Narrenschau«, Alte Schulstr. 20. Etwa 250 geschnitzte Holzmasken und Narrenpuppen. Geöffnet 1. 5.–30. 10. Di, Do und Sa 14–17 Uhr, So und Fei 10–12 und 14–17 Uhr. Vom 1. 11. bis 30. 4. Sa, So und Fei 14–17 Uhr (Auskunft: Tel. 228).

Münstertal (Schwarzwald)

Kr. Breisgau-Hochschwarzwald, 400–1400 m, 4500 Einw. Anerkannter Luftkurort am westlichen Ausläufer des Belchen im Münstertal, das sich vom Wiedener Eck nach Westen zur Rheinebene hin erstreckt. Das Tal nimmt im Ortsteil Untermünstertal das von Süden herabziehende enge Kleine Münstertal auf.

Die Ortschaft besteht aus den beiden Gemeinden Untermünstertal und Obermünstertal sowie zahlreichen, verstreut und vielfach einsam gelegenen Bauernhöfen.

Auskunft: Kurverwaltung, 7816 Münstertal (Schw.), Tel. 07636/660 und 613.
Verkehr: Verbindungsstraße Bad Krozingen (B 3) – Utzenfeld im Wiesental (B 317).

Sehenswert:
Nach jahrhundertelangem Auf und Ab in der Bergbaugeschichte wurde die **Silbergrube Teufelsgrund** 1958 endgültig stillgelegt und vermittelt heute als Besuchsbergwerk einen Eindruck von der bergmännischen Tätigkeit im Gangbergbau, die über viele Jahrhunderte großen Einfluß auf die Wirtschaft und das kulturelle Leben dieser Region hatte. Ein 500 m langer Stollen erschließt dem Besucher verschiedenste Mineralien sowie die Arbeit der Bergleute. Dem Besuchsbergwerk ist eine Asthma-Therapiestation angeschlossen. Geöffnet 15. 6.–15. 9. täglich außer Mo, 14–18 Uhr, 1. 4.–15. 6. und 15. 9.–31. 10. Di, Do, Sa und So 14–18 Uhr; 1. 11.–15. 1. Sa und So 14–18 Uhr.

Im **Bienenkundemuseum** erfährt der Schwarzwaldbesucher Wissenswertes zur Geschichte der Biene, mit der sich der Mensch schon seit Jahrtausenden intensiv auseinandergesetzt hat. Beweis dafür ist u. a. die Fülle der gezeigten Literatur. Acht Räume geben uns Aufschluß darüber, was alles nötig ist, bis der fertige Honig auf unserem Frühstückstisch stehen kann. Göffnet im Sommer Mi, Sa und So und an allen Fei 14–17 Uhr.

Münstertäler Bienenkundemuseum

Pforzheim

Kreisfreie Stadt, 235–608 m, 105 000 Einw. Oberzentrum der Region Nordschwarzwald. Sitz des Regionalverbandes Nordschwarzwald und des Landratsamtes Enzkreis. Weltbekannt als »Goldstadt« durch seine Schmuck-, Uhren- und Edelmetallindustrie. Pforzheim ist die nördliche Pforte zum Schwarzwald (Porta Hercyniae) am Zusammenfluß von Enz, Nagold und Würm, inmitten waldreicher Berge.

Auskunft: Stadtinformation (Verkehrsverein), Marktplatz 1, im Rathaus, 7530 Pforzheim, Tel. 07231/392190.
Verkehr: A 8 Stuttgart – Karlsruhe, mit zwei Anschlußstellen. B 10 Saarbrücken – München, B 294 Bretten – Freiburg, B 463 Pforzheim – Horb.

Sehenswert:
Reuchlinhaus, am Stadtgarten. Kulturzentrum der Stadt mit sehr sehenswertem **Schmuckmuseum** (Johann Reuchlin, Humanist, geb. 1455 in Pforzheim, gest. 1522), kostbare Ringsammlung und wechselnde Ausstellungen zur Geschichte der Goldschmiedekunst. Modernes Schmuckdesign und Schmuckgestaltungswettbewerbe.

Weiterhin Kunstbibliothek, Werkstätten, Innenhof mit Freiplastiken, der auch für Konzerte und Theatervorstellungen genutzt wird. Die Gestaltung der kubischen Bauten, die um eine zentrale Halle angeordnet sind, lag in den Händen von Prof. M. Lehmbruck (1961).

Rottweil

Kreisstadt und Sitz des gleichnamigen Kreises, 560–640 m, 24 000 Einw. Malerische Stadt hoch über dem Neckartal auf einem von zwei Talschluchten umgebenen Muschelkalkfelsen gelegen. Die ehemalige wehrhafte Reichsstadt am Rande des Schwarzwaldes zur Schwäbischen Alb zeigt sich als ein Meisterwerk mittelalterlichen Städtebaus mit prächtigen Baudenkmälern. Außerhalb des alten Mauerrings erstrecken sich die neuen Wohnviertel.

Auskunft: Städt. Verkehrsbüro, Rathaus, 7210 Rottweil, Tel 0741/94280-81.
Verkehr: A 81 Stuttgart – Singen, Ausfahrt Rottweil oder Villingen-Schwenningen. Kreuzungspunkt der B 14 Horb a. N. – Tuttlingen, B 27 Tübingen – Schwenningen.

Sehenswert:
Stadtmuseum, Hauptstraße 20. Reiche Sammlung von Funden aus der Römerzeit; u. a. Münzsammlung, Schmuck- und Kultgegenstände, bedeutendes Orpheus-Fußboden-Mosaik. Ferner Urkunden und Kunstwerke aus der Reichsstadt-Zeit. Zunftfahrten, Rottweiler Fastnachtstypen. Modell der mittelalterlichen Stadt.

Kunstsammlung Lorenzkapelle, Lorenzgasse 23, einstige Friedhofskapelle (1580 erbaut), gewährt Überblick über das schwäbische Kunstschaffen zwischen 1300 und 1550. Altartafeln, Holzbildwerke und Steinfiguren bedeutender Meister, u. a. von Multscher und Syrlin d. Älteren. Geöffnet Di–Sa 10–12 und 14–17 Uhr, So 14–17 Uhr.

St. Georgen

Schwarzwald-Baar-Kreis, 862–1000 m, 15300 Einw. Staatl. anerkannter Erholungsort in sonniger Berglage über dem oberen Brigachtal. Bei St. Georgen erreicht die Schwarzwaldbahn ihren Scheitelpunkt und die Wasserscheide zwischen Rhein und Donau. St. Georgen ist eines der Zentren der Schwarzwälder Uhren- und Phono-Industrie.

Auskunft: Städt. Kultur- und Verkehrsamt, 7742 St. Georgen im Schwarzwald, Tel. 07724/87228.
Verkehr: B 33 Villingen-Schwenningen – Offenburg.

Sehenswert:
Heimat- und Phono-Museum, im Rathaus. Es gibt einen Überblick über die Entwicklung der Phonographie vom Grammophon bis zur heutigen Hifi-Stereophonie. Geöffnet Mo–Fr 9–12.30 und 14–17 Uhr, Sa 10–12 Uhr (Mai–September)

Triberg

Schwarzwald-Baar-Kreis, 600 bis 1000 m, 6000 Einw. Staatl. anerkannter Kurort und Wintersportplatz in den tief eingeschnittenen Tälern der Gutach, des Prisenbachs, der Schonach und des Nußbachs. Dichte Tannenwälder reichen bis nahe an die Stadt heran.

Triberg liegt im Herzen des Schwarzwalds und ist bekannt durch die Triberger Wasserfälle und die Wallfahrtskirche »Maria in der Tanne«.

Auskunft: Städt. Kurverwaltung, Kurhaus, 7740 Triberg, Tel. 07722/81230 und 81231.
Verkehr: B 33 Villingen – Hornberg. B 500 (Schwarzwaldhochstraße) Baden-Baden – Waldshut.

Sehenswert:
Schwarzwaldmuseum, Wallfahrtsstraße; in der *Uhrensammlung* u. a. die mit dem Brotmesser geschnitzte, mit nur sieben Holzrädern versehene älteste Schwarzwälder Holzuhr aus dem Jahre 1640, daneben eine Uhr von 1651, mit einem Stein als Uhrengewicht, sowie zahlreiche Musikwerke und eine historische Uhrmacherwerkstatt. Das Museum bietet ferner einen Querschnitt durch Kultur, Brauchtum und Gewerbe des Schwarzwaldes; beachtenswert ist ein naturgetreues Modell der von 1867 bis 1873 erbauten Schwarzwaldbahn, die zum Vorbild der Gotthard-Bahn wurde.

Trossingen

Kr. Tuttlingen, 660–760 m, 11200 Einw. Kleinstadt auf der Baar zwischen südlichem Schwarzwald und Schwäbischer Alb, über dem Tal des jungen Neckar und von Wald umgeben. Trossingen, bekannt geworden als »Musikstadt« und Sitz der Hohner-Musikinstrumente, ist Einkaufsmittelpunkt des Kreises. Es befinden sich hier mehrere Fachschulen, eine Staatliche Hochschule für Musik und musikpädagogische Einrichtungen.

Auskunft: Städtisches Verkehrsamt, Schultheiß-Koch-Platz 1, 7218 Trossingen, Tel. 07425/250.

Verkehr: B 14 Tuttlingen – Rottweil, Abzw. in Aldingen (7 km). B 27 Tübingen – Donaueschingen, Abzw. BAB-Kreuz Villingen-Schwenningen (3 km). Autobahn A 81 Stuttgart – Westl. Bodensee, Anschluß Villingen-Schwenningen.

Sehenswert:
Heimatmuseum, im *Auberle-Haus* mit einem Abguß des *Plateosaurus trossingensis,* eines 1910 nahe der Stadt gefundenen Dinosauriers (rund 200 Millionen Jahre alt); das Originalskelett im Staatl. Museum für Naturkunde, Stuttgart. Der Saurier ist fast 6 m lang und 1,50 m hoch. Im Heimatmuseum außerdem wertvolle Stücke zur Trossinger Geschichte, zur Instrumentenherstellung und geologische Sammlung.

Villingen-Schwenningen

Große Kreisstadt, Oberzentrum der Region Schwarzwald-Baar-Heuberg, 660–975 m, ca. 80000 Einw. Die Städte Villingen und Schwenningen haben sich 1972 zu einer »gemeinsamen Stadt« zusammmengeschlossen.

Auskunft: Kultur- und Verkehrsamt, Romäusring 2, 7730 Villingen-Schwenningen, Tel. 07721/82232 und 82311.
Verkehr: Kreuzungspunkt B 33 Offenburg – Konstanz, B 27 Tübingen – Schaffhausen. Autobahn A 81, Anschlüsse Villingen-Schwenningen und Tuningen.

Sehenswert:
In Villingen: **Franziskaner-Museum,** Rietstraße, umfangreiches Regionalmuseum mit Funden aus dem Fürstenhügel am Magdalenenberg, Sammlungen aus der Vor- und Frühgeschichte, Glassammlung, Trachten- und Uhrenabteilung u. a.

In Schwenningen: **Städt. Heimatmuseum,** Kronenstr. 16, mit naturgeschichtlichen, vor- und ortsgeschichtlichen Abteilungen. Nachbildung eines keltischen Grabhügels. Sammlungen zur Stadtgeschichte, Bauernstuben, Nachbildung einer Uhrmacherwerkstatt, Werkzeug. – Sonderausstellungen.

Uhrenmuseum, 1961 gegründet und 1982 neu geordnet, im Gebäude des Heimatmuseums. Ausstellung zur Geschichte der Zeitmessung aus vier Jahrhunderten.

Wolfach

Ortenaukreis, 262 m, 6300 Einw. Staatl. anerkannter Luftkurort und malerisches Städtchen im Herzen des Schwarzwalds an der Einmündung der Wolfach in die Kinzig.

Die Flößerei war seit dem Mittelalter in Wolfach, wo Wolfach und Schiltach in die Kinzig münden, ein bedeutender Wirtschaftszweig. Das begehrte Schwarzwälder Holz wurde mit den sogenannten »Waldflößen« über die Kinzig und den Rhein bis Holland transportiert, bis sie im 19. Jh. die Eisenbahn ersetzte.

Sehenswert:
Mehr über die Flößertradition findet sich im **Heimatmuseum** Wolfach; einen sehr lebendigen Eindruck von der gefährlichen Arbeit der Flößer vermittelt das Wandgemälde von E. Trauter aus dem Jahr 1895 in der Grabenstraße in Wolfach.

Von den Hohenzollern zu Schiller und Daimler-Benz

Die Schwaben gelten im allgemeinen als ein bodenständiger, ein wenig eigenwilliger und dem Überlieferten verhafteter Menschenschlag. Wenn auch die Trachten längst verschwunden sind, so wird doch, und zwar nicht nur in abgelegenen Albdörfern, sondern auch in vielen betriebsamen Städten an alten Bräuchen festgehalten; und wenn sich diese oft auch nur im traditionellen Volksfest, in der Kirchweih oder in Heimattagen ausdrücken. Wenn man den Schwaben auch gelegentlich eine gewisse Behäbigkeit nachsagt – Feste zu feiern verstehen sie allemal.

Die zunehmende Industrialisierung und die gesellschaftliche Wandlung einerseits, der Ausbau der Verkehrsverbindungen andererseits haben nicht nur die soziale Struktur in den dichtbesiedelten Tälern umgeschichtet, sondern auch ihren Einfluß auf die Lebensgewohnheiten in den Albdörfern ausgedehnt. Und da die Schwaben dem Neuzeitlichen (weniger dem Modischen) aufgeschlossen sind, glichen sich in den letzten Jahrzehnten »Stadt und Land« immer stärker an, so daß man das sprichwörtliche Bäuerlein heute auch in entlegenen Waldgebieten vergebens suchen wird.

Ein Spiegelbild dessen sind die Museen der Schwäbischen Alb und des Schwäbischen Waldes. Sie beschäftigen sich nicht nur mit der Geschichte der Region, sondern auch mit ihrer Kunst, Literatur und Kultur sowie mit Themen, die der industriellen Entwicklung dieses Raumes Rechnung tragen. Höhepunkte sind wohl das Limesmuseum Aalen, Burg Hohenzollern in Hechingen, das Marbacher Schillerhaus, das Daimler-Benz Automuseum in Stuttgart-Untertürkheim, die Stuttgarter Staatsgalerie oder das Hauff-Museum in Holzmaden mit seinen weltberühmten Fossilienfunden.

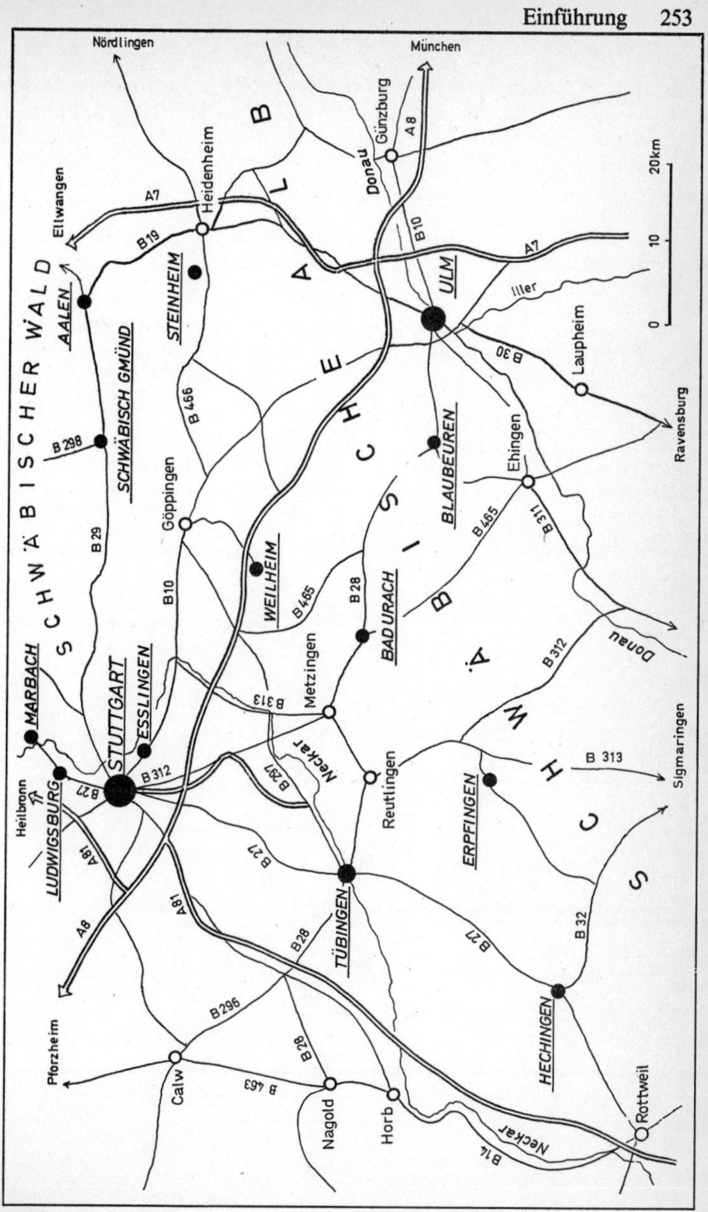
Nördlingen
München
Ellwangen
A7
Heidenheim
B
Günzburg
A8
Donau
20km
10
0
B19
SCHWÄBISCHER WALD
AALEN
STEINHEIM
L
A
B10
A7
ULM
Iller
Laupheim
B30
SCHWÄBISCH GMÜND
B466
E
B298
H
C
BLAUBEUREN
Ravensburg
Ehingen
Göppingen
S
B465
B311
B29
WEILHEIM
I
B10
B465
B28
BAD URACH
B
Donau
MARBACH
Metzingen
B313
Ä
B312
ESSLINGEN
STUTTGART
Neckar
W
B312
B297
Reutlingen
B 313
Sigmaringen
Heilbronn
LUDWIGSBURG
B27
ERPFINGEN
H
A81
B27
TÜBINGEN
C
A8
A81
S
B28
B27
B32
B296
HECHINGEN
Pforzheim
Calw
B28
B463
Nagold
Horb
Rottweil
Neckar
B14

Aalen

Kreisstadt, Sitz des Ostalbkreises, 400–750 m, 65 000 Einw. Am Steilabfall der Ostalb, Ausgangspunkt der Schwäbischen Albstraße.

Auskunft: Städt. Verkehrsamt im Rathaus, 7080 Aalen, Tel. 07361/500301.
Verkehr: Kreuzungspunkt B 29 Stuttgart – Nördlingen und B 19 Ulm – Würzburg.

Sehenswert: **Limesmuseum,** St.-Johann-Str. 5, Ausstellung zur Geschichte, Bauweise und Befestigung des Grenzwalles sowie über den römischen Legionär; vor dem Museum freigelegte Toranlage des Kastells. Geöffnet täglich außer Mo, 10–12, 13–17 Uhr.

Blaubeuren

Alb-Donau-Kreis, 519 m, 11 600 Einw. Namhaftes Städtchen und vielbesuchter Ausflugsort zwischen Blaufels und Rucken, bekannt durch die ehemalige Klosterkirche sowie einen Karstquelltopf, den ***»Blautopf«,*** *den Eduard Mörike im »Märchen von der schönen Lau« schildert. Stadtrecht seit 1267.*

Auskunft: Stadtverwaltung (Fremdenverkehrsstelle), 7902 Blaubeuren, Tel. 07344/1317.
Verkehr: B 28 Ulm – Urach, Endpunkt der B 492 Ehingen.

Sehenswert: Der **Blautopf,** die sagenumwobene Quelle der Blau, mit einer Schüttung von 2000 l/sec, einer Tiefe von ca. 20 m und 6000 cbm Wasservolumen. – Urgeschichtliches Museum, Karlstr. 21. – Historische Hammerschmiede am Blautopf mit 500jährigem Hammerwerk.

Erpfingen

Ortsteil von Sonnenbühl, Kr. Reutlingen, 731 m, 1100 Einw. Ferienort an der Schwäbischen Albstraße, bekannt geworden durch die nahegelegene Bärenhöhle.

Auskunft: Bürgermeisteramt, 7411 Erpfingen, Tel. 07128/696.
Verkehr: Verbindungsstraße (SchwäbischeAlbstraße) Burladingen – Großengstingen.

Sehenswert: Der nahegelegene Höhlenberg mit der **Karlshöhle** und der 1949 entdeckten **Bärenhöhle;** hier öffnet sich ein Stück Vorzeit mit zahlreichen Funden von Bärenknochen; die Gänge und Hallen mit phantastischen Tropfsteingebilden werden effektvoll elektrisch beleuchtet. Die Höhle ist von März bis November ständig geöffnet, sonst Führungen durch das Bürgermeisteramt.

Esslingen am Neckar

Große Kreisstadt, 241 m, 96 000 Einw. Alte Reichsstadt, landschaftlich schön im Neckartal gelegen, Ausgangsort für Touren im Schurwald zwischen Neckar, Fils und Rems.

Auskunft: Kulturamt, Marktplatz 16,7300 Esslingen, Tel. 0711/3512-441 und 3512-645.

Verkehr: B 10 Stuttgart – Ulm. Autobahnanschlußstelle zur A 21/ E 11 (6 km).

Sehenswert:
Das **Alte Rathaus,** ein Denkmal des reichsstädtischen Bürgertums, um 1430 vornehmlich als Steuer- und Kaufhaus der Stadt erbaut, die Rückseite ist mit stattlichem Fachwerk versehen, die Front zum Markt (Rathausplatz) gilt als eine Köstlichkeit ersten Ranges, ein vielfach geschwungener Staffelgiebel, der die Kunstuhr umrahmt und in einem zweigeschossigen Türmchen gipfelt (Glockenspiel). Im Innern im 1. Stock der prachtvolle Bürgersaal, im 2. die Renaissancehalle und das **Stadtmuseum** (geöffnet werktags 14–16 Uhr, So 10.30–12 Uhr).

Hechingen

Zollernalbkreis, 550 m, 17 000 Einw. Ehemalige Fürstl. Hohenzollerische Residenz am Fuß des Hohenzollern und seiner bekannten Burg. Die Oberstadt liegt erhöht auf einer Geländestufe, die Unterstadt am Starzelbach.

Auskunft: Städt. Verkehrsamt, 7450 Hechingen, Tel. 07471/18 51 13.
Verkehr: B 27 Stuttgart – Schwenningen, Endpunkt der B 32 (Sigmaringen).

Sehenswert:
Ein besonderer Anziehungspunkt ist der **Hohenzollern,** 855 m, mit der wiederaufgebauten Stammburg des ehemaligen deutschen Kaiserhauses. Sehenswerte Prunkgemächer, Schatzkammer, katholische Michaelskapelle (15. Jh.) und evangelische Kapelle mit den Särgen Friedrich Wilhelms I. und Friedrichs des Großen, Grabstätte des letzten deutschen Kronprinzenpaares. Burgwirtschaft, schöne Aussicht.

Blick auf Burg Hohenzollern

Ludwigsburg

Kreisstadt, 292 m, 85 000 Einw. Ehemalige Residenzstadt der württembergischen Herzöge. Größtes deutsches Barockschloß (ganzjährig zu besichtigen) und vielbesuchte Gartenschau »Blühendes Barock« mit Märchengarten und Großvolière (geöffnet April–Oktober).

Auskunft: Fremdenverkehrsamt, Wilhelmstr. 12, 7140 Ludwigsburg, Tel. 07141/91 02 52.
Verkehr: B 27 Stuttgart – Heilbronn; Autobahnanschlußstellen zur A 8/A 81.

Sehenswert:
Das **Schloß,** 1704 errichtet. Im Lauf von 30 Jahren wurde der »Alte Hauptbau« durch weitere

Bauten zu einem prachtvollen Barockschloß erweitert. Baumeister waren Jenisch von Marbach, der Norddeutsche Joh. Friedr. Nette und vor allem der Italiener Frisoni. Das Schloß besteht aus 16 miteinander verbundenen, um 3 Höfe gelagerten Bauten mit 452 Zimmern und Sälen. Das Ganze bildet eine Einheit von bezwingender Schönheit und Größe. Es ist das größte Barockschloß auf deutschem Boden, das vor Beschädigung bewahrt geblieben ist.

Im Schloß **Württ. Landesmuseum** mit Abteilung »Höfische Kunst des Barock«, Tel. 641551, geöffnet April–September Di–Sa 13–17 Uhr, So 10–12 Uhr, 13–17 Uhr, Oktober bis März Mi und Sa 13–16 Uhr, So 10–12 Uhr, 13–16 Uhr, Eintritt frei.

Marbach am Neckar

Kr. Ludwigsburg, 229 m, 13000 Einw. Altertümliche, an einer Schleife des mittleren Neckar gelegene, 972 erstmals urkundlich erwähnte Stadt, von Mauern und Türmen umgeben, Geburtsstadt Friedrich von Schillers.

Auskunft: Bürgermeisteramt, 7142 Marbach, Tel. 07144/19292.

Verkehr: Schnellstraße Stuttgart – Bottwartal; Autobahnanschlußstelle zur A 81 Pleidelsheim.

Sehenswert:

Geburtshaus von Friedrich Schiller (10. 11. 1759–9. 5. 1805), ein guterhaltener Fachwerkbau, der vom Marbacher Schillerverein in würdigen Zustand versetzt wurde (persönliche Erinnerungsstücke, Möbel, Bilder, Dokumente usw. Geöffnet täglich 9–12 und 14–17 Uhr).

Schiller-Nationalmuseum, in Anlehnung an Schloß Solitude 1901–03 durch den Schwäbischen Schillerverein errichtet, birgt Handschriften, Briefe, Erstausgaben, Bildnisse und Plastiken des großen Sohnes der Stadt. Sämtliche Dichter des schwäbischen Raumes, von Wieland bis zu denen der Gegenwart, sind hier mit ihren Werken vertreten. Geöffnet täglich 9–17 Uhr. 1955 wurde das **Deutsche Literaturarchiv** als wissenschaftliche Institution im Rahmen des Schiller-Nationalmuseums gegründet.

Steinheim am Albuch

Kr. Heidenheim, 540 m, 7500 Einw. Erholungsort im Steinheimer Bekken, inmitten ausgedehnter Wälder und Wacholderheiden des Wentaler Landschaftsschutzgebiets gelegen.

Auskunft: Bürgermeisteramt, 7924 Steinheim am Albuch, Tel. 07329/6044.

Verkehr: B 466 Heidenheim – Süßen, Abzweigung westlich Heidenheim.

Sehenswert:

Meteorkrater-Museum, geöffnet tägl. 9–12, 14–17 Uhr. Das Steinheimer Becken (ca. 3,5 km Durchmesser) entstand vor etwa 15 Millionen Jahren durch Einschlag eines großen Meteors. Anhand von ausgesuchten Funden sowie übersichtlichem Karten- und Fotomaterial vermittelt das Museum einen umfassenden Überblick über die geologische und paläontologische Struktur des Steinheimer Beckens und seiner wissenschaftlichen Erforschung.

Stuttgart

207–555 m, 555 000 Einw. Hauptstadt des Bundeslandes Baden-Württemberg, verkehrsmäßiger, wirtschaftlicher und kultureller Mittelpunkt Südwestdeutschlands. Als »Großstadt zwischen Wald und Reben« gilt Stuttgart wegen seiner landschaftlichen Lage als eine der schönsten Großstädte Europas. Unter den Großstädten der Bundesrepublik Deutschland rangiert Stuttgart an 9. Stelle. Das Stadtgebiet umfaßt rund 207 qkm.

Der Kern der Stadt liegt in einem nicht allzu geräumigen Talkessel, den ein linkes Nebenflüßchen des Neckars, der längst überbaute Nesenbach, durchquert. Gärten und Felder dehnten sich vor den Mauern aus und zogen sich die Hänge hinauf, die auf der Sonnenseite mit Reben bepflanzt waren. Auf den Höhen lockten Stuttgarts Wälder, die einstigen Jagdgründe der württembergischen Fürsten. Heute ist der Wald zwar hier und da durch die sich immer mehr ausbreitenden Wohnviertel zurückgedrängt, bildet aber immer noch, durch Straßenbahn- und Stadtbuslinien leicht erreichbar, das Hauptausflugs- und Spaziergangsgebiet für die Stuttgarter. Ehemalige Weinbergwege mit eingebauten Treppen führen noch heute auf die Höhen; großzügig angelegte Höhenstraßen geben immer wieder genußreiche Ausblicke auf die Stadt frei. Die Unternehmen der sehr bedeutenden Stuttgarter Veredelungsindustrie haben sich in der Hauptsache in den Vororten im Norden der Stadt und im Neckartal angesiedelt. Stuttgart beherbergt rund 500 Industriebetriebe der elektrotechnischen, feinmechanischen und optischen Industrie, des Maschinen- und Fahrzeugbaus sowie der Textil- und Bekleidungsindustrie; viele von ihnen genießen Weltruf. Der Neckarhafen der Stadt ist einer der bedeutendsten Warenumschlagplätze Südwestdeutschlands und der achtgrößte Binnenhafen der Bundesrepublik.

Eine besondere Stellung im Kranz der äußeren Stadtteile nimmt **Bad Cannstatt** *mit seinen Mineralquellen ein. Am Neckarufer gelegen, mit Alt-Stuttgart durch moderne Brücken verbunden, trägt Bad Cannstatt in seinem Kern noch immer das Gepräge eines alten Handelsplatzes und zugleich eines im vorigen Jahrhundert mit königlicher Gunst bedachten, berühmten Badeortes. Mit 18 Mineralquellen besitzt Stuttgart nach Budapest das stärkste Mineralwasservorkommen Europas.*

Auskunft: Touristik-Zentrum »i-Punkt« des Verkehrsamtes in der Klett-Passage am Hauptbahnhof (Tel. 07 11/2 22 80), geöffnet Mo–Sa 8.30–22 Uhr, So 11–20 Uhr (im Winterhalbjahr Sonntagsdienst 13–18 Uhr). (Schriftliche Anfragen an das Verkehrsamt, Stuttgart 1, Postfach 8 70.)

Sehenswert:
Württembergisches Landesmusem, Altes Schloß, Tel. 2 19 31. Die Sammlungen bieten eine Übersicht über die kulturelle und künstlerische Vergangenheit Württembergs und Gesamtschwabens von der Altsteinzeit bis zum frühen 19. Jahrhundert. Geöffnet täglich außer Mo, 10–17 Uhr, Mi 10–19 Uhr.

Staatsgalerie Stuttgart, Konrad-Adenauer-Str. 32 (früher Neckarstr.), Tel. 2 12 51 08. Malerei vom Mittelalter bis zur Gegenwart mit Werken von Zeitblom, Cranach, Ratgeb, Carpaccio, Tintoretto, Tiepolo, Rembrandt,

Hals, Brouwer, Schönfeld, Maulbertsch, Schick, Friedrich, Renoir, Monet, Cézanne, Gauguin, Liebermann, Slevogt, Corinth, Picasso, Braque, Gris, Kirchner, Nolde, Beckmann, Baumeister, Schlemmer, Pollock, Manessier, Hartung sowie schwäbischer Malerei des 19. und 20. Jahrhunderts.

Graphische Sammlung: Europäische Handzeichnungen und Druckgraphik (Dürer, Rembrandt, Tiepolo); französisches 19. und 20. Jahrhundert (Renoir, Degas, van Gogh, Matisse, Picasso, Léger); deutsche Expressionisten; Sonderkollektion illustrierter Bücher. Geöffnet täglich außer Mo, 10–17 Uhr, Di und Do 10–20 Uhr.

Galerie der Stadt Stuttgart, Kunstgebäude am Schloßplatz, Tel. 295566. Malerei des 19. und 20. Jahrhunderts in Baden-Württemberg mit Werken von Hetsch, Morff, Seele, Steinkopf, Pilgram, Herter, Faber du Faur, Kappis, Schüz, Schönleber, Keller, Landenberger, Pleuer, Reiniger, Hölzel, Baumeister, Schlemmer, Brühlmann, Pellegrini, Kerkovius, Malerei und Plastik der Gegenwart; Otto Dix; Sammlung von Handzeichnungen und Druckgraphik. Geöffnet täglich außer Mo 10–17 Uhr.

Lapidarium der Stadt Stuttgart, Mörikestr. 24, Sammlung von Steindenkmälern. Geöffnet: Sa 13–18 Uhr, So 10–12 Uhr, April–Oktober auch Mi 13–18 Uhr.

Stadtgeschichtliche Sammlungen der Stadt Stuttgart, Konrad-Adenauer-Str. 2 (früher Neckarstr.), Wilhelmspalais, Tel. 233434, mit Sammlung Dr. Fritz Kauffmann, »Mörike und seine Freunde«. Geöffnet Di–Fr 11–18 Uhr, Sa und So 10–16 Uhr.

Linden-Museum für Völkerkunde, Hegelplatz 1, Tel. 20503222. Kulturen Afrikas, der Südsee und Amerikas. Geöffnet Di–So 10–17 Uhr, Mo geschlossen.

Staatliches Museum für Naturkunde, Schloß Rosenstein, Tel. 89360. Stammesgeschichte der Tiere, biologische Gruppen, Stammesgeschichte des Menschen, Darstellungen der einheimischen Vögel und Säugetiere, Fossilien aus dem Erdmittelalter Württembergs, Entstehungsgeschichte der südwestdeutschen Landschaft. Geöffnet Di–Fr 10–16 Uhr, Sa, So 10–17 Uhr, Mo geschlossen.

Stuttgarter Bibelmuseum, Balinger Str. 31, Tel. 720030. Geöffnet Mo–Fr 8–16 Uhr.

Automobilmuseum der Daimler-Benz-AG, Stgt.-Untertürkheim, Mercedesstr. 137 a, Tel. 302-2578. Geöffnet Mo–Fr 8–12, 13.30–16.30 Uhr. Jeden 2. Sa im Monat 8–12 Uhr.

Postgeschichtliche Sammlung der Oberpostdirektion Stuttgart (Fernmeldetechnischer Teil), Friedrichstr. 13, Zugang Lautenschlagerstr. neben Air Terminal, Tel. 2000-3356. Geöffnet Mo–Fr 10–15 Uhr und nach vorheriger Anmeldung.

Deutsches Spielkartenmuseum, Leinfelden-Echterdingen 1, Schönbuchstr. 32, Tel. 7986335. Geäffnet Di–Fr 14–17, So 10–13 Uhr.

Tübingen

Kreisstadt 320–470 m, 73 000 Einw. Universitätsstadt in anmutiger Landschaft am Neckar.

Auskunft: Verkehrsverein, Eberhardsbrücke, 7400 Tübingen, Tel. 07071/35011.

In der Umgebung:
Bebenhausen: Ehemalige **Klosterkirche** mit reicher Innenausstattung und bemerkenswertem gotischen Dachreiter. – **Klostergebäude** mit spätgotischem Kreuzgang, 1471–1496, frühgotischer Kapitelsaal, Sommerrefektorium mit lebensvoll gemaltem Rankenwerk und Winterrefektorium, ein behaglicher Saal mit großem romantischem Fresko. Die Nebengebäude umgibt ein innerer Mauerring (um 1300), die Wirtschaftsgebäude schließt ein zweiter Befestigungsgürtel (15. und 16. Jh.) ein. **Museum:** Mittelalterliche Kunst (geöffnet Oktober–März täglich 10–12 und 14–16 Uhr; April–September täglich 8–12 und 14–18 Uhr), Führungen.

Ulm

98 330 Einw. Ehemalige Reichsstadt mit reicher Geschichte an der Grenze zweier Landschaftsräume: der Schwäbischen Alb und des Schwäbischen Alpenvorlandes. Ulm liegt am nördlichen Ufer der Donau. Im Münster besitzt die Stadt ein überaus prächtiges Bauwerk mit dem höchsten Kirchturm der Welt.

Die günstige Lage an wichtigen Eisenbahnstrecken und Fernverkehrsstraßen ließ Ulm zum Wirtschaftszentrum zwischen Schwäbischer Alb und Bodensee werden.

Auskunft: Verkehrsbüro, Münsterplatz 51, 7900 Ulm, Tel. 0731/1613026 und 64161.

Sehenswert:
Deutsches Brotmuseum, Fürsteneckerstr. 17, erläutert die 4000jährige Geschichte der Getreideverarbeitung und Brotherstellung (geöffnet täglich außer Sa 10–12 Uhr und 15–17.30 Uhr).

Museum der Stadt Ulm, am Taubenplätzchen, mit Sammlungen Ulmer und oberschwäbischer Kunst sowie zeitgenössischer Graphik. Geöffnet Di–So 10–12 Uhr, 14–17 Uhr; Juli–September 10–17 Uhr.

Weilheim an der Teck

Kr. Esslingen, 384 m, 8000 Einw. Ferienort im Tal der Lindach, wird vom Nordrand der Alb im Bogen umfaßt.

Auskunft: Bürgermeisteramt, 7315 Weilheim, Tel. 07023/6021.

Verkehr: B 465 Kirchheim – Urach, Abzweigung bei Dettingen; Autobahnanschlußstelle Aichelberg (3 km).

In der Umgebung:
Holzmaden, nordwestlich: »Hauff-Museum (geöffnet 9–12, 13–17 Uhr, Mo geschlossen): Beim Abbau von sog. Ölschiefern wurden ungewöhnlich viele Versteinerungsfunde gemacht und von Dr. h.c. Bernhard Hauff (1886–1950) in mühseliger Arbeit präpariert (Ichthyosaurier, Fische, Seelilien); diese meisterhaften Präparate haben die wissenschaftlichen Sammlungen der ganzen Welt bezogen.

Zu Gast beim Grafen Zeppelin

Die bodenständige Bevölkerung im gesamten Bodenseegebiet ist durchweg schwäbisch-alemannischen Stammes und stellt einen ziemlich einheitlichen Typus dar.

Die geographischen Unterschiede der Landschaften rings um den See äußerten sich früher vor allem in den Volkstrachten. Die Nivellierung des Geschmacks hat aber die alten Bekleidungssitten zum größten Teil verschwinden lassen. Im badischen Linzgau und Hegau sind die Trachten auf dem Lande völlig in Vergessenheit geraten; in einzelnen Städten wird von Trachtengruppen die Erinnerung noch in kleinem Umfang lebendig gehalten. Auch in Oberschwaben begegnet man kaum noch der einst so farbenprächtigen bäuerlichen Tracht, der roten Männerweste und dem weiten blauen Überrock.

Zu den wichtigsten Volksfesten des Bodenseegebietes gehört von alters her die Fasnacht, die vor allem auf badischem und württembergischem Boden eingehend gefeiert wird. Mit dem Münchener Fasching und dem Kölner Karneval hat die schwäbische und alemannische Fasnacht allerdings nichts zu tun, wenn auch neuerdings manches daraus Eingang gefunden hat.

Besonders sehenswerte Museen gibt es in Bad Buchau (Federsee-Museum), Friedrichshafen (Zeppelinmuseum, Rennwagenmuseum, Schulmuseum), Konstanz (Zeitungsmuseum), Meersburg (Weinbaumuseum), bei Stockach (Narrenmuseum) und in Unteruhldingen (Pfahlbaumuseum).

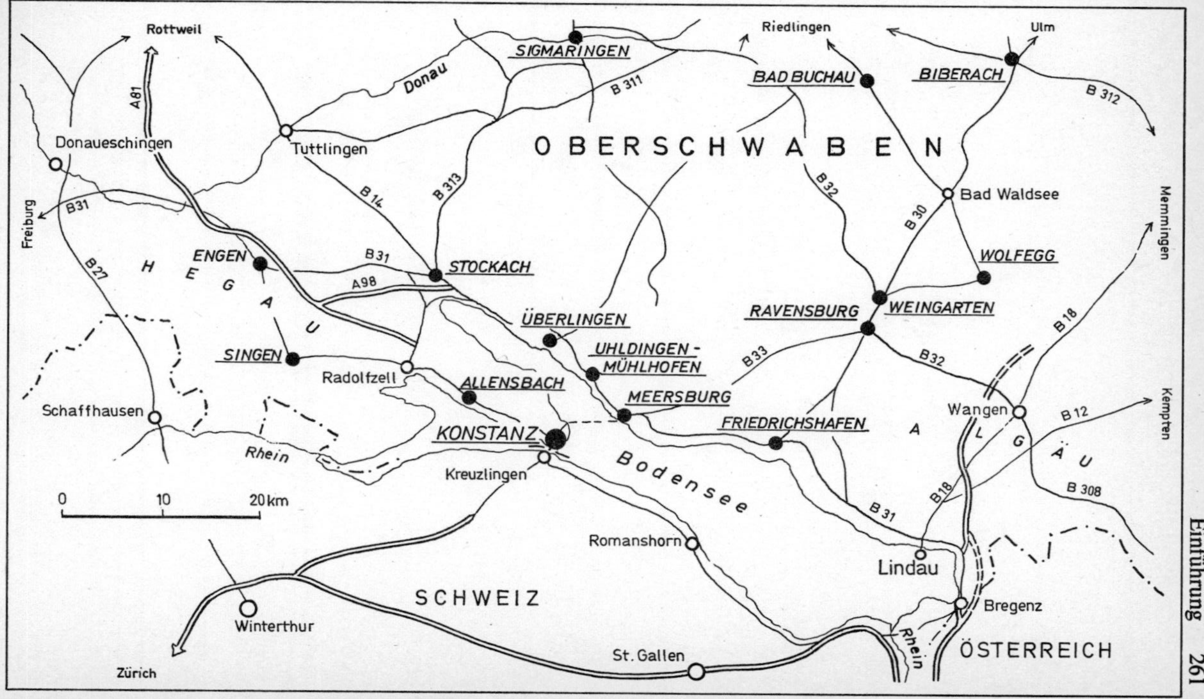

Rottweil
Riedlingen
Ulm
SIGMARINGEN
Donau
B 311
BAD BUCHAU
BIBERACH
B 312
A81
Donaueschingen
Tuttlingen
OBERSCHWABEN
B 313
B 14
B 32
Bad Waldsee
Memmingen
Freiburg
B31
B 30
B27
HEGAU
ENGEN
B 31
STOCKACH
A98
WOLFEGG
WEINGARTEN
RAVENSBURG
ÜBERLINGEN
B18
SINGEN
Radolfzell
UHLDINGEN-MÜHLHOFEN
B33
B32
ALLENSBACH
MEERSBURG
Schaffhausen
Wangen
B 12
Kempten
KONSTANZ
FRIEDRICHSHAFEN
ALLGÄU
Rhein
Kreuzlingen
Bodensee
B 308
0
10
20 km
B18
B 31
Romanshorn
Lindau
SCHWEIZ
Bregenz
Winterthur
Rhein
St. Gallen
ÖSTERREICH
Zürich

Allensbach

Kr. Konstanz, 395–550 m, 6000 Einw. mit den Ortsteilen **Hegne, Kaltbrunn, Langenrain** *und* **Freudental.** *Ferienort im Herzen des Bodanrück, er erstreckt sich vom Nordufer des Gnadensees bis zum Überlinger See. Bereits 724 urkundlich erwähnt, war Allensbach im Mittelalter Stadt der Reichenauer Äbte mit Markt- und Münzrecht. Im Dreißigjährigen Krieg wurde der Ort stark in Mitleidenschaft gezogen. Allensbach ist Sitz des gleichnamigen Instituts für Demoskopie.*

Auskunft: Kultur- und Verkehrsamt, Rathausplatz 2, 7753 Allensbach, Tel. 07533/6340 und 771, 6232 und 6418.
Verkehr: B 33 Konstanz – Radolfzell.

Sehenswert:
Heimatmuseum, Rathausplatz (Alte Schule), mit Funden der Vor- und Frühgeschichte aus der Umgebung, naturkundlichen Sammlungen, Zeugnissen der Stadt- und Heimatgeschichte, der kirchlichen Kunst und Volkskultur. Geöffnet Pfingsten–Ende Sept. So 10–11.30 Uhr und nach Vereinbarung.

Bad Buchau

Kr. Biberach, 592 m, 4000 Einw. mit Stadtteil **Kappel.** *An der Oberschwäbischen Barockstraße gelegene einstige Reichsstadt mit Reichsstift, heute Moorheilbad mit Federsee-Klinik, Kurzentrum und Kurpark. Unweit der Stadt liegt der* **Federsee,** *Rest eines großen, langsam verlandenden Wasserbeckens des eiszeitlichen Rheingletschers. Über den 1500 m langen Federseesteg erreicht man ein einzigartiges* **Naturgschutzgebiet** *(mit 1,4 qkm das größte in Baden-Württemberg) und Vogelreservat. Im Moor gut konserviert, fand man in der Umgebung von Buchau zahlreiche vorgeschichtliche Siedlungen.*

Auskunft: Verkehrsamt, Postfach 25, 7952 Bad Buchau, Tel. 07582/521.
Verkehr: »Oberschwäbische Barockstraße« Riedlingen – Bad Schussenried.

Sehenswert:
Federsee-Museum, eingerichtet 1968, mit bedeutenden prähistorischen, frühgeschichtlichen und naturwissenschaftlichen Sammlungen; sehenswert! Geöffnet 15. März–31. Oktober, täglich 9–11.30 Uhr, 13.30–17 Uhr; 1. November–14. März jeden So 13–16 Uhr und nach Vereinbarung.

Biberach an der Riß

Große Kreisstadt, 532–613 m, 28300 Einw. Ehemalige Freie Reichsstadt im Nordosten der schwäbisch-bayerischen Hochebene und ideal gelegener Ausgangspunkt für Fahrten zu den kirchlichen und weltlichen Bauten des oberschwäbischen Barock. Biberach hat eine große geschichtliche, vor allem kulturgeschichtliche Vergangenheit und ist Heimat bedeutender Männer; neben hervorragenden Malern, Edelsteinschleifern und Goldschmieden gilt der Dichter Christoph Martin Wieland (1733–1813) als Biberachs größter Sohn.

Auskunft: Fremdenverkehrsstelle, Theaterstr. 6, 7950 Biberach a. d. Riß, Tel. 07351/51436.
Verkehr: Kreuzungspunkt der B 30 Ulm – Friedrichshafen, der B 312 Stuttgart – Memmingen und der B 465 Urach – Leutkirch.

Sehenswert:
Heilig-Geist-Spital, darin befindet sich das **Biberacher Museum** (Städt. Sammlungen, Braith-Mali-Ateliers; geöffnet Di–So 10–12 und 14–17 Uhr; Heimatmuseum, naturwissenschaftliche Sammlungen, Gemäldesammlung mit über 2000 Bildern des 17.–20. Jh.).

Wieland-Schauraum, Gedenkstätte für den Klassiker Chr. M. Wieland neben seinem »Gartenhäuschen«, mit umfangreicher Bibliothek. Geöffnet Sa und So 10–12 und 14–17 Uhr, Mi 10–12 und 14–18 Uhr.

Engen

Kr. Konstanz, 530–850 m, 9000 Einw. Mit mehreren eingemeindeten Ortschaften. Altertümliche Stadt und Luftkurort im Hegau, am Fuß des Hohenhewen.

Auskunft: Städtisches Verkehrsamt, Rathaus, Hauptstr. 11, 7707 Engen, Tel. 07733/502212/10.
Verkehr: Kreuzungspunkt der B 31 Geisingen – Stockach, der B 33 Geisingen – Konstanz, Ausgangspunkt der B 491 nach Tuttlingen. Autobahn A 81 Stuttgart – Bodensee, Anschluß Engen.

Sehenswert:
Heimatmuseum, Sammlungsgasse 12, mit Sammlungen aus der heimatlichen Vergangenheit, Geologie, Vor- und Frühgeschichte des Hegaus, Funden aus der nahen altsteinzeitlichen Kultstätte Petersfels (Ausgrabungen 1974/75, Geräte und Grabbeigaben aus der La-Tène- und Hallstattzeit aus dem Hegau.

Friedrichshafen

Bodenseekreis, 402 m, 53000 Einw. Fremdenverkehrs- und Luftkurort, betriebsames Wirtschafts- und Einkaufszentrum, Messestadt und Verkehrsknotenpunkt zwischen Überlingen und Lindau, heute zweitgrößte Stadt am deutschen Bodenseeufer. Friedrichshafen gehört zu den sonnigsten Orten Deutschlands und bietet eine weite Sicht über den See auf die schweizerische und österreichische Bergwelt. Es ist Geburtsort des Malers Karl Caspar (1879–1956).

Auskunft: Städtisches Verkehrsamt, Postfach 129, 7990 Friedrichshafen, Tel. 07541/21729. – Verkehrsamt des Verkehrsvereins Ailingen, Friedrichshafen 5, Hauptstr. 2 (Rathaus), Tel. 51071/72.
Verkehr: Kreuzungspunkt der B 31 Überlingen – Lindau und der B 30 nach Ravensburg.

Sehenswert:
Städtisches Bodensee-Museum im Rathaus, u. a. jungsteinzeitliche Funde aus den Bodensee-Uferrandsiedlungen bei Seemoos, Manzell und Nußdorf; gotische Tafelmalereien, Glasmalereien, Kleinplastiken, Werke zeitgenössischer Kunst, **Zeppelinabteilung.** Geöffnet täglich außer Mo 10–12 und 14–17 Uhr.

Zeppelinmuseum in Friedrichshafen

Automuseum für Renn- und Sportwagen von Fritz B. Busch, Hirschlatter Str. 14. Geöffnet März–Oktober täglich, November–Februar Sa und So 9–12 und 13–18 Uhr. – **Schulmuseum Schnetzenhausen** (geöffnet So 14–17 Uhr ganzjährig; Mi 15–17 Uhr vom 1. 4.–30. 9., nicht während der Schulferien, Eintritt frei).

Konstanz

Große Kreisstadt, 407 m, 70 000 Einw. Bedeutendste und größte, auch historisch wichtigste Stadt des Bodenseegebiets, Brennpunkt des Fremdenverkehrs, das deutsche Eingangstor zur Schweiz und die einzige deutsche Stadt am südlichen Ufer von Bodensee und Rhein, welcher hier den Obersee verläßt und sich bald darauf zum Untersee erweitert. Die Altstadt liegt am Obersee und Rhein, die eingemeindeten Orte am Überlinger See. – Kultureller und wirtschaftlicher Mittelpunkt des Bodenseegebiets; moderne Universität.

Auskunft: Tourist-Information, 7750 Konstanz, Tel. 07531/284376.
Verkehr: B 33 Singen – Konstanz.

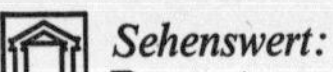

Sehenswert:
Rosgartenmuseum, ehemals Zunfthaus der Metzger, das Funde der Vor- und Frühgeschichte, der Stadtgeschichte und reiche Bestände mittelalterlicher Kunst und des Kunstgewerbes enthält. Geöffnet Mai–Oktober Di–So 10–17 Uhr, November–April 10–16 Uhr.

Südkurier-Zeitungsmuseum, Markstätte 4 (zu besichtigen nur nach vorheriger Anmeldung, Tel. 28 23 19).

In der Hussenstr. 64 das **Johannes-Hus-Museum** (geöffnet Di–Sa 10–12 und 14–16 Uhr; So 10–12 Uhr). Es enthält Dokumente aus dem Leben und Wirken des Joh. Hus, um 1369–1415, und des Hieronymus von Prag, gest. 1416. Außerdem **Hus-Haus,** in dem der böhmische Reformator während des Konzils gewohnt hat, jetzt als *Museum* und *Bibliothek* mit fast 5000 Bänden.

Wessenberghaus, einst Domherrenwohnung des letzten Konstanzer Generalvikars von Wessenberg, eines großen Wohltäters der Stadt; hier sind die Wessenberg-Bibliothek, die Städt. Gemäldegalerie und die regelmäßig wechselnden Ausstellungen des Kunstvereins untergebracht. Geöffnet Di–Sa 14.30–17 Uhr, So 11–13 Uhr.

Bodensee-Naturmuseum (geöffnet Di–So 10–17 Uhr.

Meersburg

5000 Einw. Reizvolles Städtchen mit mittelalterlichem Stadtbild, einstige Residenz der Konstanzer Bischöfe, bekannt durch seine guten Weine und sein Kunstgewerbe. Die Unterstadt liegt am See, die Oberstadt hoch darüber auf mächtigem Felsen.

Auskunft: Kur- und Verkehrsverwaltung, Schloßplatz 4, 7758 Meersburg, Tel. 07532/ 82383.

Sehenswert:
Altes Schloß, ein malerischer Burgkomplex, dessen Mittelturm mit 3 m dicken Mauern aus Findlingssteinen wohl auf das 7. Jh. zurückgeht. 1803 ging es in Staatsbesitz über, sollte abgebrochen werden, wurde aber dann an den Freiherrn Joseph von Laßberg verkauft, der hier seine großen Sammlungen unterbrachte und einen Mittelpunkt der deutschen Romantiker schuf. Seine Schwägerin, die Dichterin Annette von Droste-Hülshoff, lebte hier längere Zeit, starb auch hier 1848.

Meersburg, Altes Schloß

Zugänglich sind die malerischen Höfe mit alten Skulpturen, zwei schöne Rittersäle mit musealer Einrichtung, die Dürnitz-Wachtstube der Kriegsleute, das Arbeits- und Sterbezimmer der Dichterin Annette von Droste-Hülshoff (1797–1848) mit einzigartiger Aussicht auf den See. Geöffnet täglich 9–18 Uhr, 1. Nov.–28. Febr. n. V.

Neues Schloß, dem alten benachbart. Ehemals fürstbischöfliche Residenz, auf Veranlassung des Kardinals Hugo von Schönborn nach Plänen von Balthasar Neumann 1741–1750 erbaut; Stuckarbeiten von Jos. A. Feuchtmayer. 1759–62 Umbau durch Franz Anton Bagnato. Die Innenausstattung besorgten Carlo Pozzi, Giuseppe Appiani und der Kunstschlosser Joh. Oberhofer. *Parterre* mit wechselnden Kunstausstellungen und Darstellung des Meersburger Kunsthandwerks.

Im *1. Stock* das **Dornier-Luftfahrtmuseum,** ein Heimatmuseum, Barockkrippe und Gemälde lokaler Künstler.

Das *Obergeschoß* enthält den Spiegelsaal mit Deckenfresken von Giuseppe Appiani und die ehemaligen fürstbischöflichen Wohnräume. Geöffnet April–Oktober täglich 9.30–12 und 13.30–17.30 Uhr.

Nördlich des Schloßparks führt die malerische *Vorburggasse* zum

Weinbaumuseum »Heilig-Geist-Torkel«, Nr. 11, gut restauriertes Haus von 1680, dessen Erdgeschoß den wohl ältesten Torkel des Bodenseegebiets enthält (1607). Das berühmte Türkenfaß kann 50160 Liter aufnehmen. Geöffnet April–Oktober, Di, Fr, So 14–17 Uhr.

Fürstenhäuschen, um 1640 als bischöfliches Rebhäuschen in den Weinbergen gebaut, später Besitz der Dichterin Annette von Droste-Hülshoff (Droste-Museum, geöffnet täglich 9.30–12 und 14–17 Uhr).

Ravensburg

Große Kreisstadt, 431 m, 44 000 Einw. Sitz des Regionalverbandes Bodensee-Oberschwaben. Wirtschaftlicher und kultureller Mittelpunkt Oberschwabens, einstige Reichsstadt im Tal der Schussen mit zahlreichen Zeugnissen einer bewegten Vergangenheit. Die Innenstadt weist mit alten Türmen und gotischen Bauten noch weitgehend mittelalterlichen Charakter auf.

Auskunft: Städt. Verkehrsamt, Marienplatz 54, 7980 Ravensburg, Tel. 07 51/8 23 24.
Verkehr: Kreuzungspunkt der B 30 Bad Waldsee – Friedrichshafen und der B 32 Weingarten – Wangen, Ausgangspunkt der B 33 nach Meersburg.

Sehenswert:
Durch die *Grüne-Turm-Straße* zum **Heimatmuseum** »Vogthaus« (1480) in der *Charlottenstraße* mit Zeugnissen aus der reichsstädtischen Vergangenheit, Wappen, Zunfttafeln, originale, historische Innenräume aus Gotik, Renaissance und Barock; süddeutsche Plastik, 14.–18. Jh. Geöffnet Di–Sa 15–17 Uhr, So 10–12 und 15–17 Uhr.

Sigmaringen

Kreisstadt, 570–794 m, 15 000 Einw. Vielbesuchter Ausflugsort in einer weiten Talöffnung der jungen Donau, ehemalige Residenzstadt des Fürstentums Hohenzollern-Sigmaringen; heute Behörden-, Schul- und Garnisonsstadt. Sitz leistungsfähiger Handels- und Gewerbebetriebe. Auf monumental aus der Donau aufsteigendem Kalksteinrücken das imposante Schloß, das durch seine einzigartige Lage Stadt und Landschaftsbild beherrscht.

In der interessanten Waffenhalle des Schlosses

Auskunft: Verkehrsamt, 7480 Sigmaringen, Tel. 07571/ 106121.
Verkehr: Kreuzungspunkt der B 32 und der B 313.

Sehenswert:
Schloß der Fürsten von Hohenzollern-Sigmaringen: Die mittelalteriche Burganlage (1077) wurde noch unter den Werdenbergern zum Schloß erweitert, später von dem Graubündner Baumeister Hans Alberthal zu einem ausgedehnten Renaissanceschloß erwei-

tert, das 1633 von den Schweden in Brand gesteckt wurde. 1658/59 Wiederaufbau; 1893 erneut großer Brand, Wiederaufbau durch Emanuel v. Seidl.

Im Schloß die **fürstlichen Sammlungen:** prähistorische Funde, antike Geräte, mittelalterliche Kunst mit Werken schwäbischer Meister des 15. und 16. Jh., u. a. die Meister von Sigmaringen, Hans und Jakob Strüb, der Meister von Meßkirch, Holzbildwerke des 15. und 16. Jh., Kunsthandwerk vom 11. bis 18. Jh.; *Waffensammlung*, eine der bedeutendsten des Kontinents. Geöffnet täglich 8.30–12 Uhr, 13–17 Uhr, ausgenommen Dezember und Januar); Marstallmuseum; **Portugiesische Galerie** mit wertvollen Gobelins.

Singen (Hohentwiel)

Kr. Konstanz, 420 m, 48 000 Einw. Regsame Stadt am Ufer der Hegauer Aach und zu Füßen des burggekrönten Hohentwiel. Die uralte Siedlung ist heute nicht nur das Wirtschaftszentrum des Hegaus, sondern hat sich seit dem Ende des 19. Jh. zu einem Industriestandort von überregionaler Bedeutung entwickelt (Großbetriebe Maggi, Fitting- und Aluminium-Werke). Auf einer Aachinsel befindet sich der idyllische Stadtgarten; oberhalb davon die »Billionenbrücke«, deren Baukosten (während der Inflation nach dem Ersten Weltkrieg) in astronomischer Zahl in Stein festgehalten sind.

Auskunft: Städt. Verkehrsamt, August-Ruf-Str. 7, 7700 Singen (Hohentwiel), Tel. 07731/85473.

Verkehr: A 81 Stuttgart – Singen. Kreuzungspunkt der B 33 Radolfzell – Engen, der B 34 und der B 314.

Sehenswert:
Hegau-Museum, Schloßstr. 1, mit Beständen der Ur- und Frühgeschichte des Hegaus; Schmetterlings- und Gesteinssammlung. Geöffnet Mi und Sa 14–17 Uhr, So 10–12 Uhr.

Stockach

Kr. Konstanz, 475–610 m, 13 000 Einw. nach Eingliederung umliegender Dörfer. Hübsche Kleinstadt im Tal der Aach, kaum 6 km vom Nordwestende des Überlinger Sees entfernt. Die Altstadt mit der hochragenden Kirche liegt auf einem Hügel über der Talebene; von der »Seeschau« öffnet sich der Blick auf die Alpen und den Bodensee.

Auskunft: Verkehrsverein, Rathaus, 7768 Stockach 1, Tel. 07771/2071.

Verkehr: Autobahn A 81 Stuttgart – Stockach; oder Kreuzungspunkt der B 14 Tuttlingen – Stockach, der B 31 Überlingen – Engen, der B 313 Meßkirch – Stockach und der B 34 Radolfzell – Stockach.

In der Umgebung: **Schloß Langenstein,** Narrenmuseum mit zahlreichen Fastnachtskostümen aus dem südwestdeutschen Raum.

Überlingen

Bodenseekreis, 404–650 m, 18 000 Einw. mit den eingegliederten Gemeinden. Malerischer Luftkurort und südlichstes deutsches Kneippheilbad in landschaftlich reizvoller und klimatisch begünstigter Lage am Nordufer des Überlinger Sees.

Auskunft: Städtische Kurverwaltung, Landungsplatz 7, 7770 Überlingen, Tel. 07551/87291 und 4041.
Verkehr: B 31 Meersburg – Stokkach (Umgehungsstraße), kein Durchgangsverkehr.

Sehenswert:
Reichlin-von-Meldegg-Patrizierhof, 1482–86 erbaut, Zinnengiebel, als **Städtisches Museum** birgt er Kunstschätze der Landschaft, stadtgeschichtliche Sammlungen, u. a. 50 historische Puppenstuben. Geöffnet Di–Sa 9–12 Uhr, 14–17.30 Uhr, So 10–12 Uhr; November–März So und Fei geschlossen. Vom Garten reizvoller Blick auf Überlingen.

Uhldingen-Mühlhofen

Bodenseekreis, 397–410 m, 5200 Einw. Bekannter Ferienort am Nordufer des Überlinger Sees, gegenüber der Insel Mainau an der Oberschwäbischen Barockstraße gelegen.

Auskunft: Bürgermeisteramt, 7772 Uhldingen-Mühlhofen 2, Tel. 07556/8020.
Verkehr: B 31 Meersburg – Überlingen.

Sehenswert:
Freilichtmuseum Deutscher Vorzeit, Pfahlbauten der Stein- und Bronzezeit, ältestes und

Die berühmten Pfahlbauten von Unteruhldingen

größtes Museum seiner Art in Europa; die 1976 abgebrannten Häuser der Bronzezeit sind seit 1977 wiederaufgebaut. Museum geöffnet von April–Oktober 8–18 Uhr.

Weingarten

Kr. Ravensburg, 465 m, 23 000 Einw. Alte oberschwäbische Stadt in einer abwechslungsreichen Moränenlandschaft am östlichen Rand des Schussentals, von ausgedehnten Wäldern umgeben, an der Oberschwäbischen Barockstraße gelegen.

Auskunft: Städtisches Kultur- und Verkehrsamt, Rathaus, 7987 Weingarten, Tel. 0751/ 405213.
Verkehr: Kreuzungspunkt der B 30 Ravensburg – Bad Waldsee und der B 32 Ravensburg – Saulgau.

Sehenswert:
Alamannen-Museum, im historischen Kornhaus. Geöffnet Mi, Sa, So 15–17 Uhr. Tel. 405242.

Heimatkundliche Sammlungen, im Rathaus.

Wolfegg

Kr. Ravensburg, 700 m, 3000 Einw. Staatlich anerkannter Luftkurort mit voralpinem Reizklima an der Oberschwäbischen Barockstraße.

Auskunft: Verkehrsamt, Wolfegg 1, 7962 Wolfegg, Tel. 07527/6271.
Verkehr: B 30 Ravensburg – Bad Waldsee, Abzweigung bei Weingarten (14 km).

Sehenswert:
Renaissance-Schloß von 1578–1586, im 17. Jh. erneuert, Besitz der Fürsten und Reichstruchsessen von Waldburg-Wolfegg, mit barockem Rittersaal, Bankettsaal, berühmter Waffen- und Gemäldesammlung (Besichtigung nach vorhergehender Anmeldung, Tel. 691).

Im Automuseum von F. B. Busch

Automuseum von F. B. Busch beim Schloß; über 120 Oldtimer in wechselnder Ausstellung. Geöffnet April–Oktober täglich 9–12, 13–18 Uhr; im Winter nur So.

Bauernhaus-Freilicht-Museum, Darstellung bäuerlicher Bau-, Lebens- und Arbeitsformen der letzten 400 Jahre, volkskundliche Ausstellungen, historischer Kaufladen und Gaststätte. Geöffnet April–Oktober, Di–So 10–12 und 14–17 Uhr.

Fugger, Märchenschlösser, alte Hüte

Die Allgäuer gehören dem alemannisch-schwäbischen Volksstamm an und sprechen alemannische Mundarten. Den Bestrebungen der Allgäuer Heimatdienste und Trachtenvereine ist es zu verdanken, daß die meisten Allgäuer Bergorte ihre schönen alten Trachten wieder mehr pflegen. Ähnliche, eigentümliche und sehr alte Trachten haben sich noch in den zu Vorarlberg gehörenden Teilen des Allgäus, im Bregenzerwald und im Kleinwalsertal erhalten.

Der Name Allgäu ist in der Alemannenzeit aus »alb« = Berg und »au« = Fluß entstanden. Die Alemannen zerstörten die Herrschaft der Römer, die, ausgehend von der Gebietshauptstadt Augusta Vindelicorum (Augsburg), das Allgäu durch Anlage zahlreicher Burgi (Befestigungs- und Beobachtungstürme), durch den Bau vieler Verbindungsstraßen und durch feste und offene Städte (Campodunum = Kempten, Brigantium = Bregenz) ihre Herrschaft gefestigt hatten. Das Schwabenland, der jetzige Regierungsbezirk Schwaben, wurde nach der Vertreibung der Römer von den Alemannen, einer Untergruppe der Sueven oder Schwaben, besiedelt. Sie teilten ihr Gebiet nicht in Amtsbezirke, sondern in Gaue auf. Einer davon, der südlichste, war der Allgau, an dessen Spitze ein Graf als Vertreter des Königs stand.

Im Jahr 817 wird das Allgäu als Albigowe zum erstenmal urkundlich genannt. Gegen Ende des 11. Jahrhunderts ging die Macht von den Gaugrafen auf die neuen Grafschaften über, die andere Grenzen besaßen und die alten Grafschaftsnamen vergessen ließen. Seit 1243 war »Allgäu« nur noch die Bezeichnung für eine Landschaft.

Besondere Höhepunkte auf musealem Gebiet sind Augsburg (M.A.N.-Werksmuseum, Fuggereimuseum), Bad Wörishofen (Kneippmuseum), Schloß Neuschwanstein, Lindenberg (Hutmuseum) und Wangen (Käsereimuseum).

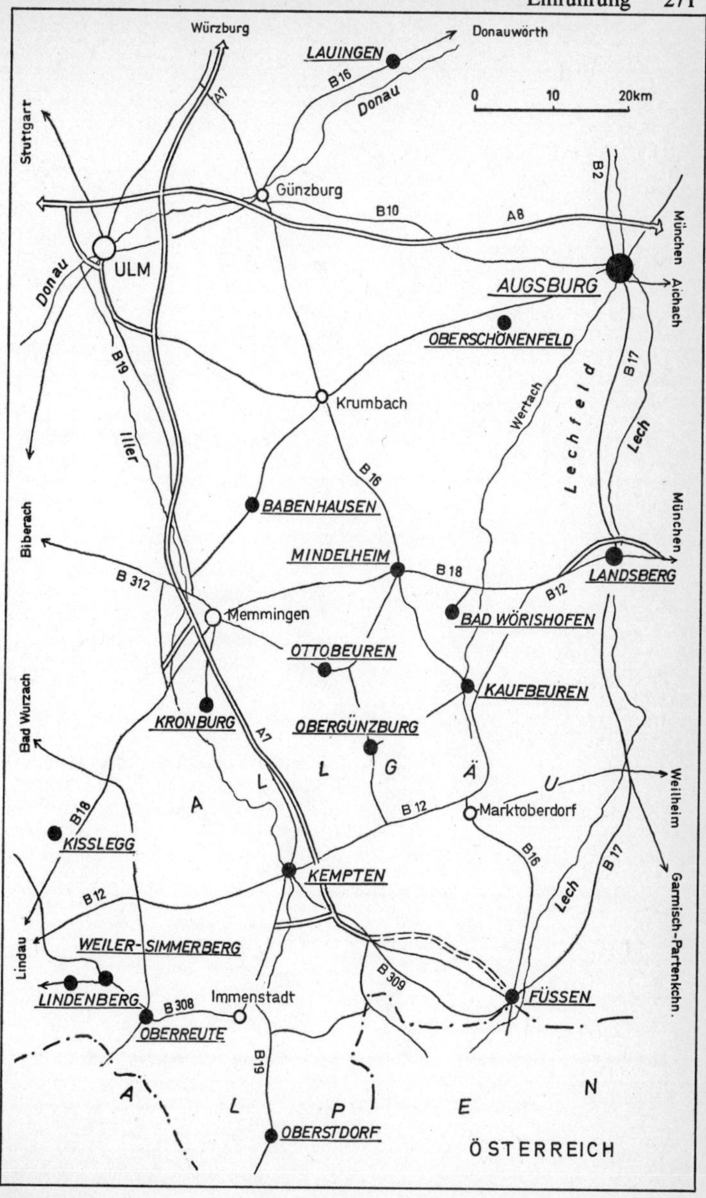

Würzburg
Donauwörth
LAUINGEN
B16
Donau
0 10 20km
A7
Stuttgart
Günzburg
B2
B10
A8
München
ULM
Donau
AUGSBURG
Aichach
OBERSCHÖNENFELD
B19
B17
Lechfeld
Wertach
Krumbach
Lech
Iller
B16
München
BABENHAUSEN
Biberach
MINDELHEIM
B18
LANDSBERG
B 312
B12
Memmingen
BAD WÖRISHOFEN
OTTOBEUREN
KAUFBEUREN
Bad Wurzach
KRONBURG
A7
OBERGÜNZBURG
A L L G Ä U
Weilheim
B18
B 12
Marktoberdorf
KISSLEGG
B16
B17
KEMPTEN
Garmisch-Partenkchn.
B12
Lech
Lindau
WEILER-SIMMERBERG
B 309
LINDENBERG
Immenstadt
FÜSSEN
B 308
OBERREUTE
B19
A L P E N
OBERSTDORF
ÖSTERREICH

Augsburg

240 000 Einw. Am Zusammenfluß von Lech und Wertach sowie am Schnittpunkt von alters her wichtiger Verbindungsstraßen gelegen. Reges geistiges und wirtschaftliches Leben (Sitz einer Universität), prächtige Patrizierhäuser in der guterhaltenen Innenstadt einerseits (beachtenswerte Fußgängerzone), moderne Bauten (118 m hoher Hotelturm, Kongreßhalle) und Industrieanlagen andererseits weisen auf die seit dem Mittelalter immerwährende Bedeutung als Kultur-, Handels- und Industriezentrum hin. Augsburg ist die Geburtsstadt der Familien Holbein und Mozart sowie von Bertolt Brecht.

Auskunft: Verkehrsverein, Bahnhofstr. 7, 8900 Augsburg, Tel. 0821/36024. Stadtrundfahrten durch den Verkehrsverein (Mai–Oktober täglich 10.30 Uhr ab Rathausplatz).

Sehenswert:
Städt. Kunstsammlungen im Schaezlerpalais, Maximilianstraße 46/I: Einzige deutsche Barockgalerie (17./18. Jh.) sowie Stiftung Haberstock und Plastiksammlung Fritz Koelle. Geöffnet täglich außer Mo 10–16 Uhr.

Staatsgalerie (ehemalige Katharinenkirche). Vom Schaezlerpalais her zugänglich. Altdeutsche Malerei (15./16. Jh.), augsburgische und schwäbische Malerei; sieben Basilikenbilder und die Valentinslegende von Zeitblom, schwäbische Altarwerke von hohem Rang (Amberger, Schaffner [Wettenhauser Altar], Holbein d. Ä. [Kaisheimer Altar], Schäufelein, Ulrich Apt, Hans Burgkmair).

Römisches Museum in der ehem. Dominikanerkirche (Dominikanergasse). Neu aufgestellte Sammlung römerzeitlicher und frühgeschichtlicher Funde aus Augsburg und Bayerisch-Schwaben; Di–So 10–16 Uhr.

Städtisches Maximiliansmuseum, Philippine-Welser-Straße 24: Römische Steindenkmäler, Stadtgeschichte, Kulturgeschichte und Kunstgewerbe Augsburgs sowie Schatzkammer der Augsburger Gold- und Silberschmiede; alter Silberschatz von 1700 (Tisch, Leuchter und Spiegel). Geöffnet täglich außer Mo von 10–16 Uhr.

M. A. N.-Werksmuseum. Geschichte des Dieselmotors, Heinr.-v.-Buz-Straße 28. Geöffnet Mo–Fr 8–16 Uhr.

Fuggereimuseum, Mittlere Gasse 13, eine der letzten alten Fuggereiwohnungen mit Hausrat des 16.–18. Jh. Geöffnet tägl. 10–12, 14–17 Uhr.

Mozarthaus/Mozartgedenkstätte, Frauentorstraße 30, Dokumente und Erinnerungsstücke der Familie Mozart. Mo 10–12, 14–17; Mi–So 10–12; Mi, Do 14–17 Uhr; Fr. 14–16 Uhr.

Naturwissenschaftliches Museum, Maximilianstraße 36 im Fuggerhaus, Tierwelt und große Dioramen. Geöffnet täglich außer Do und Fr 10–16 Uhr.

Holbeinhaus, Vorderer Lech 20, Wohnhaus von Hans Holbein d. Ä. (gest. 1524) und Geburtshaus von Hans Holbein d. J. (geb. 1497), heute Gedenkstätte mit kleiner Galerie; Sonder- und Wechselausstellungen.

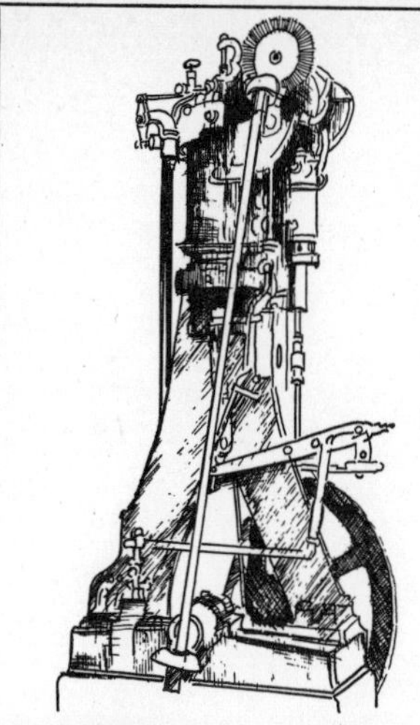

Rudolf Diesels erster Versuchsmotor (1893)

Babenhausen

Kr. Unterallgäu, 540–563 m, 4700 Einw. (Verwaltungsgemeinschaft 10000 Einw.). Erholungsort mit fünf Ortsteilen und ehemaliger Fuggerresidenz im mittelschwäbischen Hügelland an der Günz. Das Wahrzeichen von Babenhausen ist der gewaltige Komplex des Fuggerschlosses, das mit der anschließenden Pfarrkirche auf einer Anhöhe liegt.

Auskunft: Fremdenverkehrsverein, 8943 Babenhausen, Tel. 08333/738.
Verkehr: B 300 Memmingen – Krumbach. Autobahn A 7, Anschlußstellen Illertissen (17 km) und Altenstadt (13 km).

Sehenswert:
Fuggerschloß mit drei Treppengiebeln und Tortum, im Schloß das von Fürst Leopold errichtete **Fuggermuseum** mit Familiendokumenten und zahlreichen Kunstwerken. Geöffnet 1. April–30. November, täglich außer Mo.

Bad Wörishofen

Kr. Unterallgäu, 626 m, 13500 Einw. Seit 1920 Heilbad, seit 1949 Stadt. Auf der schwäbisch-bayerischen Hochebene am Wörthbach gelegen, umgeben von Wiesen und Wäldern, ist Bad Wörishofen seit Neubegründung des Naturheilverfahrens durch den Wörishofener Pfarrer **Sebastian Kneipp** *(1821 bis 1897) ein weltberühmtes Heilbad geworden, das alle Einrichtungen für die Anwendung der Physiotherapie nach Kneipp (Hydrotherapie, Bewegungstherapie, Diätetik, Pflanzenheilkunde, Ordnungstherapie) in vollendeter Form aufzuweisen hat. Die Kur steht unter ständiger fachärztlicher Leitung. – Zahlreiche Lehr- und Forschungseinrichtungen.*

Auskunft: Kurdirektion, 8939 Bad Wörishofen, Tel. 08247/350255.
Verkehr: B 18 Landsberg a. L. – Memmingen, Abzweigung bei Türkheim (5 km).

Sehenswert:
Kneippmuseum im Kloster der Dominikanerinnen. Geöffnet Mo, Mi und Fr von 15–18 Uhr.

Füssen

800 m, 13000 Einw. Kneippkurort, Mineral- und Moorbad, Wintersportplatz. Altertümliche, malerische Stadt (im Stadtwappen drei Füße) am linken Lechufer und am Südufer des Forggensees gelegen, unmittelbar an der Tiroler Grenze.

Ein Kranz großartiger Felsgipfel und neun Bergseen umschließen die vielbesuchte Bergstadt am Lech, in deren nächster Umgebung die Königsschlösser Neuschwanstein und Hohenschwangau liegen.

Auskunft: Kurverwaltung, Augsburger-Tor-Platz 1, Postfach 1165, 8958 Füssen, Tel. 08362/7077–78.

Sehenswert:
Das auf einem Felsen malerisch gelegene **Hohe Schloß** (835 m) der einstigen Fürstbischöfe von Augsburg, 1322 erbaut, um 1500 von Bischof Friedrich von Zollern, um 1830 von König Max II. und von Ludwig I. von Bayern eneuert, mit gewaltigem Bergfried, ist das Wahrzeichen der Stadt.

Rittersaal mit schön bemalter Kassettendecke. Fürstenzimmer mit einem gotischen Kachelofen. Im südlichen Gebäudeteil jetzt das Amtsgericht. Nach der Renovierung von 1977 befindet sich hier eine Filiale der **Bayerischen Staatsgemäldesammlungen.**

In der Umgebung:
Schwangau, 3300 Einw. Beliebter Luftkurort und Wintersportplatz am Fuß der Königsschlösser Neuschwanstein und Hohenschwangau, umgeben von Bergen und vier Seen (Forggensee, Alpsee, Schwansee und Bannwaldsee).

Auskunft: Verkehrsamt, Rathaus, 8959 Schwangau, Tel. 08362/81051.

Sehenswert:
Schloß Hohenschwangau, 864 m, über dem Alpsee und Schwansee prächtig gelegen; 5 Min. Fußweg vom Ort Hohenschwangau.

An der Stelle der heutigen Burg stand vermutlich schon vor dem 10. Jh. eine ursprünglich welfische, später staufische Burg Schwanstein. Der letzte Hohenstaufe, Konradin, trat von hier die Italienfahrt an; er wurde 1268 in Neapel hingerichtet. Die Burg Schwanstein hatten die Edlen von Schwangau zu Lehen, ihr berühmtester Sproß, der Minnesänger Hiltepold von Schwangau, ist mit über 20 Liedern und Gemälden in der Manessischen Handschrift erwähnt. Nach dem Ruin der Ritter von Schwangau kamen Burg und Herrschaft Hohenschwangau 1535 in den Besitz der Augsburger Patrizierfamilie Paumgartner, die 1538 bis 1547 hier ein neues Schloß errichtete, das später zerfiel. 1832 wurde die Ruine Eigentum des Kronprinzen, späteren Königs Max II., der das Schloß in Anlehnung an die italienischen Pläne von 1538 unter dem Namen Hohenschwangau wieder aufbauen ließ. Später war das Schloß Lieblingsaufenthalt des unglücklichen Bayernkönigs Ludwig II., des Sohnes des Erbauers.

Besichtigung 1. 4.–1. 10. täglich 8.30–17.30 Uhr, 1. 10.–1. 4. täglich 10–16 Uhr.

Man betritt zunächst den *Schloßhof;* hier ein Marienbrunnen. Im *Schloßgarten* Schwanenbrunnen, Marmorbad und Löwenbrunnen. Im Erdgeschoß Halle und Hauskapelle. Im *1. Stockwerk* Schwanritter- und Schyrensaal, Orient-, Schwangauer-, Bertha- und Burgfrauenzimmer. Im *2. Stockwerk* Helden- und Hohenstaufensaal sowie Autharis-, Ritter-, Tasso- und Welfenzimmer. – In den meisten Räumen Gemälde (Szenen aus der deutschen Sage und Geschichte darstellend) von Lindenschmit, Moritz von Schwind, Neher und Quaglio. Ausstellung von Erinnerungsgegenständen an Prinzregent Luitpold, von Briefen König Ludwigs II. und Richard Wagners. – Von den Fenstern des 2. Stockwerks großartiger Blick auf Berge und Täler.

Dem Aufgang nach Hohenschwangau gegenüber beginnt die Straße nach (30 Min.)

Schloß Neuschwanstein, 964 m, wohl der eindrucksvollste Burgbau der Neuzeit, auf gewaltigem, aus der Pöllatschlucht emporstrebendem Felsen aufragend. König Ludwig II. ließ die Burg an Stelle der Ruinen Vorder- und Hinterschwangau 1869 bis 1886 (Kemenate nach dem Tod des Königs bis 1892) durch Jank, Riedel und Dollmann in romanischem Stil und mit großartiger Prachtentfaltung erbauen. – Wenige Minuten vom Schloß Burgrestaurant.

Besichtigung 1. 4.–1. 10. täglich 8.30–17.30 Uhr, 1. 10.–1. 4. täglich 10–16 Uhr.

Zugang durch den *Torbau:* gegenüber die Grundmauern der nicht ausgeführten Burgkapelle und des Bergfrieds (Hauptturm); dann über eine Steintreppe zum *Oberen Schloßhof,* den Ritterbau (rechts), Frauenbau-Kemenate (links) sowie (zwischen beiden) den von einem 65 m hohen Turm überragten Palas umschließend.

Schloß Neuschwanstein

Im *Erdgeschoß* die Wirtschaftsräume mit der Schloßküche. Eine Freitreppe führt zu einem Vorplatz, von dem rechts eine breitere, gegenüber eine engere Turmtreppe zu den Stockwerken hinaufgeleiten.

Der *1. Stock* enthält die Räume der Dienerschaft, der *2.* ist unvollendet (Rohbau), der

3. Stock enthält die Königswohnung. Bei den bildlichen Darstellungen in den Gemächern – ausgeführt von Aigner, Hauschild, Jul. Hoffmann, Piloty, Schwoiser u. a. – haben durchwegs Vorlagen aus der deutschen Sage und mittelhochdeutschen Dichtung Verwendung gefunden: im Vorplatz Darstellungen aus der Edda (Sigurdsage), im Arbeitszimmer (grün mit gold) Tannhäuser; im Wohnzimmer (blau mit silber) Lohengrin; im Ankleidezimmer (violett mit goldgestickten Pfauen) Motive nach Walther von der Vogelweide und Hans Sachs; im Schlafzimmer (blau mit gold) Tristan und Isolde; Bett mit gotischem Aufsatz: vom Balkon und Erker herrliche Aussicht; im Speisezimmer (bordeauxrot mit Gold-Gobelin-Malerei) das Leben auf der

Wartburg. Vom Treppenvorplatz rechts in den Thronsaal, byzantinischer Stil: 20 m lang, 12 m breit und 13 m hoch. 2 Galerien mit Stucksäulen, Decke mit Sonne, Mond und Sterne, den Himmel darstellend, während auf dem Fußboden in Marmormosaik die Erde mit ihren Pflanzen und Tieren wiedergegeben ist. In der Thron-Nische Gemälde, Christus, Maria und Johannes mit den sechs heiliggesprochenen Königen darstellend; vom Balkon, der an den Saal anstößt, unvergleichlicher Blick auf Seen, Wald und Berge.

Im *4. Stock*, zu dem die Haupttreppe hinaufführt, zunächst ein Vorsaal mit einem am Fuß einer mächtigen, aus einem Stück gegossenen Palme kauernden, wunderlichen Drachen aus der Siegfried-Sage, dann (nach Durchschreiten des säulen- und freskengeschmückten »Tribünen«-Ganges) der Fest- oder Sängersaal (27 m lang, 10 m breit) mit bildlichen Darstellungen aus Wolframs Parsifal, der Sängerlaube mit der Weltesche, Minnesänger-Bildnisse, mit Klingsors »Zauberwald«, gemalt von Chr.Jank, dem Planer des Schlosses Neuschwanstein, und mit herrlichem Blick in die Pöllatschlucht und auf die Marienbrücke.

Kaufbeuren

Kreisfreie Stadt, 678 m, 43 700 Einw. Gut erhaltene mittelalterliche ehemalige Reichsstadt mit noch vorhandenen Befestigungswerken, im Tal der Wertach gelegen, mit reger Industrie (Weberei, Baumwollspinnerei, Käsefabrikation, Brauereien, Graphische Kunstanstalt). Der Stadtteil **Neugablonz** *ist nach 1945 entstanden und ist mit 13 000 Einw. eine fast reine Vertriebenensiedlung (vorwiegend Gablonzer), Zentrum der Gablonzer Exportindustrie (Glas- und Schmuckwarenherstellung).*

i *Auskunft:* Verkehrsverein, Touristikinformation, Innere Buchleuthenstr. 13, 8950 Kaufbeuren, Tel. 0 83 41/4 04 05.
Verkehr: B 12 neu Buchloe – Kempten, Anschlußstelle. B 16 Mindelheim – Marktoberdorf.

Sehenswert:
Heimatmuseum, *Käisergäßchen 12* (Stadtmuseum, Ostallgäuer Volkskunstmuseum, Ganghofer-Museum, Jörg-Lederer-Sammlung und die einzigartige Wiebelsche Kruzifix-Sammlung. Geöffnet Di–Sa 9–11 und 13–16 Uhr, So und Fei 9–12 Uhr, Mo geschlossen).

Kempten (Allgäu)

Kreisfreie Stadt und Hauptstadt des Allgäu, 689 m, 58 000 Einw. Die Stadt ist beiderseits der Iller schön gelegen und gliedert sich in die Altstadt an der Iller (die ehemalige Reichsstadt), die höher gelegene Neustadt (deren älterer Teil Stiftsstadt ist) und die in jüngster Zeit entstandenen neuzeitlichen Stadtteile.

Kempten ist Handels- und Industriestadt. Der Handel erstreckt sich vornehmlich auf den Vertrieb der milchwirtschaftlichen Erzeugnisse des Allgäus (Haus der Milchwirtschaft, Süddeutsche Butter- und Käsebörse, Allgäuhalle). Die Industrie befaßt sich in der Hauptsache mit der Herstellung von Erzeugnissen der Weberei und Spinnerei, Papierverarbeitung (meist in Großbetrieben). Ansehnlich sind auch Maschinen- und Instrumentenerzeugung, Brauereien und Druckgewerbe. Glockengießerei.

Auskunft: Stadt Kempten, Verkehrsamt, Rathausplatz 14, 8960 Kempten (Allgäu), Tel. 0831/2525237.

Sehenswert:
Kornhaus mit dem **Allgäuer Heimatmuseum** (geöffnet: 1. 5. bis 31. 10. Di und Fr 10 bis 12 Uhr und 14 bis 16.30 Uhr, Mi, Do und Sa 14–16.30 Uhr, Mi, Do und Sa 14–16.30 Uhr, So 9–12 Uhr, Mo geschlossen; 1. 11.–30. 4. Di 10–12 und 14–16 Uhr, Mi 14–16 Uhr, Fr 10–12 Uhr, Sa 14–16 Uhr, So 9–12 Uhr, Mo geschlosssen), das in 23 Räumen die Sammlungen der Stadt und des Heimatvereins Kempten enthält (wertvolle vorrömische Altertümer, Münzsammlung, Gemälde, Wohnkultur in Stadt und Land, Fürstabtei und Reichsstadt).

Kißlegg

*Kr. Ravensburg, 648 m, 7300 Einw. Luftkurort mit den Ortsteilen **Immenried** und **Waltershofen** zwischen zwei moorhaltigen Seen, nördlich von Wangen, am Rand des Altdorfer Waldes und an der Oberschwäbischen Barockstraße gelegen.*

Auskunft: Gästeamt, 7964 Kißlegg, Tel. 07563/8061–63.
Verkehr: B 18 Wangen – Leutkirch, Abzweigung bei Dettishofen.

Sehenswert:
Wolfegger Schloß, mächtige Renaissanceburg mit Staffelgiebeln, mit runden Ecktürmen und Spitzhauben. Im Schloß **Schloßhofgalerie** mit wechselnden Ausstellungen; **Besenmuseum.**

Kronburg

*Kr. Unterallgäu, 765 m, 1400 Einw. Ferienort mit den Ortsteilen **Greuth, Illerbeuren, Kardorf, Ober-** und **Unterbinnwang** und **Wagsberg** am romantischen Illerdurchbruch gelegen, nahe dem Stausee. Ausgangspunkt für zahlreiche Spaziergänge und Wanderungen.*

Auskunft: Gemeindeverwaltung, Museumstr. 1, 8941 Kronburg, Tel. 08394/206 und 319.
Verkehr: B 18 (Oberschwäbische Barockstraße Ostroute) Memmingen – Leutkirch, Abzweigung bei Aitrach (7 km).

Sehenswert:
Schloß Kronburg, im Besitz der Freiherren von Vequel-Westernach, stattliche, rechteckige Spätrenaissanceanlage von 1537. Hervorragend schöner Rundblick vom Schloßgarten aus über das untere Illertal mit seinen Siedlungen und auf die Allgäuer Berge; im Innern wertvolle Sammlungen.

In *Illerbeuren:* **Bauernhofmuseum,** ältestes Freilichtmuseum Bayerns, sehr sehenswert; täglich geöffnet n. V.

Lauingen (Donau)

Kr. Dillingen a. d. Donau, 440 m, 9000 Einw. Mittelalterliche Herzogstadt am Hochufer der Donau mit malerischen Bauten und mit einer aufstrebenden Industrie. Lauingen ist die Geburtsstadt des berühmten Naturforschers, Philosophen und Theologen Albertus Magnus auch

»Albert von Lauingen« (1193–1280) genannt.

Auskunft: Stadtverwaltung, Herzog-Georg-Str. 17, 8882 Lauingen (Donau), Tel. 09072/4091.
Verkehr: B 16 Günzburg – Dillingen.

Sehenswert:
Städtische Mineraliensammlung im ehemaligen *Schlachthaus,* Donaustr. 27. Geöffnet jeden letzten So 14–17 Uhr.

Heimathaus, älteste städtische Sammlung Bayerns, 1810 als Altertumssammlung genannt. Geöffnet März–Oktober zweiter So im Monat 10–12 Uhr.

Lindenberg im Allgäu

Kr. Lindau, 782 m, 11 000 Einw. Höhenluftkurort und Stadt, auf einem Höhenrücken zwischen Rotach- und Laiblachtal an der Deutschen Alpenstraße gelegen. Lindenberg ist seit etwa 1755 Heimat der bekannten Westallgäuer Strohhutindustrie, heute auch bedeutende Filzhutindustrie. Kraft-Käsewerk (Velveta), größtes deutsches Käsewerk.

Auskunft: Städtisches Verkehrsamt, Marktstr. 1, 8998 Lindenberg im Allgäu, Tel. 08381/2383.
Verkehr: B 308 (Deutsche Alpenstraße) Lindau – Oberstaufen.

Sehenswert:
Hutmuseum, eine besondere Rarität. Herstellung und Entwicklung der Kopfbedeckung in den letzten 200 Jahren. Geöffnet Mi 15–17.30 Uhr, So 10–12 Uhr.

Obergünzburg

Kr. Ostallgäu, 737 m, 5000 Einw. Markt und staatlich anerkannter, ruhiger Erholungsort im oberen Günztal.

Auskunft: Fremdenverkehrsverein, 8953 Obergünzburg, Tel. 08372/2341.
Verkehr: Verinbundsstraße Kempten – Kaufbeuren (B 12 alt).

Sehenswert:
Heimatmuseum mit bäuerlicher Kunst; Kapitän-Nauer-Sammlung: Waffen und Kunstgegenstände aus der Südsee; ethnographische und zoologische Sammlung aus den ehemaligen deutschen Südseekolonien, aus Indien, Japan und China, sehr sehenswert.

Oberreute

Kr. Lindau, 857–1041 m, 2100 Einw. Staatlich anerkannter Erholungsort mit 15 Ortsteilen, naher der Deutschen Alpenstraße, höchstgelegene Gemeinde im Westallgäu.

Auskunft: Verkehrsamt, im Rathaus am Kirchplatz, 8999 Oberreute, Tel. 08387/426.
Verkehr: B 308 (Deutsche Alpenstraße) Weiler-Simmerberg – Oberstaufen.

Sehenswert:
Historisches **Uniformen-, Orden- und Ehrenzeichen-Museum,** direkt an der Deutschen Alpenstraße gelegen. Tel. 1278. Unter anderem werden hier Armee-Uniformen der letzten 100 Jahre gezeigt. Geöffnet täglich außer Di ab 10 Uhr.

Oberstdorf

Kr. Oberallgäu, 843–2000 m, 12000 Einw. Heilklimatischer Kurort und anerkannter Kneippkurort in nahezu windgeschützter Lage mit intensiver Sonneneinstrahlung, zugleich bevorzugter Wintersportplatz und günstiger Tourenausgang. Oberstdorf liegt inmitten ausgedehnter Weiden, von Waldbergen und Felsgipfeln umgeben; die landschaftliche Schönheit seiner Lage macht es zu einem der beliebten Urlaubsziele der bayerischen Alpen.

Auskunft: Kurverwaltung und Verkehrsamt am Marktplatz, 8980 Oberstdorf, Tel. 08322/7000.
Verkehr: B 19 Sonthofen – Landesgrenze.

Sehenswert:
Heimatmuseum mit Erinnerungen an frühere Gewerbe (Nagelschmiede, Enzianbrennerei, Schrattsche Schuhsammlung mit dem größten Schuh der Welt).

Ottobeuren

Kr. Unterallgäu, 662–880 m, 7400 Einw. Kneippkurort mit der durch Kunst und Konzerte berühmten Barockbasilika und Klosteranlage von europäischem Rang, abseits des Verkehrs im wiesen- und waldreichen westlichen Günztal an der Oberschwäbischen Barockstraße Ostroute und an der Schwäbischen Bäderstraße gelegen.

Auskunft: Kurverwaltung, 8942 Ottobeuren, Tel. 08332/6817.
Verkehr: B 18 Mindelheim – Memmingen, Abzweigung bei Memmingen (11 km). Autobahn A 7, Anschlußstelle Memmingen-Süd (13 km).

Sehenswert:
Zu einem reichhaltigen Museum, dem **Reichsstift-Museum,** das die Bau-, Kunst- und Kulturgeschichte Ottobeurens veranschaulicht, sind die Räume der ehem. Prälatur sowie die Bibliothek und der Kaisersaal zusammengefaßt. Geöffnet täglich 10–12 und 14–17 Uhr, Nov.–März So nur 14–17 Uhr; Sa stets geschlossen. Eingang an der Klosterpforte westlich der Kirche.

Wangen im Allgäu

Kr. Ravensburg, 556 m, 23500 Einw. Hauptort des württembergischen Allgäus, an der Oberen Argen gelegen. Luftkurort, der sein mittelalterliches Aussehen vortrefflich erhalten hat. – Rege Gewerbetätigkeit: Textilindustrie, Milchprodukte, Holz- und Kunststoffbearbeitung, Elektroindustrie, Marktzentrum für die landwirtschaftliche Umgebung.

Auskunft: Gästeamt und Reisebüro im Rathaus, 7988 Wangen im Allgäu, Tel. 07522/4081.
Verkehr: Kreuzungspunkt der B 18 Leutkirch – Lindau und der B 32 Ravensburg – Lindenberg.

Sehenswert:
Heimat- und Käsereimuseum in der sog. **Eselmühle** aus dem 15. Jh. Schöne farbige Fachwerkfassade aus dem 16. Jh. An die Mühle schließt eine Wehrmauer aus dem 15. Jh. an.

Reise in die Geschichte der Glasbläser

Dem Ursprung nach ist Ostbayern bajuwarisches Stammesgebiet, in dem ältere keltische und und Reste römischer Bevölkerungsteile aufgesogen wurden. Im nördlichen Teil kommen slawische Beimischungen hinzu. Im frühen Mittelalter war der Raum nördlich der Donau ein riesiges Waldgebiet mit Rodungs- und Kolonisationsinseln, Klostergründungen und dörflichen Siedlungen als Vorsposten der Kulturentwicklung. Südlich der Donau hingegen verbanden sich auf älterem Siedlungs- und Kulturboden, mit größeren Acker- und Weideflächen, Überbleibsel römischer Provinzkultur mit dem neuorientierten mittelalterlichen Leben.

Jahrhundertelange Abgeschlossenheit und die sich daraus ergebenden Lebensbedingungen prägten Brauchtum und Charakter des »Waldlers«. Er wird allgemein als ernst, in sich gekehrt, den Fremden gegenüber mißtrauisch und zurückhaltend, aber doch auch wieder hilfsbereit und anhänglich sowie zäh festhaltend an den alten Gewohnheiten und vor allem tief religiös bezeichnet. Volkskunde und Volkskunst in Ostbayern sind seit vielen Jahren Gegenstand eifrigen Forschens, so daß alte Bräuche zum Teil auch bewußt gefördert werden. Groß ist die Freude des »Waldlers« an volkstümlicher Dichtung und Gesang. Das »Gstanzl« oder »Schnaderhüpfl« ist eine Liedform, die nicht so sehr vom schönen Gesang, als vielmehr von Witz, Schlagfertigkeit, Phantasie und Anspielungen lebt. Es soll eben jeder, der gerade einen Einfall hat, sofort mitsingen können. Viele Lieder und Tanzweisen, die anderswo längst verstummt sind, so zum Beispiel der Zwiefache, sind hier neben anderen alten Tanzliedern lebendig geblieben. Sie behandeln im bunten Wechsel die Hauptgestalten der Waldler, den Fuhrmann, den Hüterbuben und die Glasmacherleute.

Ähnlich verhält es sich mit den Museen. Glasmacherei, Bergbau, Weberei, bäuerliches Leben und Wohnen: Das sind die wichtigsten Themenbereiche, die in vielen Orten angesprochen werden. Bodenmais, Frauenau, Hauzenberg, Tittling sind dabei die Höhepunkte, die jeder Besucher des Bayerwaldes gesehen haben sollte.

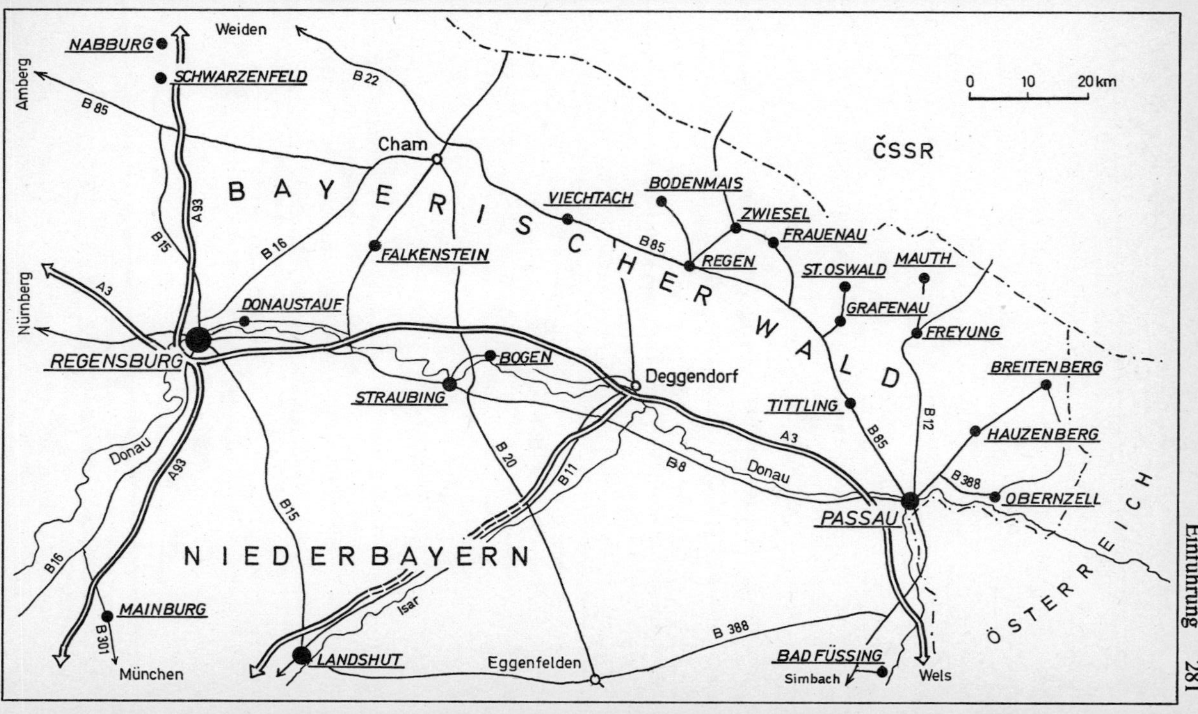
NABBURG
SCHWARZENFELD
Weiden
Amberg
B 85
B 22
0 10 20 km
ČSSR
Cham
BAYERISCHER WALD
VIECHTACH
BODENMAIS
ZWIESEL
FRAUENAU
REGEN
B 85
ST. OSWALD
MAUTH
GRAFENAU
FREYUNG
FALKENSTEIN
B 16
B 15
A 93
A 3
Nürnberg
DONAUSTAUF
REGENSBURG
BOGEN
STRAUBING
Deggendorf
TITTLING
BREITENBERG
HAUZENBERG
B 12
A 3
B 8
Donau
B 20
B 11
B 388
OBERNZELL
PASSAU
ÖSTERREICH
Donau
A 93
B 15
NIEDERBAYERN
B 16
MAINBURG
B 301
München
Isar
LANDSHUT
Eggenfelden
B 388
BAD FÜSSING
Simbach
Wels

Bad Füssing

Kr. Passau, 324 m, 6400 Einw. Das relativ junge Heilbad südwestlich von Passau, im Inntal, liegt reizvoll im niederbayerischen Hügelland, nahe der Grenze zu Oberösterreich. Seine außerordentlichen Heilerfolge verdankt es den drei 56° C heißen Quellen, die als stärkste Thermalschwefelquellen Europas bekannt sind. Mit Bad Griesbach und Birnbach bildet es das Rottaler Bäderdreieck. Der Kurgast findet alle Einrichtungen und Annehmlichkeiten eines bestens ausgestatteten modernen Kurortes.

Auskunft: Kurverwaltung, Kurallee, 8397 Bad Füssing, Tel. 08531/226243.
Verkehr: A 3 Regensburg – Passau – österreichische Grenze (Abfahrt Pocking/Bad Füssing).

Sehenswert:
Bauernhausmuseum im Kurpark. Das 400jährige Bruckmann-Haus trägt noch ein altes Strohdach. Es enthält eine Gläsersammlung, sakrale Exponate und bäuerliches Handwerkszeug. Geöffnet Sa und So 10–17 Uhr.

Bodenmais

Kr. Regen, 700 m, 3500 Einw. Der anerkannte Luftkur- und Wintersportort im Herzen des Bayerischen Waldes liegt klimatisch begünstigt am Südhang des Großen Arber, 1456 m, umgeben von Hochwäldern und einzigartigen Naturschutzgebieten. Heute ist Bodenmais Zentrum der Glasveredelungsindustrie. Sie konnte sich aus der seit dem 15. Jh. ansässigen Glashüttentradition entwickeln.

Auskunft: Verkehrsamt, 8373 Bodenmais, Tel. 09924/7001.
Verkehr: B 85 Cham – Regen; Abzweigung bei Patersdorf (14 km) oder Regen.

Sehenswert:
Austen Glasmuseum, direkt am Bahnhof. Öffnungszeiten Mo–Fr 9.30–17.30 Uhr, Sa 9.30–14.30 Uhr.

Waldglashütte, beim Postamt, Besichtigung wochentags 9–11.45 Uhr, 13–15.45 Uhr, Sa 9–13.45 Uhr. Besichtigung der Joska Glaskunstwerkstätten, Arberseestr., Mo 7–12, 13–15 Uhr, Fr 7–13.30 Uhr.

Gemäldegalerie Keddi-Leimberger, am Bahnhof. – **Atelier des Bayerwald-Malers,** Jahnstraße.

Erzbergwerk im Silberberg, südöstlich außerhalb; Führungen ab Eingang zum Barbarastollen.

Die Begehung der Grube im historischen Erzbergwerk des Silberberg, der Bergmann sagt »Befahrung«, beginnt im Rahmen der Einfahrten für Gäste von der Nordwestseite des Berges her im Barbara-Stollen. Hier sieht man nahe beim Eingang als Beispiel für Erzgewinnung aus früherer Zeit – dem »Feuersetzten« – eine gewaltige Höhlung, den »Großen Barbaraverhau«. Der Weg führt vorbei an einem unterirdischen See, Grubenhunten und bergmännischen Werkzeugen.

Bogen

Kr. Straubing-Bogen, 314 m, 9000 Einw. Die historisch bedeutende Stadt an der Donau, östlich von Straubing, wurde bereits im 8. Jh.

urkundlich erwähnt. Sie war im Mittelalter Sitz der mächtigen Grafen von Bogen.

Auskunft: Stadtverwaltung, 8443 Bogen, Tel. 09422/1661/1662.
Verkehr: Autobahnanschlußstelle zur A 3 Regensburg – Passau; B 20 Straubing – Cham; Abzweigung 6 km.

Sehenswert:
Kreis- und Heimatmuseum Bogenberg im Pfarrhof neben der Kirche. Geöffnet 15. April–15. Oktober: Mi und Sa 14–16 Uhr, So und Fei 10–12 und 14–16 Uhr. Es enthält vorgeschichtliche Funde, eine Sammlung bäuerlicher Geräte und Möbel sowie alte Trachten; außerdem Gegenstände der Volkskunst sowie religiöse Kunst (Votivgaben, Skulpturen).

Breitenberg

Kr. Passau, 700–850 m, 2000 Einw. Das weitverstreute Pfarrdorf mit unverfälscht ländlichem Charakter im äußersten Osten des Unteren Bayerischen Waldes, nahe der tschechoslowakischen und österreichischen Grenze, bietet gute Wander- und Ausflugsmöglichkeiten im Sommer und Schneereichtum für Langlaufurlaub im Winter.

Auskunft: Gemeindeverwaltung, 8391 Breitenberg, Tel. 08584/411 und 412.
Verkehr: B 388 Passau – österr. Grenze; Abzweigung bei Wegscheid (14 km).

Sehenswert:
Webereimuseum, Raritäten und Kostbarkeiten aus der großen Vergangenheit des traditionsreichen Weberhandwerks vermitteln einen guten Einblick in die früheren Lebensgewohnheiten und das handwerkliche Schaffen der Bevölkerung. Regelmäßig wird am Spinnrad oder am Webstuhl gearbeitet, und in der historischen »Bauernkuchl« werden frische goldbraune Schmalzkrapfen ausgebacken. – Alte Hammerschmiede.

Donaustauf

Kr. Regensburg, 328 m, 3000 Einw. Der malerisch gelegene Markt am Nordufer der Donau, östlich von Regensburg, wird von den Ruinen der einst mächtigen Veste Stauf überragt und ist Ausgangspunkt für den Besuch der Walhalla.

Auskunft: Marktgemeinde, 8405 Donaustauf, Tel. 09403/591; Verkehrsverein, Tel. 1860.
Verkehr: 9 km östlich von Regensburg.

Sehenswert:
Walhalla. König Ludwig I. ließ durch Leo von Klenze diesen Ehrentempel der Deutschen, dem klassischen Tempel Athens, dem Parthenon, nachgebildet, von 1830–42 errichten. In dem Weihetempel sollten nach dem bayerischen König alle deutschen Frauen und Männer, die in Friedens- und Kriegszeiten Bedeutendes geleistet hatten, eine Gedächtnisstätte erhalten.

Der gewaltige Tempel ruht auf einem Unterbau mit 358 Stufen. Außen umgeben den Marmorbau 52 riesige dorische Säulen. Im Inneren des 48,5 Meter langen und 14 Meter breiten, wundervollen Marmorsaales ruhen auf Konsolen die Marmorbüsten von mehr als 120 Frauen und Männern, während an Wandtafeln die Daten von 66 Walhallagrößen festgehalten sind.

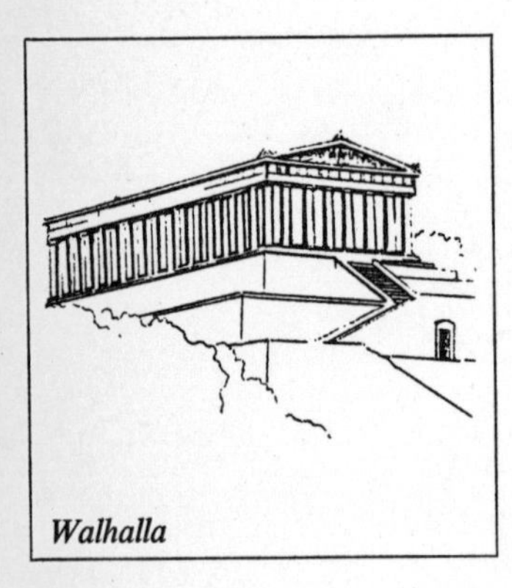

Walhalla

Die äußeren Giebelfelder wurden von Ludwig Schwanthaler geschaffen, sie zeigen im Süden die Wiedererrichtung des Deutschen Bundes nach der Befreiung von der napoleonischen Fremdherrschaft. Die nördliche Giebelgruppe erinnert an die denkwürdige Schlacht im Teutoburger Wald. Die Walhalla gilt als größte Kunstschöpfung Ludwigs des I. und darüber hinaus als das bedeutendste deutsche Nationaldenkmal der Epoche.

Falkenstein/Opf.

Kr. Cham, 628 m, 1900 Einw. Markt und anerkannter Luftkurort am Südrand des Naturparks Vorderer Bayerischer Wald, überragt von der gleichnamigen Burg.

Auskunft: Verkehrsamt, 8411 Falkenstein/Opf., Tel. 09462/244 oder 1288.
Verkehr: B 16 Regensburg – Roding; Abzweigung bei Kiesried (7 km). Autobahn Regensburg – Passau, Ausfahrt Wörth/Donau (16 km).

Sehenswert:
Auf steilem Granitkegel erhebt sich über dem Talkessel **Burg Falkenstein,** 1074 vom Regensburger Bischof Tuto gegründet, 1332 wittelsbachisch geworden.

Burg Falkenberg in beherrschender Lage auf einem Granitfelsen

Museum auf Burg Falkenstein
Die mit großer Sachkenntnis von Bernd E. Ergert gestaltete Ausstellung möchte dem Besucher Naturverständnis und Naturliebe vermitteln, die Beziehung zwischen Jagd und Hege darlegen, außerdem Zusammenhänge zwischen Mystik und Brauchtum zeigen.

Öffnungszeiten: Mi, Fr und Sa 14–16 Uhr, So 10–12 und 14–17 Uhr. Von November bis Ostern ist das Museum nur Sa und So geöffnet.

Frauenau

Kr. Regen, 580–1399 m, 3000 Einw. Der anerkannte Erholungsort und Wintersportplatz am Nordwestrand des Nationalparks Bayerischer Wald und am Fuß des Großen Rachel, der zweithöchsten Erhebung des Waldgebirges, ist ein traditionsreicher Glashüttenort. Gründung und Namen verdankt Frauenau der Einsiedelei des Eremiten Hermann im Jahre 1334.

Auskunft: Verkehrsamt, 8377 Frauenau, Tel. 0 99 26/7 19.
Verkehr: B 11 Regen – Bayerisch-Eisenstein; Abzweigung bei Zwiesel (7 km).

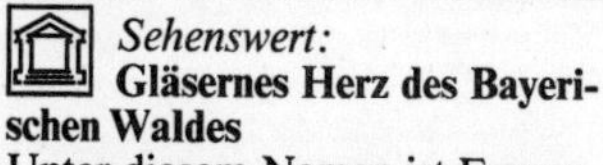

Sehenswert:
Gläsernes Herz des Bayerischen Waldes
Unter diesem Namen ist Frauenau weithin bekannt. Seit mehr als sechs Jahrhunderten wird hier die große Kunst des Glasmachens ausgeübt. Den faszinierenden Werdegang handwerklicher Glasherstellung können Besucher in den traditionsreichen Glashütten bewundern.

Im Glasmuseum, Am Museumspark 1, verbinden sich Historie, Technologie und moderne Glaskunst zur »informativsten Glasdarstellung Europas«. Das Museum ist geöffnet 15. Mai–30. Oktober täglich 9–17 Uhr, 20. Dezember–14. Mai täglich 10–16 Uhr.

Freyung

Kr. Freyung-Grafenau, Sitz der Kreisverwaltung, 654–680 m, 7000 Einw. Der anerkannte Luftkurort und Wintersportplatz am Südostrand des Nationalparks Bayerischer Wald liegt umrahmt von waldbedeckten Höhen an einem Südhang über dem Saußbachtal.

Auskunft: Direktion für Tourismus, Rathaus, 8393 Freyung, Tel. 0 85 51/44 55.
Verkehr: B 12 Passau – Philippsreuth/Grenzübergang zur ČSSR.

Sehenswert:
Schraml-Haus, Abteistraße, um 1700 entstanden, das älteste erhaltene bäuerliche Anwesen. Es beherbergt das *Wolfsteiner Heimatmuseum* mit Sammlungen zur Geschichte bäuerlicher Wohnkultur, sakrale Volkskunst, Hinterglasbilder, Trachten und bäuerliche Kleidung, altes Handwerk und bäuerliches Gerät. Geöffnet 15. 6.–15. 9. Di–Fr 15–17 Uhr; sonst (außer Nov.–Mitte Dez.) Di und Do 14–17 Uhr.

Grafenau

Kr. Freyung-Grafenau, 610 m, 8100 Einw. Das vielbesuchte Fremdenverkehrszentrum am Nationalpark Bayerischer Wald, im Tal der Kleinen Ohe, ist staatlich anerkannter Luftkurort und Wintersportplatz.

Auskunft: Städt. Verkehrsamt, Rathaus, 8352 Grafenau, Tel. 08552/2085. Telex 57425 grabay d.
Verkehr: B 85 Passau – Regen; Abzweigung bei Schönberg (5 km).

Sehenswert: **Schnupftabakmuseum,** im ehem. Armenspital. Liebenswerte Sammlung zur urwüchsigen, (nieder-)bayerischen Leidenschaft, die oft genug erstaunliche künstlerische Blüten trieb. Geöffnet täglich 14–17 Uhr, 1. 11.–15. 12. geschlossen.

Sehenswert: **Graphitbergwerk Kropfmühl:** Eine besondere Attraktion ist eine Grubenfahrt im »lebendigen« Graphit-Bergwerk Kropfmühl. Es hat jetzt für Besucher die Tore geöffnet und gestattet die Einfahrt in den Berg auf 45 Meter Tiefe, bis zur 4. Sohle. Dort sind bergmännische Arbeitsplätze eingerichtet, und die Abbaumaschinen werden vorgeführt. Kropfmühl bei Hauzenberg ist das einzige Graphitbergwerk in der Bundesrepublik und im gesamten EG-Raum. Auch ein Bergwerksmuseum und ein geologischer Lehrpfad sind dort eingerichtet.

Geöffnet ist die Anlage Di–So 9.30–17.30 Uhr. Im November geschlossen.

Hauzenberg

Kr. Passau, 556 m, 12000 Einw. Der staatlich anerkannte Erholungsort im südlichen Bayerischen Wald, unweit nordöstlich von Passau, eingerahmt von bewaldeten Granitbergen, ist seit 1978 Stadt und wirtschaftlicher Schwerpunkt des Gebietes. In den Steinbrüchen der Umgebung wird der sog. »Blaue Granit« gewonnen; im 8 km südöstlich gelegenen Kropfmühl wird Graphitbergbau betrieben.

Auskunft: Verkehrsamt, 8395 Hauzenberg, Tel. 08586/2691.
Verkehr: BAB 3 Ausfahrt Passau-Nord. B 388 Passau – Wegscheid; Abzweigung bei Grubweg (15 km) bzw. Untergriesbach (15 km).

Landshut

Kreisfreie Stadt und Sitz der Regierung von Niederbayern, 393 m, 56000 Einw. Die wohlerhaltene mittelalterliche Stadt der »Reichen Herzöge« – Idealbild einer rein altbayerischen Stadt – liegt reizvoll beiderseits der Isar. Am rechten Ufer die seit 400 Jahren fast unverändert erhaltene Altstadt mit platzartigen Straßenzügen wie »Altstadt« und »Neustadt«, von stattlichen Bürgerhäusern mit Laubengängen und Giebelfassaden gesäumt, überragt vom Turm des gotischen Münsters St. Martin und der Burg Trausnitz. Sie bildet den stilvollen Rahmen für die berühmte historische Festveranstaltung »Landshuter Hochzeit 1475«.

Auskunft: Verkehrsverein, Altstadt 315, Rathaus, 8300 Landshut, Tel. 0871/23031.
Verkehr: Kreuzungspunkt der B 11 München – Deggendorf, B 15 Regensburg – Wasserburg und B 299.

Sehenswert: **Städtisches Heimatmuseum,** in der Stadtresidenz, mit Sammlungen zur Vor- und Frühgeschichte (Römerzeit), Gemälden und Plastiken des 15. Jh. (u. a. von Hans Leinberger), Waffen usw. sowie die **Staatliche Gemäldesammlung** mit Werken deutscher Meister des 16. und 17. Jh. Geöffnet im Sommer täglich 9–12 und 13–17 Uhr, im Winter täglich außer Mo 9–12 und 13–16 Uhr.

Burg Trausnitz, hoch über der Stadt gelegen (Treppenwege und Zufahrtsstraße mit Parkplatz). 1204 zur »Hut des Landes« anstelle einer hölzernen Warte unter Herzog Ludwig dem Kelheimer errichtet. (Bergfried, ehem. Kemenate/Fürstenbau, der ehem. Palas, Kapellentrakt und Dürnitz.) In der Blütezeit der »Reichen Herzöge«, im 15. Jh. erfolgten zahlreiche Umbauten der Hauptburg, Neubau einer Kemenate sowie Befestigungen im äußeren Burgbereich (Mauern, Türme, Wehrgänge, Wachhäuser, Tore). Durch Brand zerstört und wiederhergestellt die Prunkräume, wie z. B. der Weiße Saal sowie die 1576 entstandene »Narrentreppe«, von Padovano mit lebensgroßem Figurenzyklus aus der Commedia dell'Arte ausgemalt.

Mainburg

Kr. Kelheim, 420 m, 11 000 Einw. Die gemütliche niederbayerische Stadt ist Mittelpunkt des Hallertauer Hopfenanbaugebietes, reizvoll im Tal der Abens, inmitten einer waldreichen Hügellandschaft gelegen. Der Hauptwirtschaftsfaktor Hopfenanbau wird ergänzt durch Hopfenaufbereitungs- und Verarbeitungsbetriebe.

Auskunft: Stadtverwaltung, 8302 Mainburg, Tel. 08751/9076.
Verkehr: B 301 Freising – Abensberg; Autobahnanschlußstelle zur A 90 Autobahndreieck Holledau (München – Nürnberg) – Regensburg.

Sehenswert: **Hallertauer Heimatmuseum,** Abensberger Str. 15; in der alten Knabenschule befinden sich die Sammlungen mit Familienpapieren Mainburger Bürger, Zunftakten und -zeichen; Möbel und Werkzeuge, Plastiken der Gotik, des Barock und Rokoko. Hinterglasbilder, Votivtafeln.

Interessant sind auch die Anlagen zur Hopfenverwertung: Lagerhalle, Aufbereitungs- und Verpackungsanstalt.

Mauth

Kr. Freyung-Grafenau, 821 m, 2700 Einw. Der staatlich anerkannte Erholungsort am Südostrand des Nationalparks Bayerischer Wald, nahe der Grenze zur ČSSR, liegt inmitten tiefer Wälder zwischen Reschbach- und Saußbachtal. Er entstand als

Mautstätte am Goldenen Steig, dem mittelalterlichen Salzhandelsweg zwischen Bayern und Böhmen. Als geschichtliches Wahrzeichen aus dem 17. Jh. blieb das »Mauthaus« (Zollstelle) erhalten. Mit dem 5 km nördlich gelegenen Finsterau, bekannt für sein interessantes Freilichtmuseum Bayerischer Wald, bietet es hervorragende Wandermöglichkeiten vor allem im Gebiet des Nationalparks; der Schneereichtum im sog. Schneeloch des Bayer. Waldes macht die Orte für Wintersport (Langlauf) attraktiv.

Auskunft: Fremdenverkehrsverein, 8391 Mauth, Tel. 08557/315 und (Gemeinde) 264.
Verkehr: B 12 Passau – tschechoslowakische Grenze/Philippsreut, Abzweigung bei Freyung (12 km).

Sehenswert:
Freilichtmuseum Bayerischer Wald in Finsterau, nordwestlich der Ortschaft, 1980 eröffnet. Historische Bauernhäuser des Bayerischen Waldes, hier zusammengetragen, vermitteln Einblikke in bäuerliche Lebensweisen der Vergangenheit. Zu besichtigen: Kleinbauernhaus mit Schmiede; Straßenwirtshaus »Ehrn« mit originaler Gaststube und einer Bauernmöbel-Sammlung; »Kapplhof«, eine Dreiseit-Hofanlage mit Backofen; »Raidhaus«, Austragshaus mit drei Getreidekammern; Dörrboden, zum Lagern und Trocknen von Flachs; ein »Sachl«, Typus des kleinsten Bauernanwesens; ein »Brechhaus«, Gebäude zum Brechen der Flachsstengel. Ständige Ausstellung historischer Trachten und Accessoires (Trachtenberatungsstelle); volks- und heimatkundliche Veranstaltungen.

Öffnungszeiten: 15. Dezember–30. April, Di–So 13–16 Uhr, 1. Mai–30. Okt., Di–So 9–18 Uhr, 1. November–15. Dezember geschlossen.

Obernzell

Kr. Passau, 296 m, 3600 Einw. Der stattliche Markt unweit östlich von Passau, landschaftlich reizvoll am linken Ufer der Donau gelegen, die hier die Grenze zu Österreich bildet, ist staatlich anerkannter Erholungsort. Der noch heute im nahen Bergwerk Kropfmühl gewonnene Graphit war die Grundlage für das im damaligen »Haffnerzell« produzierte Graphitgeschirr, Graphitöfen und Schmelztiegel.

Auskunft: Verkehrsverein, Marktplatz 42, 8391 Obernzell, Tel. 08591/1877 und 555.
Verkehr: B 388 Passau – Wegscheid.

Sehenswert:
Seit 1982 ist hier das *Keramikmuseum Schloß Obernzell* des Bayer. Nationalmuseums eröffnet. Es präsentiert mit rund 1000 Exponaten beispielhafte Erzeugnisse der Keramik von ihren Anfängen bis zur Gegenwart, mit Hinweis auf das örtliche Schwarzgeschirr. Geöffnet täglich außer Mo 10–17 Uhr (geschlossen Januar, Februar, März).

Passau

304 m, 52000 Einw. Die alte Bischofs- und Grenzstadt kann wohl als eine der schönsten Städte Deutsch-

lands bezeichnet werden. Die einzigartige Lage am Zusammenfluß der Donau (von Westen), des Inn (von Süden) und der Ilz (von Norden) gab ihr auch den Namen »Dreiflüssestadt«.

Auskunft: Verkehrsverein Passau e. V., Nibelungenhalle, 8390 Passau, und Residenzplatz 10, Tel. 0851/33421; ADAC-Geschäftsstelle, Nikolastr. 2a, Tel. 51131.

Sehenswert:
Passauer Glasmuseum im Wilden Mann am Rathausplatz. Eines der hervorragendsten Häuser unter den zahlreichen Patrizierhäusern ist »Der Wilde Mann« am Rathausplatz. In den großen Kaisersälen befindet sich das Passauer Glasmuseum.

Bestände: Sammlung von Tausenden von Gläsern aus Bayern – Böhmen – Österreich 1780–1930. Biedermeier – Historismus – Jugendstil – Art deco, von den einfachsten Glashütten bis zu Spitzenobjekten der weltberühmten Glasveredler. Hunderte Wallfahrtsmadonnen aus Pigram/Böhmen, große Sammlungen von Hl.-Nepomuk-Figuren, Hinterglasbilder und sakrale Kunst. Größte deutschsprachige Kochbuchsammlung von Dr. Arndt/Erna Horn. Handwerksberufe in den historischen Gewölben.

Römer-Museum (Zweigmuseum der Prähistorischen Staatssammlung) im restaurierten gotischen Gruber-Haus, seit 1982 mit den am Innufer freigelegten Grundmauern des Römerkastells »Boiotro«. Zu besichtigen sind Funde aus der spätrömischen und frühmittelalterlichen Zeit Passaus.

Oberhausmuseum(1. April–31. Oktober täglich außer Mo 9–17 Uhr), bestehend aus verschiedenen Sammlungen: Kultur- und Kunstgeschichte der Stadt und des östlichen Grenzraumes, Böhmerwaldmuseum, Diözesangalerie. Vor- und Frühgeschichte mit bedeutenden römischen Exponaten, Musikinstrumente, Stadtentwicklung. Handwerk, Gewerbe, Handel. Passauer Galerie mit Werken von Wolf Huber, dem Begründer der »Donauschule«, und den Entwürfen F. Wagners zur Ausgestaltung der Rathaussäle. Ferner Waffensammlung, Feuerwehrmuseum, Biedermeiermobiliar und Exponate der Passauer Porzellanmanufaktur. Volkskunde und Volkskunst. – Vom Burgcafé schöne Aussicht.

Regen

Kreisstadt, 520 m, 11 000 Einw. Der staatlich anerkannte Erholungsort und Wintersportplatz im Naturpark Bayerischer Wald, reizvoll im Tal des Schwarzen Regen gelegen, verdankt seine Gründung im 12. Jh. den Benediktinern des nahen Klosters Rinchnach.

Auskunft: Städt. Verkehrsamt, Haus des Gastes, 8370 Regen, Tel. 09921/2929.
Verkehr: Kreuzungspunkt der B 11 Deggendorf – Zwiesel und B 85 Cham – Passau.

Sehenswert:
Schnupftabakglassammlung. Die größte Schnupftabakglassammlung Deutschlands in Privatbesitz im Museum im »Fressenden Haus«.

Regensburg

333 m, 128 000 Einw. Hauptstadt des Regierungsbezirks Oberpfalz, alte Bischofsstadt und seit 1967 Universitätsstadt. Regensburg ist die viertgrößte Stadt Bayerns, zugleich der Mittelpunkt Ostbayerns, das Tor zum Bayerischen Wald, Oberpfälzer Wald und Oberpfälzer Jura. Es liegt als wichtiger Umschlaghafen am nördlichsten Punkt der Donau, in die hier der Regen und wenige Kilometer westlich die Naab mündet. Das Stadtbild der 2000 Jahre alten Stadt, als römische Festung Castra Regina im Jahre 179 n. Chr. gegründet, wird bestimmt durch ihren romanisch-gotischen Stadtumriß mit unzähligen sakralen und vor allem profanen Baudenkmälern.

Auskunft: Städt. Fremdenverkehrsamt, Altes Rathaus, 8400 Regensburg, Tel. 0941/5072141.

Sehenswert:
Museum der Stadt Regensburg, in den Komplex einbezogen die frühgotische *Minoritenkirche* aus dem 13. Jh., Chor 14. Jh. und die Klostergebäude aus dem 14. und 15. Jh. (hier starb 1272 der bekannte Prediger Berthold). In über 100 Räumen sind die bedeutenden Kunst- und kulturgeschichtlichen Sammlungen ausgestellt:

Städtische Galerie »Leerer Beutel«, Ecke Bertholdgasse und Trothengasse. Ehemaliges Getreidemagazin aus dem 16./17. Jh., dessen Dach durch vier übereinandergestaffelte Gaubenreihen gegliedert ist.

Domschatzmuseum. Besondere Kostbarkeit ist das berühmte Ottokarkreuz aus dem 13. Jh., gefertigt aus Gold und kunstvoll verziert mit Granat und Perlen.

Altes Rathaus, eine Gebäudegruppe, bestehend aus dem frühgotischen Rathausturm, dem Reichssaalbau von 1350 mit Portal von 1408 sowie neueren Bauten aus dem 16. bis 18. Jh. (mit dem Ratskeller). Die schweren Ketten am Torbogen dienten bei Aufständen oder Unruhen als Straßensperren. Fassaden und Turm waren früher bemalt. Entwürfe von Bocksberger (1573) zeigt das Städt. Museum. – Innen, nur im Rahmen einer Führung durch das *Reichstagsmuseum* zu besichtigen: Der Reichssaal mit geschnitzter Balkendecke von 1408 diente von 1663 bis zur Auflösung des Heiligen Römischen Reiches Deutscher Nation 1806 als Versammlungsraum des »Immerwährenden Reichstags«. Kurfürstliche Nebenzimmer mit Vertäfelung von 1551, Reichsstädtisches Kollegium und Fürstenkollegium, ausgestattet mit Prunkofen und kostbaren Brüsseler Gobelins aus dem 17. Jh. Im Erdgeschoß und unterirdischen Gewölben Räume der reichsstädtischen Justiz und die einzige in Deutschland noch im ursprünglichen Zustand erhaltene Fragstatt (Folterkammer).

Reliquienkästchen aus dem Domschatzmuseum

Ostdeutsche Galerie, im Stadtpark, Dr.-Johann-Maier-Str. 5. Werke bildender Künstler aus den deutschen Ostgebieten und Mitteldeutschlands sowie aus dem osteuropäischen Kulturbereich des 19. und 20. Jh.: Wechselausstellungen. Die Galerie wurde 1981 durch einen Graphiktrakt erweitert, der eine Ausstellungshalle, Studienräume und Depots beherbergen soll. Geöffnet Di–Sa 10–13 und 14–16 Uhr, So 10–13 Uhr.

St. Oswald-Riedlhütte

Kr. Freyung-Grafenau, 820 bis 1000 m, 3200 Einw. Der staatlich anerkannte Erholungsort direkt am Nationalpark Bayerischer Wald im Gebiet des Rachel und Lusen geht auf ein 1396 gegründetes Paulanerkloster, später Benediktinerpropstei, zurück.

Sehenswert:
Waldgeschichtliches Museum, Darstellung der Haupterwerbsquellen der »Waldler« – Holzeinschlag und Glasmacher. Alte Fotos und Originalgeräte werden gezeigt. Am alten Schmelzofen kann die Arbeit der Glasbläser beobachtet werden. Filmvorführungen unterstreichen die Darstellungen.

Schwarzenfeld

Kr. Schwandorf, 365 m, 6000 Einw. Der tausendjährige Marktflecken am Westrand des Naturparks Oberpfälzer Wald, im Tal der Naab an der Mündung der Schwarzach gelegen, und vom Miesberg mit der weithin sichtbaren Wallfahrtskirche überragt, ist mit den eingemeindeten Orten Pretzabruck, Frotzersricht und Sonnenried besuchter Ferienort. Südöstlich erstreckt sich ein ausgedehntes Landschaftsschutzgebiet mit vielen Weihern und Wäldern mit einer mannigfachen Tier- und Pflanzenwelt. Auch mineralogisch interessierte Urlaubsgäste kommen auf ihre Rechnung. – Von der ansässigen Industrie sind die keramischen Betriebe von Bedeutung.

Auskunft: Fremdenverkehrsverein, 8472 Schwarzenfeld, Tel. 09435/784 und 785.
Verkehr: Autobahn A 93/B 15 Regensburg – Nabburg; Autobahnanschlußstelle.

Sehenswert:
Bergbau-Museum im Rathaus, mit Gesteinssammlung aus den umliegenden mineralogischen Vorkommen. Geöffnet Di und Do 16–17.30 Uhr, So 9.30–11 Uhr.

Flußspat-Besucherbergwerk, Reichhart-Schacht, in dem einst bedeutenden Flußspatrevier nördlich von Schwarzenfeld, in Freiung, Gemeinde Stulln. Ursprünglich wurden Silber und Blei abgebaut, seit dem 19. Jh. Flußspat, Rohstoff für die Glashütten.

Straubing

Kreisfreie Stadt, 332 m, 44 000 Einw. Die altbayerische Herzogstadt am Südufer der Donau, vor den Toren des Bayerischen Waldes, bewahrt den vollkommen erhaltenen historischen Stadtkern. Straubing ist wirt-

schaftlicher Mittelpunkt, Handels-, Geschäfts- und Industriezentrum des sogenannten Gäubodens, der »Kornkammer Bayerns«.

Auskunft: Städt. Verkehrsamt, Rathaus, 8440 Straubing, Tel. 09421/16307.

Sehenswert: Gäubodenmuseum mit vor- und frühgeschichtlichen Beständen, vor allem aber mit dem berühmten »römischen Schatzfund«, 1950 aus einer Straubinger Lehmgrube geborgen, u. a. vergoldete Masken des 3. Jh. n. Chr., sowie Zeugnissen niederbayerischen Brauchtums. Geöffnet Di–So 10–16 Uhr.

Tittling

Kr. Passau, 520–570 m, 4000 Einw. Der alte Markt im südlichen Bayerischen Wald ist staatl. anerkannter Erholungsort und Mittelpunkt des Dreiburgenlandes, benannt nach Saldenburg, Englburg und Fürstenstein. Der Feriengast findet darüber hinaus eine reivzolle Hügellandschaft und mehrere Badeseen, darunter den Dreiburgensee.

Auskunft: Verkehrsverein »Dreiburgenland«, Grafenschlößl, 8391 Tittling, Tel. 08504/2666/2001.
Verkehr: A 3 Deggendorf – Passau, Abfahrt Aicha v. W. – B 85 Passau – Regen.

Im Tittlinger Museumsdorf Bayerischer Wald

Sehenswert:
Museumsdorf Bayerischer Wald, 3 km nordwestlich am Dreiburgensee; es zeigt die historischen Bauformen des Bayerischen Waldes und des niederbayerischen Raumes in der Zeit des 15. bis 19. Jh., wobei 50 alte Holzhäuser zusammengetragen wurden und hier Aufstellung fanden.

Hervorzuheben die Rothaumühle von um 1430 mit Originaleinrichtung, Handwerks- und Mühlenmuseum, ein Schulhaus von 1664, ein Wirtshaus von 1793 sowie ein Dorfkirchlein. Geöffnet Mai–September täglich 9–17 Uhr, im Winterhalbjahr nur nachmittags; Gruppen nach Anmeldung mit Führung (Tel. 8292 oder 777).

Viechtach

Kr. Regen, 450–900 m, 7500 Einw. Die gepflegte Stadt im Bayerischen Wald, im Tal des Schwarzen Regen, in der Nähe des romantischen Höllensteinsees und des Naturschutzgebietes Großer Pfahl, ist staatlich anerkannter Luftkur- und Wintersportort.

Auskunft: Städt. Kur- und Verkehrsamt, Rathaus, 8374 Viechtach, Tel. 09942/1661 und 1622.
Verkehr: B 85/Ostmarkstraße Cham – Regen.

Sehenswert:
Waldgalerie Margarete, in Rauhmühl bei Blossersberg, Ausstellungsraum des Glas-Kunstmalers Rudolf Schmid mit Unikaten, Handdrucken sowie Privatsammlung alter bäuerlicher Arbeitsgeräte des Bayer. Waldes. Geöffnet vom 1. 4.–31. 10. täglich von 10–18 Uhr, sonst nach Vereinbarung, Tel. 8147.

Zwiesel

Kr. Regen, 570–750 m, 10000 Einw. Der anerkannte Luftkurort und Wintersportplatz ist zugleich Fremdenverkehrszentrum im Naturpark Bayerischer Wald, klimatisch günstig in einem Talkessel, dem Zwieseler Winkel, am Zusammenfluß des Großen und Kleinen Regen gelegen, umrahmt von einem Kranz bewaldeter Höhen und Berge mit den markanten Profilen des Arber, Falkenstein und Rachel.

Auskunft: Verkehrsamt, Rathaus, 8372 Zwiesel, Tel. 09922/1308 und 2041.
Verkehr: B 11 Regen – Bayerisch Eisenstein.

In der Umgebung:
In Zwieselerwaldhaus, 10 km nördlich, einzigartiges **Wurzelmuseum.**
In Lindberg, 4 km nördlich, **Bauernhaususeum,** 300 Jahre altes Holzhaus mit Austragshaus (jetzt Gasthaus) und Zeugnissen der bäuerlichen Wohnkultur; Sonderausstellung »Glasform und -technik der Zukunft«; Glashüttenbesichtigung (»Falkenstein-Glashütte«, Max Kreuzer, Tel. 9167); Tiermuseum.

Von der Museumsweltstadt München nach Oberammergau

Mehr oder weniger ist die Bevölkerung des Gebiets zwischen Lech und Salzach bester altbayerischer Schlag. Das heißt, die Menschen sind von schlichter Gradheit, bodenständig und traditionsgebunden, nicht ohne Humor, sinnenfreudig und vielfach musisch begabt. Die Vorliebe für Farbe und Form kommt nicht nur in Kunstwerken, sondern auch im Kunsthandwerk, in Tracht, im Hausbau, im Schmuck der Gärten und Altane, im Gepränge von Umzügen und historischen Aufführungen zum Ausdruck; beispielhaft seien der Traunsteiner Georgiritt, das Laufener Schifferfest sowie der Bergknappenjahrtag zu Pfingsten in Berchtesgaden genannt.

Das bodenständige Brauchtum, das besonders von den Trachtenvereinen gepflegt wird, stellt sich im Jahreskreis der bäuerlichen Feste dar, in erster Linie verschönt es die kirchlichen Feste.

Vielerorts werden reichhaltige Veranstaltungskalender publiziert, um den Feriengast am Brauchtum teilnehmen zu lassen. Echtes und Falsches wird der aufmerksame Gast unterscheiden lernen, denn er wird hier und da mit unverfälschtem Brauchtum in Berührung kommen; sei es bei einer Beerdigung oder bei einer Bauernhochzeit.

Eindeutiger Höhepunkt, was die Museen anbelangt, ist München, dessen reichhaltiges Angebot an ungewöhnlichen Sammlungen aller nur erdenklichen Richtungen nirgendwo sonst in Deutschland erreicht wird. Aber auch auf dem Lande gibt es Interessantes: beispielsweise die Reichenhaller Saline, das Berchtesgadener Salzbergwerk, Herrenchiemsee oder Schloß Linderhof, das Geigenbaumuseum in Mittenwald, das Heimatmuseum Oberammergau und – fast überall – liebevoll eingerichtete Heimatmuseen.

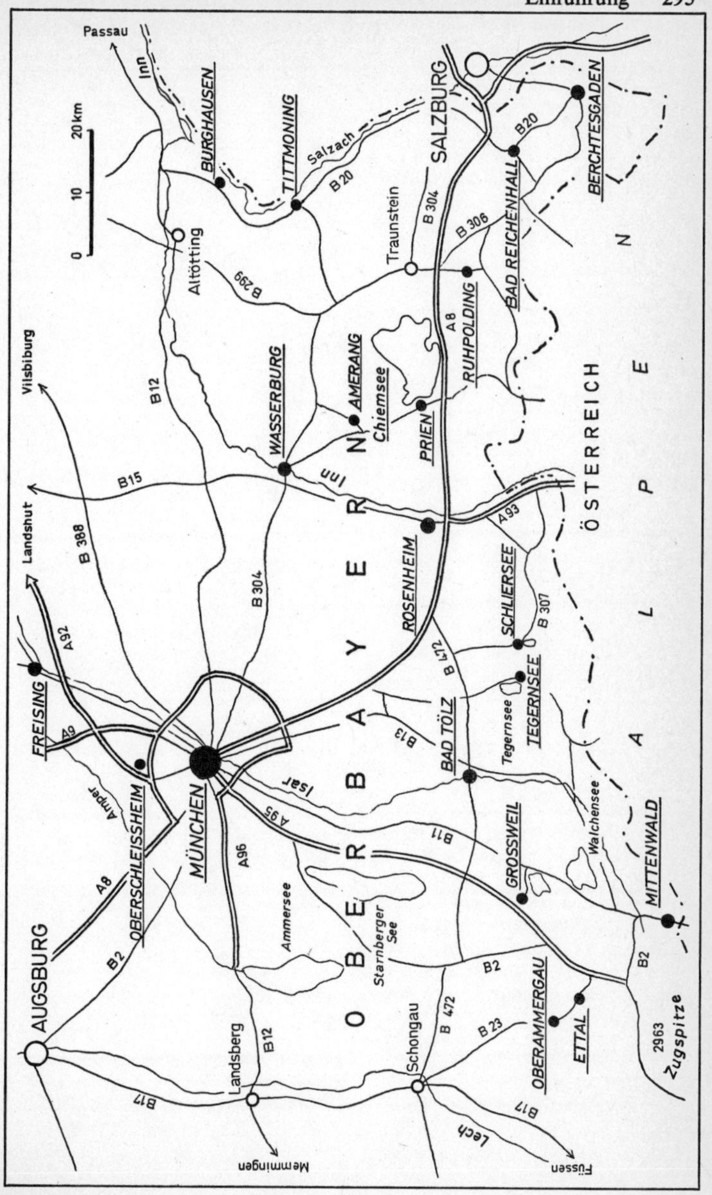
0 10 20 km
Passau
Inn
BURGHAUSEN
TITTMONING
Salzach
B 20
SALZBURG
Altötting
B 299
Traunstein
B 304
B 306
BAD REICHENHALL
B 20
BERCHTESGADEN
Vilsbiburg
B 12
WASSERBURG
AMERANG
Chiemsee
PRIEN
A 8
RUHPOLDING
ÖSTERREICH
Landshut
B 388
B 15
Inn
ROSENHEIM
A 93
SCHLIERSEE
B 307
B 304
FREISING
A 92
A 9
B 472
TEGERNSEE
Tegernsee
B 13
BAD TÖLZ
Amper
OBERSCHLEISSHEIM
MÜNCHEN
Isar
A 95
A 96
B 11
GROSSWEIL
Walchensee
MITTENWALD
AUGSBURG
A 8
B 2
Ammersee
Starnberger See
B 2
OBERAMMERGAU
ETTAL
B 2
2963
Zugspitze
Landsberg
B 12
Schongau
B 472
B 23
B 17
Memmingen
Lech
B 17
Füssen
O B E R B A Y E R N
A L P E N

Amerang

Kr. Rosenheim, 600 m, 2600 Einw. Das stattliche Dorf im Chiemgau, unweit nördlich des Chiemsees und der Oberbayerischen Seenplatte, inmitten waldreicher Hügellandschaft und Moorlandschaft, ist anerkannter Erholungsort.

Auskunft: Gemeinde Amerang, 8201 Amerang, Tel. 08075/230.
Verkehr: B 304 Wasserburg – Altenmarkt; Abzweigung bei Wasserburg (10 km) bzw. Obing (8 km).

Sehenswert:
Ostoberbayerisches Bauernhausmuseum in *Hopfgarten,* 1 km nördlich, zeigt historische Bauernhäuser aus dem Gebiet zwischen Inn und Salzach, u. a. eine Sägemühle mit einem riesigen Wasserrad sowie eine Kapelle. Ein Biergarten lädt zur Rast ein.

Bad Reichenhall

Große Kreisstadt, Sitz des Kreises Berchtesgadener Land, 470 bis 1614 m, 17000 Einw. Das Bayerische Staatsbad im äußersten Zipfel Oberbayerns, nahe der Grenze zu Österreich, im Schnittpunkt der Chiemgauer und Berchtesgadener Alpen, liegt im klimatisch begünstigten weiten Tal der Saalach, umrahmt von den charakteristischen Bergprofilen des Hochstaufen, Lattengebirges und Untersberges. Als eines der bekanntesten Heilbäder Deutschlands verdankt Bad Reichenhall seine Entwicklung und seinen Erfolg den ergiebigen Solequellen.

Auskunft: Kur- und Verkehrsverein e. V., Postfach 206, 8230 Bad Reichenhall, Tel. 08651/1467. – Staatliche Kurverwaltung, Wittelsbacherstr. 17, Tel. 61016.
Verkehr: Autobahnanschlußstelle zur A 8 München – Salzburg (8 km); Kreuzungspunkt der B 20 Berchtesgaden – Freilassung mit der B 21 (Steinpaß).

Sehenswert:
In der *Getreidegasse,* in einem ehem. Kornspeicher von 1539, das **Heimatmuseum.** Es beherbergt Funde aus der Vor- und Frühgeschichte; geöffnet vom 1. Mai–31. Okt.

Südlich zur alten **Saline** mit **Quellenhaus,** 1836–1851 im Auftrag König Ludwigs I. von Friedrich Gärtner im historisierenden Stil der Romantik erbaut (interessante Führungen vom 1. April–31. Okt. täglich 10, 11.30, 14 und 16 Uhr; im Winterhalbjahr Di und Do 14 Uhr).

Historisches Sole-Pumpwerk, durch süße Wildwasser betrieben. Von den zahlreichen Solequellen sind vier sofort sudwürdig; so die Edelquelle mit 24 Prozent Salzgehalt (Sättigungsgrad 27%). Die Sole wird in Bad Reichenhall selbst versotten (Jahresproduktion 100000 t Kochsalz).

Bad Tölz

370 m, 12500 Einw. Heilbad, malerisch zu beiden Seiten der Isar mit einem Stausee an der Stelle, wo sie die Alpen verläßt und breit gewunden zwischen Kiesbänken dahinfließt. Am rechten Ufer die Altstadt, am linken der neuzeitliche Badeteil mit mo-

dernen Kuranlagen. Bad Tölz verdankt seinen Weltruf als Kurbad den Jodquellen.

Auskunft: Städtische Kurverwaltung, Ludwigstraße 11, 8170 Bad Tölz, Tel. 08041/70071.

Sehenswert:
Das **Heimatmuseum** im Heimat- und Bürgerhaus, das die bodenständige Kunst der »Kistler« (Schreiner), Schnitzer und Büchsenmacher zeigt.

Benediktbeuern

Kr. Bad Tölz-Wolfratshausen, 625 m, 2400 Einw. Erholungsort des Voralpenlandes im Loisachtal am Fuß der Benediktenwand, mit dem berühmten, ältesten Kloster Oberbayerns.

Auskunft: Verkehrsamt, Prälatenstraße 5, 8174 Benediktbeuren, Tel. 08857/248.
Verkehr: Autobahn A 95, Anschlußstelle Penzberg/Iffeldorf (12 km). – B 11 Wolfratshausen – Kochel.

Sehenswert:
Kloster des Benediktinerordens, 738/39 gegründet, gehörte zu den bedeutendsten Klöstern Bayerns. Hier wurden die besonders durch die Vertonung von Orff bekannten Lieder der fahrenden Klosterschüler des Mittelalters aufgezeichnet (Carmina burana). Nach der Aufhebung des Klosters bei der Säkularisation 1803, errichteten hier die berühmten Optiker Fraunhofer und Utzschneider eine Glashütte, deren Einrichtungen noch heute besichtigt werden können. 1931 wurden die Klostergebäude wieder ihrer ursprünglichen Bestimmung zugeführt und dienen seitdem den Salesianern Don Boscos als Studienanstalt.

Berchtesgaden

540–1100 m, 8700 Einw. Der um das ehem. Chorherrenstift entstandene Markt im äußersten Südostzipfel Bayerns, am Zusammenfluß der Ramsauer, Bischofswiesener und Königsseer Ache zur Berchtesgadener Ache, ist Mittelpunkt des Berchtesgadener Landes, das zum Schutz seiner großartigen Gebirgslandschaft zum Nationalpark erklärt wurde. Über der charakteristischen Silhouette der Berchtesgadener Kirchtürme erhebt sich als Wahrzeichen das gewaltige Bergmassiv des Watzmanns mit seinen imposanten Zacken.

Auskunft: Kurdirektion Berchtesgadener Land, Königsseer Str. 2, 8240 Berchtesgaden, Tel. 08652/5011.

Sehenswert:
Königliches Schloß Berchtesgaden. Der weitläufige Gebäudekomplex des ehem. Augustiner-Chorherrenstiftes, fürstpröpstliche Residenz und königlich-bayerisches Schloß, entstand in sieben Jahrhunderten, mit Bestandteilen der Romanik, der frühen und späten Gotik, der Renaissance sowie des 18. Jh. Noch heute bildet es mit der Stiftskirche den städtebaulich überragenden Mittelpunkt und demonstriert in seiner Anlage über einem Abhang die wehrhafte Klosterburg des Mittelalters. Zentrum der ursprünglichen Klosteranlage ist der romanische **Kreuzgang** aus dem 12. Jh. An der Ostseite das frühgotische *Dor-*

mitorium, um 1300 entstanden, eine zweischiffige Halle. Sie bildet den Rahmen für die *Kunstsammlung* spätmittelalterlicher Skulpturen und Tafelbilder von Kronprinz Rupprecht.

Besichtigung: Ostern–30. Sept. täglich außer Sa 10–12 und 14–16 Uhr; Winterhalbjahr Mo–Fr 10–12 und 14–16 Uhr, außer Sa, So und an Fei; Einlaß bis eine Stunde vor Schließung (Tel. 2085).

Salzbergwerk, im Norden von Berchtesgaden, unterhalb des Marktes, am rechten Ufer der Ache.

Führungen: 1. Mai–15. Okt. sowie Ostern täglich 8–17Uhr, im Winterhalbjahr 12.30–15.30 Uhr. Dauer 1½ Std. (Tel. 4061).

Heimatmuseum, *Schroffenbergallee 6* (Tel. 4410). Im ehem. Schloß Adelsheim befindet sich eine bunte Schau all dessen, was das Berchtesgadener Land an Handwerkskunst produziert: Schnitzwerke, Holzwaren, die berühmten Berchtesgadener Spanschachteln, Spielwaren. Geöffnet täglich 10–12, 15–17 Uhr; Verkaufsstelle von Volkskunst.

Burghausen/Salzach

Kr. Altötting, 350–420 m, 18000 Einw. Die ehemalige Wittelsbacher Herzogstadt an der Salzach, halbwegs zwischen Passau und Salzburg, ist Grenzstadt zu Österreich. Im tiefen Flußtal erstreckt sich entlang der Salzach-Schleife die historische Altstadt, überragt von Deutschlands längster Burg auf einem nach drei Seiten steil abfallenden Bergrücken und landeinwärts vom Wöhrsee begrenzt.

Auskunft: Städt. Verkehrs- und Kulturamt, Stadtplatz 112/114, 8263 Burghausen, Tel. 08677/2435 und 2051.
Verkehr: B 20 Freilassing – Eggenfelden; Grenzstation nach Ach/Oberösterreich.

Sehenswert:
Burg Burghausen, Aufgang 10 Min. ab Stadtplatz über Hof- oder Ludwigsberg. Mit einer Ausdehnung von etwa tausend Metern in der Länge folgt die in mehrere Abschnitte gegliederte Anlage – fünf Höfe, Hauptburg mit Toranlage, Wehrmauern, Gräben, Geschütztürmen, Burgkapelle, Wohn- und Wirtschaftsgebäuden – in allen Teilen der Form des langgestreckten Höhenzugs zwischen Stadt und Salzach einerseits und dem Wöhrsee andererseits. Den letzten Abschnitt des Berges nimmt die **Hauptburg** mit Bergfried, Innerer Burgkapelle, Dürnitz, Palas und Kemenate ein, durch Graben, Torbau und Wehranlagen geschützt. Sie ist als Museum zugänglich. Die ehemaligen Wohnräume des Herzogs im er-

Blick auf Burghausen und seine Burg

sten Obergeschoß des Palas sind mit Mobiliar, Gemälden, Bildwerken und Teppichen aus der Spätgotik und der beginnenden Renaissance eingerichtet. In den Räumen des zweiten Obergeschosses ist die Gemäldegalerie der Bayerischen Staatsgemäldesammlung München mit Tafelbildern der Spätgotik untergebracht. In der Kemenate befindet sich das reichhaltige Stadt- und Heimatmuseum. Letzteres im Winter geschlossen. – Ein Fotomuseum am Burgeingang.

Chiemsee

Kr. Rosenheim, 519 m, 820 Einw. Die Gemeinde Chiemsee besteht aus den Chiemsee-Inseln **Herrenchiemsee** *mit dem Königsschloß Ludwigs II. und dem Schloßhotel,* **Frauenchiemsee** *mit Benediktinerinnenkloster und dem Fischerdorf sowie der dazwischenliegenden kleinen* **Krautinsel.** *Herren- und Fraueninsel sind nicht nur vielbesuchte Ausflugsziele mit hochrangigen Kulturdenkmälern, sondern auch Ferienorte.*

Auskunft: Verkehrsamt, 8211 Frauenchiemsee, Tel. 08054/308.
Verkehr: Ganzjährige Schiffsverbindung ab Prien-Stock (6 km nördlich der Autobahnanschlußstelle Bernau zur A 8 München – Salzburg) sowie Gstadt am Nordufer. Im Sommer auch mit weiteren Chiemsee-Orten.

Sehenswert:
Schloß Herrenchiemsee, im Zentrum der Insel, zu Fuß von der Schiffsanlegestelle in 15 Min. zu erreichen (auch Pferdekutschen), ist im Sommer täglich von 9–17 Uhr, im Winter von 10–16 Uhr geöffnet. Im Südflügel des Schlosses das **König-Ludwig-II.-Museum,** das einen Überblick gibt über das Leben des Königs und seine engen Beziehungen zur Baukunst und zum Theater.

Ettal

Kr. Garmisch-Partenkirchen, 900 m, 1000 Einw. Luftkur- und Wallfahrtsort in den Ammergauer Alpen zu Füßen der doppelgipfeligen felsigen **Ettaler Manndl,** *dem Hausberg des Ortes. Landschaftlich sehr schön gelegene Benediktinerabtei mit vielbesuchter Klosterkirche, Internatsschule (Humanistisches Gymnasium, ca. 300 Schüler) und Herstellungsort des bekannten Klosterlikörs. Zur Gemeinde gehören auch die Ortschaften* **Graswang** *und* **Linderhof** *mit seinem berühmten Schloß.*

Auskunft: Gemeindeverwaltung/Verkehrsamt, Ammergauer Str. 8, 8107 Ettal, Tel. 08822/534.
Verkehr: Autobahn A 95, Anschlußstelle Eschenlohe (13 km). B 23 Schongau – Garmisch-Partenkirchen.

In der Umgebung:
Schloß Linderhof, 12 km westlich im Graswangtal, wurde von König Ludwig II. 1869–78 errichtet. Baumeister des Schlosses war Georg Dollmann. Das Schloß ist ganzjährig zur Besichtigung geöffnet, und zwar in den Sommermonaten 9–12.15, 12.45–17 Uhr, im Winter von 9–12.15 und 12.45–16 Uhr. – Besichtigungsdauer etwa 1 Stunde.

Freising

Große Kreisstadt, 446 m, 34000 Einw. Die älteste Stadt an der Isar, auf einem Hochufer des Flusses gelegen, der hier das weite Erdinger Moos begrenzt. Dem Domberg gegenüber ***Weihenstephan,*** *ehemalige Benediktinerabtei, jetzt weltberühmte Hochschule für Brauerei, Landwirtschaft und Gartenbau mit einer der ältesten Brauereien.*

Auskunft: Stadtverwaltung, 8050 Freising, Tel. 08161/54122.
Verkehr: Autobahn A 9/92, Anschlußstelle Freising-Ost (3 km) – B 11 München – Landshut; Ausgangspunkt der B 301 (Deutsche Hopfenstraße) nach Mainburg.

Sehenswert:
Gegenüber dem Dom die ehemalige **Fürstbischöfliche Residenz,** 1537, erster Frührenaissancebau in Altbayern. – **Diözesanmuseum** des Erzbistums München-Freising, Domberg 21. Geöffnet Di–Fr 10–16 Uhr; Sa, So 10–18 Uhr. *Bestände:* Bayerische Malerei und Plastiken vom 13. bis 18. Jh.; Barockgalerie mit 70 Gemälden sowie Sammlung tirolischer gotischer Malerei; hervorzuheben sind Plastiken von Erasmus Grasser, Hans Leinberger, Gemälde von Jan Pollak (dem Meister der Pollinger Tafeln), Hans Mielich. Außerdem befindet sich im Diözesanmuseum die Domschatzkammer.

Heimatmuseum. Geöffnet So 11–12 Uhr, Do 15–16.30 Uhr. *Sammelgebiet:* Vor- und Frühgeschichte, Dokumente zur Stadtgeschichte, Volkskunst.

Großweil

Kr. Garmisch-Partenkirchen, 600 m, 1000 Einw. Zusammen mit dem Ortsteil ***Kleinweil*** *Erholungsort an der Loisach in der Nähe des Kochelsees. – Hauptattraktion ist das Oberbayerische Freilicht-Bauernhausmuseum (1976 eröffnet) und das Bayerische Haupt- und Landesgestüt Schwaiganger.*

Auskunft: Verkehrsverein, 8119 Großweil, Tel. 08851/5537.
Verkehr: Autobahn A 95, Anschlußstelle Murnau/Kochel (2 km). – B 11/2 München – Mittenwald, Abzweigung bei Kochel (7 km).

In der Umgebung:
Auf der **Glentleiten** mit dem **Freilichtmuseum,** Bauernhöfe mit historischen Bauerngärten. Unter den bereits aufgestellten Gebäuden befinden sich eine Getreidemühle, das »Hirtenhäusl Kerschlach«, eine Holzkapelle, ein Kalkbrennofen, ein Einbaum und verschiedene Werkstätten mit Arbeitsvorführungen: z. B. beim Hafner, Korbflechter, Schäffler, Wagner und Schmied, in der Seilerei und in der Weberei, Geräte- und Krippenausstellung, Sonderausstellungen wie »Bienen und Imkerei«. Öffnungszeiten April bis Oktober 9–18 Uhr, November 10–17 Uhr, Mo geschlossen (außer Oster-, Pfingst- und Kirchweihmontag).

Mittenwald

Kr. Garmisch-Partenkirchen, 913 m, 8900 Einw. Im Werdenfelser Land, unmittelbar zu Füßen des Karwendelgebirges gelegener, sehr beliebter Lufkurort, Touristenstützpunkt und Wintersportplatz. Seine internationale Bedeutung verdankt Mittenwald der seit 1684 betriebenen Herstellung von Saiteninstrumenten, besonders Geigen. »Lüftlmalerei« (Freskomalereien) aus dem 18. Jh. am Kirchturm und einigen Häusern.

Auskunft: Kurverwaltung, Dammkarstr. 3, 8102 Mittenwald, Tel. 08823/1051.
Verkehr: B 2 Garmisch-Partenkirchen – östereichische Grenze (Scharnitz).

Sehenswert:
In der Ballenhausgasse 3 das **Geigenbau- und Heimatmuseum,** mit Wohnstube, Originalinstrumenten und Rekonstruktionen vom 12. bis 20. Jh., Kunsthandwerk und Mittenwalder Tracht. Auf Traggestellen wurden die Geigen durch ganz Europa transportiert. Geigenbauschule (Besichtigung).

München

München, die bayerische Landeshauptstadt, kultureller und wirtschaftlicher Mittelpunkt Bayerns, ist mit 1,3 Mill. Einwohnern die zweitgrößte Stadt der Bundesrepublik und die größte in Süddeutschland. Sie liegt 480 bis 580 m hoch auf der oberbayerischen Hochebene zu beiden Seiten der Isar.

München ist unter den großen deutschen Städten vor allem die Stadt der Kunst, der heiteren Musen und der urwüchsigen Lebensfreude. Vor dem Nordrand der Alpen, zwischen den alten und geschichtsreichen Städten Augsburg und Salzburg als bayerische Landesresidenz erbaut, von kunstsinnigen Fürsten Jahrhunderte hindurch geprägt und beschirmt, ist München trotz aller kulturellen und künstlerischen Verfeinerung und seiner lebensnotwendigen kommerzialisierten Weltstadtmodernität in seinem Wesen eine bodenständige, der bayerischen Oberlandbevölkerung vertraute Stadt geblieben. Die Eigenart und Schönheit der »Weltstadt mit Herz« und ihrer Umgebung, die umgängliche Lebensart ihrer Bewohner, die einmalige Mischung von Tradition und Aufgeschlossenheit gegenüber dem Neuen – das in nicht geringem Maße mitgeschaffen wird –, bewirken eine Atmosphäre, die München als Schmelztiegel der Kulturen mit nur wenigen anderen Metropolen vergleichbar macht.

Auskunft: Fremdenverkehrsamt München (Quartiervermittlung, mehrsprachige Auskunft, Prospekte, Stadtrundgänge), Sendlinger Str. 1, Tel.-Sammel-Nr. 23911. – *Außenstellen:* Hauptbahnhof, Bahnhofplatz 2 (gegenüber Gleis 11), Tel. 2391256-257, täglich geöffnet von 8–23 Uhr; Flughafen, Ankunftshalle, Tel. 907256. – Keine telefonische Zimmervermittlung.

Sehenswert:
Antikensammlungen im wiederaufgebauten Gebäude der ehemaligen Neuen Staatsgalerie an der Südseite des Königsplatzes, gegenüber der Glyptothek. Sie beherbergt in insgesamt 11 Räumen die weltberühmte Sammlung griechischer Vasen,

römische und etruskische Kleinplastik, etruskischen Goldschmuck, etruskische Gläser und Terrakotten, hinzu kommen Schenkungen von James Loeb und Hans von Schoen. Insgesamt stellt die hier gezeigte Sammlung eine der bedeutendsten der Welt dar.

Deutsches Museum, gegenüber dem Müllerschen Volksbad, auf der Museumsinsel, die zwischen Ludwigsbrücke und Corneliusbrücke von der Isar umflossen wird. Das Deutsche Museum ist eines der größten naturwissenschaftlich-technischen Museen der Welt und zugleich die am stärksten besuchte Sammlung in dem an Museen reichen München.

Glyptothek, Königsplatz, nördliche Seite. Die Glyptothek wurde auf Wunsch König Ludwigs I. erbaut, um die antiken Marmorskulpturen aufzunehmen, die der König schon als Kronprinz zu sammeln begonnen hatte. Der Bau, 1816–1834 errichtet, ist der erste, den *Klenze* in München schuf. Die 160 weltberühmten Sammlungsobjekte sind seit 1971 wieder der Öffentlichkeit zugänglich.

Münchner Stadtmuseum, St.-Jakobs-Platz 1, vermittelt in Dauer- und Sonderausstellungen Einblick in Münchens Stadt- und Kulturgeschichte. Zur Zeit sind folgende Dauerausstellungen zu sehen:

Moriskentänzer von Erasmus Grasser.
Waffenhalle mit den Beständen des **Bürgerlichen Zeughauses.**
Münchner Wohnkultur von 1700 bis 1900.

Fotomuseum mit Fraunhofer-Werkstätte und Sammlung Dr. Lother. – Das Fotomuseum zeigt die Entwicklung der Fototechnik sowie Fotoausstellungen.

Puppentheatermuseum mit Wechselausstellungen auf dem Gebiet des Puppen- und Schattenspiels alter Kulturkreise, vor allem Asiens. Die Münchner Puppensammlung ist eine der größten Sammlungen der Welt.

Musikinstrumentenmuseum mit europäischen und exotischen Beständen seit dem Altertum.

Deutsches Brauereimuseum mit der Darstellung des Brauwesens unter besonderer Berücksichtigung seiner kulturellen Seiten.

Filmmuseum (keine ständige Ausstellung) tägl. Filmvorführungen. In der Regel geschlossene Filmreihen (z. B. Gesamtwerk eines Regisseurs, Filmproduktion eines Landes, Filme mit bestimmten Stars usw.). Geöffnet werktags außer Mo 9–16.30 Uhr, So und Fei 10–18 Uhr. Zu erreichen: U-Bahnlinie U 3 und U 6, S-Bahn, Station Marienplatz. Buslinie 52 oder 56, Haltestelle Blumenstr.

Bayerisches Nationalmuseum, Prinzregentenstr. 3. Unter den Museen Münchens eines der schönsten und reichhaltigsten; zeigt Kunst und Kunsthandwerk vom frühen Mittelalter bis zum 20. Jahrhundert aus ganz Europa, teilweise aus ehemals wittelsbachischem Besitz, einen Schwerpunkt des Sammelgebietes bilden Süddeutschland und Bayern.

Residenzmuseum. Eingang Max-Joseph-Platz 3. Die fast unüberschaubar langen, kostbar ausgestatteten und verschwenderisch reich eingerichteten Raumfluchten, die Raumkunst und Sammlungsgut aus fünf Jahrhunderten enthalten, werden in zwei Führungslinien (vormittags und nachmittags) museal, also ohne

Führung, gezeigt. In der nachfolgenden kurzen Zusammenstellung werden in den beiden Gruppen nur die wichtigsten Besichtigungsobjekte erwähnt.

Staatliche Sammlung ägyptischer Kunst, im Hofgartentrakt der Residenz, Eingang beim Obelisken in der Hofgartenstraße (U-Bahn-Station Odeonsplatz). Als »Kunstmuseum« unter den ägyptischen Sammlungen Deutschlands konzentriert sich die Sammlung auf künstlerische Spitzenwerke aller Epochen der altägyptischen Kultur von der Frühgeschichte (3000 v. Chr.) bis in die christlich-islamische Zeit (1000 n. Chr.), die nicht nur den geographischen Raum des ägyptischen Niltals umfassen, sondern auch den Sudan und die ägyptisierende Kunst des römischen Italien einschließen. Neben wichtigen Denkmälern des alten Sammlungsbestandes – z. B. die Würfelstatue des Bekenchons (Raum II), den Bronzefiguren ägyptischer Götter (Raum III und IV) und dem Goldschatz einer meroitischen Königin (Raum V) – genießen auch einige der Neuerwerbungen der letzten Jahre bereits Weltgeltung, so die Doppelstatue des Königs Niuserre (Raum I), die vergoldete Kultstatue eines Krokodilgottes und die Büste des Königs Amenemhet III. aus dem Mittleren Reich, die Kniefigur des Senemut (Raum i), die Porträtköpfe des Thutmosis IV., Echnaton und Eje (Raum II) sowie ein Relieffries aus der koptischen Zeit (Raum VI).

Neue Pinakothek, Barer Straße 29, gegenüber der Alten Pinakothek. Für die umfangreiche Sammlung zeitgenössischer Malerei, in der auch die Münchner Maler ansehnlich vertreten waren, wurde nach Plänen, die auf *Friedrich von Gärtner* zurückgingen, durch *August von Voit* in den Jahren 1846–1853 die Neue Pinakothek errichtet. Ihr Gebäude fiel im letzten Krieg den Bomben teilweise zum Opfer und wurde danach eilig abgebrochen, um Steine für den Wiederaufbau der Technischen Universität zu gewinnen. Die sichergestellten Gemälde wurden bislang teilweise im Westflügel des Hauses der Kunst gezeigt. Nach einem preisgekrönten Entwurf von *Alexander von Branca* wurde nun die Neue Pinakothek an ihrem früheren Platz wieder erbaut und im Frühjahr 1981 wiedereröffnet.

Die ca. 400 ausgestellten Objekte aus der europäischen Malerei und Skulptur des 19. Jahrhunderts sind jetzt in insgesamt 22 Sälen und 11 Kabinetten vollständig der Öffentlichkeit zugänglich.

Neue Sammlung, Staatliches Museum für angewandte Kunst, Prinzregentenstraße 3. Das 1925 zur Förderung beispielhafter und zeitgemäßer Gestaltung gegründete Institut ist heute ein Museum des Bayerischen Staates. Es setzt für das 20. Jahrhundert das **Bayerische Nationalmuseum** fort und umfaßte Ende 1985 mehr als 27 000 Objekte bzw. Objektgruppen. Die 23 Sammelgebiete reichen vom tradierten Kunstgewerbe aus Glas, Keramik, Holz oder Flechtwerk über den Schwerpunkt Industrial Design hin zu angewandter Graphik, Buchkunst und Photographie. Auch die entscheidende Plakatsammlung des Bayerischen Staates wird in dem Museum bewahrt. Für die ständige Ausstellung dieser Sammlungen, die heute noch deponiert sind, steht ein umfangreicher Neubau im Herzen

Münchens in Aussicht. Der Öffentlichkeit zugänglich sind die wechselnden Ausstellungen, deren Themenkreis von Kunsthandwerk über Design bis zu Architektur und Städtebau reicht.

Prähistorische Staatssammlung, Lerchenfeldstraße 2. In insgesamt 14 Ausstellungsräumen kann man Funde aus folgenden Geschichtsperioden sehen: **Steinzeit, Kupfer- und Bronzezeit** (20.–17. Uh. v. Chr.): **Urnenfelderzeit** (13.–8. Jh. v. Chr.): **Hallstattzeit** (8.–5. Jh. v. Chr.): **»latène«-Zeit** (5. Jh. v. Chr. – Zeitenwende): **Römerzeit in Bayern: Frühes Mittelalter.** Ein Saal zeigt zudem nur Funde aus dem keltischen **»oppidum« Manching,** das fast doppelt so groß war wie München während des Mittelalters.

Siemens-Museum, Prannerstraße 10. In den modern gestalteten Ausstellungsräumen sind Entwicklung und Anwendungsbereiche der Elektrotechnik und Elektronik am Beispiel des Hauses Siemens dargestellt. Viele Original- und Demonstrationsgeräte, Modelle, Bilder und Filme erläutern den Weg der Elektrotechnik und Elektronik von den Anfängen 1847 bis in die Gegenwart.

Staatliche Münzsammlung, Residenzstraße 1. Eine der bedeutendsten deutschen Münzsammlungen mit etwa 250000 Münzen, Geldzeichen, Medaillen etc. vom 7. Jh. v. Chr. bis in die Gegenwart. Ein Teil des umfangreichen Bestandes wird in vier Räumen ausgestellt: Raum I: Schatzfunde, Münzstempel und -gewichte, Papiergeld. – Raum II: Medaillen, bes. deutsche Renaissancemedaillen des 16. Jh. – Raum III: Münzen der Antike (Lydien, hellenische Reiche, Rom, keltische Prägungen, Byzanz). – Raum IV: Europäische Münzen seit dem Mittelalter (einen der Schwerpunkte nehmen die Prägungen der Wittelsbacher ein). – In allen Räumen japanische Lacktruhen und alte Münzschränke.

Valentin-Musäum, Volkssängermuseum und **Volkssängerlokal** im Isartorturm, Tal 43. Diese Münchner »Curiositäten-Schau« ist Karl Valentin und anderen Münchner Volkssängern und Originalen gewidmet. Die volkstümliche Aussprache des bekanntesten der Münchner Volkssänger hat auch die Bezeichnung und die Schreibweise des Museums bestimmt. Neben zahlreichen originellen und grotesken Requisiten, Gegenständen aus dem Gruselkeller Karl Valentins bietet es im obersten Stockwerk ein bewußt kitschig gehaltenes Gastlokal im Jugendstil. – Im 2. Turm die **Volkssängersammlung** mit Dokumenten und Bildern alter Münchner Volkssänger sowie Sonderausstellungen.

Völkerkundemuseum, Maximilianstraße 42, in der Nähe des Maxmonuments. Es wurde als selbständige Einrichtung unter dem Namen Ethnographische Sammlung im Galerie-Gebäude (Hofgartenarkaden) im Jahr 1868 gegründet. Seine Anfänge reichen jedoch noch weiter zurück:

Den Grundstock bildeten die ethnographischen Teile der von den bayerischen Königen angelegten »Vereinigten Sammlungen«; dazu traten die bedeutende Brasilien-Sammlung der beiden Naturforscher Spix und Martius aus den Jahren 1817 bis 1820 sowie (1866) die umfangreiche Japan-Sammlung Philipp Franz von Siebolds. In den Jahren

Über 1900 Jahre alte Steinfigur aus Lakhanan (Völkerkundemuseum)

1925–1926 siedelte das Museum für Völkerkunde in sein heutiges Gebäude über, das von *Eduard Riedel* 1858–1865 im sogenannten »Bürkleinstil« (Neugotik) erbaut worden war und sich hervorragend in das Bauensemble der Maximilianstr. einpaßt. Demnächst wird ein Anbau eröffnet, der die Platznot des Museums etwas entschärft. In den nächsten Jahren soll es nun endlich möglich werden, auch für Amerika, Asien und Ozeanien jeweils eine Dauerausstellung zu eröffnen. Im Zweiten Weltkrieg erlitt das Gebäude durch Bombenangriffe schweren Schaden, vor allem der Westflügel wurde fast völlig zerstört. Die Sammlungen blieben jedoch durch Auslagerung größtenteils erhalten. Seit 1954 wurden die Bestände in Wechselausstellungen gezeigt. 1968 war der Wiederaufbau des Gebäudes abgeschlossen. Bisher gibt es nur eine ständige Ausstellung über Afrika. Diese besteht zu einem großen Teil aus Holzplastiken zu kultischen Zwecken aus Kamerun und Kongo. Zu den Glanzstücken zählt eine Krokodilmaske mit Maskenkostüm, ein Hauseingang mit Türrahmen und Hauspfosten sowie eine Kultplastik auf einem früher 15 m langen Balken, die bei einem Initiationsritus zum Einsatz kam.

Außer den festen Ausstellungen finden ständig Wechselausstellungen statt. Zu den Ausstellungen mit Themen aus Kunst und Kultur der Dritten Welt erscheinen laufend Kataloge.

Oberammergau

Kr. Garmisch-Partenkirchen, 837 m, 4900 Einw. Vielbesuchter Luftkurort und Wintersportplatz im Ammergebirge, besitzt Weltruf wegen seiner einzigartigen, alle 10 Jahre (1990, jeweils Mai–September) stattfindenden Passionsspiele und wegen der hervorragenden Oberammergauer »Herrgottschnitzer« (Holzschnitzkunst). Darüber hinaus bietet das stattliche, von dem felsigen Kofel überragte Dorf mit seinen freskengeschmückten Häusern (sog. »Lüftlmalerei«) ein freundliches Bild. Geburtsort des Dichters Ludwig Thoma (1867–1921). Rheumakranke finden in der Rheumaklinik Oberammergau Gelegenheit zur Behandlung. Sämtliche Kureinrichtungen (Bäder, Massagen, Sauna, Kneippkuren, Elektrotherapie, Hallenbewegungsbad) können auch von Personen benutzt werden, die nicht im Sanatorium wohnen.

Auskunft: Verkehrsbüro, Schnitzlergasse 6, 8103 Oberammergau, Tel. 08822/4921.
Verkehr: Autobahn A 95, Anschlußstelle Eschenlohe (16 km). B 23 Peiting – Garmisch-Partenkirchen.

Sehenswert:
Heimatmuseum, Entwicklung der Oberammergauer Schnitzkunst, Töpferei, Hinterglasmalerei, u. a.; hier befindet sich die »Große historische Oberammergauer Weihnachtskrippe« mit über 200 Figuren.

Oberschleißheim

Kr. München, 471 m, 10300 Einw. Die moderne Satellitenvorstadt im Norden von München, am Rand des Dachauer Mooses, ist vor allem wegen **Schloß Schleißheim,** *dem großartigen ehemaligen Sommersitz der Wittelsbacher, ein beliebtes Ausflugsziel.*

Auskunft: Gemeindeverwaltung, Freisinger Str. 15, 8042 Oberschleißheim, Tel. 089/3151607.
Verkehr: Autobahn A 9, Anschlußstelle Garching-Süd (7 km); A 92 Anschlußstelle Oberschleißheim; A 99, Anschlußstelle Neuherberg (5 km). B 13 München – Pfaffenhofen, B 471 Dachau – Garching. – S-Bahn-Anschluß S 1 (München – Freising).

Sehenswert:
Neues Schloß, gegenüber dem Alten Schloß (seitlich Durchfahrten zum Ehrenhof). Erinnerungen an die Kunstliebe und glänzende Hofhaltung des Kurfürsten Max Emanuel (Reg. 1679–1726) werden wach.

Die **Große Galerie** oder Schöne Galerie sowie die anschließenden Wohnfluchten des Kurfürsten verkünden in Wandbildern den Waffenruhm des Erbauers. Zur Raumausstattung, an der als Stukkateure Charles Dubut und Joh. Baptist Zimmermann beteiligt waren, gehören zwei hervorragende Brüsseler Gobelinserien mit Feldzugszenen. In der Großen Galerie und den Räumen der Seitenflügel ist die bedeutende **Galerie der Bayerischen Staatsgemäldesammlungen** untergebracht mit Gemälden der Spätrenaissance und des Barock (italienische, niederländische und französische Schule, u. a. Reni, Rubens, Bruegel, van Dyck und Murillo).

Schloß Lustheim, pavillonartiges Gartenschloß in der Mittelachse des Parks, dem Neuen Schloß gegenüber, 1684–1690 nach Plänen von Enrico Zuccalli erbaut. Im Rahmen der Gesamtanlage bildet es mit seinen beiden Eckpavillons, die mit dem Neuen Schloß durch eine Galerie verbunden waren, einen fein berechneten Sichtpunkt. Im Inneren Fresken v. J. A. Gumpp, Fr. Rosa und Giov. Trubillio sowie die großartige **Meißener Porzellan-Sammlung** (in 15 Sälen etwa 1800 Stücke, vor allem prunkvolle Zeugnisse einer traditionsgebundenen Hofhaltung), eine Stiftung von Ernst Georg Schneidere. Geöffnet täglich 10–12.30 und 13.30–17 Uhr (vom 1. 11.–31. 3. bis 16 Uhr).

Prien am Chiemsee

Kr. Rosenheim, 510–620 m, 8700 Einw. Luft- und Kneippkurort in beherrschender Lage am Westufer des Chiemsees, eingebettet in die reizvolle hügelige Voralpenlandschaft vor der Kulisse der Chiemgauer Alpen.

Auskunft: Verkehrsverband Chiemsee e. V., Haus des Gastes, 8210 Prien am Chiemsee, Tel. 08051/2280 und 3031.
Verkehr: Autobahnanschlußstelle Bernau zur A 8 München – Salzburg (6 km); Verbindungsstraße Rosenheim – Bernau.

Sehenswert:
Heimatmuseum, Friedhofweg 1. Geöffnet Di, Mi, Do, Fr 10–12 und 15–17 Uhr, Sa 10–12 Uhr; im Winterhalbjahr Di und Fr 10–12 und 15–17 Uhr.

Die Sammlungen umfassen bäuerliche Wohnkultur, Trachten, Fischerei, Handwerk, kirchliche Kunst; Bildergalerie. Vor der Barockfassade des Museums, als jüngste Attraktion, ein echter **Bauerngarten** mit diversen Küchen- und Arzneikräutern, Gemüsesorten, Bauernblumen aller Art, Beeren usw. Auf der Wiese zum gegebenen Zeitpunkt richtige Heumandl.

Rosenheim

Kreisfreie Stadt, 445 m, 50000 Einw. Die lebendige Stadt am linken Ufer des Inn, an der Mündung der von Westen kommenden Mangfall, ist Verkehrs-, Wirtschafts- und kultureller Mittelpunkt des Chiemgaus, einer bedeutenden Fremdenverkehrsregion.

Auskunft: Verkehrsamt, Stadthalle, 8200 Rosenheim, Tel. 08031/37080.
Verkehr: Autobahnanschlußstelle zur A 8 München – Salzburg sowie zur Inntal-Autobahn A 93 (– Innsbruck).

Sehenswert:
Heimatmuseum Rosenheim, Ludwigsplatz 26. Geöffnet Di–Fr 8–12 und 14–17 Uhr, Sa 9–12 Uhr, So 10–12 Uhr. Außer heimatkundlichen Sammlungen zeigt es Funde von der Römerzeit (Tongefäße) bis zur Landnahme durch die Bajuwaren im 6. Jh.

Heimatmuseum Rosenheim

Städtische Galerie, Max-Bram-Platz 2. Geöffnet täglich außer Mo 9–13 und 14.30–17 Uhr, So 10–13 und 14.30–17 Uhr. Malerei, Graphik und Plastik des Inn- und Chiemgaus sowie der Münchner Schule vom 19. Jh. bis zur Gegenwart.

Holztechnisches Museum, in der Fachhochschule für Holztechnik, Marienberger Str. 26, im Norden der Stadt.

Innschiffahrtsmuseum; Auskunft durch Wasserwirtschaftsamt, Königstr. 19, Tel. 17081.

Ruhpolding

Kr. Traunstein, 659–1100 m, 7000 Einw. Der renommierte Luftkurort und Wintersportplatz im Chiemgau, in einer Talweitung am Zusammenfluß der Weißen Traun mit der Urschlauer Ache, von waldbedeckten Höhen und Bergen wie Rauschberg, Unternberg, Hochfelln und Zinnkopf umgeben, entwickelte sich seit der ersten Erwähnung im 12. Jh.

Auskunft: Kurverwaltung, 8222 Ruhpolding, Tel. 08663/1268.
Verkehr: Autobahnanschlußstelle Traunstein/Siegsdorf zur A 8 München – Salzburg (8 km).

In der Umgebung: In *Laubau,* 3 km südlich an der Deutschen Alpenstraße, entsteht ein **Museumsdorf für Forstwesen.** Es soll die Lebens- und Arbeitswelt der früheren Holzfäller demonstrieren. Historische Bauwerke, darunter das Danzerhaus von 1648, werden aufgestellt.

Tegernsee

Kr. Miesbach, 732–1264 m, 4900 Einw. Staatlich anerkannter, heilklimatischer Kurort, liegt am südöstlichen Ufer des gleichnamigen Sees auf einem Landvorsprung zu beiden Seiten des Alpbaches und schmiegt sich malerisch an die Ausläufer der Neureuth, des Pflieglecks und des Leeberges. Im Süden bildet die Rottach die Grenze nach Rottach-Egern. Infolge seiner herrlichen Lage und der Vorzüge des Berg- und Seeklimas wird Tegernsee als Höhenluftkurort wie auch als Wintererholungsort gern besucht.

Auskunft: Kuramt im »Haus des Gastes«, 8180 Tegernsee, Tel. 08022/3985, 3981.
Verkehr: Autobahn A 8, Anschlußstellen Holzkirchen (21 km) und Irschenberg (25 km).

Sehenswert:
Im Innern des **Herzoglichen Schlosses** Stuckarbeiten von J. B. Zimmermann (Rekreationssaal), Möbel und Gemälde.

Heimatmuseum des Tegernseer Tals mit Zeugnissen der Zünfte, Bauernmöbel, Volkskunst; im Nordflügel die Herzogliche Brauerei mit Bräustüberl.

Olaf-Gulbransson-Museum im Kurgarten mit vom Künstler gezeichneten Bildern berühmter Zeitgenossen.

Museum für Islamische Fliesen, Olaf-Gulbransson-Straße (nach tel. Vereinb.).

Tittmoning

Kr. Traunstein, 384 m, 2200 Einw. Die historisch bedeutende Kleinstadt am linken Ufer der Salzach, halbwegs zwischen Laufen und Burghausen, ist Grenzübergangsort nach Österreich. Unterhalb der wehrhaften Burg erstreckt sich die Altstadt mit Bürgerhäusern im Inn-Salzach-Stil und brunnenreichem langgestrecktem Stadtplatz.

Auskunft: Verkehrsamt, Stadtplatz 1, 8261 Tittmoning, Tel. 08683/214 und 911.
Verkehr: B 20 Laufen – Burghausen. Grenzübergang nach Österreich.

Sehenswert:
Heimatmuseum des Rupertiwinkels. Die überaus reichen Sammlungen umfassen Geräte des früheren bäuerlichen Alltags, Handwerkszeug von zum Teil ausgestorbenen Berufen, ferner 180 schmiedeeiserne Grabkreuze, die in spätromanischen Gewölben ausgestellt sind, und über 100 Schützenscheiben. Die vor- und frühgeschichtliche Sammlung wurde durch ein 1974 in der Stiftskirche gefundenes römisches Mosaik aus dem 2./3. Jh. bereichert. – Besichtigung: 1. Mai–30. Sept. täglich außer Do nur im Rahmen der Führungen um 14 Uhr (sowie nach Vereinbarung, Tel. 247).

Wasserburg am Inn

Kr. Rosenheim, 421 m, 10000 Einw. Hinsichtlich Lage und Bauart kann Wasserburg zu den interessantesten Städten Bayerns gezählt werden. Der historische Stadtkern drängt sich auf einer löffelförmigen Halbinsel, die fast völlig von einer Schleife des Inn umzogen ist.

Auskunft: Städt. Verkehrsbüro, Rathaus, 8090 Wasserburg a. Inn, Tel. 08071/3061.
Verkehr: Kreuzungspunkt der B 15 Landshut – Rosenheim mit der B 304 München – Altenmarkt.

Im ehem. Spital, bis 1970 Altersheim, befindet sich als besondere Attraktion das **Erste Imaginäre Museum – Sammlung Günter Dietz,** mit über 400 Repliken, d. h. Nachbildungen von berühmten Gemälden und Zeichnungen internationaler Kunst aus allen größeren Museen der Welt. Geöffnet 1. 5.–30. 9. Di–So 11–17 Uhr, Winterhalbjahr 13–17 Uhr.

Heimatmuseum, *Herrengasse,* hinter dem Rathaus, im sog. Herrenhaus, dem ehemaligen Stadthaus der Äbte von Attel. In den historischen Räumen sind die kunst- und kulturgeschichtlichen Sammlungen der Stadt Wasserburg, vielleicht die reichhaltigsten und wertvollsten kommunalen Sammlungen, mit fast 4000 Exponaten vorbildlich untergebracht. Bei der 1982 abgeschlossenen Renovierung konnten in einem Saal im Obergeschoß Secco-Malereien aus der Frührenaissance freigelegt werden. Geöffnet Mai–Sept. 10–12, 13–16 Uhr; Sa, So 11–15 Uhr; Okt.–Apr. 13–16 Uhr; Sa, So 10–12 Uhr. Mo sowie Mitte Dez.–Mitte Jan. geschlossen. – Historisches Restaurant »Herrenhaus«.

West-Berlin und seine weltberühmten Museen

Berlin, die alte deutsche Hauptstadt, erstreckt sich zwischen 13° 25' östlicher Länge und 52° 31' nördlicher Breite. Mit einer Flächenausdehnung von 883 qkm und insgesamt etwa 3 Millionen Einwohnern umfaßt Berlin auch heute noch das weitaus größte Stadtgebiet Deutschlands. Auf West-Berlin entfallen davon 480 qkm und 1,9 Millionen Einwohner. Die Stadt liegt 35–50 m über NN an Havel und Spree inmitten eines von Elbe und Oder begrenzten Teilgebietes des Norddeutschen Tieflandes.

Berlin ist eine alte Stadt, 1244 erstmals urkundlich erwähnt. Es wurde Residenz der brandenburgischen Kurfürsten, der preußischen Könige, der deutschen Kaiser. Es ist die Hauptstadt der deutschen Republik, dann auch Sitz der nationalsozialistischen Regierung gewesen.

Von alldem ist im Stadtbild wenig geblieben. Die Geschichte hat prächtige Kirchen, stolze Paläste entstehen lassen, natürlich auch langweilige Kasernen und scheußliche Verwaltungsgebäude – die Geschichte hat vieles wieder vernichtet. Schönes und Häßliches. Berlin, wie es sich heute darbietet, ist eine moderne Stadt, deren zahlreiche Hochhäuser und Schnellstraßen charakteristischer sind als die Altertümer. 75 Millionen Kubikmeter Trümmerschutt, rund ein Sechstel der zerstörten deutschen »Nachkriegsmasse«, blieben nach 1945 zurück. Soweit sie sich nicht zur »Resteverwertung« eigneten, wurden – inzwischen grün bewachsene – Berge daraus (Insulaner, Teufelsberg).

Eine Altstadt im üblichen Sinne gibt es nicht mehr. Die mittelalterliche Bürgerstadt, die Renaissanceresidenz der Kurfürstenzeit – sie sind verschwunden. Die erste Stadtmauer, die Festungswälle des Großen Kurfürsten, die Ringmauer, die 1735–1867 bestand, sie sind beseitigt. Nur einzelne Gebäude und Straßennamen erinnern an das Vergangene. In Berlin war man schon immer »abrißfreudiger« als sonstwo, eine Tatsache, die auch im aktuellen Geschehen zu heftigen politischen Kontroversen führt. Vor allem hat die Gründerzeit der siebziger und der folgenden Jahre der Innenstadt, dem »Zentrum«, seine alte Gestalt genommen. Geblieben sind das Straßennetz und die Plätze an den Toren, besonders deutlich erkennbar an der Linie vom Brandenburger Tor mit Pariser Platz (einst Quarré) zum Potsdamer Tor mit dem achteckigen Leipziger Platz, dem Oktogon – heute Grenze zwischen West- und Ost-Berlin – und im Süden dem runden Belle-Alliance-, jetzt Mehringplatz, dem Rondell am Halleschen Tor.

i *Auskunft:* Verkehrsamt Berlin im Europa-Center, Berlin 30, Tel. 21234; Auskunftstelle Eingang Budapester Straße, Tel. 2626031, geöffnet täglich 7.30–22.30 Uhr, mit Zimmervermittlung. Telefon-Service zum Ortstarif von allen Orten in Westdeutschland: Tel. 0130/3150. Verkehrsamt im Flughafen Tegel, Tel. 4101-345, geöffnet täglich 8–22.30 Uhr, mit Zimmervermittlung. Verkehrsamt am Grenzkontrollpunkt Dreilinden, Tel. 8039057, geöffnet täglich 8–23 Uhr. Informationszentrum Berlin, Hardenbergstr. 20, Tel. 310040, geöffnet Mo–Fr 8–19 Uhr, Sa 8–16.

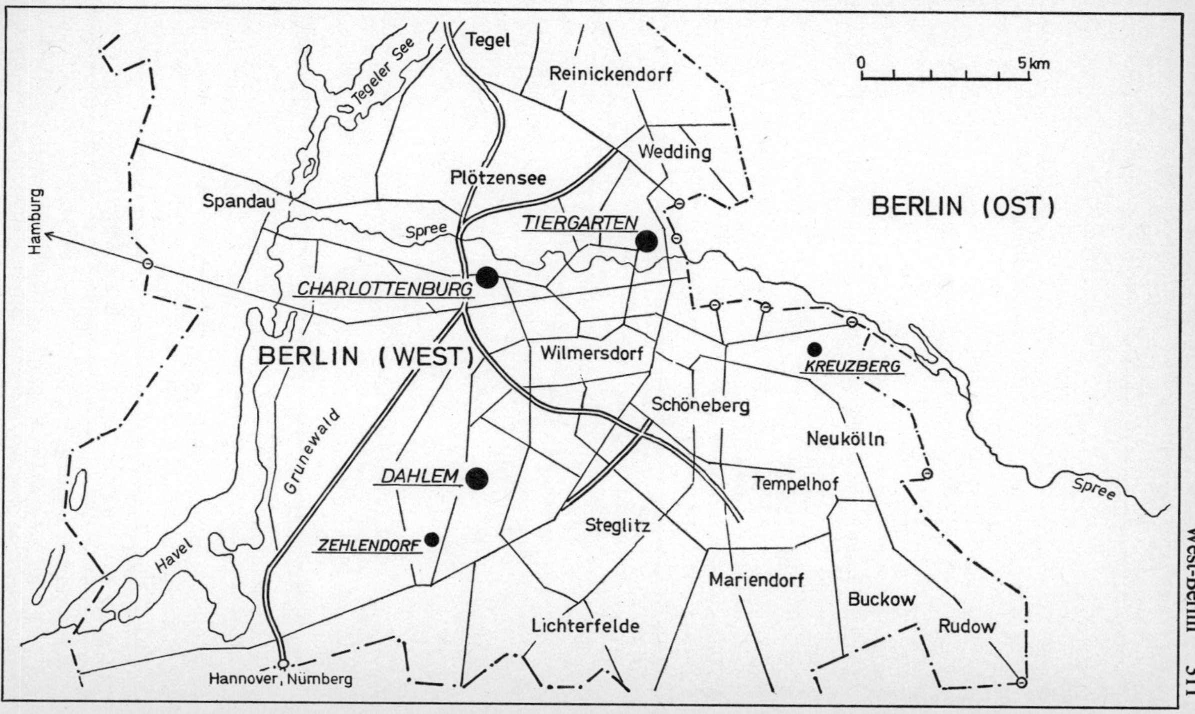
Tegel
Tegeler See
Reinickendorf
0
5km
Wedding
Plötzensee
Spandau
BERLIN (OST)
Hamburg
Spree
TIERGARTEN
CHARLOTTENBURG
BERLIN (WEST)
Wilmersdorf
KREUZBERG
Schöneberg
Neukölln
Grunewald
DAHLEM
Tempelhof
Spree
Steglitz
ZEHLENDORF
Havel
Mariendorf
Buckow
Lichterfelde
Rudow
Hannover, Nürnberg

Sehenswert:
Museen Dahlem, Bezirk Dahlem, Lansstr. 8 und Arnimallee 23–27. Nach 1945 bot der den Staatlichen Museen gehörende Bau, den Wilhelm von Bode durch *Bruno Paul* 1912–1916 ursprünglich für das Völkerkunde- und Asiatische Museum errichten ließ, dem in West-Berlin verbliebenen und aus der Verlagerung zurückkehrenden musealen Kunstbesitz Unterkunft.

Sie werden verwaltet und unterhalten von der 1957 gegründeten Stiftung Preußischer Kulturbesitz. Zwischen 1966 und 1971 entstanden mehrere Erweiterungsbauten, um die inzwischen erheblich vergrößerten Sammlungen wenigstens einigermaßen unterzubringen. Neben dem Museumskomplex Dahlem gehören zur Stiftung die Museen im Schloß Charlottenburg, die Nationalgalerie und die neu entstehenden Museumsbauten am Kemperplatz.

Gemäldegalerie, Eingang Arnimallee. Sie umfaßt die bedeutendsten Werke europäischer Malerei aus dem Berliner Museumsbesitz, von den frühen Italienern, Niederländern, Franzosen und den altdeutschen Meistern bis zum ausgehenden 18. Jh. U. a. Werke von **Dürer:** *Bildnis des Ratsherrn Hieronymus Holzschuher;* **Holbein:** *Das Porträt des Kaufherrn Georg Gisze;* **Cranach; Raffael; Botticelli; Rembrandt:** *Der Mann mit dem Goldhelm;* **Vermeer:** *Dame mit Perlenhalsband;* **Poussin; Watteau.** Die Galerie wird später neue Räume im Museumskomplex am Kemperplatz beziehen.

Skulpturenmuseum, Eingang Arnimallee. Besitzt deutsche, italienische, niederländische und französische Skulpturen von der frühchristlich-byzantinischen Zeit bis zum Spätbarock. *Grabstein eines Knaben;* eine *koptische Grabstele* aus frühchristlicher Zeit, 5. Jh.; *Dangolsheimer Madonna.* – Werke von **Donatello, Tilman Riemenschneider, Ignaz Günther, Donner, Jean-Antoine Houdon.**

Kupferstichkabinett, Eingang Arnimallee. Es ist vor allem reich an Handzeichnungen und Druckgraphik altdeutscher, niederländischer und italienischer Meister. Ein besonderer Schatz sind die Handzeichnungen und Radierungen von **Rembrandt,** der auch in der Gemäldegalerie mit einer Reihe von Meisterwerken vertreten ist. – U. a. Stiche von **Botticelli, Dürer, Holbein, Cranach;** ferner Miniaturen und illustrierte Bücher des 15.–20. Jh., vereint mit Neuerwerbungen von **Picasso, Braque** u. a. Auch Kupferstichkabinett und Skulpturengalerie werden in den folgenden Jahren neue Räume im Museumskomplex für Europäische Kunst am Tiergarten beziehen.

Museum für Völkerkunde, Eingang Lansstraße. Eine der größten Sammlungen völkerkundlicher Gegenstände, heute mehr als 330 000 Ethnographica aus aller Welt umfassend, von denen ein Teil schon zur Kunstkammer des Großen Kurfürsten (17. Jh.) gehörte. Vertreten sind folgende Abteilungen:

Amerikanische Archäologie mit Sammlungen der mittel- und südamerikanischen Hochkulturen.

Südsee, Sammlungen aus Ozeanien und Australien; Hauptattraktion ist die große Bootshalle.

Afrika, sehenswerte Exponate vor allem aus den Kulturregionen Westafrikas.

Südasien, Schattenspielfiguren aus Thailand und Indonesien; Masken, Waffen und Schmuck.

Ostasien, Sammlungen aus China und der Mongolei.

Museum für Indische Kunst, Eingang Lansstraße, mit der Ausstellung Buddhistische Wandgemälde, Plastiken und Kleinfunde der Turfan-Sammlungen sowie Gandhara-Skulpturen; Schausammlungen von Kunstwerken aus sämtlichen Ländern des indischen Kulturkreises (Indien, Hinterindien und Indonesien). Die Turfan-Sammlung, nach der in Ostturkestan gelegenen Oase von Turfan benannt, enthält berühmte Freskomalereien aus dem 6. bis 10. Jh. n. Chr. mit Schilderungen buddhistischer Legenden.

Museum für Islamische Kunst, Eingang Lansstraße, mit Plastik und Kunstgewerbe aus dem Vorderen Orient und Spanien vom 6. bis zum 18. Jh.; Koranfragmente und eine Gebetsnische in Fayence-Mosaik, Teil einer iranischen Moschee.

Museum für Ostasiatische Kunst, Eingang Lansstraße, Chinesische Frühzeit, religiöse Kunst Ostasiens, chinesisches Kunstgewerbe, chinesische und japanische Malerei, koreanisches und japanisches Kunstgewerbe, Holzschnitte.
U 2 Dahlem-Dorf, Bus 1, 10, 17.

Museen für Europäische Kunst, Bezirk Tiergarten. Im Zuge der Errichtung des neuen Kulturzentrums am Kemperplatz entsteht unter der Leitung des Stuttgarter Architekten *Gutbrod* ein weitläufiger Museumskomplex. Im Mai 1985 hat das **Kunstgewerbemuseum** hier seinen neuen Standort gefunden. Geplant ist ferner die Unterbringung der **Gemäldegalerie,** des **Skulpturenmuseums** und des **Kupferstichkabinetts** (s. Museen Dahlem) sowie der **Kunstbibliothek** der Staatlichen Museen, die sich noch in der Jebensstraße befindet. Neben den Gebäuden der Philharmonie, der Staatsbibliothek und des Musikinstrumentenmuseums wird damit zugleich ein weiterer architektonisch interessanter Akzent gesetzt. Bus 24, 29, 48, 83.

Museum für Deutsche Volkskunde, Bezirk Zehlendorf/Dahlem, Im Winkel 6/8, Ecke Archivstraße. Ein Museum für »Deutsche Volkstrachten und Erzeugnisse des Hausgewerbes« wurde im Jahre 1889 eröffnet und durch mehrere Schenkungen rasch vergrößert. 1904 übernahmen die Königlichen Museen die Sammlungen, die, wie die anderen Museen auch, im Zweiten Weltkrieg erhebliche Verluste erlitten. Erst 1970 konnte die Stiftung Preußischer Kulturbesitz einen Gebäudeteil des Geheimen Staatsarchivs für die Sammlungen einrichten und 1976 der Öffentlichkeit zugänglich machen. Die Bestände umfassen die Bereiche Tracht und Schmuck, Handarbeiten, Hausrat, Malerei und Graphik. Wechselausstellungen befassen sich mit den Themen Zunft, Handwerk, Volks- und Votivkunst, Volksfeste.
U 2 Dahlem-Dorf, Bus 1, 10, 17.

Museum für Verkehr und Technik, Bezirk Kreuzberg, Trebbiner Straße 9. Das 1906 gegründete »Königliche Verkehrs- und Baumuseum« im ehemaligen Hamburger Fernbahnhof war durch die Ereignisse des Zweiten Weltkriegs und seiner Folgen bis 1984 dem Besucher nicht zugänglich. Erst dann konnte der Senat im Rahmen des S-Bahnabkommens die restlichen Bestände übernehmen. Parallel dazu war seit 1964 im Urania-Haus eine Ausstellung zu den unterschiedlichsten Verkehrsträgern im Aufbau, 1982 umbenannt in Staatliches Museum für Verkehr und Technik Berlin. Ein eigenes Gebäude wurde in Kreuzberg an der Trebbiner Straße errichtet. Der erste Abschnitt konnte bereits seiner Bestimmung übergeben

werden, nachdem das Gebäude der Markt- und Kühlhallengesellschaft nach historischem Vorbild wiederaufgebaut worden war. Der Erweiterungsbau wurde im September 1985 eröffnet. Er hält sich architektonisch an den alten Stil. Neben den Ausstellungsflächen liegen Werkstätten, Bibliothek, Seminarräume und eine Kutscher-Kneipe. Die Abteilungen umfassen die Bereiche Bahn- und Straßenverkehr, Schifffahrt, Luft- und Raumfahrt, Druck- und Energietechnik, Daten- und Speichertechnik sowie ein Experimentallabor. Vor der Verkehrshalle die Plastik »Großer Wagenlenker« von Dedo Gadebusch.
U 3 Gleisdreieck oder Möckernbrücke, Bus 29.

Museumsdorf Düppel, Bezirk Zehlendorf, Clauertstraße 11. Rekonstruktion eines mittelalterlichen Dorfes um 1200, als in nächster Nachbarschaft die Doppelstadt Berlin-Cölln gegründet wurde. In mühevoller Kleinarbeit, unter Zuhilfenahme alter Erdverfärbungen oder Erkenntnisse ähnlicher Ausgrabungen werden Bauernhäuser, Backöfen, Werkstätten originalgetreu aufgebaut und eingerichtet. Außerdem wird versucht, die damaligen Lebensumstände wie Ackerbau, Nahrung, Kleidung und Tierrassen nachzuvollziehen und zu demonstrieren. Geöffnet vom 5. Mai bis 13. Oktober, Nur So von 10–13 Uhr. Auskunft über Tel. 8 02 66 71.
S 1 Zehlendorf. Bus 3.

Musikinstrumentenmuseum des Staatlichen Instituts für Musikforschung Preußischer Kulturbesitz, Bezirk Tiergarten, Tiergartenstraße 1. Das 1888 gegründete Museum ist im Dezember 1984 in seinem neuen Haus in direkter Verbindung mit der Philharmonie wieder eröffnet worden, nachdem es von 1962 bis 1983 im ehem. Joachimsthalschen Gymnasium auf engem Raum und getrennt von den wissenschaftlichen Einrichtungen des Instituts und der Bibliothek untergebracht war. Von den rund 2400 Objekten der Sammlung sind ca. 500 derzeit in der Ausstellung. Es werden Musikinstrumente verschiedener abendländischer Epochen von der Renaissance bis zur Gegenwart gezeigt, darunter wertvolle Tasten-, Saiten- und Blasinstrumente, dazu zwei Kirchenorgeln und die große Wurlitzer Orgel, Kinoorgel der Stummfilmzeit. Konzertante Aufführungen im Museum So 11 Uhr (sonst Zeitpunkt im Museum erfragen).
Bus 24, 29, 48, 83.

Neue Nationalgalerie, Bezirk Tiergarten, Potsdamer Str. 50. 1968 als erster Neubau der Stiftung Preußischer Kulturbesitz nach Plänen des Architekten *Mies van der Rohe* fertiggestellt. Der streng symmetrische Bau aus Glas und Stahl gliedert sich in zwei Ebenen. Im Erdgeschoß Wechselausstellungen moderner Kunst, im Untergeschoß Malerei und Plastik des 19. und 20. Jh., von der Romantik über Impressionismus und Surrealismus bis zur Kunst der Gegenwart aus Deutschland, Frankreich und Amerika. Angeschlossen an der Westseite ein Skulpturengarten, der auch für Jazz in the garden genutzt wird. Ab 1987 zeigt die Nationalgalerie einen größeren Teil ihrer Gemälde aus der Romantikepoche im Schloß Charlottenburg.
Bus 24, 29, 48, 75.

Schloß Charlottenburg, am Luisenplatz. Als Sommersitz Lietzenburg der Kurfürstin Sophie-Charlotte, Gemahlin Friedrichs III., 1695 nach Entwürfen von Joh. Arnold Nehring (gest. 1695) begonnen, von *Martin Grünberg* weitergeführt,

1699 eingeweiht und nach der Krönung des Bauherrn zum König in Preußen 1701 (seither Friedrich I.) durch *Eosander v. Göthe* großzügig erweitert. Es ist das einzige noch bestehende monumentale Barockschloß Berlins. Die starken Kriegszerstörungen sind im wesentlichen beseitigt, die Wiederherstellungsarbeiten an der Eosanderkapelle und der Goldenen Galerie im allgemeinen beendet. Die **historischen Räume** des Alten Schlosses (Nehring-Göthe) sind reich mit geschnitzten Wandvertäfelungen, Wirkteppichen, Seidendamasten, Verspiegelungen und Deckengemälden geschmückt. Das Inventar ist zum größten Teil erhalten (reicher Bestand an Bildnissen von Antoine Pesne, bemerkenswert das Porzellankabinett mit reicher Ausstattung von chinesischem Porzellan, Deckenbild von de Coxie, 1706).

Belvedere, im hinteren Teil des Schloßparks, nahe dem Spreeufer. Ursprünglich lag es auf einer kleinen Insel und konnte nur per Fähre erreicht werden. Zierliches Gebäude aus der Übergangszeit vom Rokoko zum Klassizismus, das *Langhans* 1788/89 für Friedrich Wilhelm II. erbaute; ovaler Bau, zweistöckig, geschweiftes Dach, luftige Säulenvorbauten und Reliefs (Erdteile) über den Obergeschoßfenstern. Die bronzene Dreiergruppe, Putten mit Blumenkorb, auf der kupfergedeckten Kuppel wurden nach der Zerstörung von Karl Bobeck neu geschaffen. Im Belvedere befindet sich eine **Porzellan-Ausstellung** mit etwa 500 Objekten des 19. und 20. Jh. aus Berliner Porzellanmanufakturen. Geöffnet Di–So 9–17 Uhr, Mo geschlossen.

In dem von *Schinkel* 1824 erbauten **Neuen Pavillon** am östlichen Ende der Gartenterrasse ist ein Museum der Schinkelzeit eingerichtet (Malerei des frühen 19. Jh., Skulptur, besonders hervorzuheben die Gemälde von Caspar David Friedrich, Kunstgewerbe). Der Pavillon ist einer Villa in Neapel nachgebildet, in der der König 1822 gewohnt hatte. Friedrich Wilhelm II. wohnte hier während des Sommers.

Teile des Schlosses und einige zum Schloßgebiet gehörende Gebäude haben einzelne Abteilungen der Staatlichen Museen/Stiftung Preußischer Kulturbesitz aufgenommen.

Das 1829 begründete **Museum für Vor- und Frühgeschichte,** früher in der Stresemannstraße, birgt reichhaltige Sammlungen aus der Geschichte der Menschheit mit Funden aus der Stein-, Bronze-, Eisen-, Völkerwanderungs-, Slawen- und Askanierzeit.

Antikenabteilung, in einem der westlich dem Schloß gegenüberliegenden, von *Stüler* 1850 errichteten spätklassizistischen Cavaliersbauten, die einst die Gardes-du-Corps-Kürassiere bewohnten, enthält kostbare griechische Vasen, griechische Kleinplastik und eine reiche Sammlung antiken Goldschmucks. In dem anderen Cavaliersbau fand die **Ägyptische Abteilung** seit 1966 eine neue Unterkunft. Hier sind die Funde aus *El Amarna* ausgestellt, mit der berühmten Kalkstein-Porträtbüste der ägyptischen *Königin Nofretete,* 48 cm hohes bemaltes Bildwerk aus der 18. Dynastie (1377–1358 v. Chr.) des Neuen Reiches. Nofretete war die Gemahlin des 1375–1358 v. Chr. regierenden ägyptischen Sonnenkönigs Echnaton (Amenophis IV.) und Schwiegermutter Tut-ench-Amons.
U 1 Sophie-Charlotte-Platz, U 7 Richard-Wagner-Platz, Bus 9, 21, 54, 62.

Register